AMOK
EDICIONES

El don de la lluvia

Tan Twan Eng

El don de la lluvia
Título original: *The Gift of Rain*

AMOK Ediciones
C/Salustiano Olózaga 18, 4ºD
28001 – Madrid – España
comunicacion@amokediciones.es

Primera edición en España, octubre de 2022

Alicia Escamilla, por la edición de mesa
Ángel Presencio Nagore, por la ilustración
Natalia Martínez, por la maquetación

Dirección creativa y de arte de la colección:
Madre, Espacio de Contenidos Creativos.
www.madrenohaymasqueuna.com
Diseño gráfico de este título:
Milos Kalvin para TheWhiteRoomLab

ISBN: 978-84-19211-06-4
Depósito legal: M-17145-2022
Impreso por Leitzaran Grafikak
Impreso en España – Printed in Spain

A mis padres,

En vir Regter *AJ Buys wat my geleer het hoe om te lewe.*

Me alejo. Lenta pero inexorablemente. Al igual que en una travesía el marino ve desaparecer la costa donde ha soltado amarras, siento cómo mi pasado se difumina. Mi antigua vida pervive aún en mí, pero se reduce cada vez más a las cenizas del recuerdo.

JEAN-DOMINIQUE BAUBY

La escafandra y la mariposa

LIBRO PRIMERO

Capítulo uno

Una vez, una vieja adivina que vivía en un templo aún más viejo me dijo que había nacido con el don de la lluvia.

Aquellos eran tiempos en los que no creía en videntes, en los que el mundo aún no estaba lleno de maravilla y misterio. Ya no recuerdo el aspecto de aquella mujer que me leyó la cara y que tocó las líneas de las palmas de mis manos. Dijo lo que había venido a decir a este mundo a los destinatarios de sus profecías y, luego, como todos nosotros, se marchó.

Sé que sus palabras albergaban cierto grado de verdad, pues en mi juventud siempre parecía estar lloviendo. Había días con cielos despejados y un sol de justicia, pero la impresión que me queda ahora es de una lluvia que caía de un banco de nubes bajas y que emborronaba el paisaje convirtiéndolo en el dibujo de un pincel chino. A veces llovía tan a menudo que me preguntaba por qué los colores que me rodeaban nunca perdían intensidad, nunca desteñían y dejaban el mundo lleno de tonos mohosos.

El día que conocí a Michiko Murakami, una delicada lluvia también había aguado el mundo. Llevaba cayendo toda la semana y sabía que vendría más con la llegada del monzón. En Penang ya habían empezado a inundarse las carreteras de siempre y el mar se había vuelto de un gris plomizo.

Aquella tarde, la lluvia se había transformado momentáneamente en una neblina casi indetectable, como preparándose para su llegada.

La luz se iba atenuando y el aroma a hierba mojada se entretejía en el aire con el perfume de las flores, creando un intrincado tapiz de fragancias. Yo estaba en la terraza, tan solo como lo había estado durante tantos años, a punto de quedarme dormido, soñando con otra vida. El timbre de la puerta resonó por toda la casa, indeciso, poco familiarizado con un lugar en el que muy pocas veces se escuchaba, como un gato que tanteara con una pata cautelosa un sendero por el que no anda muy a menudo.

Me desperté; me pareció oír, como a lo lejos, otro timbrazo, y me quedé recostado en el sillón, confundido. Durante unos instantes me embargó una profunda sensación de aturdimiento. Acto seguido, me incorporé y las gafas, que reposaban sobre el pecho, cayeron al suelo. Las cogí despacio, las limpié con la camisa y descubrí bajo la silla la carta que había estado leyendo. Era una invitación de la Sociedad Histórica de Penang para acudir a la celebración del cincuenta aniversario del final de la Segunda Guerra Mundial. Nunca había asistido a ninguno de los actos que organizaba la sociedad, pero las invitaciones seguían llegándome con regularidad. La doblé y me levanté para ver quién era.

O se trataba de una mujer paciente o estaba muy segura de que me encontraba en casa. Solo había llamado una vez. Recorrí los pasillos ya en penumbra y abrí las pesadas puertas de roble. Supuse que tendría unos setenta años, no era mucho mayor que yo. Seguía conservando su belleza; llevaba ropa sencilla, como solo puede serlo la muy cara, y el pelo suave y fino, recogido en un moño. Traía una maletita y una caja de madera, larga y estrecha, que tenía apoyada en la pierna.

—¿Sí?

Me dijo su nombre, con una expectación que parecía sugerir que yo la esperaba. Sin embargo, me costó unos segundos encontrarlo en la vastedad de mi memoria.

Solo lo había oído una vez antes, pronunciado por una voz melancólica en un tiempo lejano. Intenté pensar en una razón para decirle que se fuera, pero no encontré ninguna aceptable, pues en aquel preciso instante sentí que aquella mujer había sido puesta en un camino que conducía a la puerta de mi casa. Estreché la mano enguantada que me tendió. Dada su escasa carne y sus huesos finos y prominentes, me pareció un pajarillo, un gorrión con las alas plegadas.

Asentí, le dediqué una sonrisa triste y la conduje por la casa, parándome a encender las luces a medida que recorríamos las estancias. Las nubes habían hecho que anocheciera pronto y los criados ya se habían marchado. Los suelos de mármol estaban fríos y absorbían el helor del aire, pero no el eco de nuestros pasos.

Salimos a la terraza y nos dirigimos al jardín. Dejamos atrás una colección de estatuas de mármol. Los miembros rotos de unas cuantas de ellas descansaban en el césped, donde el moho les carcomía la luminosidad como si estuvieran aquejadas de una enfermedad de la piel incurable. Me siguió en silencio y nos paramos bajo una casuarina que había crecido al borde del pequeño acantilado que daba al mar. El árbol, tan viejo como yo, nudoso y cansado, nos proporcionó poco cobijo, pues el viento sacudía sus hojas y nos salpicaba la cara de gotas de agua.

—Está enterrado allí —dije, señalando la isla. A pesar de estar a menos de kilómetro y medio de la orilla, parecía un manchurrón difuso y gris en el mar, casi invisible a través del ligero velo de lluvia. La cortesía hacia un huésped, por muy perturbadora que fuese su presencia, me obligó a plantearle la pregunta—: ¿Se quedará a cenar?

Ella asintió. Entonces, con un rápido movimiento que desafiaba su edad, se arrodilló en la tierra mojada y apoyó la cabeza en la hierba. La dejé allí, haciéndole una reverencia a la tumba de su amigo. Por el momento, ambos sabíamos que el silencio era suficiente. Las palabras vendrían más adelante.

Me sentí raro al cocinar para dos y tuve que recordarme que debía doblar la cantidad de ingredientes. Como siempre que cocino, dejé una estela de tarros de especias abiertos, verduras a medio cortar, cazos, cucharas y varios platos llenos de salsa y aceite. Maria, mi sirvienta, siempre se queja del desbarajuste que armo. También me da la lata para que renueve los utensilios de cocina, la mayoría de los cuales son de fabricación británica anterior a la guerra y siguen ahí, si bien bastante ruidosos y renqueantes, como los viejos ingenieros de minas y los colonos ingleses que se sientan a diario en el bar del Club de Natación de Penang y se amodorran después del almuerzo.

Eché un vistazo al jardín por los ventanales de la cocina. Ahora estaba de pie bajo el árbol, completamente inmóvil mientras el viento sacudía las ramas y la salpicaba de gotas brillantes. La espalda conservaba su rectitud y los hombros estaban nivelados, sin la desconsolada caída que produce la edad. La suavidad de su piel contrastaba con las arrugas de su cara, dándole el aspecto de mujer resuelta.

Me la encontré en la sala de estar cuando salí de la cocina. La habitación, a la que nunca le había hecho ningún cambio, estaba revestida de madera, y el techo y las cornisas de escayola quedaban allá en lo alto, sumidos en la oscuridad. Unas estatuas de mármol negro que representaban a héroes de la mitología romana sostenían antorchas que solo iluminaban sutilmente los rincones. Los sillones, de pesada teca birmana tapizados en piel agrietada, estaban deformes por el peso de generaciones que se habían sentado en ellos. Mi bisabuelo los había mandado fabricar en Mandalay cuando construyó Istana. Había un pequeño piano de cola Shumann en un rincón. Siempre lo he mantenido perfectamente afinado, aunque no lo haya tocado en muchos años.

La mujer se puso a examinar una pared llena de fotografías con la esperanza, quizá, de encontrar la cara de Endo-san entre ellas. Se llevaría una decepción. Nunca llegué a tener una fotografía suya. De entre todas las que hicimos, nunca hubo ninguna ni de él solo, ni de los dos juntos. Su cara estaba grabada en mi memoria.

Señaló una.

—¿El *dojo* Aikaki Hombu?

Seguí su dedo con la mirada.

—Sí —contesté.

La fotografía había sido tomada en la Sede Mundial de Aikido, en el distrito Shinjuku de Tokio, y en ella aparecía con Morihei Ueshiba, el fundador del aikido. Iba vestido con un *gi* de algodón blanco (el uniforme de entrenamiento) y unos *hakama*, los pantalones tradicionales negros que llevan los japoneses, y miraba fijamente el objetivo de la cámara, con el pelo aún negro. Al lado de mi metro ochenta, *O'Sensei*, el Gran Maestro, como le llamábamos, parecía diminuto, infantil y decepcionantemente vulnerable.

—¿Todavía das clases?

Negué con la cabeza.

—Ya no —contesté en japonés.

Mencionó los nombres de algunas de las personas a las que conocía, todos maestros expertos de alto rango. Yo asentí al reconocer cada nombre y, durante un rato, estuvimos charlando sobre ellos. Algunos habían muerto; otros, como yo, se habían jubilado. Y otros, a pesar de tener ochenta y muchos, continuaban entrenando fielmente como habían hecho durante casi toda la vida.

Entonces señaló otra foto.

—Ese debe de ser tu padre —dijo—. Tienes su misma cara.

Nuestro chófer había sacado aquella instantánea monocroma de mi familia justo antes de la guerra. Estábamos de pie delante del pórtico, y la luz del sol y del mar volvía los ojos azules de mi padre aún más pálidos, y sus dientes, más brillantes. Su pelo blanco, peinado con sumo cuidado, parecía parte del resplandor del cielo raso.

—Era muy apuesto —comentó.

Los demás lo rodeábamos: Edward, William e Isabel, de su primer matrimonio, y yo, del segundo, y cada uno de nosotros había heredado sus facciones en cierta medida. Había una cualidad intemporal en nuestras sonrisas, como si fuésemos a estar siempre juntos, riendo y amando la vida. Recuerdo aquel día a la perfección, a pesar del paso fugaz de los años. Fue uno de los raros momentos en los que sentí que formaba parte de mi familia.

—¿Tu hermana? —me preguntó, señalando otra fotografía. Asentí y miré a Isabel en el balcón de su habitación, con el rifle en ristre y la boca apretada por la determinación, mientras las luces de abajo parecían elevarla. Casi podía sentir la suave brisa que ondulaba su falda.

—Se la hicieron en la última fiesta que dimos —respondí—, antes de que la guerra lo echara todo a perder.

La lluvia había parado y le sugerí a Michiko que cenásemos en la terraza. Ella insistió en ayudarme a poner la mesa y yo enrollé el toldo para descubrir el cielo. Nos sentamos bajo un parche de estrellas, semillas titilantes en un surco abierto entre las nubes.

Ella mostraba buen apetito, a pesar de la simplicidad de la comida que había preparado. También era amena; parecía casi como si nos conociésemos de toda la vida. Dio un sorbo al té que le había servido, pareció sorprenderse y se llevó la taza a la nariz. Me la quedé mirando con atención, preguntándome si sería capaz de pasar mi prueba.

—Fragancia a árbol solitario —dijo al fin, identificando sin dudar la infusión que había importado especialmente desde Japón—. Recolectado en las plantaciones de té cercanas a mi casa. Después de la guerra era imposible conseguirlo porque habían destrozado los cultivos en terrazas.

Al final de la cena, alzó su copa de vino y le dedicó un elegante gesto a la isla.

—Por Endo-san —dijo en voz baja.

Yo asentí.

—Por Endo-san.

—Escucha —añadió—. ¿Lo oyes?

Cerré los ojos y sí, lo oí. Lo oí respirar. Sonreí con tristeza.

—Siempre está aquí, Michiko. Esa es la razón por la que, allá donde voy, siempre ansío volver.

Ella tomó mi mano entre las suyas y de nuevo sentí su fragilidad de pajarillo. Cuando volvió a hablar, su voz sonó apenada.

—Pobre amigo mío. Cuánto has sufrido.

Retiré mi mano con delicadeza.

—Todos sufrimos, Michiko. Y Endo-san, el que más.

Nos quedamos sentados en silencio. El mar suspiraba cada vez que una ola chocaba contra la orilla, como un corredor de fondo en la línea de meta. Siempre he sentido una enorme afinidad con el mar por la noche. Es espléndido durante el día, con sus olas vigorosas y atronadoras que azotan la playa, impulsadas por la fuerza del océano que tienen detrás. Sin embargo, cuando cae la noche, esa fuerza se aplaca y las olas ruedan hasta la orilla con la indiferencia de un monje que desenrolla un pergamino.

Entonces, con voz queda, empezó a contarme su vida. Hablaba una mezcla rápida y natural de japonés e inglés, entrelazando ambas lenguas cual hilos de colores para tejer su historia.

—Las blancas prendas de luto que visto son nuevas para mí. Mi marido, Murakami Ozawa, se fue a comienzos de este año.

—Lo siento mucho —dije, no muy seguro de adónde me estaba conduciendo.

—Llevaba casada con Ozawa cincuenta y cinco años. Era dueño de una empresa de electrónica, una muy conocida. Su muerte dejó mi mundo y mi vida entera súbitamente sin sentido. Me quedé a la deriva y me encerré en mi casa de Tokio, sin querer saber nada del mundo. Me pasaba los días en los espaciosos jardines, caminando descalza por las zonas de guijarros, estropeando los círculos perfectos creados por Seki, nuestro jardinero. Él nunca se quejaba, simplemente volvía a componer los dibujos, día tras día —me relató con la mirada perdida.

No encontraba las fuerzas que la sacaran de su pena, me contó. En el mundo exterior, los miembros de la junta directiva de la compañía estaban desesperados, pues su marido le había legado la mayoría de las acciones y ella, que no quería saber nada del asunto, no contestaba a sus llamadas. Los sirvientes perturbaban el silencio de la casa con susurros temerosos.

Pero el mundo se entrometió.

—Recibí una carta de Endo-san —continuó, y el movimiento que hizo al apartar la vista, como si la hubiese distraído la luz trémula del rocío en la hierba, fue tan espontáneo que cualquiera lo habría considerado natural.

Le estaba agradecido por su amabilidad, aunque logré asimilar su noticia con mayor ecuanimidad de la que ella esperaba.

—¿Cuándo la envió? —le pregunté.

—Hace más de cincuenta años, en la primavera de 1945 —respondió, dedicándome una sonrisa—. Regresó del pasado como un fantasma. ¿Te imaginas su viaje? Me escribía sobre su vida aquí y también sobre ti.

Dejé que llenara nuestras copas. Había visitado Japón en suficientes ocasiones como para saber que se sentiría insultada si era yo quien las servía.

—Te contaré cómo nos conocimos —añadió al rato, como si hubiese estado meditando aquella decisión durante un tiempo.

»Endo-san trabajaba para su padre, que poseía un próspero negocio. De hecho, él ya estaba a cargo de la empresa y viajaba a Hong Kong y por toda China. Pasaba las noches dando clases en la escuela de *aikijutsu* de nuestro pueblo. Yo, como hija de samurái, se suponía que debía ser hábil con la espada y en el combate sin armas, el *bujutsu*, por encima de las demás artes. Al contrario que mis hermanas, yo disfrutaba del *bujutsu* más que de las clases de música o de arreglo floral.

»En aquellos tiempos, el *aikijutsu* no era más que un arte incipiente; aún no se había convertido en el aikido que conocemos hoy día. A mi padre no le impresionaba, pero, en cuanto vi una clase y los movimientos, supe que había encontrado algo precioso. Creo que sabes cómo me sentí: fue como si mi corazón, que había permanecido en las sombras, se hubiese girado para vislumbrar el calor y la luz del sol.

Soltó una delicada carcajada.

—Pronto empecé a valorar el tiempo que pasaba con Endo-san. Mis amigas del colegio se burlaban sin compasión de mis sentimientos hacia él, pero yo no podía evitar soñar y envolverme en nubes de fantasía.

»Como primogénito de la familia, se esperaba que algún día asumiera el control de la empresa de su padre. Viajaba muy a menudo al extranjero. A la vuelta, me traía regalos de China, de Siam, de las islas Filipinas e incluso una vez, una pañoleta de las montañas del norte de la India.

»Comenzamos a vernos con frecuencia. Solíamos dar largos paseos por la playa y contemplar el santuario de Miyajima Torii y, de vez en cuando, quedábamos en el cenador del parque a tomar té y a darles de comer a los patos y a las obedientes hileras de patitos del lago. Creo que aquellos fueron los días más felices que puedo recordar.

»Mi enamoramiento inicial fue madurando hasta convertirse en algo más profundo y permanente. Mi padre, que era juez, no aprobaba nuestra amistad. Endo-san era, por supuesto, mucho mayor que yo, y su familia, aunque de origen samurái, se había visto relegada al estatus de comerciantes, una posición muy baja en nuestro orden social, como bien sabes. Su padre había decidido convertir las numerosas granjas y propiedades de la familia en compañías comerciales. Eran ricos, pero la aristocracia no los aceptaba.

Me incliné hacia delante, pues no quería perderme nada. Endo-san solo me había dado una somera descripción de su juventud y nunca había revelado del todo sus orígenes. Durante los años que viví en Japón, intenté hacer mis propias averiguaciones, aunque sin mucho éxito, ya que todos los registros documentales habían sido destruidos. Pero ahora, la oportunidad de oír la historia de los labios de una persona que había estado allí, volvió a despertar mi curiosidad.

Ella reparó en mi interés y continuó.

—El hecho de que el padre de Endo-san fuese un oficial de la corte caído en desgracia era la comidilla del pueblo, pero a mí no me importaba. En realidad, mis sentimientos hacia él se reforzaron y a veces dediqué palabras muy groseras a los detractores de su familia.

»Mi padre creyó que pasaba demasiado tiempo con Endo-san y me prohibió verlo. —Negó con la cabeza—. Qué hijos más obedientes éramos. Ni se me hubiese ocurrido desobedecer las órdenes de mi padre. Lloraba cada noche, pues fueron unos momentos muy duros para mí.

»También fueron unos momentos muy duros para Japón. Para sobrevivir, nos convertimos en una nación militarizada; tú eres un erudito en Japón, así que sabes de lo que hablo. Oh, aquellos interminables cánticos y proclamas bélicas, enfrentamientos violentos entre militaristas y pacifistas en las calles, marchas y manifestaciones aterradoras… odiaba todo aquello. Lo sigo oyendo todo incluso en mis sueños más profundos.

»El padre de Endo-san no estaba de acuerdo con el Ejército y expresaba abiertamente sus opiniones. Esto fue considerado un acto contra el emperador, un delito de traición. Lo metieron en la cárcel y condenaron a su familia al ostracismo. Los ideales de Endo-san reflejaban los de su padre, si bien él era más cauto al revelarlos en público. Aun así, atentaron contra su vida en varias ocasiones, aunque él no cambió su forma de pensar. Creo que esto, en parte, se debió a su *sensei*.

Asentí. Endo-san había sido alumno de *O'Sensei* Ueshiba, un reputado pacifista que, paradójicamente, fue uno de los mayores exponentes japoneses de las artes marciales de todos los tiempos. Recuerdo la primera vez que vi a *O'Sensei*. Entonces, el hombre tenía casi setenta años y estaba enfermo, a pocos meses de morir. Con todo, me zarandeó por las esterillas de entrenamiento hasta dejarme sin aliento, mareado por las caídas y con las articulaciones doloridas donde me había hecho las llaves.

Michiko se echó a reír al oír esto.

—A mí también me sacudió como a una muñeca de trapo.

Entonces se levantó y se adentró en la noche. Luego volvió y continuó:

—Un día, unos meses más tarde y después de que Endo-san hubiese pasado fuera unas semanas, volví a verlo. Regresaba a casa del mercado cuando se me acercó por detrás y me dijo que me reuniera con él en la playa, donde tantas tardes habíamos pasado sentados. Me fui a casa, le dije a mi madre que se me había olvidado algo y fui corriendo a la playa.

»Lo vi yo a él primero. Estaba frente al mar. Parecía como si el sol hubiese transferido su color al agua, a su cara y a sus ojos. Cuando lo alcancé, me anunció que se iba de Japón durante unos años.

«¿Adónde vas a ir?», le pregunté.

«Aún no lo sé. Quiero ver mundo y encontrar respuestas», me contestó.

«¿Respuestas a qué?», quise saber.

»Él negó con la cabeza. A continuación me confesó que llevaba un tiempo teniendo sueños extraños, sueños sobre otras vidas, otros países. No quiso contarme más.

»Le aseguré que lo esperaría, pero él me dijo que no, que debía vivir la vida que ya estaba escrita para mí, pues rebelarse contra eso era una imprudencia. Nuestro destino no era estar juntos. Mi futuro no estaba a su lado.

»Me enfadé mucho al oírlo hablar así. Le dije que era un *baka*, un idiota. Y ya sabes, él se limitó a sonreír y a darme la razón.

»Esa fue la última vez que lo vi. Más tarde me enteré de que el gobierno lo había destinado a algún lugar de Asia, a un país del que jamás había oído hablar: Malaya. Era muy desconcertante, pensé entonces, que un hombre tan opuesto a la agresiva política militarista de Japón hubiese aceptado trabajar para el gobierno.

»Pero, como he dicho, no volví a verlo más, ni cuando regresó para una corta visita. No podía, por más que lo ansiara. Mi padre había concertado mi matrimonio y me estaban enseñando a cuidar de mi futuro marido y a hacerme cargo de su casa. Ozawa, como Endo-san, se dedicaba a llevar el negocio familiar, que consistía en fabricar equipos electrónicos para la guerra.

Hizo una pausa y, en su cara, translúcida por el recuerdo, vi a la muchacha que una vez fue, y sentí una vaga tristeza por Endo-san, por lo que había apartado de su lado.

—Nunca he dejado de pensar en él —añadió.

Eché la silla hacia atrás. Me sentía cansado por la conversación y trastornado por las emociones que su llegada había despertado en mí.

—¿Puedo pasar aquí la noche? —me preguntó.

Yo era reacio a permitir que otras personas perturbaran la rutina de mi vida, que con tanto mimo había construido con el paso de los años. Siempre había disfrutado de mi propia compañía, y las pocas personas que habían intentado abrir una brecha en esa fortaleza siempre habían resultado malheridas. Desvié la mirada hacia el mar; Endo-san no me daba ningún consejo, pero eso nunca me había impedido pedírselo. Era tarde y el servicio de taxis de Penang dejaba mucho que desear. Al final, accedí.

Ella se dio cuenta de mi reticencia.

—Siento causarte tantas molestias —me dijo.

Le hice un gesto con la mano para restarle importancia y me levanté, haciendo una mueca de dolor provocado por mis anquilosadas articulaciones, que produjeron sus crujidos y chasquidos de siempre, síntomas de la edad y de la falta de entrenamiento. Viejos achaques que insistían en enviar sus mensajes de desgaste y dolor, instándome a rendirme, a lo cual siempre me negaba.

Empecé a quitar la mesa, apilando los platos en pequeños montones.

—¿No conservas ninguna fotografía suya? —me preguntó mientras me ayudaba a llevarlos a la cocina.

Vi una levísima expresión de esperanza en sus ojos, como el débil destello de una estrella lejana, y negué con la cabeza.

—No. Nunca nos hicimos ninguna —le contesté, viendo cómo el destello se hundía en el océano.

Ella asintió.

—Ni yo. En nuestro pueblo no había cámaras cuando él se fue de Japón. La verdad es que resulta muy irónico: ahora la empresa de mi marido fabrica algunas de las cámaras más populares del mundo.

La acompañé a la planta de arriba, a una de las mejores habitaciones de invitados. Había sido la de Isabel. Después de la guerra, mandé redecorar los dormitorios con la intención de empezar de cero, y a veces me pregunto si mereció la pena. Sigo viendo las habitaciones tal y como eran, las oigo tal y como sonaban antes y me huelen del mismo modo que hace cincuenta años. Una vez alguien me preguntó si Istana estaba encantada y yo le respondí: «¡Claro que sí, por supuesto!». No es de extrañar que reciba tan pocas visitas.

Se detuvo en el rellano que hay a mitad de la escalera y clavó la vista en una especie de agujero deforme de la pared.

—Isabel, mi hermana. Aquí le disparó a alguien —le expliqué. Nunca había querido que taparan la marca.

En la puerta de la habitación le hice una reverencia y ella me devolvió otra aún más pronunciada. La dejé y recorrí la casa despacio, cerrando puertas y ventanas y apagando las luces una por una. Luego me dirigí al balcón de mi cuarto. Era la misma habitación que había tenido desde que nací. Tuve la sensación de que el tiempo se estiraba hacia el pasado, de que se curvaba más allá de donde alcanzaba la vista, como la orilla de una inmensa bahía. ¿Cuánta gente en este mundo puede decir que conserva la misma habitación en la que nació y, en mi caso, en la que probablemente moriré?

El viento de altura había barrido las nubes del cielo. Se había quedado una noche fría y despejada, y las sucesivas capas de estrellas sobre mi cabeza añadían una profundidad inmensurable a la oscuridad. Pensé en la carta que Michiko había recibido de Endo-san. ¡Cincuenta años! Debió de escribirla cuatro años después de que los japoneses invadieran Malaya, hacia el final de la guerra. Las condiciones caóticas de los países implicados en el conflicto, la paranoia, los mares constantemente patrullados por barcos y aviones… Todas aquellas circunstancias podrían haber contribuido a que la carta se perdiese. Cincuenta años inimaginables se extendían como un gran trozo de tela deshilachado y blanqueado por el sol que ondeara al viento. ¿Tantos años habían pasado?

A veces parecía que habían pasado incluso más.

Bajo la arcaica luz de un millar de estrellas, distinguí la isla de Endo-san, dormida entre el arrullo de las olas. Había rechazado todas las ofertas de compra de aquel pedazo de tierra que me habían hecho y la había mantenido limpia y como siempre había estado, con su casita de madera bajo los árboles, el claro donde solíamos entrenar, la playa donde mi barca siempre encallaba.

Recuerdos…, eso es lo que les queda a los viejos. Los jóvenes tienen esperanzas y sueños, mientras que los viejos se aferran a los restos de su memoria y se preguntan qué ha sido de sus vidas. Aquella noche repasé mi vida con detenimiento, desde mi imprudente juventud, pasando por los dolorosos y trágicos años de la guerra, hasta las solitarias décadas que siguieron. Sí, podía decir que había exprimido mi vida, si no al máximo, al menos casi hasta la última gota. ¿Qué más se podía pedir? Rara es la persona que vive tan intensamente. Yo he vivido, he viajado por el mundo y ahora, como un viejo reloj, mi vida se ralentiza, sus manecillas se mueven más despacio y se salen del flujo del tiempo. Si uno sale del cauce del tiempo, ¿qué le queda? El pasado, claro está, que los años desgastan poco a poco, al igual que una corriente de agua erosiona un guijarro detenido en el lecho de un río.

Un haz de luz procedente del faro en la lejana Moonlight Bay iluminó la noche. Ahí venía una vez, y otra, y otra. Cuando era pequeño, mi padre, en uno de aquellos raros momentos en que no estaba demasiado ocupado con el trabajo, nos contó la historia del faro a Isabel y a mí. Recordaba hasta el nombre del hombre que lo guardaba por aquel entonces: el señor Deepak, cuya mujer se arrojó a las rocas cuando descubrió que su marido le había sido infiel. El señor Deepak llevaba muerto muchos años ya y, sin embargo, el faro permanecía vivo, como un centinela del mar solitario que continuara cumpliendo su arcaico deber incluso en aquellos tiempos modernos.

Volví a la habitación e intenté dormir. Aquella noche, como siempre, pedí soñar con Endo-san.

A la mañana siguiente, a diferencia de cualquier otra mañana de los últimos cinco años, decidí ponerme a entrenar. Encontré mi *gi*, que Maria había planchado con esmero, en el armario. Era mi prenda favorita, y un ligero vestigio de sudor, que los sucesivos lavados nunca llegarían a eliminar del todo, me vino a la nariz a medida que lo desdoblaba.

Cuando empecé a dar clases, convertí dos de las habitaciones de la planta baja de Istana en un *dojo*, un Lugar del Camino. El suelo estaba revestido de pino japonés, pulido hasta conseguir el brillo perfecto, y cubierto después con gruesas esterillas de entrenamiento. Cada día se colocaban lirios frescos en un pequeño jarrón en el *tokonama*, el santuario situado en una hornacina que también albergaba el retrato de *O'Sensei* Ueshiba. Había un testero de espejos frente a una alta cristalera que daba a los jardines y, más allá, al mar.

Había limitado mis clases a diez estudiantes, a los que había visto obtener los máximos galardones y luego abrir sus propias escuelas. Habíamos ido a diversos seminarios y convenciones por todo el mundo, haciendo exhibiciones, dando clases y aprendiendo de otros maestros. Mis antiguos alumnos me llamaban de vez en cuando e intentaban incitarme para que volviese a aquel mundo. Sin embargo, yo me negaba y les decía que me había retirado del Río y del Lago, haciendo mía la frase cantonesa *«toi chut kong woo»*, utilizada para describir a los guerreros que habían abandonado voluntariamente el mundo de la violencia para buscar la paz.

Sentado en la posición *seiza*, con las nalgas apoyadas en los talones, empecé a meditar. Volvió a mí despacio mientras sentía cómo el sol de la mañana me calentaba la cara. Después de veinte minutos, cogí mi *bokken*, lo levanté en horizontal con ambas manos e hice una reverencia a *O'Sensei*. Luego le dediqué otra a la espada de madera y practiqué mis cortes. El *bokken* se utiliza en los entrenamientos cuando una catana real resulta poco práctica y peligrosa. Eso no significa que no sea un arma eficaz. De hecho, algunos de los virtuosos de la espada que he conocido lo prefieren a su equivalente en metal, y Miyamoto Musashi, el Santo de la Espada de Japón, era muy conocido por ir a los duelos armado únicamente con dos espadas de madera, con las que se enfrentaba a una catana en toda regla.

Mi *bokken* era de poco más de un metro de largo y lo había fabricado un artesano de Shikoku famoso por sus habilidades con el cedro. Solía practicar cinco mil cortes al día por la zona superior y los laterales de la cabeza del oponente, sesgando la parte superior del cuerpo, dividiéndolo en dos, desde el hombro izquierdo hasta la cadera derecha, moviendo los brazos sin pensar, cortando con tanta precisión que no se oía ni un susurro cuando la madera hendía el aire. Aquella mañana en particular perdí la cuenta cuando llegué a los dos mil, pero mi cuerpo lo sabía y me entregué a él, sin ver nada, pero al tanto de todo. La luz llenaba mi vista; la luminosidad inundaba mi ser y encarnaba el principio que había absorbido en mi interior:

«Calma en movimiento,
Movimiento en calma».

Cuando terminé, me encontré a Michiko enfrente con el uniforme de entrenamiento. Coloqué la espada delante de mí y le hice una reverencia antes de ponerla de nuevo en su soporte de madera. Comenzamos a practicar el uno con el otro sin mediar palabra, utilizando solo las manos. Debido a mi superioridad de rango, insistí en ser el *nage*, la persona que defiende y proyecta. Ella, como *uke* atacante, debía confiar en que no iba a herirla ni a usar una fuerza excesiva. Endo-san solía decirme que la confianza en una pareja de compañeros que entrena era el fundamento de la práctica del aikido ya que, sin ella, el *uke* se mostraría reticente a la hora de crear el ataque necesario para perfeccionar las técnicas.

Era extremadamente competente y sus caídas *ukemi*, amortiguadas y elegantes. Sus manos nunca parecían chocar contra las esterillas al absorber la fuerza de mis proyecciones, sino acariciarlas con suavidad, como una hoja que se desprende y, al llegar al suelo, vuelve a elevarse, con delicadeza, al más leve golpe de brisa. No se acercaba a mi nivel, pero, de todas formas, pocas personas lo hacen. Me había enseñado un maestro y había adquirido experiencia al hacer uso práctico de mis habilidades. A cambio, me había convertido en un *Shihan*, un maestro de maestros. ¿No es así como funciona el mundo?

Ella esperaba que intercambiásemos los papeles y le permitiese ser el *nage*, como era la costumbre, pero yo me negué y no protestó. Para cuando terminamos, ambos estábamos empapados en sudor, teníamos la respiración acelerada y los corazones martilleaban desbocados mientras intentábamos ejercer algún control sobre ellos.

—Eres tan bueno como dice la gente —comentó, secándose la cara con una toalla.

Negué con la cabeza.

—Antes era mejor.

La larga inactividad había mermado mi agudeza. Sin embargo, ¿para qué necesitaba ya aquellas habilidades? A los setenta y dos años, ¿quién iba a enfrentarse a mí?

Ella leyó mis pensamientos.

—Tu mente sigue siendo muy fuerte —dijo—. Para eso es para lo que sirve el entrenamiento.

Con la luz de la mañana, me percaté de lo delgada que estaba, pero me abstuve de preguntarle por su salud. El aikido faculta a una persona para ver y sentir más allá de la apariencia y, por el contacto físico del entrenamiento, había sentido que no estaba bien.

Tomamos un desayuno frugal de gachas de avena y *dumplings* en la terraza, bajo un enramado de plantas de judía. Maria salió con una bandeja de té Boh.

—Maria, esta es la señora Michiko. Se va a quedar un tiempo con nosotros.

Michiko enarcó una ceja.

—¿Seguro que no prefieres quedarte en un hotel? —le pregunté cuando Maria empezó a protestar por el desorden de la cocina; yo le hice un gesto para se fuera—. Quédate. Ve a tu hotel y trae el resto de tus cosas —continué, disfrutando de su cara de sorpresa, consciente de que la había descolocado al anticiparme a sus intenciones.

Quería saber más cosas sobre su juventud, sobre la vida que había llevado con Endo-san. Estaba resultando una buena compañía. Hacía bastante tiempo que no hablaba tan sinceramente con otra persona.

—Eres más que bienvenida a quedarte unos días —dije—. Sin embargo, debo preguntarte algo: ¿qué es lo que quieres realmente de mí?

—¿Me llevarás a su casa? ¿A la pequeña isla sobre la que escribió? —me preguntó.

Había esperado y temido esa petición. Me eché hacia atrás en la silla de mimbre. Ya empezaba a hacer calor. Al contrario que el día anterior, no había el menor rastro de nubes en el cielo.

—No —dije por fin—. No puedo hacerlo.

No iba a permitir que nadie más entrara en aquella parcela de mi vida que había compartido con Endo-san.

—Entonces, me gustaría saber lo que le ocurrió a Endo-san —prosiguió, aceptando mi negativa con mayor elegancia de la que yo había utilizado para formularla y haciéndose eco así de la calidad de su *ukemi*.

—Está muerto. ¿Por qué quieres remover el pasado? ¿Qué consigues con eso?

—Él no está muerto aquí. —Se dio unos delicados toquecitos en la sien. Se quedó en silencio y luego añadió—: Con la carta llegó algo más.

Entonces entró en la casa y regresó con una caja estrecha. Su presencia me había inquietado desde el momento en que la vi la noche anterior. Debería haber reconocido su forma y sus dimensiones de inmediato, pero el envoltorio me había confundido. En ese instante supe lo que contenía y luché por guardar la compostura.

Ella rompió el embalaje de cartón y colocó la caja encima de la mesa.

—Ábrela.

—Sé lo que es —dije, endureciendo la mirada.

No obstante, alcancé la caja, la abrí y saqué la espada Nagamitsu de Endo-san de su lecho de tela. Lo había visto usarla muchas veces, pero era la primera vez en mi vida que la tocaba. Era un arma sencilla pero, a la vez, elegante, y la vaina laqueada negra que la protegía, tan fría y suave al tacto, era lisa, sin ningún tipo de adorno. Era casi idéntica a la mía, pertenecía a un par que había forjado el renombrado espadero Nagamitsu a finales del siglo XVI.

—Estaba oxidada y en un estado lamentable cuando por fin la recibí. Hice que un espadero jubilado la restaurara. —Negó con la cabeza.— Ya no queda mucha gente que sepa hacerlo. Es una pieza muy rara, quizá la mayor creación de Nagamitsu. El espadero se sintió muy honrado de trabajar en ella. Pasó siete meses puliéndola, engrasándola y limpiándola. Al final, no quiso aceptar ningún dinero.

La cogió de mis manos.

—¿Recuerdas la última vez que viste a Endo-san usándola? —me preguntó.

Aparté la mirada.

—Demasiado bien —susurré, intentando bloquear la inmediata ráfaga de recuerdos, como si la propia espada hubiese hecho un corte profundo en ese dique que yo había construido—. Demasiado bien.

Ella levantó la mirada hasta mí y se tapó la boca con la mano.

—No pretendía hacerte daño. Lo siento de veras.

—Llego tarde a una reunión —dije, levantándome de la mesa. Me asombró descubrir que, a pesar de mis años de entrenamiento, estaba desorientado. Su visita, nuestra conversación, la aparición de la espada de Endo-san… Sentí que todas aquellas emociones me asaltaban a la vez. El hecho de que no fuesen oponentes tangibles a los que pudiera enfrentarme hacía las cosas más difíciles. Me quedé inmóvil un momento, intentando recuperar el equilibrio.

Ella se colocó frente a mí.

—No estoy aquí para hacerte daño. Lo único que quiero es saber.

—Te llevaré al hotel —dije, y entré en la casa, dejándola con la espada en la mano.

Capítulo dos

La llevé en el Daimler negro hasta Georgetown y la dejé en el Hotel Eastern & Oriental de Northam Road. El tráfico de las carreteras era ya intenso y por las calles se veían oficinistas apresurados que abandonaban los puestos de comida ambulante para dirigirse a sus respectivos trabajos, llevando consigo sus desayunos, paquetes de *nasi lemak* (arroz de coco y pasta dulce de anchoa al *curry*) envueltos en hojas de platanera y periódico. Cuando giré hacia Beach Street, unos motociclistas temerarios, la perdición del tráfico de Penang, me adelantaron a toda velocidad. Dejé que el portero sij aparcara el coche y subí a mi despacho.

Hutton e Hijos había ocupado el mismo edificio durante más de un siglo. La empresa había sido fundada por mi bisabuelo, Graham Hutton, aún una leyenda en el Este. No era más que un espejismo de su antiguo esplendor, pero seguía siendo un negocio respetable y lucrativo. Durante la guerra, una bomba había arrancado una de las esquinas del edificio y el tono de la piedra restaurada no casaba del todo con el gris original, por lo que seguía pareciendo un parche de piel nueva sobre una herida. Cuando me senté ante mi escritorio, fui de nuevo consciente de que aquella empresa pertenecía tanto a Endo-san como a mi familia. De no haber sido por su influencia, los japoneses la habrían engullido. ¿Cuántas veces la habría escudado ante ellos? Nunca me lo dijo.

Leí los varios informes, faxes y correos electrónicos que habían llegado durante el fin de semana. La compañía continuaba comercializando los artículos con los que se había fundado: caucho, estaño y productos agrícolas que se cultivaban en Malasia. Éramos dueños de unos cuantos hoteles de renombre, bienes inmuebles de primera categoría, además de tres centros comerciales en Kuala Lumpur. Dirigíamos minas en Australia y Sudáfrica y manteníamos amplios intereses en astilleros de Japón. Gracias a mis conocimientos de la lengua japonesa y a mi cercanía a la cultura de ese país, era una de las pocas personas que había previsto el espectacular auge que experimentaría la economía de Japón después de la guerra, y había sacado provecho de ello. Hutton e Hijos seguía siendo una empresa privada, algo de lo que me sentía orgulloso. Nadie me decía lo que tenía que hacer ni tenía que rendirle cuentas a nadie.

Con todo, mi vida seguía siempre la misma rutina: desayuno en casa, agradable paseo en coche al trabajo por la carretera de la costa, almuerzo donde se me antojaba; luego, vuelta al trabajo en el despacho hasta las cinco de la tarde. A veces, iba a hacer unos largos al Club de Natación de Penang, me tomaba unas copas y regresaba a casa.

Me sentía viejo y esa no era una sensación muy agradable. El mundo sigue girando y los jóvenes y los optimistas ponen rumbo a su futuro. ¿Dónde nos deja eso a nosotros? Se tiene el falso concepto de que, cuando nos hacemos mayores, ya hemos llegado a la meta, y no se acepta de buen grado el hecho de que continuemos viajando hacia nuestro destino, que seguirá estando fuera de nuestro alcance incluso el día en que cerremos los ojos por última vez.

Había dejado de dar clases hacía cinco años y había enviado a mi último alumno con otro profesor. Mis compromisos en el extranjero se habían reducido considerablemente y las peregrinaciones anuales a Japón habían cesado. Además, había tanteado el terreno para vender la empresa y la respuesta había sido favorable. Estaba preparándome para mi viaje final, cortando las ataduras, las amarras, tan dispuesto a zarpar como un marinero que solo espera que sople el viento adecuado.

Me sorprendí ante tanta sensiblería; creí haber enterrado esos sentimientos hacía años. Quizá el encuentro con Michiko, con otra persona que había conocido a Hayato Endo-san, los había hecho resurgir. La inesperada aparición de la catana de Endo-san había evocado unos recuerdos tan vívidos que me costó horrores aplacarlos para ponerme a trabajar.

A la hora del almuerzo, mi mente estaba ya divagando, así que di por terminada la jornada. Informé a la señora Loh, mi secretaria de toda la vida, que me miró como si estuviese aquejado de una repentina enfermedad.

—¿Se encuentra bien? —me preguntó.

—Perfectamente, Adele.

—Pues no lo parece.

—¿Y qué parece entonces?

—Que algo le preocupa. Ya está otra vez pensando en la guerra.

Después de casi cinco décadas, me tenía bien calado.

—Has acertado, Adele —dije con un suspiro—. Estaba pensando en la guerra. Ya solo los viejos la recuerdan. Y, gracias a Dios, uno ya no se puede fiar de sus recuerdos.

—Usted hizo mucho bien y eso es lo que la gente siempre recordará. Los mayores se lo contarán a sus hijos y a sus nietos. Yo misma habría muerto de hambre de no haber sido por usted.

—También sabes que mucha gente murió por mi culpa.

No supo qué responder a eso y yo me marché, dejándola con sus recuerdos.

Al salir me recibió un día soleado. Me detuve en los escalones de la entrada para contemplar las chimeneas de los barcos que sobresalían por encima de los tejados de los edificios. El muelle Weld quedaba cerca. Seguro que a esa hora los almacenes bullían de actividad: los estibadores estarían ocupados descargando mercancías (sacos de grano y de especias y cajas de fruta) y echándoselas a la espalda, desnuda y bruñida, como habían hecho los culis hacía doscientos años; y habría operarios reparando barcos con herramientas de soldadura que despedían chispas de luz blanca, brillantes como estrellas en plena explosión.

De vez en cuando sonaba la sirena de un barco, un sonido que me reconfortaba siempre que estaba en el despacho, pues no había cambiado en los últimos cincuenta años. La fragancia salobre del mar con la marea baja, mezclada con el olor de la neblina que el sol evaporaba de las marismas, llegaba a bocanadas. Había cuervos y gaviotas suspendidos en el cielo como el juguete móvil de un niño sobre su cuna. La luz del sol rebotaba en los edificios: en el banco Standard Chartered, en el de Hong Kong y Shanghái y en el India

House. Un flujo constante de vehículos circulaba alrededor de la torre del reloj que un millonario local había donado para conmemorar los sesenta años en el trono de la reina Victoria, añadiendo más ruido a la escena. Nunca he visto otra luz como la de Penang en ninguna otra parte del mundo: una luz brillante que aporta una nitidez extrema y, al mismo tiempo, cálida e indulgente, que hace que quisieras derretirte en las paredes en las que resplandece, en las hojas a las que da vida. Es el tipo de luz que no solo ilumina lo que los ojos ven, sino lo que el corazón siente.

Este es mi hogar. Aunque sea mitad inglés, Inglaterra nunca me ha llamado. Para mí, esa es una tierra extraña, fría y gris. Y qué decir del tiempo… He vivido en esta isla toda la vida y sé que quiero morir en ella.

Emprendía mi paseo entre la multitud de la hora del almuerzo: jóvenes secretarias que reían con sus novios, oficinistas que charlaban animadamente, estudiantes que llevaban grandes mochilas y se empujaban los unos a los otros de broma, y vendedores ambulantes que tocaban campanillas y anunciaban a voces sus mercancías. Algunas personas me reconocían y me dedicaban una leve sonrisa, si bien vacilante, que yo devolvía. Era casi una institución.

Decidí no marcharme aún a casa. Crucé Farquhar Street y me adentré en los refrescantes y sombreados jardines de la iglesia de Saint George. El viento hacía que los viejos angsanas susurrasen y que las sombras temblaran en la hierba. Me senté en los escalones cubiertos de musgo del pequeño cenador abovedado que había en los jardines de la iglesia, y los sonidos del tráfico se fueron desvaneciendo. Los pájaros cantaban y un cuervo celoso descendió en picado y los interrumpió. Durante un momento, me sentí en paz. Si cerraba los ojos, me imaginaba en cualquier parte del mundo y también en cualquier época. Quizá en Ávalon, antes de que naciera Arturo. De niño, esa había sido una de mis historias favoritas, uno de los pocos mitos ingleses que me gustaba y cuya magia y tragedia me habían parecido casi orientales.

Abrí los ojos a regañadientes. El olvido era un lujo que no me podía permitir. Me levanté y salí del jardín de la iglesia. Empecé a caminar más deprisa, pues debía prepararme para esa noche. Sabía lo que se avecinaba. Sería duro, pero por fin, después de todos aquellos años, le daba la bienvenida. Me di cuenta de que no volvería a contar con una oportunidad semejante. No quedaba tiempo. Al menos, no en esa vida.

Ella ya se encontraba en Istana cuando volví del club, tumbada en una hamaca junto a la piscina, tocada con un gran sombrero panamá. Tenía la vista clavada en la isla de Endo-san y una calma imperturbable flotaba en el aire, como si llevara un buen rato sin moverse. En una mesa a su lado descansaba un libro abierto bocabajo sobre la superficie de cristal, a la espera de que lo volviera a cerrar. La observé desde el interior de la casa. Ella abrió su bolso, sacó un bote de pastillas y se tragó un puñado.

Sentía el efecto de las copas que había tomado. Había encontrado el club abarrotado con los de siempre: letrados indios borrachos y escandalosos que volvían a someter a juicio casos perdidos, y obesos magnates chinos que gritaban a sus corredores de bolsa por teléfono. También había visto a los viejos expatriados británicos de siempre, restos de la guerra que se habían quedado en el país que habían llegado a amar. Al menos ese día no les había dado otra vez por rememorar la guerra conmigo, ni por fustigarme por el papel que había desempeñado en ella.

Le pedí a Maria que nos dejase la cena preparada y fui a darme una ducha. Cuando bajé, los criados ya se habían marchado y estábamos solos. En una bandeja encima de la mesa nos esperaba un filete de pastinaca recién hecho a la parrilla, marinado con chile, lima y especias, servido en un gran trozo de hoja de platanera, lo que atrajo la mirada de Michiko. Maria siempre hacía el mejor *ikan bakar*: era la sangre portuguesa que corría por sus venas, según ella misma decía. Empecé a servir el vino, pero Michiko detuvo mi mano y sacó una robusta botella de un embalaje que crujió al abrirse.

—Sake —dijo.

—Ah. Mucho mejor —contesté, y le pasé dos copitas de porcelana del tamaño de un dedal. Ella calentó el sake en la cocina, lo sirvió con habilidad y nos lo bebimos de un solo trago. El sabor… había olvidado aquel sabor. Negué con la cabeza. Demasiadas bebidas en un día.

Esta vez estábamos mucho más cómodos el uno con el otro, como si nos conociésemos de toda la vida. Me gustaba su risa: era ligera y despreocupada, aunque sin llegar a ser frívola. Al contrario que muchas japonesas que había conocido, no se tapaba la boca al reír, y yo notaba que mis comentarios le resultaban genuinamente graciosos: una mujer que no temía enseñar sus dientes, tanto si se trataba de expresar dicha como furia.

El sake era el maridaje perfecto para la comida, pues suavizaba la salsa picante. El filete estaba tierno y podíamos separar fácilmente la carne de las espinas con los palillos. La hoja de platanera le aportaba un toque vegetal y fresco que absorbía y aligeraba el fuerte adobo. Pusimos el punto final con un postre de pudin de sagú frío en leche de coco, endulzado con azúcar moreno de palma derretido, que pareció disfrutar.

—He traído la carta de Endo-san —dijo al final de la comida.

Detuve la mano con la que me acercaba la copa a los labios.

—Puedes leerla si lo deseas —continuó, fingiendo ignorar mi reticencia.

Di un sorbo a mi bebida y me lo pensé.

—Quizá más tarde.

Ella accedió y me sirvió más sake.

Volvimos a sentarnos en la terraza. Era una noche templada y agradable, el mar despedía un resplandor metálico y, en el cielo, un tapiz infinito de terciopelo negro, no se veía ni una estrella. Sentía un cálido rubor por todo el cuerpo y me sorprendí al descubrir que se trataba de un sentimiento de satisfacción. Una cena magnífica, un sake excelente, una interlocutora atenta, el murmullo del mar, el soplo de una ligera brisa, la música de las cigarras… Tenía motivos para sentirme satisfecho. Después de todo, ¿qué más podía pedir? Fui a la sala de estar, puse un disco y dejé que Joan Sutherland cantara en la oscuridad.

Michiko suspiró con una sonrisa en los labios. Estiró la piernas, primero una y después la otra, con la delicadeza de una cigüeña que camina por un estanque lleno de lirios.

—Esta mañana demostré una gran falta de tacto —empezó—. Creí que te agradaría ver de nuevo su espada y descubrir que no se había perdido.

La interrumpí.

—Hay muchas cosas que no sabes. No puedo culparte.

—¿Qué le pasó a tu familia, a tus hermanos? —me preguntó, volviendo a llenar mi copa. No me sorprendió demasiado. Resultaba obvio que había investigado a fondo mis circunstancias antes de abordarme. Puede que la carta de Endo-san hablara sobre aquello.

—Todos muertos —contesté, y vi flotar sus caras ante mis ojos como imágenes temblorosas en la superficie de un charco.

Bajo la tenue luz de la luna, las estatuas del jardín recuperaron parte de su gloria original, despidiendo una luminiscencia sobrenatural.

—Hay una casa al final de la carretera que lleva años deshabitada —dije—. Cuenta la leyenda local que en noches de luna llena, las estatuas de mármol abandonadas en los jardines vuelven a la vida y, durante unas horas, vagan por ellos. Esta noche, estoy casi seguro de que esa historia es cierta.

—Qué triste —dijo ella—. Si yo fuese una estatua y volviese a la vida, no pararía de buscar lo que hubiera perdido, lo último que hubiera hecho en vida. Imagina tener que pasar toda tu existencia alternando entre la piedra y la carne, la muerte y la vida, en un intento constante por encontrar los recuerdos de tus vidas anteriores. Al final, olvidaría qué estaba buscando. Olvidaría lo que trataba de recordar.

—O uno puede simplemente disfrutar del momento en que está vivo.

En cuanto lo dije, me di cuenta de lo hipócrita que había sonado, de lo irónicas que resultaban aquellas palabras.

Sutherland seguía cantando y abriendo su corazón a la noche. Le dije a Michiko que el *Caro nome* de Verdi era el aria favorita de mi padre.

—Y ahora es la tuya —repuso ella.

Asentí.

—Pregúntame otra vez lo que querías saber esta mañana.

Ella tomó un sorbo de su sake, se recostó en la silla de mimbre y dijo:

—Háblame de tu vida. Háblame de la vida que llevasteis Endo-san y tú. Las alegrías que experimentasteis y las penas que sufristeis. Me gustaría saberlo todo.

Era el momento que había estado esperando. Había aguardado cincuenta años para contar mi historia, casi tantos como los que la carta de Endo-san había tardado en llegar a Michiko. Aun así dudé, como un pecador penitente frente a su confesor, sin estar seguro de si quería que otra persona supiera de mis muchas vergüenzas, fallos y pecados imperdonables.

Como para darme fuerzas, sacó la carta y la colocó encima de la mesa que nos separaba. Tenía las hojas dobladas, amarillentas como la piel vieja, y el débil tatuaje de la tinta antigua se traslucía por el reverso. Como yo, pensé, mirando la carta. La vida que había llevado estaba doblada y lo que mostraba al mundo era solo la parte de atrás de una página; el vacío envolvía los días de mi existencia; se podían distinguir tenues trazos, pero solo si se miraba de cerca, muy de cerca.

Y así, por primera y última vez, desdoblé con cuidado mi vida, revelando lo que en ella estaba escrito y permitiendo que la tinta antigua se hiciera de nuevo legible.

Capítulo tres

El día en que nací, mi padre plantó una casuarina. Era una tradición instaurada por su abuelo. Plantó el larguirucho retoño en el jardín frente al mar; se convirtió en un árbol precioso, fuerte y alto, y de su manto de hojas emanaba una delicada fragancia que se mezclaba dulcemente con la del mar. Sería el último árbol que plantara en su vida.

Yo era el benjamín de una de las familias más antiguas de Penang. Mi bisabuelo, Graham Hutton, había trabajado como empleado en la Compañía de las Indias Orientales antes de hacerse a la mar en dirección a esos mismos territorios para buscar fortuna en 1780. Había navegado por las Islas de las Especias comerciando con pimienta y otros condimentos, y llegó a entablar amistad con el capitán Francis Light, que andaba en busca de un puerto conveniente. Lo encontró en una isla del estrecho de Malaca, en el lado noroeste de la península malaya, a tiro de piedra de la India. La isla apenas estaba habitada, era muy frondosa, estaba moldeada por laderas onduladas y rodeada por largas franjas de arena blanca. Los malayos locales le habían dado su nombre por las altas arecas, o pinang, que crecían en ella por doquier.

El capitán Light, al percatarse de inmediato de su potencial estratégico, se la compró al sultán de Kedah a cambio de seis mil dólares españoles y de protección británica contra los usurpadores. Aunque renombraron el territorio como Isla del Príncipe de Gales, al final se dio a conocer como Penang.

La península malaya había sido parcialmente colonizada desde el siglo XVI, primero por los portugueses, luego por los holandeses y, finalmente, por los británicos. Estos últimos fueron los que llegaron más lejos, extendiendo su influencia por casi la totalidad de los estados malayos. El descubrimiento de estaño y la idoneidad del suelo y del clima para plantar árboles del caucho (materiales de vital importancia debido a la Revolución Industrial) les hizo provocar guerras intestinas en su pugna por controlar los estados. Los británicos depusieron a sultanes, favorecieron el ascenso al trono de herederos descastados, pagaron dinero a cambio de concesiones e, incluso cuando estas tácticas fallaron, no les importó respaldar a sus facciones preferidas con armas y poderío militar.

Graham Hutton estaba allí cuando el capitán Light cargó su cañón con monedas de plata y las disparó en los bosques: fue su manera de espolear a los culis para que despejaran la tierra, según nos contó mi padre. Dada la naturaleza del hombre, la estratagema funcionó. La isla se transformó en un puerto bullicioso, situado en el punto de cambio de los vientos del monzón. Se convirtió en el lugar donde marineros y comerciantes hacían un alto en el camino hacia China para recuperarse, para disfrutar de unas semanas de clima templado y agradable mientras esperaban a que mudasen los vientos.

Graham Hutton prosperó y no tardó en fundar Hutton e Hijos. Por aquel entonces no estaba casado, así que su optimismo al poner tal nombre a la empresa suscitó muchos comentarios. Sin embargo, él sabía muy bien lo que quería y no iba a dejar que nada le impidiese hacer realidad sus sueños.

Gracias a varios tratos turbios y a su matrimonio con la hija de otra familia de comerciantes, mi bisabuelo comenzó su leyenda en el Este. La empresa se dio a conocer como una de las firmas comerciales más rentables. Pero los deseos dinásticos que Graham Hutton albergaba tenían raíces aún más profundas: quería un símbolo que representara sus sueños, algo que perdurara más allá de su propia vida.

La mansión Hutton fue construida en lo alto de un pequeño acantilado, mirando a los prados del mar que se fundían con las llanuras del océano Índico. El diseño corrió a cargo del equipo de Starke y McNeil y se inspiró en las obras de Andrea Palladio, como muchas de las casas construidas en aquella época: una hilera de columnas dóricas rodeaba la construcción de piedra blanca, presidida por una gran columnata curva coronada por un frontón. Los marcos de las puertas y las ventanas eran de teca birmana, y mi bisabuelo trajo a picapedreros de Kent, ferreteros de Glasgow, marmolistas de Italia y mano de obra culi de la India para trabajar en una casa que tendría veinticinco habitaciones. Graham Hutton, que había visitado muchas veces las cortes de los sultanes malayos, fiel a sus ambiciones, bautizó su hogar como Istana, la palabra autóctona utilizada para «palacio».

El edificio principal estaba rodeado por extensos jardines; unos árboles plantados con sumo cuidado y unos parterres bordeaban un camino de acceso rectilíneo de gravilla casi blanca. Este camino conducía placenteramente hacia la casa y, si uno se paraba en la entrada y miraba hacia arriba, el prominente frontón parecía dirigir al viajero al cielo. Cuando mi padre, Noel Hutton, heredó la mansión, mandó construir una piscina y dos pistas de tenis. Una vez que a Graham Hutton se le pasó la fiebre por las carreras de caballos, se reconvirtieron los establos, contiguos a la casa principal y escudados por setos tan altos como una persona, en garaje y dependencias de la servidumbre. Cuando mis hermanos y yo éramos pequeños, cavábamos en los jardines en busca de herraduras y gritábamos de dicha triunfal cada vez que alguno de nosotros encontraba alguna, pese a que el óxido la hubiera destruido y nos dejara en las manos aquel olor a hierro y a sangre que persistía aunque te las lavaras a conciencia.

De haber seguido los acontecimientos su curso normal, nunca habría heredado nada de aquello. Mi padre tenía cuatro hijos y yo era el más pequeño. Nunca pensé mucho en el tema de la futura posesión de Istana. Sin embargo, quería aquella casa con locura. Sus líneas elegantes y su historia provocaban en mí una poderosa impresión y me encantaba explorar todos y cada uno de sus rincones. A veces, incluso, a pesar de mi miedo a las alturas, salía al tejado a través de una portezuela que había en el desván. Me sentaba allí a observar la panorámica que me ofrecía el lugar, como un picabueyes a lomos de un búfalo de agua, sintiendo la casa debajo de mí. A menudo le pedía a mi padre que me contara las historias que atesoraban los retratos alineados en las paredes y los trofeos polvorientos que había ganado algún pariente y cuyas inscripciones me unían a lazos tan lejanos de mi propia sangre.

Si grande era mi amor por la casa, mayor era el que sentía por el mar: por su humor siempre cambiante, por la forma en que el sol refulgía en su superficie y por cómo reflejaba el estado del cielo. Ya de pequeño el mar me susurraba, me susurraba y me hablaba en una lengua que supuse que solo yo entendía. Me abrazaba en sus corrientes cálidas; disolvía mi rabia cuando estaba enfadado con el mundo; me perseguía cuando corría por la orilla, se enredaba en mis tobillos y me tentaba a caminar cada vez más lejos hasta que me convertía en parte de su vastedad sin límites.

«Quiero recordarlo todo —le dije una vez a Endo-san—. Quiero recordar cada cosa que he tocado, visto y sentido, para que nunca se pierda ni desaparezca». Él se rio, pero me había entendido.

Mi madre, Khoo Yu Lian, fue la segunda esposa de mi padre. Era china. Su padre se había unido al éxodo masivo que se produjo desde la provincia de Fujian hacia Malaya en busca de una oportunidad de sobrevivir. Miles de chinos vinieron a trabajar a las minas de estaño para escapar de la hambruna, la sequía y la agitación política. Él había logrado enriquecerse gracias a las minas que poseía en Ipoh, una ciudad a unos trescientos kilómetros al sur. Envió a su hija menor al colegio privado femenino Convent School en Light Street, lejos de sus rudos empleados culis.

Mi padre era viudo cuando conoció a mi madre. Su primera esposa, Emma, había muerto al dar a luz a Isabel, y supongo que él también buscaba una segunda madre para sus tres hijos pequeños. Yu Lian conoció a mi padre en una fiesta que celebró el hijo del cónsul general chino, Cheong Fatt Tze, un mandarín enviado desde Pekín. Ella tenía diecisiete años y él, treinta y dos.

Mi padre escandalizó a la sociedad de Penang al casarse con mi madre, pero su riqueza y su influencia le allanaron en parte el camino. Ella murió cuando yo tenía siete años y, salvo por unas cuantas fotos en la casa, solo conservo breves recuerdos. He intentado aferrarme a esas reminiscencias difusas, a esas voces amortiguadas y a esos olores que iban desapareciendo poco a poco, reforzándolos con lo que me contaron mis dos hermanos, mi hermana y los criados que la habían conocido.

En la práctica, los cuatro hermanos Hutton nos criamos como huérfanos: después de la muerte de mi madre, mi padre se refugió en el trabajo. Solía viajar a otros estados para visitar sus minas de estaño, sus plantaciones y a sus amigos. Cogía con regularidad el tren de la costa que va hasta Kuala Lumpur y pasaba allí días y días mientras supervisaba la oficina que tenía justo detrás de los juzgados. Al parecer, su único consuelo en la vida era la empresa, pero mi hermano Edward nos contó una vez que allí tenía una amante. A tan temprana edad, yo no tenía ni idea de lo que estaba hablando, pero a William e Isabel se les escaparon unas risitas. Estuve mucho tiempo dándoles la lata con el tema y, al final, nuestra *amah* me oyó mencionar la palabra y me regañó: «*¡Aiyah!* ¡Deja de decir eso tan feo o te daré una buena azotaina en el trasero!».

Nuestro padre había dado instrucciones a los sirvientes chinos de que se dirigiesen a nosotros en el dialecto hokkien, y que el jardinero malayo lo hiciera en su propia lengua. Como muchos de los europeos que consideraban Malaya su hogar, también insistió en que sus hijos recibieran tanta educación autóctona como fuera posible. Crecimos hablando los dialectos locales, como él mismo había hecho. Eso nos vincularía a Penang para siempre.

Yo no estaba muy unido a mis hermanos antes de conocer a Endo-san; era más del tipo solitario. No estaba interesado en las cosas que fascinaban a mis compañeros de clase: los deportes, la caza de arañas y las peleas de grillos con apuestas. Y, debido a mi origen mestizo, nunca me aceptaron del todo ni los chinos ni los ingleses de Penang, ya que cada comunidad se creía superior a la otra. Siempre había sido así. Cuando era pequeño, intenté explicárselo a mi padre una de las veces que los niños se burlaron de mí en la escuela, pero él hizo caso omiso de mis quejas y dijo que me estaba comportando como un tonto sensiblero. Entonces comprendí que no me quedaba otra alternativa que fabricarme una coraza contra los insultos y los comentarios en voz baja, y encontrar mi propio lugar en el mundo.

Al llegar del colegio, tiraba la cartera en mi habitación y me dirigía a la playa que quedaba a los pies de Istana, bajando los escalones de madera enquistados en el acantilado. Pasaba las tardes nadando en el mar y leyendo bajo la sombra de los cocoteros arqueados y susurrantes. Leí todo lo que mi padre tenía en su biblioteca, hasta lo que no entendía. Cuando mi atención se desviaba de las páginas, dejaba el libro y me iba a coger cangrejos y a escarbar en la arena en busca de almejas o cigalas enterradas. El agua era cálida y cristalina y los charcos que se formaban con la marea se llenaban de peces y de extrañas criaturas marinas. Tenía una barquita propia y era buen marinero.

Mis hermanos eran mucho mayores que yo, así que pasaba muy poco tiempo con ellos. Isabel, que tenía cinco años cuando yo nací, era la más cercana a mí en cuanto a edad; William y Edward se llevaban conmigo siete y diez años, respectivamente. A veces, William intentaba incluirme en sus actividades, pero siempre pensé que lo hacía por compromiso y, cuando me hice mayor, empecé a inventar excusas para no irme con él.

Aun así, pese a mi preferencia por estar solo, hubo ocasiones en que disfruté de la compañía de mis hermanos. William, que siempre estaba intentado impresionar a alguna que otra chica, organizaba partidos de tenis y retiros de fin de semana para disfrutar del clima más fresco de la colina de Penang, hacia donde antiguamente, antes de que yo naciera, antes de la existencia del funicular, sudorosos culis chinos porteaban a los viajeros en palanquines. Nosotros teníamos una casa en la colina, aferrada al borde de un terraplén. Allí arriba hacía frío por la noche, lo cual era de agradecer por contraste con el calor de las tierras bajas, y las luces de Georgetown se extendían a nuestros pies, atenuando el fulgor de las estrellas. Una vez, Isabel y yo nos perdimos en la jungla que cubría la colina después de salirnos corriendo del sendero en busca de orquídeas. Ella no lloró en ningún momento, e incluso me dio ánimos, aunque sabía que estaba tan asustada como yo. Anduvimos durante horas por aquel mundo verde y exuberante, hasta que encontró de nuevo el camino. En Istana había también fiestas en las que mi padre era el anfitrión, y a menudo nos invitaban a otras recepciones, carreras de *dragon boat* en la Explanada, partidos de críquet, carreras de caballos y cualquier evento que pudiese justificar, aunque fuera mínimamente, un motivo para bailar, beber y reír. Aunque yo estaba incluido en aquellas invitaciones por defecto, a veces sentía que se debía más a la influencia que mi padre ejercía que a cualquier otra cosa.

Mi familia poseía una islita frondosa a un kilómetro y medio aproximado de la costa. Solo se podía acceder a ella desde la playa que daba al mar abierto. Yo pasaba muchas de mis tardes allí, imaginando que era un náufrago, solo en el mundo. Incluso me quedé alguna que otra noche en ella durante aquellos períodos en que mi padre estaba en Kuala Lumpur.

A comienzos de 1939, cuando tenía dieciséis años, mi padre alquiló la pequeña isla y nos advirtió que no pusiéramos un pie en ella porque ahora estaba ocupada. Me frustró que me hubiesen arrebatado mi retiro personal y, en las semanas que siguieron, estuve espiando las actividades que allí se llevaban a cabo. A juzgar por los materiales que unos obreros estuvieron transportando en botes, se estaba levantando una pequeña estructura. Contemplé incluso la posibilidad de colarme a hurtadillas en la isla, pero la advertencia de mi padre me disuadió, así que me di por vencido e intenté no pensar más en ello.

Mientras tanto, casi en el otro extremo del mundo, países que parecían tener poco que ver con nosotros se estaban preparando para la guerra.

—¿Puedo hablar con el señor de la casa?

Di un pequeño respingo. Era un atardecer prematuro de la segunda semana de abril y estaba cayendo una fina lluvia, suave como las semillas que el viento se lleva de los pastos, una advertencia engañosamente amable de la temporada de monzones que pronto daría comienzo. El césped brillaba y el aroma de la casuarina enriquecía el olor de la lluvia. Sentado bajo una sombrilla en la terraza, había estado leyendo y mirando fijamente el cielo, perdido en mis ensoñaciones, observando las gruesas nubes que permanecían en el horizonte inflexible. Las palabras, aunque pronunciadas en voz baja, me habían sobresaltado y sacado de mis pensamientos.

Me giré y lo miré. Tenía cuarenta y tantos años y era de constitución media, bajo y fornido. Su pelo era casi plateado, lo llevaba muy corto y brillaba como la hierba mojada. Tenía la cara cuadrada y surcada por arrugas; sus ojos redondeados emitían un extraño destello en el crepúsculo. Sus facciones eran demasiado marcadas para un chino y su acento me resultaba desconocido.

—Soy el hijo del dueño. ¿Qué desea? —le pregunté, consciente, de repente, de que me encontraba solo. Los sirvientes estaban en sus dependencias detrás de la casa, preparándose la cena. Me propuse hablar con ellos más tarde sobre lo de permitir que un extraño entrase en nuestra propiedad sin ningún tipo de anuncio.

—Quisiera pediros prestado un bote —me contestó.

—¿Quién es usted? —le pregunté, con la grosería que solía dispensar por ser un Hutton.

—Hayato Endo. Vivo allí.

Señaló la isla, mi isla.

Así que esa era la forma que había utilizado para entrar en la casa. Había subido desde la playa.

—Mi padre no está —le dije.

El resto de la familia se encontraba en Londres, donde iban a reunirse con mi hermano William, que el año anterior había terminado sus estudios universitarios, pero que había decidido quedarse con sus amigos en lugar de volver a casa para trabajar. Cada cinco años, mi padre, no sin reservas, ponía a su gerente a cargo de la empresa y llevaba a sus hijos a su tierra natal para una larga visita, una práctica que muchos de los ingleses que vivían en las colonias consideraban casi tan sagrada como una peregrinación religiosa. Yo había decidido no acompañarlos esta vez. Mi padre se había molestado, pues había planeado que el viaje coincidiese con el comienzo de mis vacaciones de verano y, de hecho, había hablado con el director de mi instituto para que me permitiese perder el primer mes del nuevo año académico. Con todo, yo sospechaba que para mis hermanos había sido un alivio: muchas veces tenía la impresión de que explicar lo de un hermano medio chino a sus amigos y parientes lejanos ingleses no les hacía ninguna gracia.

—De todas maneras, necesito que me dejéis un bote —insistió aquel hombre extraño—. Me temo que la marea se ha llevado el mío. —Sonrió—. Ahora debe de estar a medio camino de la India.

Me levanté de la silla de mimbre y le pedí que me acompañase al varadero. Sin embargo, él se quedó allí clavado, mirando el mar y el cielo encapotado.

—El mar puede partirte el corazón, ¿*neh*?

Esa fue la primera vez que oí a alguien describir lo que yo sentía. Me detuve, sin saber muy bien qué decir. Unas pocas y sencillas palabras habían resumido mis sentimientos hacia el mar. Era tan bello que te partía el corazón. Nos quedamos inmóviles y en silencio durante unos minutos, unidos por un amor común. No se movía nada, salvo la lluvia y las olas. Unos rayos destellaron como venas y retumbaron tras la muralla de nubes, tornando rosa el cielo amoratado, y sentí que se me había concedido el privilegio de vislumbrar la sangre latiendo en silencio por los ventrículos de un inmenso corazón humano.

—El mar es lo único que me une a mi hogar en estos momentos —confesó, y luego pareció sorprendido de haber pronunciado aquellas palabras.

Nos adentramos en la lluvia y sentí la hierba esponjosa bajo mis pies descalzos. El varadero estaba en la playa, así que bajamos el largo tramo de escalones mojados. Una vez me resbalé y el hombre alargó rápidamente la mano y me agarró con firmeza. Sentí la fuerza de su brazo y dejé de bregar para recuperar el equilibrio. Lo miré y le espeté:

—Bajo estos escalones a diario. No iba a caerme.

Mi enfado pareció hacerle gracia. Sentía quemazón en el lugar donde sus dedos me habían aferrado y resistí el impulso de frotármelo. Me pregunté por qué habría alquilado la isla.

Pronto estuvimos en la arena. Solo se oía el rugido del mar y del viento. No existía ningún otro sonido. Hasta los pájaros habían desaparecido del cielo. Ahora el viento estaba picando el mar, surcándolo de blanco y azotándonos la cara y el pelo con la lluvia interminable. En ese momento, me sentí vivo.

Sacamos mi barca y la arrastramos por la bahía hasta un punto donde le sería más fácil remar a través de las aguas agitadas. La pusimos en la línea de flotación, donde la resaca de las olas tiraba de ella con insistencia. Desde aquella parte de la playa solo veía el borde de Istana como la proa de un gran barco que rodeara un cabo.

—Gracias por dejarme la barca —dijo, haciéndome una pequeña reverencia, que inmediatamente le devolví sin pensar. Volvió la vista a la isla y luego se giró hacia mí—. Ven conmigo. Deja que pague tu amabilidad preparándote una cena.

Me intrigaba, así que salté al interior del bote.

Remó con suavidad mientras la proa se deslizaba por el mar embravecido. Se dirigió a la playa que daba a mar abierto, evitando las rocas con destreza. Una vez que estuvimos cerca de la isla, dejó de remar para que las olas nos levantaran y nos dieran impulso. Alcanzamos la orilla de una sacudida.

Salté al agua y le ayudé a tirar del bote hasta la playa. El lugar no parecía haber cambiado. Eché un vistazo a mi alrededor y encontré el árbol bajo el que tantas veces me había quedado dormido en las tardes calurosas y la roca donde secaba mi ropa. La toqué cuando pasé por su lado.

Dejamos la playa y atravesamos una arboleda hasta que llegamos a un pequeño claro. Me detuve para admirar la casa de madera de una sola planta rodeada por una veranda techada.

—¿Ha construido usted esto?

Asintió.

—La diseñé al estilo tradicional japonés. Tu padre me facilitó la mano de obra.

Las líneas de la casa eran limpias y sencillas, y formaban un conjunto armonioso en perfecta consonancia con los árboles del entorno. Experimenté tristeza y resentimiento ante la idea de que la isla hubiese cambiado con su presencia. Era como si una gran parte de mi niñez hubiese desaparecido de un plumazo, sin darme tiempo a despedirme de ella.

—¿Ocurre algo? —preguntó.

—No —contesté y, después de un instante, añadí—: Su casa es bonita.

Al pronunciar aquellas palabras noté que mi tristeza se disipaba. Si las cosas tenían que cambiar, si el tiempo tenía que pasar, me alegraba de que hubiese construido aquella casa allí.

Él entró y encendió las lámparas, y las puertas correderas, con sus pantallas de papel de arroz, despidieron un resplandor de bienvenida.

Lo seguí al interior, dejando mis zapatos fuera como él había hecho. Me dio una toalla para que me secara. No había muebles, solo unas esterillas acolchadas rectangulares alrededor de un hogar situado en el suelo. Encendió un brasero, colocó una olla encima y echó verduras y gambas al interior. Fuera, la lluvia estaba arreciando, pero yo me sentía a gusto y protegido al abrigo de la casa.

El estofado comenzó a hervir y el vapor ascendió por la pequeña chimenea situada sobre del hogar. El olor aguzó mi apetito. Removió la olla y, con un cucharón de madera, llenó dos cuencos de cerámica y me pasó uno de ellos.

Me observaba mientras yo comía.

—¿Cuántos años tienes? —me preguntó. Se lo dije—. Y no me has dicho cómo te llamas —continuó.

—Philip —le respondí.

Cerró los ojos en un gesto de reflexión y, al momento, volvió a clavarlos en los míos.

—Tú eres el que estaba aquí antes.

Le pregunté cómo lo sabía.

—Grabaste tu nombre en una de las rocas.

—Solía venir aquí cada día después de clase.

Me escrutó con detenimiento y, por el tono de su voz, supe que, en cierto sentido, comprendía mi sentimiento de pérdida.

—Puedes seguir haciéndolo siempre que quieras.

Me sentí complacido por la invitación. Miré a mi alrededor mientras comíamos. La habitación no estaba tan desnuda como me había parecido a primera vista. Había unas cuantas fotografías colgadas en una pared. También, dos pergaminos blancos desplegados desde el techo hasta casi el suelo. No lograba descifrar lo que había escrito en ellos, aunque sus curvas fluidas me hacían sentir extrañamente en calma. Era como contemplar el cauce de un río serpenteante en su viaje hacia el mar. En el suelo, entre los pergaminos, había una espada en un soporte lacado, y no me cupo la menor duda de que él sabía cómo manejarla.

Una rama golpeó el lateral de la casa, arañando el techo con sus hojas. La lluvia caía con mayor intensidad, y yo sabía por experiencia que el mar estaría demasiado picado y sería peligroso para mi barquita.

—Tu familia va a preocuparse —comentó cuando salimos y nos sentamos en la veranda.

Desenrolló las persianas de bambú para impedir que entraran el viento y la lluvia como quien prohíbe la entrada a dos visitantes que no son bienvenidos. Sorbí el té verde caliente que había preparado. Di otro trago y lo saboreé. Me había sentado como él, con las rodillas flexionadas y los pies colocados bajo las nalgas. Los tobillos empezaron a dolerme pero me negué a estirar las piernas. Incluso entonces, en aquellos primeros momentos, quería demostrarle que podía aguantar.

Me abstraje del dolor escuchando los diferentes sonidos: a través del estrépito de la lluvia que aporreaba el tejado podía oír el mar, las gotas de agua que caían de las hojas de los árboles, el tintineo de la porcelana al levantar las tazas y volver a dejarlas en sus platillos.

—No va a preocuparse nadie —contesté—. Mi familia está en Londres.

—¿Y cómo es que tú sigues aquí?

Esbocé una sonrisa amarga.

—Yo soy el paria. El hijo medio chino de mi padre. Bueno, eso no es justo —añadí, intentando aclarar las razones por las que no había seguido a mi familia sin sonar resentido. ¿Cómo explicarle a aquel extraño la sensación de no estar unido a nada? Se me ocurrió en aquel momento que, mientras otros niños se quedaban huérfanos al morir sus padres, mi condición de huérfano se había forjado la misma noche en que mis padres se conocieron y se enamoraron. Al final dije—: Lo que pasa es que no me gusta Londres, eso es todo. Estuve allí hace cinco años. Hacía demasiado frío para mí. ¿Usted ha estado allí?

Él negó con la cabeza.

—Corren tiempos peligrosos para estar en Londres.

—La gente dice que todas esas amenazas de guerra no son más que habladurías.

—No estoy de acuerdo. La guerra va a estallar.

La seguridad con la que pronunció aquellas palabras y un veredicto tan diferente al que había estado oyendo despertaron mi interés. Resultaba obvio que no era de por allí. Volví a preguntarme quién era y qué estaba haciendo en Penang.

A través de la puerta vi uno de los pergaminos de caligrafía.

—¿De dónde es usted? —le pregunté.

—De un pueblo de Japón —me respondió, y detecté el anhelo en su voz.

Recordé las palabras que había pronunciado antes, cuando dijo que el mar era lo único que le unía a su hogar, y, aunque lo acababa de conocer, sentí una inexplicable tristeza por él, como si de algún extraño modo, aquella pena fuese también mía.

Un rayo acuchilló el cielo, seguido por el restallido de un trueno. Me estremecí.

—Deberías quedarte aquí esta noche —me propuso, levantándose con un movimiento fluido.

Lo seguí dentro, aliviado por alejarme del espectáculo de la tormenta. Entró en su dormitorio y salió con un futón enrollado, que colocó junto al hogar.

Me hizo una reverencia y yo me vi obligado a devolvérsela.

—*Oyasumi nasai* —dijo.

Supuse que significaba «buenas noches», pues seguidamente apagó las velas y me dejó a oscuras en la habitación, iluminada, de forma intermitente, por los relámpagos. Desenrollé el futón junto al hogar y al final me quedé dormido.

Me despertaron una serie de gritos abruptos. Durante unos segundos no tuve ni idea de dónde estaba. Me levanté del colchón y deslicé la celosía. El sol empezaba a aparecer desde el otro lado del mundo. El cielo seguía cubierto de nubes que los vientos habían estilizado y había una sensación palpable de frescura en el aire; hasta las olas que rompían en la orilla sonaban claras y limpias.

Se encontraba en un claro bajo los árboles y sus manos asían la espada que había visto la noche anterior. La elevaba describiendo un arco y luego la bajaba rápidamente, sin hacer ruido, a lo que seguía un grito agudo. Iba vestido con una especie de chaquetilla blanca y unos pantalones negros que se asemejaban más bien a una falda. Su aspecto resultaba imponente y muy particular.

No me hizo caso, aunque yo sabía que estaba al tanto de mi escrutinio. El aire parecía vibrar cuando acuchillaba, apuñalaba, cortaba y daba vueltas por el claro. Había colocado un círculo de gruesas ramas de bambú a su alrededor y entonces, con un solo movimiento, hizo un corte con la espada y las ramas cayeron una tras otra. La hoja estaba tan afilada que no se oyó ni un crujido.

El cielo estaba radiante cuando terminó. Tenía la ropa empapada y el pelo plateado le brillaba por el sudor. Me hizo un gesto para que me acercase.

—Golpéame.

Dudé y lo miré vacilante, preguntándome si había oído bien.

—Adelante. Golpéame —repitió en un tono que no dejaba más opción que obedecerlo.

Le lancé un puñetazo a la cara, utilizando la técnica que me había dejado en buen lugar en el instituto cada vez que alguien me había llamado chucho mestizo y que había suscitado unas cuantas quejas entre los padres.

Un instante después me vi tumbado en la hierba empapada de rocío, sin aliento. Sentía la espalda dolorida, aunque el suelo estuviese blando. Me tendió la mano, firme y fuerte, y me puso en pie de un tirón. Había cierto regocijo en su mirada al detectar mi rabia. Alzó una mano conciliadora.

—Vamos. Deja que te enseñe a hacer eso —me propuso.

Me pidió que le golpeara otra vez... *despacio.* Cuando mi puño estaba a punto de impactar en su cara, se echó a un lado hábilmente y se me acercó. Levantó un brazo y paró el mío; con un movimiento en espiral, apartó mi mano, me agarró la garganta desde atrás, hizo girar mi cuerpo, que había perdido el equilibrio, y me tiró al suelo. Luego, permitió que se lo hiciera yo a él y, tras varios intentos, conseguí derribarlo. Me quedé completamente desconcertado.

—¿Qué has sentido? —me preguntó.

—Como si todo hubiese encajado cuando le tiré —le contesté como mejor pude. Si hubiese querido sonar pretencioso, podría haberle dicho que fue como si la Tierra y yo hubiésemos girado en armonía. En todo caso, el pareció contento y satisfecho con mi respuesta.

Continuó enseñándome hasta casi mediodía. Para entonces, estaba famélico.

—¿Quieres seguir aprendiendo? —me preguntó.

Asentí. Me dijo que volviese al día siguiente. Cuando íbamos remando de vuelta a la orilla añadió:

—Debes ser consciente de que el maestro, al aceptar a un alumno, asume una gran responsabilidad. El alumno, a cambio, debe estar preparado para entregarse por completo. No puedes tener dudas ni pensártelo dos veces. ¿Serás capaz de darme eso?

Dejé de remar cuando nos aproximamos a la playa y pensé en su advertencia. Hacía calor y el sol atravesaba la superficie del mar, proyectando sombras y anillos de luz blanca en el lecho marino y haciendo que los trazos que la marea había dibujado en la arena ondearan como un espejismo provocado por el calor. Sentí que sus palabras encerraban algo profundo, más allá de lo que decían, aunque no lograba entender del todo su sentido. Con todo, estaba seguro de una cosa: quería lo que me ofrecía, así que asentí.

Pasé el resto del día pensando en aquella extraña persona que acababa de entrar en mi vida. El final del año escolar había dado paso a las vacaciones de verano y me sentí liberado de la monotonía de tener que regurgitar verbos en latín y de asimilar fórmulas matemáticas. Me encontraba en una posición envidiable: el dinero no era un problema, ya que los importes de mis compras eran liquidados mensualmente por la firma familiar. Los sirvientes de la casa iban a lo suyo y no se metían en mis asuntos. Habíamos llegado a un acuerdo tácito: no haríamos llegar a mi padre ningún informe negativo de ninguno de nosotros. Era un pacto que nos convenía a todos.

De todas formas, tendría que ser discreto si quería que Endo-san me enseñara. La mayoría del personal de servicio era chino y mi amistad con un japonés podía romper nuestro trato: los chinos no profesaban ningún afecto por sus primos lejanos del otro lado del mar. Por mi condición de medio chino, los criados daban por sentado que sentía empatía por la difícil situación de las familias que habían dejado allí (hasta conocía, gracias a las constantes noticias que recibían, las atrocidades que los japoneses estaban perpetrando en el país), pero ellos nunca supieron que yo no sentía ningún apego ni por China ni por Inglaterra. Era un niño nacido entre dos mundos y que no pertenecía a ninguno de ellos. Desde el principio traté a Endo-san no como a un japonés, ni como a un miembro de una raza odiada, sino como a un hombre, y esa es la razón por la que forjamos un vínculo instantáneo.

Desde que a la mañana siguiente comencé mis lecciones de *aikijutsu*, me sumí en un ritual de aprendizaje que se prolongaría durante poco menos de tres años de manera casi ininterrumpida. Remaba hasta la isla cuando aún estaba oscuro y el rastro de las estrellas, escondidas tras el velo del cielo, era todavía visible. Siempre me encontraba a Endo-san esperándome, impaciente y con gesto adusto.

Aquella primera mañana nos hicimos una reverencia mutua y estiramos. Empezó con lo más fácil, como enseñarme a salir de la línea de ataque con fluidez, utilizando el menor número de movimientos posible.

—En una pelea, cuantos menos pasos des, más eficaz serás —me dijo en la primera lección.

Casi nunca hablaba mientras me instruía; sus palabras eran tan parcas como cortos y secos los movimientos que recomendaba.

También me enseñó cuáles eran los elementos clave al golpear y dar patadas, los puntos vitales en los que concentrarse.

—Para lograr una buena defensa, debes saber qué tipos de golpes y ataques existen —me dijo, mientras sus manos se dirigían a mi cara, pecho e ingle en una serie de tres puñetazos rápidos que no me daba tiempo a ver.

Se paraban a la altura de mi nariz; podía ver las líneas de sus nudillos y sus finos vellos, y oler el delicado aroma de su piel.

—Mira hacia abajo —me instruyó. Su pie se había detenido ante mi rodilla. Si hubiese completado la patada, me la habría roto—. Nunca te fijes en los puños de tu atacante. Mírale el cuerpo entero. Entonces sabrás lo que se te avecina.

Durante las primeras cuatro semanas de entrenamiento, me enseñó los movimientos básicos. Las clases diarias duraban tres horas. Los domingos, Endo-san me exigía dos sesiones, una por la mañana y otra por la tarde. Me enseñó el *ukemi*: la técnica de caer de forma segura, rodar por el suelo y ponerme en pie de nuevo con una postura firme cuando él me lanzase.

Sus proyecciones eran poderosas y, al principio, las evitaba por temor a lesionarme. Cada vez que él intentaba lanzarme por los aires, yo ponía el cuerpo rígido.

—Tienes que relajarte —me dijo—. Te harás más daño si te opones a la técnica. Sigue el flujo de la energía, no luches contra ella.

Me resultaba difícil creerle, pues sus instrucciones parecían contradictorias. Él detectó mi reticencia y mi desasosiego e intentó tranquilizarme; me condujo ante una fotografía monocroma colgada en la pared de su casa. Mostraba un par de manos asidas de las muñecas por otro par de manos. Las palmas de las manos asidas («las pasivas», pensé) estaban abiertas y parecían descansar en las muñecas de las dominantes. Al principio pensé que la impresión que creaban esos dos pares de extremidades era de agresión, pero, para mi sorpresa, descubrí que a medida que estudiaba la escena, me iba calmando.

—Siempre he sentido que esta fotografía ha conseguido destilar el alma del *aikijutsu* —comentó Endo-san—. Hay una conexión física y espiritual con tu compañero. No hay resistencia, sino confianza.

Entonces, me agarró las manos del mismo modo y me pidió que estirara los brazos y que descansara mis palmas en sus muñecas. Inmediatamente sentí lo que intentaba explicarme. Ese contacto de unión, en un primer nivel, era la interacción humana más básica, pero también parecía llegar a un plano de unión más elevado que iba más allá del físico y, cuando soltó mis manos, sentí que había perdido algo de valor incalculable.

—En una clase, la confianza es vital —me dijo—. Yo confío en que tú no me vas a atacar de una forma que no hayamos acordado y tú debes confiar en que yo no voy a herirte cuando neutralice tu ataque. Sin confianza no podemos movernos y no se puede conseguir nada.

—Pero siento que tengo que rendirme por completo cuando me practica una técnica de proyección.

—Exacto. Rendición absoluta sí, pero no abandono total de la conciencia. Siempre debes sentir. Sentir mi técnica, sentir la dirección de la fuerza, cómo te mueves por el aire y cómo vas a caer. Sentir, abrirte, estar al tanto de todo. Si algo sale mal, si mi técnica es defectuosa o si te fallo, entonces, al menos, tienes la posibilidad de protegerte y de caer de forma segura.

Me lanzó unas cuantas veces más y la práctica comenzó a parecerme más fácil. Ya no estaba tan tenso, era como si los movimientos fluyeran con mayor naturalidad.

—A cambio de rendirte a la proyección, se te otorga el don de volar —me dijo.

Era verdad. Pronto llegué a disfrutar de la excitante sensación de ser lanzado por el aire, de flotar sin ataduras durante unos segundos antes de hacerme un ovillo y volver al suelo. Y descubrí que, cuanto más duros eran mis ataques, cuanta más potencia empleaba en dirigir mi fuerza contra él, más lejos me proyectaba y más tiempo podía permanecer en ese vuelo feliz. Dejé de tener miedo y, al final de cada clase, le pedía que me proyectara sin parar hasta que me dejaba exhausto.

Había un saco de lona lleno de arena que tenía que golpear con puños y pies cientos de veces cada día. Me exigía fuerza y velocidad y yo me entregaba por completo para alcanzar el nivel que él esperaba. Era estricto e inflexible, pero le apasionaba lo que enseñaba, como si alguna vez hubiese sido maestro y ahora lo echase muchísimo de menos. Yo disfrutaba de las lecciones hasta el último segundo. Nuestros espíritus se expandían del mismo modo que la luz del sol lo hace en el cielo. Nuestra respiración salía por los pulmones, por la garganta, por las plantas de los pies, por la piel; exhalábamos desde las hormigueantes puntas de los dedos. Respirábamos; estábamos vivos.

—Aquí es donde se origina el poder, en la respiración, *kokyu*. —Se señaló un punto bajo el ombligo—. El *tanden* es el centro de tu ser, el centro del universo. Conéctalo siempre al centro de tu oponente con tu respiración y tu energía, tu *ki*.

Sus ojos destellaron y vibraron con una energía cósmica que pareció alcanzar los míos. Me inmovilizaron, me sentí como una liebre ante la mirada penetrante de un tigre. Estiró las manos y me golpeó en el hombro.

—Y nunca jamás mires a tu oponente directamente a los ojos. Recuérdalo siempre.

Es asombroso lo que uno puede llegar a conseguir cuando tiene un profesor excelente. Endo-*sensei*, así es como lo llamaba durante nuestras clases, *maestro*. Supe que estaba contento conmigo cuando se dio cuenta de que no estaba tomándome sus lecciones a la ligera. Nunca llegó a decírmelo, pero pronto aprendí que lo demostraba de otras maneras.

Una mañana, cuando estaba a punto de volver a casa tras una clase dura y muy exigente, me paró y me dijo:

—Aún no hemos terminado.

Me pidió que lo siguiera hasta el interior de la casa. Una vez dentro, se arrodilló en el suelo ante una mesa baja de madera, abrió una caja y sacó un pincel del interior. Extendió una hoja de papel de arroz y trituró una barrita de tinta en un mortero cuadrado de piedra que exhibía una ligera depresión en el centro, hasta que un pequeño charco de tinta cubrió la hendidura. La molienda liberaba un delicado aroma a incienso, palabras informes que escapaban en el aire. La tinta se espesó y, cuando Endo-san pareció satisfecho con su consistencia, paró y colocó la barrita en un soporte de mármol.

—La tinta, la piedra para triturar, el pincel y el papel fueron descritos por los antiguos chinos como los cuatro tesoros del estudio —dijo.

Entonces miró de cerca la hoja de papel de arroz en blanco, como si viese en ella palabras que ya se habían escrito. Se remangó y mojó el pincel en la tinta, lo afinó apretándolo contra la piedra y se dispuso a escribir.

Realizó una serie de barras oblicuas y curvas. Su mano presionaba el pincel contra la superficie cuando se requería una pincelada gruesa y lo retiraba casi del todo cuando quería dejar un trazo suave. La punta del pincel no perdió en ningún momento el contacto con la superficie del papel, hasta que llegó al borde de la hoja y se despegó en seco como un tigre de caza que saltara de una roca.

—Mi nombre —dijo, pasándome el pincel. Me mostró, con sus dedos alrededor de los míos, cómo cogerlo—. Es como blandir una espada, sin apretar demasiado, pero evitando que quede demasiado suelto. Por la forma en que un hombre sostiene un pincel, podrás saber cómo lleva y usa su espada y, en última instancia, cómo vive su vida.

Copié los trazos en el papel de arroz.

—Existe un orden para dar las pinceladas, muy parecido a lo que ocurre con las pautas del *ken*, la espada —continuó—. Y, como en el *aikijutsu*, donde nunca debes perder la conexión con tu atacante, aquí tampoco debes perder la conexión entre el pincel, el papel y el centro de tu ser.

Lo intenté unas cuantas veces más. El pincel se movía con torpeza, como un pájaro herido que intentase cruzar aleteando una carretera. Él suspiró y me di cuenta de que estaba perdiendo la paciencia.

—No escribas con la mente. Escribe con el alma. No pienses; los movimientos deben surgir libremente del peso de tus pensamientos. —Dobló el fruto de mi esfuerzo formando un cuadrado perfecto y añadió—: Suficiente por hoy. Te conseguiré tu propio material de escritura para que puedas practicar por tu cuenta.

Quería que aprendiese a hablar japonés y que leyese y dominara las tres formas de escritura japonesa: *hiragana*, *katakana* y *kanji*.

—¿Por qué debo aprender la lengua?

—Porque yo me he tomado la molestia de aprender la tuya. —Me miró—. Y porque un día te salvará la vida.

A pesar de ser un trabajo duro, lo disfrutaba. Puede que, tras años de tedio en un colegio represivo, al fin me sintiera liberado para aprender de verdad.

Pasaba mucho tiempo en su isla, incluso cuando él estaba en su despacho del consulado japonés. Como vicecónsul de la región norte de Malaya, se ocupaba de los asuntos de la pequeña comunidad japonesa, y su horario era bastante flexible, aunque a veces tenía que asistir a recepciones y cenas. Había rechazado el alojamiento que le facilitaba el consulado en sus instalaciones, pues prefería estar solo.

Le dije que los japoneses no eran muy populares en Asia en aquellos momentos, debido a su presencia en China.

—No hablemos de guerra ni de hechos que poco tienen que ver con nosotros —me respondió en tono frío.

Para entonces ya estaba acostumbrado a su manera de hablar, pero su respuesta me desconcertó. Él se percató de mi expresión dolida y suavizó el tono.

—Tu gobierno ha estado presionándonos para que cesemos nuestras incursiones en China, aunque Inglaterra y Japón no estén en guerra y el tema no sea asunto de los ingleses. Hoy he tenido que soportar que el regidor residente me reprendiera. Como si yo tuviera voz y voto en las decisiones que se toman en Tokio. Y me lo dice el representante de un gobierno que consideró oportuno transformar un país de chinos sanos en otro de adictos al opio con el único objetivo de obligar al gobierno chino a comerciar con él.

Hice un gesto con la mano como restándole importancia a su disculpa, pues tenía toda la razón. Los comerciantes británicos, respaldados por los cañoneros de su ejército, habían entrado dos veces en guerra para introducir el opio en China, alterando el equilibrio del comercio y el flujo de divisas extranjeras a su favor. ¿Por qué hablar de acontecimientos que no nos incumbían?

Me puse a mirar las fotografías de la pared mientras él cocinaba. Era un ávido fotógrafo. Había instantáneas de Japón, la mayoría de pueblos, montañas y jardines botánicos, pero ni una de su familia. De hecho, apenas había fotos de personas. Encontraba cierta falta de gracia en aquellas imágenes, un vacío que no me gustaba. Parecían hechas con prisas, como para servir únicamente de recordatorio y no de recuerdo. Una de ellas, de unas montañas altas y cubiertas de nieve, llamó mi atención.

—¿Dónde es esto? —le pregunté.

—Esa es la montaña más alta del mundo, en la India.

—¿Y eso? —Señalé la que parecía ser la única fotografía para la que había posado, e incluso ahí salía diminuto y casi indistinguible bajo la enorme estatua de arenisca de un buda excavada en la pared de una montaña.

—Bamiyán, en Afganistán. Es una de las tres estatuas de Buda. Esa delante de la que estoy tiene cincuenta metros de alto y fue excavada en el siglo III. Un grupo de chicos indios me hizo la foto.

—Ha viajado mucho —le dije.

En otra pared había clavado fotografías de bosques densos y playas desiertas, así como de formidables montañas. Reconocí las minas de estaño de Ipoh y las grandes extensiones de árboles del caucho que cubrían gran parte de la costa oeste de Malaya. Hutton e Hijos poseía un gran número de estas plantaciones y las fotografías me recordaron la calma de aquellas mañanas en que los trabajadores de la finca iban y venían recorriendo las hileras de árboles, practicando hendiduras en la corteza y extrayendo las gotas de la savia lechosa con la que llenaban los cuencos enganchados por debajo de los tajos.

Un cuadro en una pequeña hornacina atrajo mi atención. Era un dibujo hecho con sombras de tinta negra diluida en agua cuyos trazos parecían simples y casi casuales. Mostraba a un hombre calvo de barba poblada, y una pincelada continua simbolizaba su ropa. Tenía los ojos muy abiertos y, pensé, parecía que no tenían párpados. El resto del dibujo era espacio en blanco. Me acerqué un poco más para estudiarlo, impresionado por los grandes ojos negros de mirada fija y penetrante.

Endo-san, al verme absorto, me lo explicó.

—Esa es mi copia de un cuadro de Miyamoto Musashi. El hombre del dibujo es Daruma, un monje budista zen. No lo toques —me advirtió con brusquedad cuando alcé los dedos para acariciarle los ojos, como si pudiese cerrárselos y darle con mi gesto descanso eterno.

Sabía lo que era un budista, gracias a la hermana de mi madre: tía Yu Mei era una firme seguidora de Buda. Pero ¿qué era un budista *zen*?, le pregunté a Endo-san.

—Una rama del budismo muy influenciada por Daruma. Enseña a sus adeptos a encontrar la iluminación mediante la meditación y una rigurosa disciplina física. Y antes de que me preguntes qué es la iluminación, te diré que es un momento de completa claridad, de dicha pura. En ese instante, todo te es revelado. A algunos les lleva años alcanzarla, a otros, meses, días quizá, y otros nunca lo consiguen. En Japón llamamos *satori* a tal iluminación. Según recogen los anales del budismo zen, la han experimentado jóvenes novicios, monjes inexpertos y barrenderos del templo, así como sabios eruditos y patriarcas de templos. —Entonces su mirada se volvió fugazmente divertida—. No hay un criterio fijo. Cuando llega, llega.

—¿Es usted un iluminado?

Él dejó lo que estaba haciendo, me dedicó una triste sonrisa y dijo:

—No, no lo soy. Nunca lo he sido.

—¿Por qué no?

—Esa es una pregunta que no puedo responder. Dudo que incluso mi *sensei* pueda.

—¿Me convertiré yo en un iluminado? —le pregunté, aunque, en aquel punto, solo comprendía retazos de sus palabras. Sin embargo, mi pregunta sonaba seria e inteligente. Parecía ser una consulta esperada.

—Solo puedo enseñarte el camino, eso es todo. Lo que hagas con él y lo que él te haga a ti son cosas fuera de mi alcance.

Cada lección con Endo-San terminaba con una sesión de media hora de meditación: *zazen*, zen sentado. Consistía en liberar la mente y alcanzar lo que él denominaba «el vacío». Lo que le exasperaba, no obstante, era que yo fuese incapaz de llegar a dominarlo. Era difícil pensar en la nada y no pensar al mismo tiempo. Por más que lo intentaba, me resultaba imposible. Eso me frustraba, pues quería demostrarle que era capaz de conseguir algo que me parecía lo más fácil del mundo. ¡Anda que no lo había hecho veces en clase, como para no convertirme en un experto en la materia!

—Visualiza tu respiración como un cordel fino —me propuso—. Ahora, tira de él cuando inspires, tira fuerte. Más allá de tus pulmones, justo hasta el punto que hay debajo de tu ombligo, tu *tanden*. Haz una pausa. Deja que se enrolle y entonces imagina que lo estiras de nuevo cuando exhales. Eso es lo único en lo que tienes que pensar en el *zazen*. Más adelante, cuando progreses, no necesitarás ni pensar en eso. Ni siquiera notarás tu respiración. Más adelante.

Me desquiciaba estar allí sentado a la manera japonesa, con las piernas dobladas bajo las nalgas. No podía evitar que mi atención comenzase a divagar poco a poco, que una avalancha de pensamientos e imágenes se estrellasen en mi cerebro y me hicieran perder la concentración.

Con todo, aquellos fueron días mágicos, justo antes de que se desatasen los hilos que habían estado sujetando el mundo. Europa iba a entrar en guerra y Japón estaba estableciendo su régimen de paja en Manchuria como plataforma de lanzamiento de ataques contra la indefensa China. Se avecinaban días oscuros. Pero, de momento, el sol seguía brillando en Malaya, en las interminables hileras de árboles del caucho y en las minas con su melancólico paisaje lunar, donde rudos culis inmigrantes hakka cribaban toneladas de tierra y agua acuclillados en charcos embarrados para encontrar diminutos gránulos de mineral de estaño. Todavía había fiestas a las que asistir, excursiones de fin de semana a la colina de Penang, merendolas en la playa…

Endo-san me dio una palmada en la espalda y rápidamente intenté recuperar mi propio hilo enredado.

Me senté frente al mar, las olas rodaban hasta la orilla como el tictac de un reloj natural.

—Mira allí —me dijo, señalando el horizonte—. ¿Ves el punto donde el mar se junta con el cielo? Aquí sentado, piensas que ese punto es fijo. Pero, en cuanto te mueves, aunque sea una pulgada, ese punto también se mueve. Ahí es donde debes concentrar tu mente, en ese lugar donde se unen aire y agua.

Y entonces entendí lo que quería y, por primera vez, conseguí llegar a un estado de conciencia total, aunque fuese durante unos pocos segundos. Durante aquel corto período de tiempo, estuve allí, en aquel punto y, a la vez, en todas partes. Espíritu expandido, mente abierta, corazón en vuelo.

Capítulo cuatro

El capitán Francis Light obtuvo la isla de Penang del sultán de Kedah, con la intención de transformarla en un puerto británico vital. Lo llamó Georgetown por el rey de Inglaterra. Cuando yo nací, el asentamiento original había crecido hasta convertirse en un laberinto de callejuelas que se extendían desde el muelle hasta la periferia de la densa jungla virgen.

Georgetown estaba dividido en sectores según la procedencia de sus habitantes. Los británicos ocupaban la mejor parte, como era obvio. Por tanto, la zona costera estaba dominada por el fuerte Cornwallis y los campamentos del ejército. Las oficinas de la Compañía de las Indias Orientales, de Hutton e Hijos, de Empire Trading, del banco Chartered y del de Hong Kong y Shanghái estaban situadas en las inmediaciones de Beach Street.

Más hacia el interior, la ciudad se dividía en barrios chinos, indios y malayos. Cada uno poseía su propia idiosincrasia, sus propios templos, clanes, gremios y mezquitas. Las calles, con nombres ingleses salvo por un puñado de excepciones, eran estrechas y estaban bordeadas a ambos lados por tiendas-casa. Estas tiendas a nivel de la calle vendían artículos de China, la India, Inglaterra y de las numerosas islas del archipiélago malayo. Los comerciantes y sus familias pasaban allí toda la vida; era común que tres generaciones residieran en el mismo edificio. Cuando una vez Endo-san y yo dimos un paseo por Campbell Road, oímos los llantos de los niños, los gritos de los abuelos a los criados e incluso las notas musicales de un *erhu* del que alguien estaba sonsacando afligidos lamentos.

También estaban los olores, exactamente los mismos que han perdurado hasta el día de hoy (los aromas de las especias que se secaban al sol, dulces que se tostaban en parrillas de carbón, *curries* que borboteaban en hornillas al rojo vivo, pescado seco y salado que se mecía en cuerdas, nuez moscada, gambas en escabeche), arremolinados y mezclados con la fragancia del mar, fusionados en una especie de mejunje acre que penetraba en nosotros y se alojaba en la memoria de nuestros corazones.

Le señalé Armenian Street, donde inmigrantes de Armenia habían vivido y llevado a cabo sus oficios.

—De aquí viene mi segundo nombre, Arminius, aunque nunca lo uso. Lo eligió mi madre. Algunas calles llevan nombres de personas; a mí me pasa al revés —dije, y él se rio.

La gente se nos quedaba mirando cuando paseábamos por el centro. A pesar de su indumentaria occidental, Endo-san parecía fuera de lugar, sus facciones demasiado refinadas, demasiado aristocráticas para un chino. Caminaba despacio, con la espalda recta, mientras sus ojos iban recorriendo los puestecillos y los vendedores ambulantes que nos rodeaban.

Me sorprendió cuando me llevó a una pequeña comunidad japonesa justo a las afueras del barrio chino, en Jipun-kay, la calle Japón. Era una zona bulliciosa donde proliferaban tiendas de cámaras de fotos, restaurantes, bares y establecimientos de comida y provisiones. Para mí, apenas había diferencias entre Jipun-kay y el barrio chino: hasta los letreros parecían iguales, aunque he de reconocer que yo no era ningún experto, ya que no sabía chino. Sin embargo, las calles allí estaban muy limpias. La gente hacía reverencias a Endo-san al pasar.

—Aquí está —dijo Endo-san, señalando un local—. El restaurante de Madam Suzuki.

Al entrar, vi que la decoración era muy agradable: mesas bajas de madera, pantallas *shoji* y pinturas enmarcadas con escenas de la naturaleza. Madam Suzuki, una señora delgada de ojos pequeños y pelo enlacado, nos dio la bienvenida en la entrada. Endo-san inclinó ligeramente la cabeza ante unos cuantos clientes de camino a nuestra mesa.

—Nunca me había dado cuenta de que había tantos japoneses en Penang —le comenté cuando una joven japonesa nos preparó la mesa.

Me quedé mirándola, observando sus movimientos rápidos y certeros. Era mucho más baja que yo, llevaba la cara pintada de blanco y sus labios eran una explosión perfilada en rojo.

—Llevan años viviendo aquí, atraídos por la riqueza de esta región.

Pidió por mí y la voz de la camarera sonó como unos carillones de viento al repetir la comanda. La comida vino al instante. La mayoría de los platos eran fríos y crudos, lo que me pareció desconcertante. También eran bastante insípidos. Yo estaba acostumbrado a la comida picante de Penang, alimentos que te hacían sudar la gota gorda dejándote como una esponja empapada. Cuando lo conté, sonrió.

—Yo todavía no me he acostumbrado a vuestro *curry* y vuestras especias —me confesó—. ¿Te gusta el té?

Di un sorbo. Tenía un sabor amargo y melancólico que me dejó perplejo, pues no conseguía explicarme cómo una bebida podía capturar la esencia de la emoción.

—Tampoco tengo explicación para eso —me dijo cuando se lo pregunté—. La fragancia del árbol solitario. Se cultiva en unas colinas no lejos de mi hogar.

—¿Qué está haciendo en esta parte del mundo? —Sentía curiosidad. No me había contado demasiado sobre sí mismo. Yo le había echado un vistazo al atlas de la biblioteca y pensaba que el conjunto de islas que la conformaban hacían de la nación japonesa algo parecido a un caballito de mar bocabajo que nadara contra las corrientes del océano.

Entonces entrelazó las manos encima de la mesa con la mirada perdida.

—Crecí cerca del mar, en un lugar precioso muy cerca de la isla de Miyajima. ¿Ves aquel cuadro de una gran estructura que sale del mar?

Señaló una pared a mi espalda.

Me giré para verla y asentí.

—Eso es un *torii*, una puerta de acceso a un templo shinto. Es un famoso santuario de Japón. Nuestro pueblo tiene uno muy similar a ese, aunque debo admitir que no es tan impresionante. Cada mañana el sol se posa en él y arde en tonos rojos y dorados, como si los dioses acabasen de forjarlo en su horno y lo hubiesen colocado en el mar para que se enfriase.

Las líneas sencillas y las curvas sutiles de la gigantesca puerta se me antojaban un ideograma japonés, como si una palabra piadosa se hubiese transformado en una estructura física, como si un rezo se hubiera convertido en realidad.

Me contó que procedía de una familia samurái, parte de una dinastía aristocrática que había visto menguado su poder. Los comerciantes estaban debilitando la autoridad y la influencia que una vez habían ostentado la aristocracia y las clases militares; y estas familias solían pedir grandes préstamos a los empresarios cuando las cosechas de arroz de sus feudos no eran buenas. El padre de Endo-san había disgustado al emperador y se había marchado de Tokio para aventurarse en el mundo del comercio, dedicándose a la venta de arroz y de laca a americanos y chinos.

—¿Su padre trabajó para el emperador de Japón? —le pregunté, impresionado.

—Muchos aristócratas lo hacen. No es tan importante como crees. Mi padre era uno de los funcionarios encargados del protocolo de la corte —me contó—. Aconsejaba a los diplomáticos occidentales sobre cómo dirigirse al emperador, la ropa más apropiada que debían llevar o los regalos más adecuados con los que le podían agasajar.

—¿Cómo enojó al emperador?

—El emperador estaba rodeado por una camarilla de consejeros militares de alto rango que deseaban expandir nuestros territorios invadiendo China. Mi padre creía que eso sería un gran error. Por desgracia, no se callaba sus puntos de vista.

El hombre se había asegurado de que sus hijos nunca olvidasen su legado, y Endo-san había pasado su juventud aprendiendo las destrezas de los samuráis: combate cuerpo a cuerpo, tiro con arco, equitación, manejo de la espada, arreglos florales y caligrafía. También le había enseñado los secretos del comercio, relacionando los principios de la guerra con los de la compraventa.

—«El comercio es la guerra», solía decirnos mi padre —citó Endo-san mientras sorbía su té.

Había nacido en 1890, en uno de los períodos más turbulentos de la historia de Japón. Por aquel entonces, el país estaba saliendo del *sakoku*, un aislamiento nacional autoimpuesto bajo el sogunato de Tokugawa que había durado doscientos años.

—*Sakoku*, o «país encadenado», significaba que Japón había cerrado sus puertas a los extranjeros. La gente no podía viajar fuera de Japón. Algunos lo hicieron y a los que capturaron los sentenciaron a muerte. Aquellos que salieran, no podrían regresar jamás. Las leyes promulgadas por el sogún Tokugawa Ieyasu se cumplían a rajatabla.

Me contó que el sogún era el comandante militar supremo y que tenía más poder que el propio emperador, que no era más que un hombre de paja.

—Debido a las estrictas leyes del sogún, este período de aislamiento se convirtió en una edad de oro para las artes: poesía haiku y obras de teatro *kabuki* y *noh*. Sin embargo, en el siglo XIX, Japón se vio paralizado por la hambruna y la pobreza. Éramos débiles y nos habíamos quedado atrás mientras el mundo exterior avanzaba. Cuando los americanos arribaron a nuestras costas, no tuvimos más remedio que sucumbir a sus exigencias de abrir el país.

Asentí dándole la razón. Pasaba lo mismo por toda Asia. Yo mismo era el resultado de tales circunstancias.

—La política de puertas cerradas debilitó mi país. Mientras las naciones del oeste conquistaban y colonizaban, Japón se quedaba mirando, deseoso de participar en los acontecimientos del mundo, pero frustrado por su aislamiento histórico y por su falta de experiencia y de conocimientos técnicos. Enviamos a nuestras mejores mentes a Europa para que aprendiesen, y el éxito de los países occidentales inspiró nuestras propias ambiciones militares.

Meneó lentamente la cabeza.

—Y fue la llegada de los *gai-jin*, la «gente de fuera», lo que hizo del comercio una actividad tan lucrativa. Cuando nació mi generación, ya estábamos prendados de Occidente. Me enseñaron a tocar las obras de los grandes compositores europeos, estudié historia europea y americana y me dieron clases para aprender a leer, escribir y hablar inglés. Esa es la razón por la que puedo charlar contigo hoy, en un establecimiento japonés, en Malaya, a miles de kilómetros de nuestras respectivas patrias. Raro, ¿verdad?

—Mi patria es esta, nunca Inglaterra. Para mí, Inglaterra es tan extraña como… bueno, como lo es Japón —le dije.

El silencio, un silencio cómodo, se hizo entre nosotros mientras reflexionábamos sobre las palabras del otro. ¿Solo hacía dos meses que un hombre había venido a pedirme una barca? Hoy estaba almorzando con él y escuchando la historia de su vida. Me sentía como en un sueño, como flotando lánguidamente en una piscina.

Terminamos la comida de pescado crudo y arroz envuelto en algas secas. Era tarde cuando su chófer nos devolvió a Istana. Al bajar los escalones para ir a la playa dijo:

—Me gustaría saber más cosas sobre Penang. ¿Me lo enseñarás?

—Claro —le dije, complacido de que me lo hubiese pedido.

Fue así como me convertí en su guía y lo llevé por toda la isla. Lo primero que quiso ver fueron los templos, y supe de inmediato cuál le enseñaría primero.

Le fascinó el Templo de la Nube Azul, donde cientos de serpientes cascabel habían establecido su residencia; se las podía ver enroscadas en soportes de incienso y en los aleros y las vigas del techo, inhalando el humo de las varitas que encendían los devotos.

Le compró un paquete de varias a un monje y las colocó en una gran urna de bronce después de susurrar una oración. Encima de las mesas había bandejas de huevos que habían sido depositadas para las serpientes a modo de ofrenda. Yo me quedé por allí, sin saber muy bien qué hacer. La religión nunca había desempeñado un gran papel en mi vida. Mi madre había sido una budista no practicante, pero yo asistía al oficio de la iglesia de Saint George con mi familia cada semana. Aquel templo, con sus intrincadas escrituras y sus grandes paneles de madera, con el barniz desconchado y descolorido, me resultaba extraño. Los diferentes dioses y diosas alojados en los altares me escrutaban con los ojos medio cerrados al pasar.

Una campana sonó y, a través del humo, oí el canto de los monjes. Una cobra se desenroscó de un pilar y se deslizó por las baldosas irregulares, balanceándose al ritmo de la cantinela. Sacaba la afilada lengua para probar el aire y sus escamas brillaban como un millar de almas atrapadas. Un monje que pasaba por allí la cogió y la colgó en el respaldo de una silla. Me dijo que la tocara. Acaricié su piel, seca y fría. Como les ocurría a las serpientes, el humo y los cánticos, que resonaban en mi cuerpo y que mi sangre y mis huesos absorbían, me envolvían aturdiéndome poco a poco.

—Una adivina —me dijo Endo-san, señalando a una enorme anciana que se daba aire con un abanico de mimbre—. Vamos a ver lo que nos cuenta.

Me senté ante ella y me examinó la mano. Su piel tenía la misma textura que la de una cobra. Escrutó mi cara y me miró como si estuviese haciendo un gran esfuerzo por recordar dónde me había visto.

—¿Has estado aquí antes? —me preguntó.

Negué con la cabeza.

Ella acarició lo que fuera que había escrito en mis manos y me preguntó la fecha y la hora exactas de mi nacimiento. Hablaba en hokkien.

—Tú naciste con el don de la lluvia. Tu existencia estará repleta de éxitos y de riquezas. Pero la vida te someterá a una dura prueba. Recuerda: la lluvia también trae inundaciones.

Sus vagas palabras me hicieron retirar las manos, aunque ella no se ofendió. Desvió la atención a Endo-san y su mirada se tornó soñadora, como si intentase recordar a un viejo conocido. A continuación volvió a clavar la vista en mí:

—Tu amigo y tú tenéis un pasado en común, en otra época. Y a ti te queda un viaje aún más largo por hacer. Después de esta vida.

Desconcertado, le traduje sus palabras a Endo-san, ya que él solo sabía unas cuantas frases del dialecto local. Por un instante, pareció triste.

—Parece ser que las palabras nunca cambian, allá donde vaya —dijo en voz baja.

Esperé a que me explicara lo que había querido decir, pero permaneció pensativo y en silencio.

—¿Qué muestra la mano de mi amigo? —le pregunté a la vidente.

Ella se cruzó de brazos y se negó a tocar a Endo-san.

—Es un *jipunakui*, un fantasma japonés. Yo no leo sus futuros. Ten cuidado con él.

Me sentí abochornado por la forma en que había rechazado a Endo-san y traté de suavizar sus duras palabras antes de comunicárselas.

—No se siente muy bien. Dice que no va a leer más manos por hoy —le dije.

Sin embargo, se percató de la lucha interior que revelaba mi rostro y negó con la cabeza, tocándome el brazo para darme a entender que lo había captado todo.

Le pagué a la mujer y salimos del espacio intemporal y tenuemente iluminado del templo para encontrarnos con la luz del sol. Las reverberaciones de aquel lugar quedaron atrás. Nuestros cuerpos fueron recuperando poco a poco la compostura y la calma. Todo parecía moverse más rápido fuera, hasta las sombras proyectadas por el sol.

—¿Qué ha querido decir con eso de que las palabras nunca cambian? —le pregunté, mientras él me compraba un vaso de agua fresca de coco en un puestecillo ambulante.

—He visto a muchos videntes, de todo tipo. Algunos me han leído la cara; otros, las manos. Ha habido quienes han entrado en trance y les han pedido consejo a los espíritus. Y la respuesta siempre ha sido similar. Esa anciana de ahí ni siquiera ha tenido que tocarme para hacer lo mismo —respondió, echando a caminar de vuelta hacia el lugar donde nos esperaba su chófer.

—¿Y qué le contaron? —le pregunté, al alcanzarlo.

Entonces se detuvo y se giró para encararme. Me vi obligado a mirarlo a los ojos.

—Me contaron que nos habíamos conocido hacía mucho, mucho tiempo. Y que nos conoceremos en tiempos venideros.

Sus palabras, junto con las extrañas declaraciones de la vidente, me resultaban del todo incomprensibles, y así se lo hice saber.

—Tú eres un seguidor de Jesucristo —me respondió—. Seguro que no has oído hablar de la rueda de la vida en la que creen los budistas.

Respondí que no con la cabeza. Al constatar mi ignorancia, continuó.

—¿Qué ocurre cuando mueres?

Eso tenía respuesta fácil.

—Vas al cielo… si eres bueno.

—Pero ¿qué ocurrió antes de que vivieras? ¿Dónde estabas entonces?

Aquella sencilla pregunta me hizo pararme a pensar. No podías estar en el cielo. De lo contrario, ¿qué sentido tenía dejarlo para regresar más tarde?

—No lo sé —terminé confesando.

—Tenías otra vida. Después del final de aquella vida, renaciste en esta. Y así seguirá siendo, una y otra vez, hasta que hayas superado todas tus flaquezas y reparado todos tus errores.

—¿Y qué pasará entonces?

—Puede que, tras mil vidas, llegues al Nirvana.

—¿Y dónde está eso?

—La cuestión no es dónde está, sino qué es. Es un estado de iluminación. Sin dolor ni sufrimiento ni deseos, sin tiempo.

—Como el cielo —dije.

Él se giró para mirarme y frunció las cejas.

—Tal vez.

—Entonces, el modo cristiano es más corto. Solo tienes que morir una vez.

Se rio.

—Oh, desde luego.

No volví a pensar en las palabras de la vidente. Las explicaciones de Endo-san no terminaban de cuadrarme, así que no les di más vueltas. Mi entrenamiento se intensificó. Aparte del combate cuerpo a cuerpo, empezó a hacerme practicar con una vara de madera. El arma me llegaba al hombro cuando estaba apoyada en el suelo y él la blandía con gran destreza. En sus manos, la rigidez de la madera parecía transformarse en fluida flexibilidad.

—Una vez que hayas dominado los movimientos rudimentarios de la vara, aprenderás a utilizar una espada. En algunos casos, la vara resultará más mortífera que aquella —añadió—. Una espada tiene un único borde cortante, pero una vara, *jo*, tiene dos extremos con los que golpear. Y el *jo* en sí es un filo cortante.

Empezó a balancear la vara deslizando las manos con suma suavidad.

—Como con todos los principios del *aikijutsu*, no te enfrentas al impacto del ataque de frente. Lo esquivas, te echas a un lado para evitar el golpe, rediriges la fuerza y desequilibras a tu oponente. Pasa lo mismo con el *ken*, la espada.

Reparé en la seriedad de su voz mientras continuaba.

—Estos principios también se aplican a la vida diaria. Nunca te enfrentes directamente a la ira de una persona. Despístala, distráela, dale incluso la razón. Desestabiliza su mente y podrás llevártela adonde quieras.

El *jo* salió disparado de su mano y yo hice un recorte perfecto hacia un lado sin vacilar. Le di un puñetazo *atemi* en las costillas que lo desestabilizó. Combiné mi siguiente movimiento con su inclinación y lo tiré al suelo, arrebatándole la vara. Él aterrizó con total gracilidad y se hizo un ovillo para dar una voltereta *ukemi* hacia delante y terminar en pie de nuevo. Cuando se giró, yo estaba apuntando con el *jo* a la parte más blanda de su cuello.

Allí nos quedamos, el uno frente al otro, sin que apenas se percibiera nuestra respiración. Solo se oía el murmullo de suaves olas y el susurro de las hojas.

Desde aquel instante, nos empleamos a fondo. Él aún se contenía, pero cada vez menos. En cuanto a mí, lo di todo, y en respuesta recibí puñetazos, patadas y moratones. Agradecía que mi familia no estuviese por allí para verme subir cojeando desde la playa, masajearme el cuerpo o untarme bálsamos de alcanfor en las magulladuras. Él me había advertido de que, en toda lucha, uno tiene que esperar recibir golpes. La cuestión era reducir al mínimo esa posibilidad.

También entrenaba a solas, esforzándome por adoptar el hábito diario de levantarme antes de mi hora de costumbre. Mucho antes de que se pusiera de moda salir a correr por razones de salud, yo ya lo hacía, y a veces hasta quince kilómetros al día por la playa. Perdí la poca o mucha grasa que tuviera y la reemplacé por una extraña combinación de cuerpo de corredor y constitución musculosa de *aikijutsu-ka*. También trabajé mi destreza en el manejo de la espada haciendo cientos de cortes diarios, aumentando así mi velocidad, hasta conseguir que los movimientos se emborronaran a la vista.

Todas estas actividades despertaban en mí un apetito voraz, y Ah Jin, nuestra cocinera, empezó a quejarse de que estuviera perdiendo peso a pesar de su buena cocina.

Estos fueron los cimientos de un régimen que continuaría hasta mi vejez, los cimientos que me convirtieron en uno de los maestros más respetados del mundo después de la guerra. El único respiro del que disfrutaba era cuando Endo-san tenía que atender sus asuntos, por cuya naturaleza nunca le pregunté. Habría sido una falta de educación por mi parte.

Capítulo cinco

El modo más gratificante de ver el sitio en el que vives es enseñárselo a un amigo. Yo tenía interiorizadas las bellezas de la isla de Penang desde hacía ya tiempo, y fue justo al ejercer de guía de Endo-san cuando aprendí a amar mi hogar de nuevo, con una intensidad que me sorprendió y me llenó de satisfacción.

Tras la experiencia con la vidente del Templo de la Serpiente, puse mucho cuidado en evitar otros templos al explorar las calles de Georgetown. Nunca escaseaban los sitios que enseñarle y, para impresionarlo con anécdotas y peculiaridades, aprendí más cosas sobre mi ciudad preguntando a los criados de Istana y leyendo los libros de la biblioteca de mi padre.

Una noche nos detuvimos ante la puerta de la iglesia de Saint George, atraídos por las voces de un coro que estaba ensayando. Entramos y nos sentamos en el último banco.

—Cuando era pequeño cantaba en el coro —le susurré.

Él me hizo callar con un gesto y cerró los ojos mientras las voces nos envolvían, de modo que me quedé sentado escuchando de nuevo los himnos ingleses tradicionales que habían constituido la banda sonora de mi niñez.

Dejé de cantar cuando me cambió la voz, hacía cuatro años, pero me consoló comprobar que las melodías y el orden del oficio seguían siendo los mismos.

Más tarde, cuando paseábamos por los jardines de la iglesia, Endo-san me dijo:

—Ha sido una selección muy conmovedora.

—Tal vez ahora pueda empezar a comprender por qué los ingleses creen que tienen que colonizar medio mundo.

Se dio cuenta de que lo estaba diciendo medio en broma.

—¿A qué se referían esas últimas frases? —preguntó—. Oí mencionar una espada.

Todavía recordaba los versos que tantas veces había cantado:

—No cejaré en mi lucha mental, ni dormirá mi espada en mi mano…

Él asintió y repitió las palabras.

—No estoy de acuerdo. La espada siempre debe ser la última opción.

—Es solo una canción —repuse.

—Sin embargo, como bien has señalado, se trata de una canción lo suficientemente poderosa como para movilizar a todo un país.

—Nosotros utilizamos espadas para entrenar —señalé.

—¿Qué te estoy enseñando?

—A luchar —dije.

—No. Eso es lo último que te estoy enseñando. Lo que quiero mostrarte es cómo no luchar. Nunca jamás debes utilizar lo que te he enseñado, a menos que tu vida esté en peligro. E incluso entonces, si puedes evitarlo, tanto mejor.

Me hizo prometerle que siempre lo recordaría.

Durante los días que siguieron estuvo lloviendo mucho y no pude seguir enseñándole la ciudad, pero, en cuanto el cielo se despejó, lo llevé a explorar el muelle y los almacenes del puerto. Llegamos hasta el final del embarcadero de madera y nos quedamos allí plantados mirando hacia la península malaya.

—¿Aquello de allí qué es?

Señaló una serie de edificios en la costa de Butterworth, donde había dos barcos en dique seco puestos en alto cuyos cascos oxidados parecían embadurnados con polvos de galanga.

—El segundo mayor astillero del país después del de Singapur —le contesté—. La Marina lo utiliza también para sus reparaciones.

Endo-san escrutó el recinto durante un rato. Luego, se giró para mirar la cadena de montañas que teníamos detrás.

—Quería preguntarte cómo se llama aquella colina, la que tiene casas.

Yo sabía, incluso sin mirar, a cuál se refería.

—La colina de Penang. El punto más alto de la isla. Aquellas casas que ve son del gobierno y hay también residencias de vacaciones. Nosotros también tenemos una casa allí arriba.

—¿Me llevarás un día? —me preguntó.

—Tenía intención de hacerlo —le respondí.

Subimos a la colina de Penang un amanecer a finales de esa semana. Su chófer nos dejó al pie, a tres kilómetros de Georgetown, cerca de los Jardines Botánicos, y anduvimos durante diez minutos adentrándonos en el bosque. La noche anterior había llovido y el sendero estaba resbaladizo y lleno de hojas muertas que se convertían en mantillo bajo nuestras botas. Las ramas nos empapaban de agua al apartarlas.

—Está por aquí —dije, utilizando mi bastón para ayudarme a subir por una pendiente embarrada.

—Pues nunca he oído hablar de ella —respondió Endo-san.

—Eso es porque nunca ha viajado con gente de aquí.

Me resbalé y él me sujetó con firmeza hasta que recuperé el equilibrio.

—Cuidado.

—Ahí está —dije—. La Puerta de la Luna.

Seguro que hubo un tiempo en que era tan blanca como la luna llena en una noche estrellada. Ahora el muro con el círculo hueco estaba lleno de setas y musgo. Las deposiciones de los pájaros, que la lluvia había hecho chorrear y el calor había secado, veteaban los laterales. Se alzaba solitaria en la linde del bosque; no era más que una pared de ladrillos enlucidos y pintados de blanco con una puerta redonda en el centro a la que se accedía subiendo tres escalones.

La atravesamos y empezamos a subir la colina de Penang.

—¿Cuánto mide? —me preguntó Endo-san.

—Un poco más de seiscientos metros. Tardaremos unas tres horas en llegar a la cima. Nada comparado con la montaña más alta del mundo.

Podríamos haber cogido el funicular, que llevaba en funcionamiento desde 1923, pero Endo-san no quiso. Me dijo que prefería sentir la subida. Tomaríamos el funicular a la vuelta.

En cuestión de una hora, yo ya estaba empapado en sudor. La mochila me pesaba como el plomo y, a pesar de mi entrenamiento diario, iba jadeando.

—Venga, sigue adelante —me instó Endo-san golpeándome las pantorrillas desnudas con su bastón.

Me adelantó y fue marcando el ritmo. Por el sendero bajaban riachuelos de agua de lluvia que nos empapaban las botas. Tenía las manos embarradas de agarrar las ramas mojadas y de apoyarme en el suelo para impulsarme. Las raíces, muchas de las cuales eran tan gruesas como mis muñecas, sobresalían de la tierra y dificultaban nuestro avance.

A mitad de camino nos detuvimos ante una chabola de madera donde servían té y saludamos a otros excursionistas más madrugadores.

—Míralos —me dijo Endo-san—. No parecen tan cansados como tú. Y algunos de ellos ya no son jóvenes.

—Esta gente sube la colina todas las mañanas. Estoy seguro de que ya están acostumbrados —le contesté, un poco a la defensiva.

Endo-san sacó su cámara y me hizo una foto sentado en un banco de madera mientras me bebía una humeante taza de té. A mi alrededor había pájaros en jaulas de bambú que los excursionistas habían traído y que gorjeaban y saltaban en sus alcándaras anticipando la llegada del alba.

—Sigamos, ya has descansado bastante —dijo Endo-san.

Reanudamos nuestra escalada. El sol se extendió por el dosel de hojas y calentó el aire. De la tierra empezaron a emerger unos hilillos de vapor, como si alguien hubiese encendido varitas de incienso y las hubiese clavado en el terreno mojado. Los monos chillaban alborozados al saltar de rama en rama, bañándonos con grandes goterones de agua y ramillas empapadas. De vez en cuando conseguíamos ver alguna de aquellas grandes criaturas de pelaje marrón que desaparecían rápidamente entre los árboles, dejando solo el temblor de las hojas como único testimonio de su paso.

Justo antes de mediodía alcanzamos la cumbre, que emergía de un camino por detrás del Hotel Bellevue. El aire era fresco a aquella altura y el viento estaba atrayendo bancos de niebla. Compramos zumo de caña de azúcar prensada a un vendedor ambulante y me lo bebí de un trago, como si fuera a desaparecer. Dejamos atrás el hotel y recorrimos una estrecha carretera. Allí no había coches, solo bicicletas y unos cuantos camiones del ejército.

—La colina siempre ha estado llena de *ang mohs* —apunté.

Él me miró extrañado.

—Pelirrojos —le expliqué.

Era el mote que se utilizaba para denominar a los europeos, muchos de los cuales evitaban los peores días de la estación calurosa en Georgetown subiendo a la colina. Endo-san se rio.

Giramos a la izquierda a la altura de una fuente de piedra colocada en medio de un círculo de flores y atravesamos las puertas de Istana Kechil, el pequeño palacio. Saqué la llave y abrí la puerta principal. No había nadie dentro. Mi padre venía a cazar agachadizas, pájaros de Siberia que elegían pasar allí el invierno, y nunca permitía que nadie usara la residencia, aunque nosotros no nos quedásemos allí. Había pasado mucho tiempo desde la última vez.

La casa estaba fría y olía a cerrado; solo la colmaba el silencio del abandono. Abrimos puertas y ventanas y salimos al jardín, donde las buganvillas y los hibiscos estaban en plena floración y se mecían al viento.

Endo-san se subió a un murete de bloques de granito que bordeaba la finca para evitar que la gente cayera al barranco de abajo. El día se estaba despejando, lo que nos permitió divisar todo Georgetown a nuestros pies. Incluso se veían las montañas de Kedah al otro lado del canal. Convertidas en sombras azules por la distancia, se extendían bajo una capa de nubes. Estaban rodeadas por llanuras, divididas en cuadrados acolchados de campos de arroz. Unos finos hilos blancos hilvanaban la suave superficie del mar: eran los ferris que transportaban mercancías hacia la península; barcos de vapor rumbo a Kuala Lumpur, a Singapur, a la India y al resto del mundo; y embarcaciones de la Marina que patrullaban la zona en busca de piratas procedentes de Sumatra y del estrecho de la Sonda.

Instaló su trípode y empezó a hacer fotos: al este, al oeste, en todas direcciones, moviendo la cámara con precisión, como si hubiese delimitado una cuadrícula en el suelo. La cámara no paraba de chasquear, como un geco en época de apareamiento.

Recordé las fotografías que había en su casa y me pregunté por qué nunca salía en ellas. ¿Era porque siempre había viajado solo?

—Deje que le haga yo algunas fotos para que pueda salir usted también —le propuse.

Él rechazó mi ofrecimiento.

—Mi cara solo las estropearía.

Sabía por experiencia que por la noche haría frío en la colina, así que habíamos venido preparados. Dimos un paseo hasta el Hotel Bellevue para cenar vestidos de esmoquin negro. El *maître* nos sentó en la veranda, lo que nos permitió disfrutar de una panorámica de las luces de la ciudad, que se extendían tierra adentro como una marea de fosforescencia blanca desde la orilla en el muelle Weld. Los mares que rodeaban Penang estaban sumidos en la oscuridad y solo gránulos de luz indicaban dónde estaban los barcos.

—Gracias por traerme aquí arriba. La subida merece la pena por estas vistas, ¿no crees? —me dijo Endo-san en tono agradecido.

—Así es, Endo-san —concedí, consciente de algún modo de que siempre recordaría aquella noche.

Él entrecerró los ojos para estudiar el frondoso emparrado que había sobre nuestras cabezas. Algo hizo un ligero movimiento allá arriba.

—¿Son serpientes enroscadas en las parras lo que veo?

—Serpientes de cascabel —le confirmé—. Uno de los reclamos del hotel. No tiene por qué preocuparse, nunca le han picado a nadie. Apenas si se ven, están muy bien camufladas.

—Pero sabes que están al acecho justo encima, preparadas para el ataque.

—Las ignoro, como todo el que come aquí.

—La enorme capacidad humana para elegir no ver —dijo.

—Hace la vida más fácil —le contesté.

El camarero colocó una hornilla y una olla en nuestra mesa. Había huevos, lechuga, pollo, bolas de pescado y fideos en una gran bandeja. Cuando la olla empezó a hervir, lo echamos todo dentro.

—¿Cómo se llama esto? —me preguntó—. Se parece a nuestro *shabu shabu.*

—Barco de vapor. Perfecto para una noche como esta.

—¿Cuándo vuelve tu familia de Londres? —me preguntó, a la vez que me servía un huevo cocido en mi plato.

—A finales de año.

Me quemé la lengua al darle un mordisco al huevo.

—Háblame de ellos.

Permanecí pensativo un momento. Uno está tan acostumbrado a su familia que nunca pensé que tuviera que describirle la mía a nadie. Le di un sorbo al té para refrescarme la lengua.

—Mi padre tiene cuarenta y nueve años. Tiene el pelo gris, casi blanco, pero a muchas mujeres les parece muy atractivo. Se mantiene en forma nadando y saliendo a navegar. Trabaja muy muy duro. Antes pasaba más tiempo con nosotros, pero después de que mi madre muriera... Eso es lo que me dice Isabel. Entonces yo era muy pequeño...

Me encogí de hombros, sin saber muy bien cómo explicar el distanciamiento de mi padre con respecto a sus hijos después de la muerte de mi madre.

—Sí, lo conocí cuando firmé el alquiler de la isla.

—Tengo dos hermanos. Edward tiene veintiséis años y William, veintitrés. Se parecen mucho a mi padre, creo. Edward estudió Derecho, como él, es un abogado titulado, pero ha elegido trabajar en el negocio familiar. William dejó la universidad el año pasado y mi padre quiere que trabaje también para la familia.

—Como todos los padres —dijo Endo-san.

—Edward... bueno, no tengo mucha relación con él. Es frío y apenas hablamos. Isabel tiene veintiún años y creo que es más fuerte que mis dos hermanos en muchos sentidos. Al menos, siempre se sale con la suya. No le hizo mucha gracia que le dijese que prefería quedarme en casa a ir con ellos a Londres.

—¿Y tú, donde encajas?

Me encogí de hombros.

—¿El benjamín medio chino de una familia inglesa? No creo que encaje en ningún sitio.

Endo-san permaneció en silencio y, de repente, empecé a contarle todas las cosas que nunca había sido capaz de contarle a mi padre.

—Lo peor es que voy al mismo instituto al que fueron mis hermanos. Muchos de mis profesores les daban clase y todo el mundo sabe quiénes son. Pero eso, en lugar de haberme hecho sentir más apegado a ellos, lo único que ha conseguido es marcar aún más las diferencias entre nosotros.

—No eres lo que todo el mundo esperaba —dijo Endo-san en voz baja—. Y los jóvenes no suelen ser conscientes del daño que pueden causar.

—Sí —respondí, y me sentí aliviado por que no hubiese subestimado mis circunstancias; al contrario, las había entendido a la perfección.

Envolví una taza de té con las manos para calentármelas. Esa noche solo había un grupo reducido de clientes, en su mayoría oficiales de alto rango del ejército británico de uniforme con sus esposas. Reconocí a algunos de ellos. Hablaban en voz alta, felices y despreocupados. Se los señalé a Endo-san, que los estudió, casi como si los ubicara en su mente. Una banda compuesta por seis músicos empezó a tocar y unos cuantos hombres sacaron a sus mujeres a la pista de baile.

—Un sitio muy popular entre los militares —comentó.

—Oh, sí. Aquí tienen una pequeña guarnición. Como un puesto de observación. Tiene sentido, porque desde aquí se puede ver toda la isla y los mares que la rodean.

—Hasta la India —dijo él.

—Sí, hasta allí. Puede que incluso hasta Japón.

Él se rio.

—Entonces tendré que venir aquí arriba más a menudo.

Nos levantamos temprano y le dimos la bienvenida al sol cuando este asomó por el borde del mar. Dejamos la casa y bajamos por un sendero hasta el borde del barranco, y allí nos sentamos en un saliente frío y estrecho y comenzamos el *zazen*. Oía cacarear a los gallos de las huertas que había más abajo. También a los chuchos ladrar y las cancelas de madera dando portazos. La bruma envolvía los valles formando gruesos parches, como escarcha sobre grandes cantos rodados cubiertos de musgo.

Me agarré al saliente y el miedo me mareó. Tenía solo quince centímetros de ancho y había un desnivel de unos veinte metros hasta las copas de los árboles de abajo. En mi mente, esa distancia se prolongaba hasta profundidades abismales, y quise abrir los ojos. Me imaginé que el saliente cedía, lo oí desmoronarse cuando las piedras se rompieron con nuestro peso. Al oeste, las nubes navegaban cargadas de lluvia y creí que el viento nos barrería de un soplido. Me agarré más fuerte y deseé que el ejercicio hubiese terminado. No podía evitar bajar la mirada hasta las afiladas copas de los árboles, lanzas que esperaban impacientes en un foso.

—Relájate —me dijo—. No te vas a caer.

—¿Y si me caigo?

—Te cogeré.

Levanté la vista y descubrí que me estaba mirando, sin sonrisa en los labios; solo asintió con la cabeza y luego volvió a cerrar los ojos. Pensé en sus palabras, palabras pronunciadas con calma, sin titubeos, palabras que marcarían un cambio en mi vida.

En aquel momento, supe que podía confiar en él absolutamente, fueran cuales fueran las consecuencias para mí. Cerré los ojos, aflojé los dedos y la euforia de la liberación me recorrió de arriba abajo. El sol salió de entre las nubes y se unió a nosotros como un viejo conocido. Poco después, a medida que la luz fue llenando el mundo, un rojo abrasador inundó mis párpados. Ya no me parecía estar en el frío y duro saliente; era como si flotara por encima de la tierra, cerca del calor del sol, cuya luz podía ver dentro de mi cabeza, iluminando un espacio que parecía más vasto que el universo.

Después de un ligero desayuno, salimos al jardín. Hicimos una reverencia y me lanzó una patada a los riñones. No fui lo suficientemente rápido, estaba mirándole los ojos y las manos, pensando aún en el saliente y en sus palabras. El dolor se extendió como tinta roja salpicada en una hoja de papel y caí de rodillas. Vi que su otra pierna empezaba a moverse y supe que se dirigiría a mi cabeza. Di una voltereta por el suelo y terminé de pie. Esquivé la patada y, durante una milésima de segundo, lo tuve a mi merced. Le levanté la pierna, aprovechando su movimiento ascendente y le di una patada en el interior de la espinilla. Él emitió un gruñido y lo desequilibré de un empujón, derribándolo sobre la hierba. Se puso en pie dando una voltereta y me lanzó otra patada al costado que encajé dirigiéndome hacia ella, evitando que estirase la pierna del todo, aunque me encontré justo con su puño, que me impactó en la mejilla y me hizo verlo todo blanco. Caí de espaldas y perdí el conocimiento durante unos largos segundos.

—Vas mejorando, pero sigues mirándome las manos, los pies y los ojos —dijo. Me incorporó y me examinó los ojos y las mejillas, palpándome la cara con los dedos—. Nada serio —añadió.

—¿Cómo no voy a mirarlos?

—Debes librarte de tu miedo. Tus ojos revolotean de mis manos a mis piernas porque tienes miedo y no estás seguro de ti mismo. Olvídate de tu preocupación por resultar herido y no ocurrirá.

Sacudí la cabeza para despejar la neblina y tratar de comprender lo que decía.

—Levántate. Vamos a intentarlo otra vez.

Suspiré, me puse en pie y volví a colocarme en posición de ataque.

Para cuando la lección terminó, unas nubes de tormenta habían descendido y arañaban las cumbres de la cordillera como el vientre de un dragón sobre unas rocas. Nos quedamos plantados junto al murete para observarlas.

—Me encantan vuestras nubes —dijo Endo-san—. Vuelan muy bajo.

—En días como este, cuando las nubes son espesas, el cielo parece más cerca y tengo la impresión de que casi puedo tocarlo.

Al oír el tono melancólico de mis palabras, me miró.

—Puedes tocar el cielo siempre que lo desees. Deja que te enseñe.

Lo llamó *tenchi-nage*, la proyección cielo-tierra. Me agarró los dos brazos con fuerza y me pidió que los separara, que estirara uno hacia el cielo, como para llegar a su mismísimo corazón. Bajé la otra mano como para conectarla con el centro de la tierra. Al instante sentí que su ataque se debilitaba. Su fuerza estaba repartida, dividida entre el cielo y la tierra. Penetré en su esfera de equilibrio y lo derribé con total facilidad.

—Ahora siempre me recordarás como el hombre que te enseñó a tocar el cielo —me dijo.

Estaba buscando una casa para el consulado, para que los empleados la utilizaran en sus permisos. Lo llevé a una de imitación de estilo tudor construida en la cara norte de la colina. Gozaba de una vista panorámica desde el océano Índico hasta las costas brumosas de la península malaya.

—Siempre se la alquilan a veraneantes —le dije—. El dueño es un comerciante de seda americano de Bangkok.

Él la examinó e hizo unas cuantas fotografías.

—Ya veremos si responde a las preferencias del cónsul, aunque estoy seguro de que Hiroshi-san no le encontrará defecto alguno. ¿Tiene teléfono?

—Sí. Es una de las pocas residencias aquí arriba que tiene línea telefónica.

Él plegó el trípode, guardó la cámara y empezó a caminar de vuelta a Istana Kechil. El camino pasaba ante las verjas y entradas de otras mansiones, todas pertenecientes a británicos. Nos encontrábamos en plena cima, pues hasta allí se imponía el sistema de jerarquías: los chinos y los malayos locales solo podían poseer casas en los niveles inferiores, todas mirando a las grandes *ang moh lau*, las mansiones de los pelirrojos. Mientras caminábamos, se me pasó una pregunta por la cabeza.

—¿Por qué tiene Japón una oficina consular en Penang?

—Tiene unas cuantas en Malaya. Hay una en Kuala Lumpur y otra en Singapur. Comerciamos con esta parte del mundo. Como te conté, después de tantos siglos de aislamiento, ahora Japón quiere desempeñar un papel importante en el destino del mundo.

Cuando bajábamos en el funicular, cuyo silencioso vaivén me hacía sentir que flotábamos en una hoja colina abajo, me preguntó:

—¿Has estado alguna vez en Kuala Lumpur?

—Sí. De vez en cuando mi padre nos lleva a pasar el fin de semana. Allí tenemos una oficina. La mayoría de las empresas comerciales ubicaron su sede central en Kuala Lumpur, pero él se negó a trasladar la nuestra allí.

—Bueno, coincido con él. Tu isla es mucho más bonita que Kuala Lumpur. Tengo intención de ir allí de visita dentro de unos días. De nuevo, necesito a alguien que conozca la ciudad. ¿Te gustaría venir conmigo?

No lo dudé ni un instante.

—Me encantaría —le contesté.

Capítulo seis

Tío Lim, el chófer de la familia, salía del garaje cuando llegué. Me miró estrechando sus ya de por sí pequeños ojos.

—Ya has estado con ese demonio japonés. Mejor que tu padre no lo sepa.

Hablamos en hokkien, el dialecto traído de la provincia de Fujian del sur de China. La mayoría de los inmigrantes chinos de Penang procedían de allí, habían zarpado rumbo a Malaya en busca de trabajo.

—Sí, tío Lim —le respondí. Siempre nos dirigíamos a nuestros sirvientes más mayores con respeto—. Pero él solo lo descubrirá si tú se lo dices.

—Tengo que llevar el coche al taller. No sé cuánto tiempo tardarán en arreglarlo. Estaré una temporada sin poder llevarte por ahí.

Negué con la cabeza.

—No importa. La semana que viene voy a Kuala Lumpur con Endo-san.

—No debes confiar en ese hombre —me advirtió.

—Lo que pasa es que no te gustan los japoneses, tío Lim.

—Tengo buenas razones para ello. Cada día avanzan más en China. Ya han empezado a bombardear las ciudades. —Meneó la cabeza—. Le he pedido a mi hija que se venga aquí conmigo. Llegará a Penang dentro de un mes.

Me percaté de la rabia que destilaba su voz y dejé de provocarlo. Tío Lim tenía dos esposas y ambas habían dejado la provincia de Fujian para trabajar en las fábricas de seda que los británicos poseían en Cantón. Cada dos años, pedía permiso para volver a casa. Ese era el único día en que mi padre conducía el coche para llevarlo al embarcadero y ayudarlo a cargar los bolsos y los regalos en el barco que hacía la travesía. A pesar de que se ofrecía a pagarle un camarote, tío Lim siempre reservaba una litera en lo más profundo de la nave.

—El dinero se puede utilizar para mejores cosas —decía, mostrando así la austeridad de la que hacían gala las gentes de Fujian, que en mi opinión rayaba en la tacañería.

—¿Tu familia está a salvo?

Me resultaba difícil aceptar que los compatriotas de Endo-san fueran capaces de llevar a cabo tales ataques, pero, por la expresión de tío Lim, me di cuenta de que me equivocaba.

Asintió, pero dijo:

—Están huyendo hacia el sur. Les dije que se vinieran aquí, pero se negaron. No se lo puedo imponer, ese es el problema cuando las mujeres empiezan a trabajar en las fábricas, ¿sabes? Pero al menos mi hija aún me escucha.

—Pediré a una de las chicas que le prepare una habitación —le dije, consciente de que mi padre habría propuesto lo mismo. Quería decirle algo más, pero en ese momento sentí como si estuviese dando vueltas en uno de los movimientos *aikijutsu* de Endo-san, sin saber dónde colocarme. No podía dejar lo que había empezado con Endo-san, mis clases con él se habían convertido en una forma de vida para mí, y los conocimientos que me estaba impartiendo eran demasiado valiosos como para renunciar a ellos. Endo-san no era responsable de lo que estaba pasando en una tierra tan lejana, me dije a mí mismo. De modo que guardé silencio y pensé que la oferta de una habitación para la hija de tío Lim sería suficiente por mi parte.

Pero tío Lim la rechazó.

—Va a quedarse con mi primo en Balik Pulau. Tienen sitio para ella.

Lo observé mientras se alejaba. Sabía que solo tenía cincuenta y pocos años, pero ahora veía que se estaba haciendo mayor. Los otros criados temían su mal genio, pero él nunca nos lo había mostrado a ninguno de nosotros. Mi *amah* me contó que, cuando mi madre puso un pie en Istana como la nueva señora de la casa, solía pasarse por la cocina, muy a pesar de la desaprobación de la servidumbre. Aquellos eran sus dominios y ella se había inmiscuido en su forma de gobernarlos. Y lo que era peor: era una china que se había casado con un europeo. El descontento no cedió hasta que tío Lim le pidió a mi madre que dejase a los criados en paz y se mantuviese alejada de la cocina. Solo él tuvo valor de hacerlo.

Tío Lim se detuvo y se dio la vuelta.

—Tu tía mayor ha llamado hoy. Le gustaría que le hicieras una visita tan pronto como vuelvas.

Hice una mueca. Desde la muerte de mi madre, tía Yu Mei pensaba que tenía el deber de velar por mí.

—¿Qué quiere? —le pregunté.

—Estamos casi a finales del Cheng Beng, ¿es que se te ha olvidado? —me reprendió, refiriéndose a la festividad de los muertos, en la que las familias se reúnen para limpiar las tumbas de sus antepasados y hacerles ofrendas de comida y papel moneda.

—No se me ha olvidado, no —mentí.

Estaba empezando a asimilar el extraño lugar en el que había crecido: un estado malayo gobernado por británicos, con fuertes influencias chinas, indias y siamesas. Dentro de la isla podía pasar de un mundo a otro mediante el mero gesto de cruzar una calle. Podía ir andando de Bangkok Lane a Burmah Road y Moulmein Road, bajar por Armenian Street y luego ir a las zonas indias de Chowrasta Market; desde allí podía entrar en los barrios malayos que hay alrededor de la mezquita Kapitan Kling y dirigirme a continuación a los sectores chinos de Kimberley Road, Chulia Lane y Campbell Street. Era posible perder fácilmente la propia identidad y adquirir otra con solo salir a dar un paseo.

Tío Lim me dejó en casa de tía Yu Mei antes de llevar el coche al taller. Lo vi dar marcha atrás en el corto camino de acceso y alejarse. Estaba preocupado por su hija y me daba pena, pero sabía que su aversión por Endo-san, únicamente porque era japonés, carecía de sentido. De lo contrario, tampoco podría haber tenido nada que ver con mi padre, pues hasta yo sabía el sufrimiento que las casas de comercio británicas habían causado en China.

Tía Yu Mei vivía en Bangkok Lane, detrás del templo siamés Wat Chaiya Mangkalaram, donde guardábamos las cenizas de mi madre. Flanqueaban la avenida dos hileras de casas unifamiliares con porches que llegaban casi hasta el borde de la carretera. Muchas de ellas tenían persianas de madera enrolladas que parecían salchichas gigantescas colgando bajo los aleros. Las residencias estaban construidas muy cerca unas de otras, y grupitos de niños jugaban en la calle. Había gatos tomando el sol en las balaustradas, meneando la cola y lamiéndose las patas. Dejaron de hacerlo cuando me aproximé a ellos y me miraron con recelo.

Toqué el timbre y llamé a mi tía a través de las contraventanas.

—¡Tía Mei!

La oí acercarse a la puerta con sus zuecos de madera. Me abrió y me hizo pasar. En la entrada principal había un altar, que despedía olor a incienso, albergaba una figurita de bronce de Buda sentado mirando hacia abajo, con los ojos medio cerrados y una mano casi tocando el suelo para pedir a la Tierra que fuese su testigo.

Tía Yu Mei nunca me había dicho su edad exacta, aunque suponía que rondaba los cuarenta; empezaba a mostrar los signos de esa rechonchez tan común en las mujeres chinas. Era la subdirectora del Light Street Convent, el colegio femenino más antiguo del país. Incluso de muy joven le dio clases de inglés a la quinta de mi madre. Isabel también había sido alumna de ese centro y me había dicho que mi tía era estricta pero entrañable.

Mi tía apenas se parecía a mi madre, aunque a ella le gustaba afirmar que eran como dos gotas de agua. Llevaba el pelo recogido en un moño tirante, y entre los dedos portaba constantemente unas gafas. Cuando hablaba, las agitaba en el aire para enfatizar sus argumentos. Me condujo hasta una silla, de donde quitó una pila de exámenes que había estado corrigiendo.

—¿Has terminado bien este trimestre? —me preguntó.

—Más o menos, creo. Todavía no lo sé.

—Espero que lo hayas hecho mejor que el pasado.

Hice vagos movimientos en el aire con las manos, pues me sentía incómodo con sus preguntas sobre mi vida académica. Yo era, en el mejor de los casos, un estudiante del montón, y ella siempre trataba de cambiar eso.

—¿Has comprado las naranjas tal y como te pedí? —me preguntó.

Levanté la cesta que había traído conmigo. Las miró y asintió en señal de aprobación.

—Tu abuelo se equivocaba cuando decía que olvidarías tus raíces.

No supe qué contestar. En realidad, solo hacía aquello para seguirle la corriente. Cada año, en la festividad de Cheng Beng, me pedía que presentase mis respetos a mi madre en el templo. Mi padre nunca se opuso a su insistencia para que encendiera las varitas de incienso y le rezara a mi madre. De hecho, a veces sentía que tenía a tía Mei en muy alta estima. A pesar de su educación moderna, de ser una mujer de mundo, se mantenía fiel a las tradiciones; mi abuelo se había encargado de eso. Con todo, era tan tenaz como él y había sido la única de la familia de mi madre que se había atrevido a asistir a su boda con un *ang moh*.

Fuimos andando al templo, que quedaba cerca de su casa. Había poca gente, pues todavía faltaban algunos días para la festividad propiamente dicha. Entramos en los jardines y pasamos junto a unas estatuas de piedra de rugientes dragones serpentinos y mitológicos hombres pájaro, pintados todos ellos en brillantes tonos turquesas, rojos, azules y verdes.

La comunidad siamesa había levantado ese templo en 1845 en una extensa parcela cedida por la reina Victoria. Lo construyeron según los preceptos de la arquitectura tradicional, por lo que estaba profusamente adornado con oro y granate. Repetidos relieves de Buda decoraban las paredes. Pasamos entre dos dragones guardianes, cuyos cuerpos ondeaban como olas en largos pedestales de hormigón, y dejamos los zapatos en la entrada, donde un cartel en inglés advertía: «¡Cuidado con los ladrones de sapatos!». Tía Yu Mei se indignó por la falta de ortografía.

Una vez en el interior, caminamos descalzos por los suelos de mármol, en los que había dibujos de lotos rosas. Era como ir pisando una sucesión infinita de flores. Tía Yu Mei unió las manos y se puso a rezar ante la figura del buda reclinado del interior. La estatua, ataviada con holgadas vestiduras, media más de treinta metros de largo desde la cabeza, hasta sus pies desnudos de uñas brillantes. El buda estaba echado de costado y tenía la cabeza apoyada en una mano. La otra seguía la curvatura de su cuerpo, y sus ojos, aunque medio cerrados, estaban completamente alerta. Era la misma mirada que ponía Endo-san siempre que meditaba. Otros pequeños relieves del buda en oro, se reproducían en las paredes y alcanzaban el techo del templo. Un artesano, en lo alto de un andamio de bambú, los perfilaba pacientemente de rojo con un delicado pincel de caligrafía.

Volví a acordarme del día en que visité el Templo de la Serpiente con Endo-san. Qué extraña es la religión. Estaba acostumbrado a la austeridad de la iglesia anglicana y, para mí, los templos y sus rituales (colmados de olores y humo de incienso, colores brillantes, palabras enigmáticas y pronunciamientos ambiguos) pertenecían a un mundo inquietante y desconocido.

Tía Yu Mei me dio un codazo para que le rezara al buda reclinado, así que junté las manos e intenté aparentar una actitud de recogimiento. La seguí alrededor del diván del buda hasta el columbario que había en la parte de atrás y empecé a buscar la urna de mi madre. La pared parecía un inmenso panal de miel, en el que cada celda albergaba una urna de porcelana. Identifiqué la de mi madre por su foto y coloqué las naranjas en la mesita que había debajo. Tía Yu Mei encendió las varitas de incienso y las velas rojas y las colocó en un jarrón. Cerró los ojos y sus labios empezaron a moverse con rapidez. Arriba, cerca del techo, un par de golondrinas jugueteaban a darse caza alrededor de la cabeza del buda, emitiendo chillidos agudos y resonantes. El gigantesco buda reclinado ni parpadeó.

Sostuve las varitas de incienso en las manos e intenté imaginarme a mi madre, intenté reunir los recuerdos dispersos que conservaba de ella. Algunos fragmentos flotaban deshilachados y hechos jirones. Cada año me costaba más. Era como tratar de encerrar en un frasco el perfume con el que los antiguos griegos empapaban las alas de las palomas que luego liberaban para que revoloteasen alrededor de sus casas, perfumando el aire con cada aleteo.

Puede que tía Yu Mei lo supiera; puede que esa fuese la razón por la que insistía en que la acompañase cada año.

El recuerdo más nítido que aún conservaba de mi madre era del período en que cayó enferma, cuando yo tenía siete años. Mi padre y ella habían ido a visitar las minas de estaño de Sungai Lembing, un pueblo de una sola calle ubicado en un estado central de Malaya. Ella lo había acompañado en su búsqueda de una rara mariposa y, cuando regresaron a casa, empezó a mostrar los síntomas de la malaria. No hubo complicaciones y debería haberse recuperado sin problemas, pero ¿quién puede entender estas cosas? Mi padre convirtió una de las habitaciones en un sanatorio, contrató a una enfermera para que la cuidara e hizo que los doctores vinieran a casa dos veces al día. Durante aquella época, solo la visitó tía Yu Mei. Mi abuelo mantuvo la distancia.

Pasaba dormida casi todo el día, incluso cuando me llevaban a verla. El olor de su habitación (a las flores de frangipani que ella adoraba y que mi padre le traía a diario) me daba náuseas. Me inventaba excusas para evitar entrar allí, sobre todo cuando la fiebre se apoderaba de ella y la sacudía de la cabeza a los pies. Empecé a pasar cada vez más tiempo en la playa, escondido para que nadie me encontrara. Cuando murió, los criados tuvieron que rastrearla para llevarme a casa.

Lo único que pude hacer cuando finalmente me llevaron a su habitación fue quedarme plantado, en silencio, ante la mirada de mi padre. Él se me acercó desde el otro lado de la cama pero, incluso en aquellos momentos, fui incapaz de sentir su abrazo. Solo veía a mi madre, con los ojos cerrados, la piel tirante y sus afilados pómulos ahora antinaturalmente marcados.

Como para compensar el horror de las semanas anteriores, el funeral resultó precioso. Fue una ceremonia budista, aunque el sacerdote anglicano local protestara enérgicamente. Por qué lo hizo fue todo un misterio para mí: mi madre nunca había sido cristiana. Todos asistimos a la ceremonia, a pesar de la desaprobación del sacerdote.

El día del funeral, tres monjes vinieron a Istana. Yo estaba junto a la ventana y los vi acercarse por el camino de acceso. Cruzaron por el césped (la hierba era tan nueva y vigorosa que despedía una luminiscencia sobrenatural), dejaron atrás la fuente de piedra que mi madre tanto adoraba y franquearon la puerta de entrada con la cruz colgada bajo el dintel. Sus túnicas color azafrán parecían prenderse fuego con la luz del sol, llamas ardientes penetrando en casa. Los monjes oficiaron la ceremonia, que duró toda la noche, hasta el alba. Tocaron sus campanillas y entonaron cánticos sacados de un libro desvencijado, mientras daban vueltas alrededor del ataúd para conducir al espíritu a su destino y asegurarse de que no se perdía por el camino.

William intentó consolarme, pero yo lo aparté de mi lado. Isabel lloraba en silencio. Había encontrado en mi madre a una sustituta después de la muerte de la suya y ahora la había perdido también. Edward permaneció en un rincón, solemne pero inmutable; no había tenido roce con mi madre. Mi padre me cogió de la mano. Intentó sonreír, pero la pena lo abrumaba. Retiré la mano y él ni siquiera se dio cuenta. Me arrepentí de inmediato de mis miedos y mi repugnancia de las últimas semanas, lamenté no poder volver a ver ni a tocar a mi madre nunca más. Se había ido.

Durante las semanas que siguieron al funeral, mi padre pasó más tiempo con sus hijos (sobre todo conmigo), e Isabel y William trataron de incluirme en sus salidas con sus amigos. Sin embargo, hay niños que nunca se sienten a gusto en el seno de la familia en la que han nacido, y yo era uno de ellos. Encontraba más consuelo en la inmensidad inefable del mar, en la pequeña playa de la isla que un día Endo-san convertiría en su hogar.

Los chirridos casi infantiles de las golondrinas me trajeron de vuelta al templo Wat Chaiya Mangkalaram. Clavé las varitas de incienso en las cenizas del jarrón, asegurándome de que las tres estaban bien derechas y no iban a torcerse hacia los lados. Tía Mei era muy maniática para esas cosas.

Limpiamos la mesa y guardamos las cosas en nuestra cestita. Dejaríamos la fruta para los monjes. Unos cuantos devotos me miraron al salir. Cuando pasamos junto a una pared con murales en la que cada panel representaba una escena de la vida de Buda, tía Mei me dijo:

—A tu abuelo le gustaría verte.

Ella era consciente del efecto de sus palabras. Ambos nos detuvimos a la vez y estudiamos uno de aquellos paneles. La pintura estaba descolorida y, en algunos sitios, desconchada, dejando al descubierto el dibujo mohoso de un príncipe indio bajo un árbol con una mano tendida hacia el vacío.

—¿Después de todo este tiempo? —le pregunté.

—Solo quiere hablar contigo.

—¿Has tenido tú algo que ver con eso?

—Por supuesto que sí —me confesó, agitando las gafas en la mano. Me di cuenta de que estaba siendo impertinente: ella llevaba intentando convencer a mi abuelo de que me conociese desde el día en que nací.

—¿Irás a verle?

Miré sus ojos entusiastas, su cara regordeta, y supe que se lo debía. Le cogí la mano, que sentí suave y cálida, y respondí:

—Me lo pensaré. Ahora mismo no lo sé, la verdad.

—¿Y cuándo lo sabrás? —me preguntó, asegurándose de que no eludía la cuestión.

—Cuando vuelva de Kuala Lumpur. Me voy la semana que viene.

—¿Que vas a Kuala Lumpur?

—Sí —contesté, preguntándome si el tono cortante que había percibido en su voz había sido producto de mi imaginación.

Se me quedó mirando.

—Informaré a tu abuelo.

Endo-san me hizo una reverencia solemne al concluir la clase.

—Ven conmigo —dijo.

Entramos en su casa y me ordenó que me sentara y esperase. Fue a la parte de atrás y volvió con una caja larga y estrecha.

—Esto es para ti —dijo, levantándola con ambas manos e inclinándose para tocarla con la frente.

La recibí del mismo modo y la coloqué en el tatami. Deshice el lazo gris oscuro que llevaba alrededor y la abrí. Dentro, una catana descansaba en un lecho de seda.

—Parece cara —dije—. E idéntica a la que usa usted.

—Es compañera de la mía.

—¿Me ha regalado una espada Nagamitsu? —le pregunté, con los ojos como platos.

Me había dicho que su espada era única y muy apreciada entre los coleccionistas porque había sido un encargo especial.

Aunque era costumbre forjar las espadas japonesas por parejas, una siempre se hacía mucho más corta que la otra para emplearla en el combate cuerpo a cuerpo. Ahora caía en que lo que hacía tan especiales y preciadas las espadas de Endo-san era que ambas tenían la misma longitud.

Él asintió.

—El espadero era Nagamitsu Yasuji, un miembro de la gran familia Nagamitsu que llevaba forjando espadas desde el siglo XIII. Este par se hizo en 1890, después de que el edicto Haitori de 1877 prohibiera portar espadas.

Cogí mi espada y me sorprendió su equilibrio perfecto. Comencé a desenvainarla tímidamente, y él me detuvo.

—Ya es suficiente. Nunca debes desenvainar por completo tu espada si no tienes intención de usarla. De lo contrario, siempre estará sedienta de sangre.

Según me explicó, las dos espadas fueron montadas al estilo *bukezukuri*, que era el más básico y práctico. La vaina, saya, era de laca marrón oscura, casi negra, y la empuñadura tenía una trenza de un gris intenso labrada, rugosa al tacto, pero que proporcionaba un agarre cómodo.

—Solo hay una forma de diferenciarlas —me dijo—. Mira. —Señaló un carácter *kanji* grabado en la hoja cerca de la cazoleta—. Kumo. Ese es el nombre de tu espada. Significa «nube».

—¿Y cómo se llama su espada? —le pregunté.

—Hikari —me contestó—. «Iluminación». Pero *kari* también puede significar «ganso salvaje».

Estaba abrumado por su regalo.

—Es demasiado valiosa para aceptarla —declaré, pese a quererla.

—Prefiero regalártela y que la uses en tus lecciones a tenerla guardada —dijo Endo-san—. Estoy seguro de que Nagamitsu-san no las forjó para que estuvieran arrumbadas en un armario. Pero recuerda, nunca debe usarse a la ligera. Ha de ser siempre el último recurso.

Le hice una reverencia.

—Gracias, *sensei*. Pero ¿qué puedo regalarle yo a cambio?

—Ese es tu dilema, y solo tú debes resolverlo.

Me senté pensativo y luego dije:

—Vuelvo enseguida.

Corrí hacia la playa y remé de vuelta a Istana. No me entretuve ni a atar el bote, sino que subí los escalones, entré en la casa y me dirigí a la biblioteca. Fui hasta las estanterías en busca de un libro de poemas. Lo encontré, hallé la página y volví remando a la isla de Endo-san. Él ya había puesto té a reposar durante mi corta ausencia.

Enarcó una ceja cuando me arrodillé ante él, abrí el libro por la página marcada y empecé a leer:

> En el Japón de los campos en flor
> una vieja canción así sonaba.
> Un guerrero a un herrero instó:
> «Fórjame presto una espada.
> Haz ligera la hoja,
> como el viento que en las aguas reposa.
> Que sea larga,
> como el trigo al que en la siega se canta.
> Ágil, rápida, como una serpiente,
> sin fisuras.
> ¡Llena de centellas, con miles de ojos rutilantes como estrellas!
> Suave como la seda, y fina,
> como la tela que la araña hila.
> Y despiadada como el dolor, y fría».
> «¿Y en la empuñadura, qué debe rezar?».
> «En la empuñadura, buen hombre,
> —dijo el guerrero de Japón—,
> trázame un lago de agua clara,
> un rebaño de ovejas y a una madre
> que duerme a su hijo con una nana».

Entonces, colocó su taza en el tatami y cerró el libro.

—¿Quién ha escrito esto? —preguntó en voz queda.

—Salomon Bloomgarden. Es un poema hebreo. Mi padre nos lo leyó una vez, mucho antes de saber qué era un guerrero japonés.

Se quedó sentado en silencio durante tanto tiempo que temí que mi regalo no hubiese sido apropiado o, peor aún, que, de algún modo, le hubiese ofendido. Entonces, parpadeó y sonrió, aunque todavía podía distinguir una ligera sombra de pena en sus ojos.

—Es un buen poema, un poema muy bello —dijo—. Me alegra que lo aprecies, porque significa que estás empezando a entender las lecciones que trato de enseñarte. Por favor, cópiamelo y consideraré que me has devuelto por completo el regalo de tu catana. *Domo arigato gozaimasu.* Gracias.

Capítulo siete

Michiko cerró la antología de poesía.

—Es un poema muy sentido —dijo.

Tocó la tapa polvorienta del libro casi en el punto exacto en que lo había hecho Endo-san el día que le leí aquellos versos.

—Se lo copié, tal y como me pidió, y siempre lo llevó con él, incluso después de haberlo grabado en su memoria —le conté—. Una vez le pregunté por qué y él me dijo que tenía miedo de olvidar sus raíces.

No necesitaba enseñarle el libro, aún era capaz recitar el poema de memoria, pero, en cierto sentido, hacía más real todo lo que le había estado contando.

—Hubo veces en que me pregunté si todo aquello había ocurrido de verdad o si solo había sido un sueño, como el del filósofo chino que soñó con las mariposas —continué.

—«Tú, la mariposa; yo, el corazón soñador de Chuang Tzu» —dijo, citando el haiku de Matsuo Basho—. ¿Sueña el filósofo con la mariposa o es él simplemente el sueño de la mariposa?

Devolví el libro a la estantería y salimos de la biblioteca.

—Es tarde.

—Aún no tengo sueño. ¿Y tú? —me preguntó.

Yo tampoco, pero, de momento, era incapaz de seguir contándole cosas sobre mi juventud. Eché un vistazo a la noche oscura a través de la ventana y tomé una rápida decisión.

—Quiero enseñarte algo. Tendremos que andar un poco. ¿Te apetece?

Ella asintió y sus ojos compartieron el mismo entusiasmo contagioso de mi voz. Fui a mi estudio y cogí dos linternas de un armario. Las sacudí para comprobar que las pilas seguían funcionando y le di una. Bajamos los escalones de madera hasta la playa, eligiendo un camino bien por encima de la línea de la marea. Cientos de cangrejos translúcidos se escabullían rápidamente al sentir las vibraciones de nuestras pisadas y se abrían paso ante nosotros como una cortina de cuentas de cristal. Había luz suficiente como para que las linternas resultasen innecesarias, así que no las encendimos.

—¿Todavía conservas tu espada Nagamitsu? —me preguntó.

—Sí.

—Nunca se me ocurrió que la que recibí perteneciera a un par —dijo—. Ni al espadero que la restauró.

—Para los chinos, regalar un cuchillo o una espada a un amigo es un gran tabú, ya que consideran que corta los lazos de amistad y trae desgracias —le expliqué—. Siempre me pregunté si Endo-san lo sabía.

Aligeré el paso, dudoso de si había tomado la decisión correcta al elegir revelarle mi vida entera. Me tranquilicé pensando que podía parar cuando quisiera, en cualquier momento.

Habría sido capaz de caminar en la más absoluta oscuridad, pues lo había hecho miles de veces, y ella, en cierto modo, lo sabía, pues me seguía sin vacilar. Había solo una cuña de luna en el cielo encajonada entre las nubes, lo cual resultaba perfecto para lo que tenía en mente.

La playa se estrechaba. Más adelante distinguimos el oscuro macizo de cantos que nos bloqueaba el camino y oímos las olas romper contra ellos. Al otro lado de aquellas rocas se extendía un estuario aunque, para llegar hasta allí, teníamos que alejarnos de la playa y adentrarnos en los árboles barridos por el viento que la bordeaban.

A medida que el terreno se elevaba, la caminata se iba endureciendo, y tuve que encender la linterna para que no tropezase con las raíces de los árboles. El olor a mar pronto fue solapándose con la fragancia más fina y casi química del agua dulce a medida que avanzábamos por el sendero que nos conduciría hasta el río. Los grillos hilvanaban el aire con sus notas rítmicas. El viento era frío y las hojas de los árboles se rozaban como para calentarse.

El río estaba en silencio, salvo por el canto de las ranas. Entonces, un búho pasó sobre el agua en vuelo quedo y raso, y las ranas enmudecieron petrificadas.

El sendero volvía a discurrir colina abajo. Olimos la fragancia de un frangipani y llegamos a él al cabo de unos segundos. Junto al árbol había una choza de madera inclinada peligrosamente hacia el río. Dentro había un sampán que, con ayuda de Michiko, conseguí arrastrar hasta el agua, donde empezó a cabecear, ansioso por moverse.

—¿De quién es esta barca? —me preguntó cuando la ayudaba a subir.

Hice un gesto de indiferencia con los hombros.

—La dejé aquí por si alguien necesitaba usarla. Pero nunca viene nadie hasta este lugar.

Empujé el bote, que entró inmediatamente en la corriente del río. Mientras nos dejábamos llevar, oí su respiración silenciosa pero fatigada y me preocupó que la caminata hubiese sido demasiado para ella.

—¿Te encuentras bien? —le pregunté.

—Sí, muy bien —me contestó.

Metí los remos en el agua y ralenticé nuestro avance.

—Cierra los ojos —le pedí. Apagué la linterna y estudié el movimiento de las nubes. El viento las arrastraba por delante de la débil luna, filtrando gradualmente su luz desde el cielo y tiñendo la noche completamente de negro.

Cuando llegamos al sitio adecuado, ya bastante río abajo, le susurré:

—Ya puedes abrir los ojos.

Contuvo la respiración. Una fina capa de neblina se estaba levantando de la superficie del agua y, en los árboles, decenas de miles de luciérnagas emitían sus silentes señales de apareamiento, brillando como estrellas caídas del cielo. Nos vimos en medio de un frenesí de luz fragmentada. Oí que Michiko dejaba escapar un suspiro y sentí que su mano alcanzaba la mía. La aparté y giré suavemente la barca, manteniéndola en el mismo punto mientras, bajo nuestros cuerpos, el río fluía hacia el mar.

Me mojé los dedos y me quedé inmóvil, tratando de distinguir un patrón en el vuelo aleatorio de las luciérnagas, en la calma en movimiento que, según Endo-san, todo ser viviente posee. Estiré el brazo y una de ellas se quedó pegada a mi dedo, suspendido en el aire. Se la ofrecí a Michiko.

Ella la cogió con suma delicadeza. El insecto yacía en la palma de su mano con las alas húmedas adheridas a su piel. La luz que emanaba parecía palpitar al ritmo de los latidos del corazón de Michiko y emitir un débil resplandor en su rostro, que se le reflejaba en los ojos.

Cuando alzó la cara, los tenía llenos de lágrimas.

—¿Cómo lo sabías? —me preguntó.

—Una vez Endo-san me contó que solía ir al río que pasaba cerca de su casa a contemplar las luciérnagas. Iba a menudo con una amiga, y esta noche tuve el fuerte presentimiento de que tú eras la amiga a la que se refería con tanto cariño.

Entonces, se sopló suavemente en la mano para secar a la luciérnaga, que salió volando hacia el tropel de lucecitas parpadeantes que se arremolinaban a nuestro alrededor.

—No veía tal número de *hotaru* desde hacía mucho tiempo —afirmó—. Volví al río que había cerca de mi casa unos años después de la guerra, pero las luciérnagas habían desaparecido por completo, como barridas por una terrible tormenta.

Remé hacia la orilla y dejé que el bote encallara suavemente en la ribera debajo de un dosel de ramas repletas de gotitas de luz. Me recliné en el bote.

—Mi padre me habló de este lugar. Hasta entonces, no lo conocía.

Michiko se quedó callada durante un rato y me pregunté si se habría quedado dormida. La barca crujía al mecerse para dejar pasar la corriente del río. Estar allí, simplemente sentado en la oscuridad, rodeado del torbellino de lucecitas de cuento de hadas, te inundaba de calma, aunque las luciérnagas se estuvieran comunicando las unas con las otras sin emitir sonido alguno.

Yo mismo sentí que daba cabezadas, pero entonces, ella habló.

—Seguro que conoces el cuento del niño pastor de China que era demasiado pobre para comprar velas con las que estudiar por la noche.

—Lo he oído —contesté—. Llenaba una bolsa de tela blanca de luciérnagas y utilizaba la luz que emitían para hacerlo, ¿no?

—Sí. Fue Endo-san el que me lo contó. Lo había oído en sus viajes a Cantón.

—Yo se lo oí contar a mi madre cuando era muy pequeño. También nos contó que el pastor siempre las liberaba a la mañana siguiente y que, por la noche, atrapaba otras diferentes —le dije, intentando hacer memoria—. Ella sabía montones de historias interesantes como esa. Conocía muchos cuentos tradicionales chinos, pero los que más le gustaban eran los que tenían que ver con insectos, pájaros y mariposas. Sobre todo con mariposas.

—¿Por qué mariposas? —me preguntó Michiko.

—Mi padre las coleccionaba. Las montaba con cuidado en estuches. De hecho, esa es la razón por la que fueron a aquel pueblo en el que cogió la malaria; estaban en una expedición para encontrar... —Hice un gesto para que lo olvidase—. Ya ni me acuerdo de cómo la llaman ahora, algún espécimen raro para su colección. Ya me vendrá el nombre a la cabeza.

—No he visto ninguna colección de mariposas en tu casa —dijo—. ¿Qué le pasó?

No contesté, y ella era demasiado considerada como para volver a preguntarme. Después de un corto silencio, dijo:

—Cuando estabas sentado tan quieto intentando atrapar una luciérnaga para mí, me recordaste mucho a Endo-san. Él podía permanecer sentado tan inmóvil como la estatua del buda de Kamakura. Así es como compareció el día que colocaron a su padre, Aritaki-san, en el *shirasu* ante mi propio padre, que lo declaró culpable de traición contra el emperador.

Conocía el procedimiento al que se refería: en Japón, en los años anteriores a la Segunda Guerra Mundial, se pedía al acusado que se arrodillara ante un juez en un recinto cuadrado cubierto de arena, conocido como *shirasu*, la arena blanca, donde se le comunicaba el veredicto. Me habían llegado a contar historias sobre jueces con exceso de celo, que también llevaban a cabo ejecuciones en esa prístina parcelita blanca, porque la arena absorbía fácilmente la sangre derramada y se podía reemplazar de inmediato por otra nueva y limpia.

—No fui del todo sincera cuando te conté que rompí mi relación con Endo-san siguiendo las órdenes de mi padre —confesó

Michiko—. De hecho, le desobedecí. Se enfureció tanto que ordenó una investigación oficial sobre los comentarios y declaraciones antigubernamentales que había hecho el padre de Endo-san. Después de aquello, no fue difícil presentar cargos contra él.

Se incorporó haciendo que la barca se meciera.

—En Japón, para destruir a una persona, solo tienes que desacreditar su linaje. De modo que, como puedes ver, egoístamente, tuve parte de culpa en la caída en desgracia de la familia de Endo-san.

No supe qué responder. ¿Qué consuelo podían ofrecerle mis palabras, en cualquier caso, pronunciadas con medio siglo de retraso?

—Y Endo-san permaneció sentado, tan inmóvil y durante tanto tiempo, que parecía una estatua plantada en la arena blanca después de que el proceso hubiese terminado y se hubieran llevado a su padre —continuó—. Nunca volvió a hablar conmigo, excepto aquella última vez, para decirme que se iba.

Le toqué la mano con la suavidad de una luciérnaga que se posara en su piel. Luego, recogí los remos y llevé el bote de nuevo hasta el centro del río para dejarnos arrastrar lentamente hasta el mar. Fuimos flotando agua abajo por entre árboles colmados de luciérnagas encendidas, hasta que se fueron desvaneciendo y nos vimos de nuevo en la oscuridad, guiados tan solo por el olor cada vez más intenso a mar y por la tenue luz de la luna.

Tener a otra persona viviendo en casa era desconcertante, y me preguntaba si no me habría precipitado al extender la invitación. Y, sin embargo, en cierto sentido, resultaba agradable. Michiko era una huésped discreta. Nunca le había hablado a nadie antes de mis experiencias en la guerra y, para mi sorpresa, caí en que ella era la primera persona que me había pedido que se las describiera, quería saber de ellas con un relato de primera mano en lugar de oír fragmentos totalmente discrepantes procedentes de varias personas y sacar sus propias conclusiones. Nadie más había considerado la posibilidad de hacerme las preguntas directamente a mí.

Ser consciente de ello me estremeció. ¿Era porque durante todo aquel tiempo había estado mandando señales silenciosas que los demás eran incapaces de detectar o descifrar y, por tanto, no podía suscitar la respuesta que quería? Hasta las luciérnagas, que no tenían voz, conseguían emitir mensajes y recibir respuesta.

Una mano me tocó el brazo y yo parpadeé y detuve mis pensamientos… Un pescador sacando sus redes de arrastre del mar. Vi la cara de Michiko tensa de preocupación.

—Te he llamado dos veces pero no me contestabas.

—Estaba muy lejos —le dije.

Admitir aquello ante ella no me supuso ningún esfuerzo.

—Pasa cada vez más a menudo a medida que nos hacemos mayores, ¿verdad? —dijo—. Maria quiere que sepas que el almuerzo está listo. Ella no va a esperar.

Cuando salimos de mi habitación, añadió:

—No te he dado las gracias por llevarme anoche al río. Ver las luciérnagas me trajo muchos recuerdos.

—Lamento que también te trajeran dolor. No era esa mi intención.

Ella negó con la cabeza.

—He aprendido a vivir con eso. ¿Quién puede mirar atrás y decir realmente que todos sus recuerdos son buenos? Tener recuerdos, buenos o malos, es una bendición, pues demuestran que hemos vivido sin reservas. ¿No crees?

No esperó mi respuesta, sino que se dio media vuelta y bajó las escaleras. Enseguida comprendí que no había estado tan en silencio durante todos aquellos años como yo pensaba. La única razón por la que Michiko había oído era por la carta que Endo-san le había enviado. Él había oído y había comprendido. Y, al enviarme a Michiko, había respondido.

Capítulo ocho

El chófer de Endo-san nos dejó en el muelle Weld, en el puerto de Georgetown. La visita a Kuala Lumpur se había pospuesto más de un mes debido a sus compromisos de trabajo, por lo que yo ya estaba bastante impaciente por partir de una vez. Pasamos a empujones por entre la multitud de culis chinos y tamiles del puerto que corrían de acá para allá, gritando y acarreando carretillas con hojas ahumadas de caucho, lingotes de estaño y bolsas de clavos y granos de pimienta. Los *rickshaws* tronaban al pasar y sus ruedas rebotaban en las carreteras llenas de baches. Yo tenía esa excitación de alguien que está a punto de embarcarse de lleno en una aventura, y una sonrisa sin límites se dibujaba en mi cara. Endo-san la vio y sus ojos chispearon en respuesta.

Le había fletado un pequeño barco de vapor a un holandés y estábamos esperando al final del embarcadero a que una barca nos llevara hasta donde se encontraba el *Peranakan*. El pequeño sampán, de fondo casi plano y gobernado por un niño malayo, olía a pescado seco y a madera podrida. El barco permanecía escorado a la espera de que la marea lo sacara de su letargo. Era pequeño comparado con los demás que habíamos visto partir. Habían clavado unos cuantos tablones de diferentes tonos sobre la cabina, y la cubierta tenía una lona descolorida a modo de toldo para hacer sombra. Bajo ella habían colocado dos sillas de madera. Un pequeño estandarte de humo pendía por encima de la chimenea ennegrecida.

Mientras subíamos a bordo, el sol pareció decidirse a salir rápidamente. La luz se extendió como polvo de oro repartido a manos llenas. Volví la vista hacia el puerto. La orilla era una sucesión de almacenes y estaba jalonada por una hilera de puntales y pasarelas. Unas figuras diminutas corrían por ellas, algunas con chalecos blancos, otras con el pecho al descubierto. Los tamiles llevaban turbantes blancos y sus voces sonaban como los chillidos de las gaviotas que ahora nos sobrevolaban. Más allá del puerto, los bajos montículos de la isla parecían cantos rodados recubiertos de musgo y las diminutas casas incrustadas en la ladera de la colina de Penang brillaban como gotas de rocío.

El mar a nuestro alrededor se iluminó, tornando la espesa opacidad del alba en un esmeralda claro. Unos bancos de peces minúsculos, tan transparentes que no dejaban sombra en el lecho de arena, se escabullían a nuestro paso. En el agua flotaban unas cuantas medusas que dejaban fluir sus tentáculos en las corrientes invisibles como el pelo de una niña al viento.

Nos encontramos con el holandés en la cubierta. Tenía la cara quemada del color de la madera y los ojos como el mar, solo que más claros, más brillantes. Cuando se quitó la gorra, la calva mostraba la dureza y el lustre de una avellana. Aparentaba tener unos cincuenta años y ser bastante fuerte, una impresión reforzada por una gran panza que parecía querer entrometerse en nuestra conversación.

—Me alegro de volver a verle, señor Endo —dijo.

Endo-san me presentó al capitán Albertus van Dobbelsteen.

Este me miró de arriba abajo cuando Endo-san mencionó mi nombre.

—¿Hutton, de la compañía? —preguntó.

—Exacto —contesté, mirando a Endo-san y preguntándome cuál era la historia del holandés.

El niño malayo subió nuestro equipaje a bordo y ató el sampán al vapor. Las tablas de madera crujían cuando nos movíamos bajo la lona. Endo-san se sentó, pero yo me asomé a la barandilla, pues me encantaba sentir el viento y las salpicaduras de agua cada vez que el barco daba una sacudida que lo devolvía a la vida. De la chimenea salió despedida, como un puñetazo, una nube de espeso humo negro que se difuminó en el aire dejando a la zaga una estela continua y gris.

Me puse un sombrero de paja y le dediqué a Endo-san una beatífica sonrisa. No podía evitarlo; la sensación de excitación, de algo nuevo, corría por mis venas y se me subía a la cabeza.

—¿Debo suponer que nunca antes has estado a bordo de uno de estos?

—No, jamás en la vida.

En mis viajes previos a Kuala Lumpur con mi padre, siempre habíamos tomado el tren: atravesábamos colinas de piedra caliza sumidas en la niebla y bosques de un verde oscuro.

—Entonces vas a disfrutar de estos días. No vamos a correr, porque hay una parada que me gustaría hacer.

Hice un gesto con la mano para indicar mi indiferencia. La distancia desde Penang hasta Port Swettenham, donde tendríamos que desembarcar para entrar en Kuala Lumpur, era de unos ochocientos kilómetros. Iríamos bordeando la costa y la mantendríamos a la vista casi todo el viaje.

—Parece que al capitán no le caigo bien —dije, apoyando la cabeza en la cabina.

—¿Albertus? Solía navegar para la empresa de tu padre en China por el río Yangtsé, hasta que fue despedido hace un año.

—¿Qué ocurrió?

—Hubo quejas… Tenía las manos demasiado largas con la tripulación. Además, resulta que estaba borracho casi todo el tiempo. No te preocupes, ahora está sobrio. Y cuando lo está, es uno de los mejores capitanes de barcos de vapor que existen. Los navegantes del Yangtsé son los mejores.

Volví la vista hacia la cabina, preguntándome si habría sido mi padre en persona el que había despedido al capitán. Noel Hutton podía ser duro e inflexible cuando se trataba de su negocio. Según los cotilleos que circulaban sobre la empresa, yo sabía qué falta habría decantado la balanza: nunca toleraría a un capitán borracho. Por un momento, sentí pena por el capitán Albertus, pero él parecía estar llevándolo bien.

Tomamos un desayuno tardío que había cocinado el chico malayo (arroz de coco y pasta de anchoa dulce y picante, con un huevo encima, frito a la perfección); *nasi lemak*, le dije a Endo-san. El capitán Albertus nos acompañó y bebió café de una taza desconchada.

Nos pasó un tarro pequeño.

—Echaos esto cuando el sol esté más alto —nos recomendó.

Lo abrí y lo olí.

—Crema de coco.

—Con algunas hierbas y aceite. Un mejunje de mi invención. Ayuda a evitar quemaduras —contestó.

Pronto dimos uso a la crema, pues el calor nos abrasaba. El sol brillaba solitario: las nubes habían abandonado el cielo. Estábamos en el estrecho más famoso del mundo, haciendo la misma ruta que marinos chinos, árabes, portugueses, españoles, holandeses y británicos llevaban haciendo desde hacía siglos. Y antes que ellos, ¿quién sabe?

Me senté junto a Endo-san y dejé escapar un suspiro de satisfacción. Él levantó la vista de su libro.

—¿Contento? —me preguntó.

Yo asentí y entonces empecé a contarle mi visita a tía Mei. Él puso a un lado el libro y se echó hacia atrás.

—Háblame de tu madre.

Le conté lo que recordaba, vadeando las aguas poco profundas de mi memoria.

—Ahora mi abuelo, a quien nunca he visto y que cortó los lazos familiares con mi madre cuando se casó con mi padre, quiere conocerme.

—Entonces, deberías ir a verlo. La familia es lo más importante que tendrás en la vida.

—¿De veras piensa que debería ir a ver a mi abuelo?

—*Hai.* A lo mejor hasta descubres que te cae bien —añadió, y volvió a su lectura.

Pensé en el abuelo que nunca había llegado a conocer y me pregunté qué querría de mí. Examiné mis sentimientos hacia él y me di cuenta de que apenas si notaba algo, salvo un atisbo de aversión obstinada que parecía nacer más de una sensación de rechazo que de otra cosa.

A medio camino de nuestra travesía, el sonido de los motores cambió. Eran las tres de la tarde y me había quedado dormido en la cubierta. Me desperté cuando sentí el leve cambio de dirección. Me hice sombra en los ojos con la mano y miré a mi alrededor.

Nos aproximábamos a los manglares. La costa quedaba cada vez más cerca y las olas formaban una línea blanca efervescente en las rocas. No había ninguna playa a la vista, solo una hilera interminable de mangles que iban revelando sus raíces a medida que la marea bajaba, dejándolas resbaladizas, brillantes y retorcidas. El agua a nuestro alrededor perdió su color turquesa y se tiñó de la secreción óxida de las raíces, cual poso de té. Los pájaros perseguían su reflejo en el agua y se adentraban en la jungla para salir después de ella por encima de los árboles.

Los motores pararon y, de inmediato, oí el silencio de la marisma, enhebrado con los cantos de los pájaros y el zumbido penetrante de los insectos. El chapoteo del agua contra las raíces sonaba monótono. Cuando empezamos a balancearnos en la estela de las olas, el chico malayo echó el ancla. Había una plataforma de desembarque que se proyectaba en un claro entre los mangles, donde un chucho no paraba de ladrarnos, saltando de acá para allá de esa forma inútil y tonta tan típica de los perros.

—¿Dónde estamos? —le pregunté a Endo-san cuando salió de la cabina.

—Treinta kilómetros al sur de la isla de Pangkor. No te desperté cuando la pasamos porque estabas profundamente dormido. Nos bajamos aquí, en Kampung Pangkor.

—¿Qué vamos a hacer aquí?

—Visitar a un amigo.

El chico malayo cargó el sampán con cajas que sacó de la bodega de carga. Accedimos a la pequeña embarcación por una escala de cuerda y el capitán Albertus nos acompañó hasta el embarcadero. Endo-san llevaba una caja larga que yo había ayudado a subir al vapor. Me resultó extrañamente pesada, pero me había abstenido de preguntar qué contenía.

Cuando llegamos al embarcadero, ya se había congregado una pequeña multitud. Eran malayos, de piel oscura y ojos grandes, y nos miraban absortos parloteando en voz alta.

Un japonés bajito se abrió camino entre la gente y le hizo una reverencia a Endo-san una vez que hubimos subido a la plataforma.

Se alejaron hablando en japonés. Yo los seguí a cierta distancia mientras oía al capitán Albertus gritar a los aldeanos que tuviesen cuidado con las cajas. Detrás del manglar apareció un pueblo bullicioso. Los estrechos senderos estaban embarrados y resultaban resbaladizos. Había gallinas correteando por pequeños huertos situados delante de precarias casuchas de madera construidas sobre pilotes. Un ancho estuario describía una curva alrededor de la aldea y, en sus riberas, amarrados en postes, había una hilera de barcos pesqueros con montones de redes colgando por los lados como una enmarañada plantación de hongos.

Seguimos al pequeño japonés hasta la tienda de suministros de la que era dueño. Cerró la puerta y echó a un lado el pescado salado que había encima del mostrador. El lugar desprendía un fuerte olor a cebollas viejas, a chile y a ratones. Encendió una pipa, vio la expresión de fastidio de Endo-san y la apagó enseguida.

—Kanazawa-san —dijo Endo-san, para presentármelo.

—*Konichiwa*, Kanazawa-san —lo saludé y le hice una reverencia.

El hombre pareció sorprendido, pero me devolvió el saludo con educación.

Endo-san abrió la caja y sacó un rifle. El olor a aceite de engrasar armas y a pólvora cargó el aire viciado y sentí que se me revolvía el estómago.

Endo-san me condujo por un camino cubierto de helechos y, por primera vez en mi vida, entré en la verdadera jungla malaya. Los escarabajos trepaban lentamente por los troncos de los árboles, raspando las cortezas con sus pinzas de cangrejo. Las mariposas, algunas más grandes que mi mano, remontaban el vuelo cuando rozábamos los arbustos. Aunque a nuestra espalda se extendía el pueblo, yo sabía que estaba perdido. Llevábamos andando media hora, salvando árboles caídos y cruzando el lecho de un río lleno de rocas suaves y redondeadas. Llegamos a un claro y se desenganchó el rifle del hombro. Se sacó del bolsillo una cajita que contenía balas y lo cargó.

—¿Por qué tengo que aprender a disparar? —le pregunté.

Isabel era toda una experta en el Club de Tiro de Penang, pero a mí nunca me había interesado ese deporte.

—Como tu *sensei*, mis obligaciones no se restringen al *dojo*. —Su mano describió un círculo, indicando el bosque y las columnas de árboles que se elevaban hacia las copas—. Este, el mundo entero, es tu *dojo*.

Me pasó el rifle y recortó un círculo pequeño en la corteza de un árbol utilizando un cuchillo. Parecía demasiado lejos.

—Utiliza los principios del *aikijutsu*. Concéntrate, expande tu mente, tu *ki*. Respira y relájate.

Me lo quedé mirando, vacilante. Por primera vez desde que nos conocíamos, me sentía reacio a seguir sus instrucciones. Él se dio cuenta de mi indecisión y me mostró el movimiento, que en él resultó fluido y seguro. Colocó el cuerpo de lado y la vista en la mirilla. Lo oí exhalar aire y luego, el sonido del disparo. Una pequeña explosión de corteza astillada saltó por los aires y el eco del disparo hizo revolotear miles de alas.

—Hazlo como acabo de mostrarte —dijo.

Su tono no dejaba margen a la desobediencia.

Cogí de nuevo el rifle y repetí sus movimientos con tanta precisión como me fue posible. El arma pesaba y el primer disparo describió un arco alto en las hojas, pues trastabillé hacia atrás.

—Estira la mano, mantenla estirada y el envite no te desestabilizará.

Los oídos me zumbaban pero conseguí recuperarme. Fui mejorando poco a poco, pero, para cuando logré hacerlo bien, había mutilado el árbol. La savia corría por el tronco como sangre de una arteria seriamente dañada y las astillas de madera yacían dispersas junto a las raíces.

Lo dejamos cuando sentí que las manos me temblaban por los disparos y noté los hombros doloridos.

—Se supone que no voy a utilizar esto, ¿verdad?

—No —me contestó—, pero puede resultarte útil saber cómo manejarlo. Mi abuelo le enseñó a mi padre a disparar cuando los americanos vinieron a mi país. Era prácticamente imposible conseguir aquellas armas extranjeras, pero mi abuelo lo hizo. Mi padre me enseñó a mí, utilizando armas parecidas.

—¿Para qué necesita los rifles Kanazawa-san? —le pregunté, cuando me concedió un respiro.

Estaba utilizando una táctica diferente para que contestase mi pregunta. Como Endo-san me había dicho tantas veces: guía la mente y el resto vendrá solo. Aprender a usar un rifle en la jungla distaba bastante de hacerlo en la atmósfera jovial del Club de Tiro de Penang donde Isabel practicaba. El viaje, que había empezado con una nota agradable, parecía estar ahora lleno de incertidumbre. Quizá se debía a que me encontraba en el corazón de unas tierras indómitas donde podía suceder cualquier cosa. Había nadado demasiado lejos de la costa, atraído por algo más allá de mi limitada vida, y, de repente, lo único que quise fue poner rumbo a casa.

Nunca dejaría de asombrarme que Endo-san fuese capaz de percibir cada uno de mis estados de ánimo y descubrir mis dudas. Me quitó el rifle y dijo:

—Saber disparar un arma no significa que tengas que usarla. De hecho, preferiría que nunca lo hicieras. Yo jamás he usado un arma contra nadie y menos una tan poco refinada como un arma de fuego. Si eres fuerte de aquí —me tocó suavemente la cabeza—, nadie podrá obligarte a recurrir a ellas. —Se sentó en la raíz de una higuera—. ¿Lo entiendes?

—Resistencia —dije—. Para fortalecer la mente se requiere resistencia, algo lo suficientemente duro contra lo que luchar.

Endo-san asintió.

—Kanazawa-san regenta la tienda local de víveres, como has visto. De vez en cuando le piden artículos especiales. Él cuida a los pocos compradores de caucho japoneses que trabajan en esta área. Los piratas han atacado la aldea. Necesita contar con algún medio de protección.

—¿Piratas? —pregunté— ¿De dónde?

Hizo un gesto de indiferencia con los hombros.

—De Sumatra o de Java. La actividad de los pescadores se ha visto afectada porque temen salir al mar.

—¿Por qué Kanazawa-san está aquí, en esta parte del país?

Endo-san no contestó. Se levantó e hizo una reverencia.

—Vamos a dar la clase por terminada. Se está haciendo de noche. Creo que deberíamos volver a la aldea.

Mientras dejábamos atrás la jungla, me di cuenta de que, a pesar de que había intentado conducir sus pensamientos adonde yo quería, él, sin ningún tipo de esfuerzo, me había levantado del suelo y me había hecho girar en círculos. Una parte de mí no dejaba de pensar en lo que no había dicho, pero otra era de nuevo consciente de que me había elegido un maestro extraordinario, y ese hecho era de suma importancia para mí.

Nos hospedamos en casa de Kanazawa, y su esposa nos agasajó durante la cena, sirviéndonos tazas de té y sake. Conocí a algunos de los compradores de caucho japoneses. Eran bastante jóvenes, hablaban malayo y poseían una ferocidad indefinible. No sería capaz de identificar aquella cualidad hasta que empecé a entrenar con algunos miembros del personal del consulado; solo entonces caí en la cuenta de que los compradores de caucho que había conocido tenían toda la pinta de ser soldados bien entrenados.

Hablaron sobre un reciente ataque de piratas.

—Estas nuevas armas nos serán muy útiles —dijo uno—. Ahora podemos deshacernos de ellos.

—Ya hemos matado a unos cuantos —apuntó otro, alzando su copa. Todos rieron, pero el ambiente se volvió cada vez más sombrío a medida que bajaba el sake.

—¿De dónde eres, Endo-san? —preguntó un comprador de caucho.

—Del pueblo de Toriijima, Toshi-san —contestó Endo-san.

—Un lugar muy bello. Una vez vi el santuario al amanecer —dijo Toshi—. Ojalá pudiera contemplarlo otra vez. ¿No echas de menos tu hogar?

Toshi miró a su alrededor. No dirigió la pregunta a nadie en particular, pero los jóvenes miraron a Endo-san.

—Sí. Todos echamos de menos nuestros hogares. Estoy seguro de que tú echas de menos a tu familia y a las mujeres que esperan tu regreso —contestó Endo-san con una nota de tristeza—. Pero tenemos un deber. Si fallamos en el cumplimiento de nuestro deber, le fallamos a nuestro país y a nuestra familia.

Clavó la vista en mí al pronunciar estas palabras, como con la esperanza de que, algún día, lo comprendiera.

Endo-san pasó la mañana siguiente reunido con Kanazawa, así que me dediqué a deambular por el río, con un ojo puesto en la orilla por si había cocodrilos escondidos entre los mangles. Me acordé del cuento malayo del cocodrilo que atrapó la pata del astuto ciervo ratón entre sus fauces mientras este bebía en un río. El ciervo evita que el cocodrilo se lo coma engañando al predador, al que hace creer que la pata capturada es solo la raíz de un mangle.

Había unas cigüeñas inmóviles en las aguas herrumbrosas, observándome. La fuerza del viento solo parecía capaz de hacer susurrar el margen exterior de la jungla, pues dejaba el interior en calma.

Las cigüeñas oyeron los aviones antes que yo. Hubo un frenético batir de alas cuando dos aviones Buffalo de la Real Fuerza Aérea Australiana pasaron en vuelo raso por las colinas y el estuario. Las aves abrieron sus alas y alzaron el vuelo por encima del río hasta llegar a los árboles, mientras los aviones se dirigían hacia el mar y el sol brillaba en las cabinas. Un cocodrilo que me había pasado inadvertido se revolvió en el río para enterrarse en el fango.

Vi que Endo-san salía de la tienda de Kanazawa y acudí a su encuentro.

—Prepárate. Nos vamos —me dijo—. Y tenemos un nuevo pasajero.

Dos de los japoneses que había conocido la noche anterior en la casa de Kanazawa-san sacaron a un hombre maniatado de una choza de madera y lo llevaron al embarcadero.

—¡Pero si es japonés! —exclamé.

—Eso hace este delito más grave.

Esperé a que Endo-san se explicase.

—Han sorprendido a Yasuaki robando en la tienda de Kanazawa-san. Lleva semanas haciéndolo —dijo Endo-san.

—¿Por qué lo ha hecho?

—Estaba preparándose para huir, para abandonar su deber. Se le encomendó la misión de comprar caucho para su país. En cambio, ha pasado el tiempo con mujeres del lugar y se ha enamorado de una de ellas. Iba a utilizar la comida y las provisiones robadas para poder huir con esta mujer.

—¿Y se le va a castigar por eso? —pregunté.

—Has asimilado bien tus lecciones, pero todavía tienes que entender lo importante que es el concepto del deber —dijo Endo-san.

—¿El deber incluso por encima del amor? —insistí, pensando en las palabras que había pronunciado la noche anterior durante la cena: «Si fallamos en el cumplimiento de nuestro deber, le fallamos a nuestro país y a nuestra familia».

Había aprendido que los japoneses tenían un gran sentido del deber, pero observar cómo imponía su carga inflexible sobre la más antigua de las necesidades humanas hizo que me cuestionara su valor.

Él captó el tono de mi voz y suavizó la dureza de sus palabras.

—Siempre ha sido así de acuerdo a nuestra forma de vida. No se puede evitar.

—¿Qué va a pasarle?

—Eso dependerá de las autoridades de Kuala Lumpur. Lo más seguro es que lo manden de vuelta a Japón.

—¿Volverá a ver a la mujer?

Endo-san negó con la cabeza y subió al sampán.

Dejamos atrás unos cuantos barcos de pesca que se habían atrevido a desafiar los peligros de los piratas y que regresaban a casa después de una noche de faena. Los hombres de a bordo parecieron reconocer el *Peranakan* y empezaron a dar toques de sirena cortos y a saludar a voces al capitán Albertus. Cuando nos aproximábamos a Port Swettenham, un banco de peces voladores salió disparado del mar y revoloteó a nuestro lado antes de zambullirse de nuevo en el agua. Yo estaba en la popa, esperando que apareciesen otra vez, que perdiesen sus ataduras con el mar y, durante unos segundos, encontraran una nueva identidad al tomar aliento no del agua, sino del viento.

Yasuaki, el comprador de caucho japonés que había antepuesto el amor al deber, me observaba. Endo-san me había pedido que desatara sus cuerdas y ahora, apoyado en la popa, me habló:

—Lo siento por ti.

—¿Por qué? —le pregunté, protegiéndome los ojos de la luz con la esperanza de ver más peces voladores.

—Tu asociación con nosotros no te traerá nada bueno —me advirtió.

Aparté la mirada del mar y lo escruté con más detenimiento. Tendría más o menos la edad de Edward, puede que un poco mayor. Hasta ahora había permanecido en silencio, quizá pensando en la mujer de la que lo habían separado.

—¿Cómo se llama ella? —le pregunté.

—Eres la primera persona que me pregunta su nombre. Pero ahora, ¿qué importancia tiene su nombre?

Sin embargo, pareció complacido de mi interés.

—Me gustaría saberlo —le dije.

Él me tanteó durante un instante.

—Se llama Aslina.

—¿Era una chica del pueblo?

Negó con la cabeza.

—Su padre regenta la cantina en el campo de aviación que hay cerca de la aldea. Seguro que has visto pasar aviones. Lo hacen todos los días.

Yo había encontrado un mapa en la tienda de Kanazawa y lo había estudiado. El pueblo donde habíamos pasado la noche estaba a una hora de Ipoh. El mapa mostraba la pista de aterrizaje de un campo de aviación tan solo media hora al este del pueblo, marcada en rojo por el tendero japonés.

—¿Valió la pena desobedecer tu deber? —pregunté.

—Fui incapaz de permanecer en una posición en la que pudiera hacerle daño a ella o a su gente —respondió.

—¿Hacerle daño? ¿Cómo? —le pregunté, pero él había vuelto la vista a los peces voladores, con una expresión de nostalgia en el rostro.

—Debes de quererla mucho —le dije, triste de repente.

Nunca había experimentado semejante emoción. De vez en cuando, Isabel hablaba del tema largo y tendido y nosotros nos burlábamos de ella. Siempre había pensado que el amor era solo cosa de chicas, pero aquí tenía a un hombre aparentemente inteligente que lo había experimentado y que ahora lo estaba pagando caro: su reputación arruinada, la chica a la que amaba apartada para siempre de su lado.

—¿Alguna vez has conocido a alguien a quien te hayas sentido tan unido que no te importa nada más? ¿Alguien que, sin que nadie le haya dicho nada, conoce cada aspecto de tu ser?

Me lo quedé mirando, sin saber muy bien lo que intentaba decirme.

—Pues bien, así es como yo me siento con Aslina. ¿Y el deber? —Su voz se tornó amarga—. El deber es un concepto que han creado emperadores y generales para engañarnos y que cumplamos su voluntad. Sé cauteloso cuando hable el deber, pues casi siempre enmascara la voz de otros. Otros que no tienen en mente tus intereses.

Estaba a punto de preguntarle más cosas, pero Endo-san se me acercó y me dijo:

—Recoge tus cosas. Vamos a llegar a Port Swettenham.

Capítulo nueve

Llegamos a Port Swettenham a última hora de la tarde. Vi cómo personal de la embajada japonesa se llevaba a Yasuaki. Alcé la mano a modo de despedida, pero él no me devolvió el gesto.

Un coche con un conductor japonés nos llevó a Kuala Lumpur. Llegamos una hora más tarde y recordé la última vez que había estado allí. Hacía casi diez meses, cuando celebramos el cuarenta y nueve cumpleaños de mi padre en el club Spotted Dog, justo delante del *padang* de críquet del centro de la ciudad. Ahora, el campo estaba lleno, y los jugadores corrían entre las sombras proyectadas por los edificios de los juzgados, al otro lado de la carretera. Oí el toc de la bola al impactar en el bate y luego los vítores cuando los bateadores corrían. Era una tarde típica en la mayor ciudad de Malaya: los ingleses dejaban sus sofocantes oficinas, se iban al Spotted Dog a tomarse un *gin-tonic*, jugaban un poco al críquet y luego volvían a casa para darse un baño antes de regresar al club para cenar y bailar.

Era una buena vida, una vida de ricos llena de comodidades y placeres.

La embajada japonesa estaba situada en un bungaló remodelado en lo alto de una colina, justo detrás de Carcosa, antaño residencia oficial del general residente de los Estados Malayos Federados. La carretera que llevaba hasta allí arriba era fresca y sombreada, remodelado viejas angsanas que llenaban el camino de hojas, vainas y ramillas que crujían bajo los neumáticos. El centinela de la entrada nos saludó al pasar.

Un joven de uniforme militar llevó los bultos a nuestras habitaciones. Encendieron el ventilador de inmediato. Luego, salimos a la veranda, donde nos sirvieron vasos de té helado.

La embajada daba a una ladera arbolada repleta de flamboyanes. Me bebí el té de pie pensando en el concepto del deber, que me había atormentado durante todo el viaje en coche. Era muy confuso y (en aquel momento así me lo pareció) no tenía ningún sentido. ¿Dónde estaba la libertad de elección con la que cada uno de nosotros había nacido?

Endo-san me había advertido al comenzar mis clases de lo fuerte que era el deber de enseñar una vez que lo aceptabas. Nunca se ofrecía profusamente o al azar. Un posible alumno tenía que aportar cartas de recomendación para convencer a un *sensei* de que lo admitiera. La enseñanza nunca podía aceptarse sin todas las cargas y obligaciones que conllevaba, y yo había llegado a comprenderlo. Sin embargo, aún podía oír las palabras de Yasuaki, previniéndome sobre deberes, generales y emperadores. Un momento de desazón hizo que me terminara la bebida de un solo trago.

—Debemos presentar nuestros respetos a Saotome Akasaki-san, el embajador de Malaya —dijo Endo-san, haciéndome un gesto para que lo siguiera escaleras abajo.

Aunque el bungaló estaba construido al típico estilo angloindio, con amplias verandas de madera y techos altos, la decoración era estrictamente japonesa. Las habitaciones estaban divididas con pantallas *shoji* de papel, había rollos de caligrafía colgados en lugares bien iluminados y un tenue olor a incienso limpiaba el aire a nuestro paso. Había arreglos florales austeros y minimalistas en unas mesas bajas.

—Estas son composiciones hechas por el propio Saotome-san —me explicó Endo-san—. Su ikebana ha ganado premios en Tokio.

Otro joven de uniforme descorrió una puerta y dejamos las zapatillas de algodón fuera antes de entrar. La habitación estaba vacía, a excepción de la fotografía de un hombre de aspecto hosco. Endo-san se arrodilló en las esterillas de paja y le hizo una reverencia. Yo no lo imité, pero supuse que el retrato era el de Hirohito, el emperador de Japón. Nos sentamos con las nalgas apoyadas en los talones y esperamos a que Saotome-san llegara. Cuando entró, hubo toda una serie de reverencias antes de que, finalmente, nos acomodásemos junto a una mesa de madera baja.

El embajador era un hombre de aspecto distinguido, casi altivo, salvo cuando sonreía. Entonces solo parecía atractivo y corriente. Con su *hakama* oscura y su *yukata* negra y gris con un estampado de flores de crisantemo plateadas, aparentaba más edad que Endo-san, aunque sus movimientos eran igual de gráciles.

—¿Es este el alumno del que he oído hablar? —preguntó en inglés dedicándome una sonrisa. Su voz era como el papel de arroz, fina y frágil. Me lo imaginaba como el abuelo de alguien.

—*Hai*, Saotome-san —contestó Endo-san, indicándome que sirviera el sake caliente.

—¿Cómo van sus progresos?

—Muy bien. Ha experimentado una tremenda evolución, tanto física como mental.

Hasta ese momento, Endo-san nunca había comentado expresamente mis estudios. Oírlo ahora ante el embajador fue agradable y añadió más rubor al que me había dejado el sake.

Cambiaron inmediatamente al japonés y el anciano me observaba con atención para comprobar si los seguía. Su acento era un poco más cerrado que el de Endo-san, pero, después de unas cuantas frases, me dejé llevar por el flujo de la conversación.

Nos sirvieron la cena, que llegó en pequeños platos de porcelana, cada uno de los cuales portaba una o dos porciones de comida. Me gustó la anguila marinada, el pollo dulce y los rollitos de pescado crudo envueltos en arroz y algas. Los dos japoneses comían con exquisitez, examinando cada porción en sus palillos y comentando el sabor, el color y la textura, casi como si de una adquisición artística se tratase. Yo estaba muerto de hambre y tenía que contenerme para no comer demasiada cantidad ni demasiado rápido.

—¿Cómo está la situación en Penang? —preguntó Saotome, colocando sus palillos en un soporte de marfil.

—Tranquila y pacífica. Nuestra gente está satisfecha y no hay problemas importantes —contestó Endo-san—. Hemos encontrado una casa apropiada en la colina de Penang para alquilar a nuestro personal y sus familias. Más tarde le enseñaré unas fotografías.

Aparte de eso, tengo casi tiempo libre ilimitado, por lo que hemos estado visitando distintos lugares de la isla.

Saotome-san sonrió.

—Ah, qué días más espléndidos, ¿eh? —me dijo en inglés.

Dejé de comer, pues sabía que se dirigía a mí. De repente, el anciano no me pareció tan benigno. Me sentí como un ratón ante un tigre.

—Parece saber muchas cosas sobre mí —comenté, haciendo caso omiso a todas las lecciones que había aprendido y plantándole cara directamente.

—Procuramos conocer a nuestros amigos —respondió Saotome—. He oído que tu padre es el dueño de la mayor compañía comercial de Malaya, ¿no es así?

—No es la mayor, esa es Empire Trading.

—Tenemos algunos hombres de negocios interesados en Malaya. ¿Consideraría tu padre la posibilidad de colaborar con ellos? ¿Ser socio de estas personas? Tienen verdadero interés por obtener participaciones en su empresa.

Pensé en lo que quería saber. En el fondo, sospechaba que nuestro futuro podía depender de la respuesta que diese en ese momento. Al final, me pronuncié con cautela:

—Creo que mi padre estaría dispuesto a escuchar; después de todo, no tiene nada en contra de sus compatriotas, pero yo no puedo hablar por él. Tendrá que preguntarle usted mismo.

Saotome se echó hacia atrás.

—Oh. Supongo que tendríamos que hacerlo. —Cogió otro trozo de pescado—. ¿Considerarías tú la posibilidad de trabajar para nosotros una vez que hayas terminado tus estudios? Según tengo entendido, solo te queda un año.

Le dirigí a Endo-san una mirada inquisidora.

—¿En qué puesto? —pregunté.

—Como intérprete, como persona que sirva de enlace entre los europeos y los malayos. Podríamos denominarlo un oficial de buena voluntad. —Saotone se dio cuenta de mis dudas—. No tienes que contestarme ahora. El trabajo será interesante, te lo aseguro.

Le prometí que consideraría su oferta y él sonrió y añadió:

—Muy bien. ¿Te apetece más anguila? Me he dado cuenta de que estabas hambriento.

La puerta *shoji* se abrió y un soldado se arrodilló ante Saotome y le hizo una reverencia. A su lado había una joven china en kimono con el pelo recogido en dos moños lacados.

No intercambiamos ni una palabra con las figuras arrodilladas hasta que Saotone se pronunció:

—Levántale la cara para que pueda verla.

El soldado puso los dedos bajo la barbilla de la chica y se la levantó.

—Ábrele la bata.

La misma mano bajó de la barbilla y le abrió el kimono a un lado, dejando al descubierto un pecho inseguro aún de su forma, en proceso de maduración.

Saotome la estudió y en su cara se dibujó una sonrisa diminuta como un corte. La garganta le latía y se tocó brevemente la comisura de los labios con la lengua, como el pincel de un artista que añadiera un perfecto toque final.

La anguila ya no me supo tan dulce.

Después de aquel episodio, pasé unos días solo. Endo-san tenía que asistir a varias reuniones con Saotome, así que empleé mi tiempo en deambular por las calles. Me había llevado un chasco, pues me habría gustado enseñarle la ciudad y la oficina de mi padre. Un día me dediqué a pasear por el centro comercial, maravillándome ante las nuevas tiendas y la muchedumbre. Como Penang, la ciudad estaba segregada en diferentes barrios según el origen de sus habitantes. Tuve que rebuscar en mi memoria para recordar mi cantonés oxidado y así poder hablarles a los chinos de allí. A diferencia de los chinos hokkien de Penang, casi todos eran inmigrantes de la provincia de Cantón, que habían llegado atraídos por los rumores de riqueza y éxito que llevaron de vuelta a China aquellos paisanos lo suficientemente afortunados como para haberse enriquecido en las peligrosas y agotadoras minas de estaño de los alrededores de Kuala Lumpur y el valle de Kinta, donde se ubicaba Ipoh.

Me senté en un salón de té y volví a pensar en mi abuelo. Me pregunté qué tipo de hombre era para haber cortado los lazos con mi madre de forma tan radical. ¿Qué había de malo en casarse con alguien que no pertenecía a tu propia gente? ¿Por qué se preocupaba tanto el mundo por esas cosas?

El dueño del establecimiento vino para tomarme la comanda y me preguntó qué quería en inglés. Reparé en la esperada cara de sorpresa y de indignación mal disimulada cuando respondí en cantonés. Esa era mi cruz: a los chinos les parecía demasiado extranjero y a los europeos, demasiado oriental. No era el único (los denominados euroasiáticos formábamos un grupo social particular en Malaya), pero sentía que tampoco encajaba en aquella comunidad. Me sentía como Endo-san y los japoneses debían de sentirse allí: odiados por lugareños y por británicos y americanos por igual, ya que sus abusos en China se estaban convirtiendo en tema de debate diario tanto para vendedores ambulantes como para los europeos que iban al Spotted Dog a beber ginebra helada. Sin embargo, yo había descubierto otra cara: había visto la frágil belleza de su modo de vida, su aprecio por los aspectos melancólicos y transitorios de la naturaleza, por la vida misma. ¿Es que tales sensibilidades no contaban?

Rememoré mi conversación con Saotome. Estaba seguro de que había algún significado oculto que se me escapaba. ¿Querían los japoneses fundar una compañía que compitiese con la nuestra o tenían intención de hacerle a mi padre una oferta de compra? Yo sabía que nunca venderíamos. Mi padre, a su manera, era de mentalidad tan oriental como la propia gente de Penang. Solo la familia dirigiría la empresa. Graham Hutton no habría permitido su venta. El único modo de que los japoneses se hicieran con Hutton e Hijos era arrebatándonosla por la fuerza, y los británicos no iban a consentirlo de ninguna manera.

En la estación de tren llamé por teléfono a tía Mei. Los andenes estaban llenos de gente y el sol de la mañana doraba las cúpulas en forma de cebolla de sus altos minaretes, filtrándose por los huecos de las bóvedas y arcos de estilo árabe. La estación era uno de los edificios más hermosos que había visto jamás. Endo-san estaba sentado en un banco leyendo unos documentos de Saotome. Un rayo de sol que se colaba por una claraboya lo hacía resplandecer.

Le dije a tía Mei que me bajaría en la estación de Ipoh y ella me dio la dirección de mi abuelo.

—Por favor, avísale de que voy a visitarlo, tía Mei.

—Sí, sí, claro. Me alegra que quieras hacerlo.

—Quiero decirle que se equivocó al tratar tan mal a mi madre. Había cosas buenas en su matrimonio.

Se produjo un corto silencio y entonces ella dijo:

—Pues claro que hubo cosas buenas. Tú eres una de ellas.

Endo-san me hizo una señal, así que colgué el teléfono después de darle las gracias, y subimos al tren.

El viaje fue agradable y el paisaje, una imagen borrosa de follaje que pasaba a toda velocidad, interrumpido por pueblecitos cerca de las vías. Cada vez que aminorábamos la marcha en estas aldeas, un grupo de niños desnudos corría a lo largo de los vagones vendiendo comida y bebida. Nosotros bajamos la ventanilla para comprar. Vi un búfalo de agua tendido en un campo de arroz embarrado y en cierta ocasión tuvimos que parar porque un elefante y su cría estaban atravesando las vías. Cerca de la ciudad de Ipoh, el tren cruzó un vasto lago de superficie lisa y reflectante, así que durante los diez minutos que tardamos en pasar al otro lado, sentí que estábamos sobrevolando un charco de mercurio. Unas garzas nos acompañaron durante un rato, se elevaron por encima de los vagones y se posaron en las orillas del lago cubiertas de juncos. Cuando vi que nos aproximábamos a los acantilados grises y blanquecinos de piedra caliza de Ipoh, dije:

—Ya mismo tengo que bajar.

—¿Estarás bien? —me preguntó Endo-san.

—Creo que sí. Ver a alguien que nunca ha significado nada en mi vida no tendría que ser demasiado duro.

—No debes ser rencoroso, ni juzgar antes de conocerlo —me aconsejó.

—No sé si llegaré a conocerlo —repuse.

La idea de establecer un vínculo, un acuerdo con mi abuelo, no me hacía ninguna gracia y estaba empezando a arrepentirme de mi decisión de ir a verlo. Seguramente no tendríamos nada en común que nos uniese.

—No te eches atrás ahora —dijo Endo-san—. No me cabe la menor duda de que será tu abuelo el que se asegure de que lo conozcas. Y estoy seguro de que los medios que utilizará para conseguirlo serán bastante inusuales.

—Ha ido a verlo, ¿verdad? —le pregunté, al sentir una corazonada.

—Sí —me respondió. Como me quedé callado, a él le picó la curiosidad—. ¿No me vas a preguntar cuándo y por qué?

—Estoy seguro de que tenía un buen motivo —contesté.

Recordé aquel día en el saliente, allá en la colina de Penang, cuando decidí confiar en él por completo. Se lo dije en ese momento y una sombra de pena nubló sus ojos.

—*Sumimasen.* Lo siento —me dijo después de un rato.

Estaba a punto de preguntarle por qué se estaba disculpando cuando el tren aminoró la marcha y entramos en la estación de Ipoh. Recogí la mesa del compartimento y tiré los pequeños paquetes de comida.

—Debes irte —dijo, bajando mi bolso, que estaba en el estante. Abrió su cartera—: ¿Llevas dinero suficiente?

—Sí —le respondí con una sonrisa, emocionado por su preocupación—. Mi abuelo es uno de los hombres más ricos de Malaya, ya sabe.

—Llévate algo más de todas formas. Te veré en Penang. Ven a la isla cuando vuelvas a casa.

—Lo haré.

Le di un rápido abrazo y bajé al andén. Me giré, le dije adiós con la mano y a continuación salí andando de la estación.

Capítulo diez

No me sorprendió encontrar un coche esperándome. El viejo conductor indio apoyado en él se puso firme en cuanto me vio salir a la luz del sol.

—¿Señor Hutton?

Hice un gesto rápido de asentimiento.

—La casa de su abuelo no queda lejos —dijo al abrirme la puerta.

Yo nunca había estado en Ipoh. Mi padre nunca nos había traído, aun siendo dueños de unas minas en el valle de Kinta que rodeaba la ciudad. En sus orígenes, Ipoh no era más que un pequeño pueblo minero que vivía del estaño. Los belicosos príncipes del sultanato de Perak se lo disputaron hasta que los británicos intervinieron para evitar que la sucesión de guerras salpicara sus protectorados adyacentes. Estos últimos no tardaron en importar a culis chinos para que trabajasen en las minas y, gracias a la ingenuidad y el duro esfuerzo de estos hombres, el pueblo creció hasta convertirse en una ciudad de tamaño considerable, si bien desprovista de encanto, con su propia estación de tren, sus escuelas, sus juzgados y sus lujosos barrios residenciales. Ipoh era muy conocido por las cuevas excavadas en los barrancos de piedra caliza que lo rodeaban. Muchas de ellas habían servido de cobijo a ermitaños y sabios que buscaban un lugar de meditación apartado del mundo. Después de que murieran o desaparecieran, se construyeron templos en esos lugares para honrar a estos hombres santos.

La ciudad era calurosa y polvorienta, apenas si tenía árboles, y los barrancos calizos reflejaban el resplandor y el calor del sol. Dejamos las calles del centro y giramos hacia Tambun Road. Las mansiones que había a lo largo de esta calle pertenecían a magnates chinos de la minería, la mayoría de los cuales empezaron como culis descamisados en las minas. Cuando hubieron amasado sus fortunas, se construyeron casas al estilo europeo, por lo que, durante un rato, tuve la sensación de estar de vuelta en la Northam Road de Penang.

El coche entró en el camino de acceso de una casa que podría haber estado en cualquier sitio de Penang, con su típico entramado de madera y su pórtico y frontón centrales. Lo que la diferenciaba del resto era el color. Le habían dado una mano de amarillo pálido, el tono de pintura que ningún europeo utilizaría jamás para las paredes.

Cuando me bajé del coche, vi a tía Mei en el porche.

—¿Qué estás haciendo aquí? —le pregunté.

—Solo está a tres horas de Penang —respondió—. He venido a visitar a mi padre.

Pese a sentirme un poco molesto por sus manipulaciones, me alegró ver una cara familiar. La casa era opresiva. Unos leones de mármol se alzaban amenazantes en pedestales a cada lado de las puertas, que eran postes horizontales de madera maciza colocados en un marco corredizo y que me parecieron los barrotes de una celda. El interior estaba oscuro, pero los motivos florales de los suelos de mármol despedían un ligero resplandor. En las paredes colgaban grandes retratos de mandarines con largas trenzas sentados en sillas delicadas y sencillas. Había una escalera que descendía describiendo una curva en el centro del vestíbulo y unas puertas que daban a salas de estar de apariencia formal a ambos lados.

Tía Mei me condujo a una habitación en la que solo había cuatro sillas de palo de rosa, dos a cada lado, situadas contra las paredes. Un viejo tríptico con sucesivas escenas de un típico hogar mandarín colgaba de la última pared vacía. El tríptico quedaba frente a un patio abierto, con un foso en el medio y cuatro grandes tinajas color jade colocadas en las esquinas. En el centro podía verse un bonsái solitario en un soporte de madera.

Una criada nos sirvió té de la diosa de la Compasión de Hierro mientras esperábamos. La casa estaba en silencio, salvo por los chillidos de los pájaros y el revoloteo de las golondrinas en los aleros. En la distancia se distinguía el sonido de agua cayendo sobre unas rocas, lo cual aligeraba la atmósfera y parecía refrescar el lugar. Oímos un movimiento procedente del exterior de la habitación y nos levantamos expectantes.

Entró en la habitación solo, vestido con su atuendo de mandarín. Khoo Wu An era un hombre corpulento y fornido, y la ropa apenas camuflaba los músculos de aquellos brazos que una vez habían pasado dieciocho horas diarias sacando agua y arena de las minas, o eso es lo que me había dicho mi tía. También me había contado que tenía sesenta años, pero a mí, aquel día, me resultó un hombre formidable, fuera cual fuese su edad.

Al vernos por primera vez, nos escrutamos el uno al otro con medida curiosidad. Tenía el pelo blanco y de apariencia suave, y grandes ojos inteligentes que parpadeaban con rapidez tras unas gafas sin montura. Fui consciente de un profundo sosiego y del optimismo natural y refrenado de tía Mei. Él indicó una silla.

—Siéntate, por favor —me dijo en inglés, con una voz profunda y vibrante que desprendía seguridad y firmeza. Disimulé mi sorpresa y volví a mi asiento. Había cierta brusquedad en sus modos, suavizados por su sonrisa abierta y cálida.

—¿Cómo fue el viaje? —me preguntó.

—Sin incidentes —le respondí, con la esperanza de que no reparara en el toque de ironía de mi voz.

Me sirvió más té. A continuación, sacó una pequeña pieza de jade, un alfiler fino como una brizna de hierba que colgaba de una delicada cadena de plata alrededor de su cuello, y la sumergió brevemente en la taza. La miró y luego volvió a meterse el alfiler por debajo del cuello de la camisa. Fue un movimiento tan natural, tal vez el resultado de tantos años de costumbre, que ni él ni tía Mei parecieron darse cuenta.

Entonces clavó la vista en mí sin reservas, con las cejas canosas casi juntas, esperando quizá encontrar vestigios de sí mismo en mis facciones. El típico anciano chino, pensé. Pero me equivocaba.

—Te pareces mucho a tu madre —dijo.

—La gente siempre dice que me parezco a mi padre.

—Entonces es que no saben lo que están buscando —repuso él con firmeza.

—¿Y qué deberían buscar? —quise saber.

—Algo más allá de lo que muestra la cara, algo obvio y a la vez intangible. Como el aliento en una noche fría, tal vez.

Cuando me terminé el té, se levantó y dijo:

—Estamos pasando por una racha de sequía en Ipoh. Debes de estar cansado y acalorado. Ve a descansar y a refrescarte. Seguiremos charlando esta noche.

Volvió a sonreír y me observó cuando tía Mei me cogió del brazo y me acompañó escaleras arriba.

Lo supe por la manera en que tía Mei me condujo a mi habitación. Subimos las escaleras y recorrimos el pasillo, lleno de mesitas en forma de media luna colocadas contra las paredes desnudas y sobre las que descansaban jarrones y figuritas de tres ancianos que, según tía Mei me contaría más tarde, representaban la trinidad taoísta de la Prosperidad, la Felicidad y la Longevidad.

Mi tía abrió la puerta y esperó a que yo entrara. La habitación estaba amueblada al estilo europeo y albergaba una cama de cuatro postes en el centro con la mosquitera recogida en lo alto. Había un tocador junto a las ventanas y, en un rincón, un *almari* de teca balinesa, un armario pesado y bajo que empequeñecía la jofaina de porcelana contigua. Tía Mei se dispuso a hablar, pero yo me adelanté levantando una mano:

—La habitación de mi madre.

El entarimado crujió cuando crucé la estancia para dirigirme a la ventana. Unos postigos altos de madera daba paso a un estrecho balcón que a su vez asomaba a un jardín escondido del mundo exterior mediante muros tapizados de plantas trepadoras. En el centro del jardín había una fuente y, de repente, tuve la inquietante sensación de que la había visto antes, quizá en esa otra vida en la que creía Endo-san. La observé con mayor detenimiento y vi que era parecida a la que teníamos en Istana.

Mi abuelo estaba en lo cierto. El tiempo era seco y caluroso, así que retrocedí aliviado al interior de la habitación. Abrí el *almari*, pero estaba vacío.

—Se vació todo después de que se casara con tu padre. La ropa se regaló y los libros se donaron a la biblioteca de Ipoh. Todo —me dijo tía Mei—. Un día, cuando volví, encontré esta habitación tan vacía como la estás viendo ahora. Me enfadé muchísimo con tu abuelo.

—¿Qué dijo mi madre cuando se lo contaste? —le pregunté.

—No llegó a decir nada, pero tu padre me pidió que le describiese la fuente de ahí fuera, su aspecto, incluso cómo sonaba el agua. Me pidió que la descripción fuese lo más detallada posible y después construyó una para que ella pudiese conservar algo de su hogar, de su juventud.

Nos sentamos en la cama y escuchamos el agua de la fuente y a los pájaros, que tanto disfrutaban de ella con aquel calor.

—¿Te gustaría dormir aquí? —me preguntó tía Mei.

—Sí —dije—. Me encantaría.

Dormí bien: el sonido de la fuente me reconfortó. Cuando me desperté, el sol de la tarde se había colado por las tablillas de los postigos, dibujando listas en el entarimado, que quemaba cuando caminé sobre él. El ventilador del techo giraba despacio, reflejando fragmentos de sol. Los pájaros cantaban y gorjeaban fuera, y el intenso olor a frangipani se colaba desde el jardín y buscaba refugio en la habitación. Miré el reloj; Endo-san ya habría llegado a Penang, pensé.

Una sirvienta tocó en la puerta y me informó de que mi abuelo me estaba esperando. Me lavé la cara en la jofaina y bajé para hacerle frente. Había decidido expresarle mi decepción por cómo había tratado a mi madre. Le haría saber que mi padre había sido un buen marido. Luego le diría que no le veía ningún sentido a que volviéramos a vernos y le anunciaría mi intención de marcharme al día siguiente. Ni siquiera había deshecho el equipaje, para que mi partida fuese más fácil y rápida.

—Pareces mucho más descansado —dijo—. ¿Te ha agradado la habitación?

—Sí. El sonido del agua y el olor de las flores eran muy relajantes.

Me pregunté si habría estado detrás de la elección del dormitorio que me habían asignado. Me condujo al jardín, donde me mostró las diferentes flores, de fragancias embriagadoras y penetrantes. Miré por todos lados, pero no vi ningún frangipani.

—¿Se parece mucho? —me preguntó cuando nos aproximamos a la fuente.

Antes no me habría dado cuenta del timbre de emoción débil y controlada de su voz, pero las lecciones de Endo-san me habían enseñado que a veces existe movimiento en la calma y calma en el movimiento. Y fue así como lo distinguí claramente en mi interior: una mezcla oculta de remordimiento, pena y esperanza. Mantuve la expresión de mi cara tan controlada como mi abuelo había hecho con su voz para no ponerlo en una situación embarazosa.

Di una vuelta alrededor de la fuente que mi madre tanto había adorado, agachándome de vez en cuando para examinar los relieves de pájaros y árboles que la revestían, y el ángel regordete que, sosteniendo un jarro, hacía equilibrio en el centro. Unas libélulas, como chiles largos y finos, planeaban sobre la superficie del agua. Las observé un momento y me vino el recuerdo de cuánto se molestaba mi madre cada vez que William y yo las cazábamos en la fuente de Istana cuando éramos pequeños.

Por aquel entonces, yo tenía seis años y William, trece. Él me enseñó a atar hilos a los cuerpos de las libélulas para capturarlas. Entonces pensaba que el enfado de mi madre era desproporcionado en relación con nuestro inofensivo acto. Ahora comprendía por qué la habíamos entristecido tanto y le pedí disculpas en silencio, con la esperanza de que pudiera oírme.

Parpadeé, asentí y le dije a mi abuelo:

—Sí, la fuente de casa es muy parecida. Incluso suena igual.

Él se sentó en el borde y bajó la vista hasta sus pies. Cuando la levantó de nuevo, vi la expresión de su cara suavizada por la franqueza de sus palabras.

—Eso está bien —dijo—. Me alegro.

La cena fue sencilla, casi monástica. Me agasajó y sirvió comida en mi cuenco con sus palillos. Habíamos contemplado cómo el atardecer cubría el jardín con una luz dorada sin mediar palabra. Me acordé de que tenía que decirle que me iría al día siguiente, pero descubrí que mi resolución se había debilitado.

Las sirvientas retiraron los platos y trajeron una bandeja con delicadas tacitas y una tetera. Mi abuelo abrió su abanico con un golpe de muñeca e hizo un gesto con él a tía Mei.

—Déjanos solos, por favor —le pidió.

Ella pareció dispuesta a negarse, pero mi abuelo insistió:

—Ve, hija mayor.

Ella no pudo más que cumplir la orden. Se levantó de la silla y se fue, dejando un rastro de fastidio como el de un felino frustrado. A mi abuelo pareció hacerle gracia y sus ojos pestañearon muy rápido. Levantó la tapa de su taza y aspiró el vapor. Volvió a sacar el pequeño alfiler y lo metió en el té. Me pilló mirándolo y aproveché para preguntarle.

—¿Por qué hace siempre eso? ¿El alfiler altera el sabor del té?

—Me advierte de la presencia de veneno.

—Sin embargo, no lo utilizó para comprobar su comida cuando cenamos —le dije, satisfecho por haber descubierto una contradicción.

—Ya lo hago por mera costumbre y solo cuando bebo. Es casi como si el alfiler *realmente* cambiase el sabor de mi té, un sabor al que ya me he acostumbrado.

Sostuvo el objeto en alto para que pudiera examinarlo. Medía poco más de dos centímetros y el color del jade era muy pálido, casi como la luz del sol vista a través de la delicada hoja de un árbol.

—¿Funciona de verdad? —le pregunté.

Me dedicó una sonrisa reflexiva, casi soñadora.

—Sí, una vez, hace tiempo, funcionó —me confirmó al cabo de un instante.

—¿Cómo consiguió el alfiler?

—Empecemos por el principio. Yo lo sé todo sobre ti, pero tú no sabes nada sobre mí. Creo que no es justo, ¿no te parece? —preguntó.

—¿Cómo es que lo sabe todo sobre mí? —quise saber.

Él hizo un ademán con la mano, como para darme a entender que no importaba. Reconocí aquel movimiento, pues yo también lo hacía. Me resultó insólito toparme con un hombre que hacía los mismos gestos que yo.

—Deja que te cuente cosas sobre mí, sobre este hombre extraño y cruel, este hombre con alma de hierro que es tu abuelo. Vamos, bébete el té. Es té Black Dragon del bueno y yo no voy a envenenarte.

Como le pasó a tía Mei, me sentí obligado a obedecerle. Cuando empezó a hablar, los últimos días desaparecieron y su historia enseguida me cautivó.

—La mayoría de la gente cree que soy un culi rudo e inculto que hizo fortuna en las minas. No, no hace falta que guardes las apariencias y niegues que eso es lo que tú también has pensado. Tenía treinta años cuando llegué a Penang como parte de una ola interminable de gente que huía del caos de China. Sin embargo, yo era diferente a ellos, pues en mi equipaje traía una pequeña fortuna en lingotes de oro, tomados del tesoro imperial en los últimos días de la dinastía Ching. ¿Conoces la dinastía Ching?

Le dije que tío Lim solía contarme historias sobre China, sobre sus muchas dinastías y su casa imperial. Al principio, me habían resultado fascinantes, pero, a medida que crecí, estos relatos me resultaron repetitivos y me harté de ellos.

—Fue la última dinastía de China —le respondí—. Después de esa, los republicanos, liderados por el doctor Sun Yat Sen, derrocaron a la monarquía. —Pareció impresionado por mis conocimientos—. ¿Esa fue la razón por la que se marchó de China? —le pregunté.

—Me marché mucho antes de que la monarquía llegara a convertirse en polvo, como el del desierto del Gobi. Ya entonces los más avispados eran conscientes de que una era estaba tocando a su fin. Algo nuevo vendría y lo arrasaría todo a su paso, todo lo que conocíamos y para lo que habíamos vivido.

Dio otro sorbo a su té.

—¿Te parezco viejo? ¿Que no? Eres muy diplomático. No importa el aspecto que aparente, yo me *siento* viejo. Y, sin embargo, ¿cómo puedo sentirme viejo cuando he escapado a la historia?, me pregunto a veces, pues, si uno escapa a la historia, ¿no escapa también al tiempo?

—Nadie puede escapar a la historia —dije.

—Te equivocas —dijo—. A menudo pienso en alguien que fue borrado de los libros de historia. Veo su cara, eternamente joven, como era el día en que nos conocimos en un patio de la Ciudad Prohibida. Esto ocurrió en 1906, hace una eternidad. Hoy en día, todo el mundo sabe que Pu Yi, que subió al trono del dragón a los tres años, fue el último emperador de China, pero nadie sabe del que hubo antes que él. Nadie, excepto yo.

—¿Cómo llegó a saber de su existencia, si «había sido borrado de los libros de historia»? —le pregunté, sin poder contenerme.

—Yo era su tutor —contestó, disfrutando de mi expresión de escepticismo. Me miró por encima de las gafas y me dedicó una sonrisa torcida—. Puede que te sorprenda descubrir que yo, una vez, fui un respetado erudito de la filosofía clásica china y, a la edad de veintisiete años, uno de los miembros más jóvenes del consejo imperial de examinadores.

»Mis logros me llevaron a los círculos más elevados cuando fui nombrado instructor del heredero del emperador, Wen Zu.

—¿Su hijo?

—No, no era su hijo. El emperador, perpetuamente aquejado de enfermedades, no tenía descendencia y su espíritu estaba debilitado por el exceso de vino y por las innumerables cortesanas. La verdadera gobernante de China por aquel entonces —como espero que sepas— era la emperatriz viuda Tzu Xsi, y fue ella la que designó poco antes a Wen Zu, el hijo de un primo lejano, como sucesor al trono.

»Me inquietaba haber sido elegido tutor de Wen Zu. Significaba abandonar a mi esposa y a mis dos hijas. Tu madre, Yu Lian, acababa de empezar a dar sus primeros pasos. —En este punto me sonrió lleno de melancolía antes de continuar—: Tu tía Yu Mei tendría por entonces unos siete años.

—Pero era un gran honor para usted —le dije.

—Cierto. Mi padre, un abanderado manchú, estaba muy orgulloso de mi nombramiento, pero mi madre lloró, temerosa por mi vida. Siempre se han oído historias de gente que ha entrado en la Ciudad Prohibida y que nunca ha vuelto a salir. La noche anterior a mi partida hacia el palacio, entró en mi habitación y se quitó una horquilla de jade que llevaba prendida del pelo y que su abad budista le había regalado. La depositó en la palma de mi mano, cerrando los dedos sobre ella, y me dijo que me mantendría a salvo del mal. Luego, me dio un fuerte abrazo, algo que no había hecho desde que yo tenía diez años.

»Al alba, mi padre y yo nos pusimos en camino, y recorrimos a caballo las calles de la ciudad. Todavía quedaban algunos vigilantes nocturnos haciendo sus rondas; podías verlos mecer los faroles mientras patrullaban y oír cómo voceaban sus palabras de advertencia en el aire helado. De repente, el laberinto de callejuelas dio paso a una llanura empedrada, vacía y silenciosa. No se oía nada, salvo el resuello de nuestros caballos, el repiqueteo de sus cascos en las piedras y, extrañamente, el latir de mi corazón. A nuestra espalda, el primer rayo de sol iluminó el cielo. La mole del palacio apareció ante nosotros, silenciosa y oscura. Apenas podía distinguir sus innumerables aleros curvos y sus numerosos tejados.

»Entonces, el sol alcanzó el palacio y la respiración se me cortó en seco. Todos sus intrincados detalles, sus curvas, sus ventanas y sus tejas doradas quedaron al descubierto. Las celestiales parejas de dragones y fénix se hermanaban alrededor de las columnas, retorcidas de arriba abajo, congeladas para siempre en su persecución apasionada.

»Llegamos frente a una pared alta y blanca, en cuya parte superior, colocadas de manera intermitente, ondeaban banderolas con el suave viento de la mañana. En la entrada principal, los guardias levantaron sus enguantadas manos para indicarnos que nos detuviésemos. Las puertas de madera se abrieron como si siguieran órdenes del interior. Pasamos por un estrecho túnel y, al salir, nos recibió la tonificante luz del sol. Desmontamos al llegar a la caseta de un guarda. A partir de entonces, seguimos a pie.

»Cruzamos el inmenso patio como insectos diminutos y dejamos atrás dos filas de guardias con casco. Subimos un tramo de escalones de mármol que parecían llegar hasta el mismísimo cielo. Cuando llegamos arriba, un hombre de aspecto extraño nos dio la bienvenida. Me percaté de que era mayor, pero su piel era pálida y sin imperfección alguna. Mi padre se adelantó, le dijo unas cuantas palabras respetuosas y se giró hacia mí.

»Me dijo: «Sigue al maestro Chow al palacio. A partir ahora quedas bajo la protección de la casa imperial. —A continuación, la voz de mi padre se endureció—. Igualmente quedas obligado a cumplir con tu deber como miembro de esta casa. No hagas caso alguno a las sandeces de tu madre. Cuentas con permiso de la corte para visitar a tu familia una vez al mes y yo vendré a verte cada vez que me lo permitan».

»Yo asentí, tratando de disimular mis miedos delante de él. Me puso una mano en el hombro y eso fue lo más cerca que estuvo de expresarme su afecto.

»El maestro Chow, como supe más tarde, era un eunuco, el primero que había visto jamás, si bien había oído muchas historias sobre ellos. Tenía los miembros finos y la piel suave, características del que ha sido castrado a temprana edad. También, la corpulencia propia de quien ha crecido acostumbrado a una vida de abundancia en el palacio.

»Anduvimos por corredores vacíos y oscuros, pero nunca estuvimos solos. Oía susurros y percibía movimientos fugaces a nuestro alrededor. Las columnas se elevaban hasta la oscuridad de los techos invisibles y las puertas daban a más pasillos en penumbra. Nuestras pisadas flotaban, suaves y silenciosas, al perturbar el polvo. De repente sentí lo que mi madre había temido. Había mucha tristeza atrapada entre aquellas paredes.

»Mi cuartito estaba profusamente amueblado, todo lo contrario que en casa. Dejé mis pertenencias en el suelo y le di las gracias al maestro Chow. Ya entonces mi instinto me decía que no debía contrariar a aquel ser eternamente joven.

»Él asintió y me informó de que Wen Zu estaría esperándome a la hora del desayuno en el Cenador de los Sauces para conocerme.

»Me cambié de ropa y dejé que el sol y los sonidos de las risas me guiaran al Patio Interior, donde se encontraba el cenador. Aquel espacio rodeado de sauces estaba conformado en realidad por una serie de grandes estanques de carpas interconectados mediante puentes de piedra que se arqueaban con elegancia. En el centro, como una flor exótica, se hallaba el cenador. Allí fue donde me encontré con el joven que iba a ser mi alumno y, con el tiempo, mi amigo.

—¿Qué aspecto tenía? —le pregunté.

A mi abuelo se le suavizó la mirada.

—No era nada del otro mundo. Un joven normal y corriente, quizá dos años menor que tú. Su cara todavía no se había endurecido con las realidades de la vida. Sus ojos eran cautelosos, pero vivos y curiosos. «Así que tú eres el que han enviado para ejercer de tutor», dijo. Aún no era emperador, así que le hablé en tono informal: «Sí, y para ayudarte con tus estudios». Él hizo una mueca: «No me gusta estudiar. Cuando sea emperador, dejaré de estudiar». Yo le aclaré que no estaba de acuerdo con él y, precipitándose para decir la última palabra, añadió: «Para eso has sido enviado».

»Desayunamos apresuradamente. Yo estaba hambriento después de la cabalgada de la mañana. Reinaba una calma absoluta, salvo por el canto de los pájaros y el rápido repiqueteo de nuestros palillos en los tazones. Se nos hacía tarde. Le dije que iba a empezar sus clases aquel mismo día copiando las *Analectas* de Confucio. Dada la presencia de las potencias occidentales en el Asentamiento Internacional de Shanghái, también le enseñaría inglés, que yo mismo había aprendido de unos misioneros extranjeros.

»Pronto me familiaricé con la estructura de poder existente en el interior de la hermética atmósfera del palacio y fui consciente del lugar que ocupábamos en ella. Aquel proceso —el mismo por el que los animales jóvenes en el mundo salvaje aprenden sobre el medio en el que viven y los peligros que los rodean— fue importante, pues se trataba de un asunto de vida o muerte. Ya no tenía amigos, y los enemigos se ganaban mediante simples comentarios fortuitos o mala interpretación de palabras.

—¿Alguna vez vio al emperador? —le pregunté.

—Al principio no —dijo mi abuelo meneando la cabeza—. Al emperador casi nunca se le veía. El maestro Chow encabezaba las filas de soldados eunucos que controlaban el palacio. La presencia de las varias esposas y concubinas imperiales era apenas perceptible, pues no habían cumplido su deber de darle un heredero varón. Llegué a sentir pena por Wen Zu, ya que su posición dependía únicamente del fracaso de aquellas mujeres. Mi lugar en el complejo esquema global estaba fuertemente ligado al de Wen Zu.

»Por encima de todas las cosas, estaba la presencia de Tzu Xsi, la emperatriz viuda. Conocida como «la Vieja», era temida por todos, su influencia enrarecía el aire del palacio, haciéndolo parecer corrupto, dulce y podrido a la vez, malévolo y empalagoso, como el opio que consumía. Todos los ojos eran sus ojos, todos los oídos, los suyos. Parecía saber todo lo que ocurría en palacio. Sin embargo, no fui convocado ante ella hasta, al menos, cinco meses después de mi llegada. Era fácil pasar desapercibido en la inmensidad de aquel lugar, eso creía, ingenuo de mí.

»Aunque yo era razonablemente estricto con Wen Zu, mi soledad y su vida de aislamiento dieron como resultado el nacimiento de una fuerte amistad entre los dos. Además, mi destreza como virtuoso de las artes marciales le impresionaba. Cada mañana, antes de que el palacio despertase, completaba una serie de rutinas de lucha en un jardín poco frecuentado. Un día me sorprendió en medio de mis ejercicios e insistió en que le enseñara los movimientos.

—¿Cómo adquirió tales destrezas un erudito como usted? —le pregunté.

—¿Cómo? Cuando tenía seis años me enviaron al templo Shaolín, en las montañas de caolín cubiertas de niebla, para aprender. Fue un último intento para mejorar mi salud. ¿Puedes creer que una vez fui un niño enfermizo? —Mi abuelo se golpeó el pecho con el puño—. Nadie sabía lo que me pasaba. Imploraron a los dioses y consultaron a las médiums, pero no sirvió de nada. Mi madre pasaba horas hirviendo ollas con hierbas extrañas y carnes exóticas con la esperanza de que me recuperase. Un día, trajeron literalmente a rastras a un monje vagabundo de la calle para consultarle. En un mes, cuando se recibió la respuesta a las cartas de presentación que mi madre había enviado, me llevaron al templo por la ruta del sur.

—Parece una medida drástica —apunté.

El anciano asintió.

—¿Enviar a un niño con mínimas posibilidades de llegar a la edad adulta con aquellos monjes y obligarlo a afrontar sus entrenamientos agotadores e implacables? Mi madre lo hizo para salvarme.

—¿Lo acompañó ella?

Mi abuelo negó con la cabeza.

—Me dejaron al cuidado del jefe de una caravana de comerciantes. Apenas soy capaz de reconstruir algunos fragmentos de aquellas semanas de viaje interminable por desfiladeros profundos e inhóspitos y bosques de bambú plagados de bandidos. Sin embargo, recuerdo mi llegada al templo. El edificio principal era sencillo y viejo, y estaba situado en el centro de extensos y umbríos jardines. Con todo, lo que atrajo mi atención fueron las cumbres que rodeaban el recinto y que se perdían entre las nubes. Distinguí unos escaloncitos de piedra excavados en la montaña escarpada y cubierta de pinos y, lo que me resultó más sorprendente, figuritas de monjes calvos que subían y bajaban frenéticamente por aquellos peldaños acarreando cubos de agua.

—Era parte del entrenamiento de los monjes —dije, por probar.

—Como pronto descubrí, así era —me confirmó mi abuelo—. No toleraban ni mi enfermedad ni mi debilidad física. Me raparon la cabeza de inmediato y, al día siguiente, estaba fuera antes del alba con dos cubos de madera al hombro colgados de un palo. Me uní a una riada de novicios que corrían montaña arriba para conseguir agua de una cascada, uno de los cientos de hormigas que trajinaban por aquellos escalones resbaladizos a toda prisa. Me tropecé y me caí muchas veces. Me hice sangre en las rodillas, me di golpes en la cabeza y lloré cada noche. Aunque no eran crueles, mis compañeros monjes tampoco es que hicieran nada por consolarme.

»La rutina era interminable. Después de llenar los depósitos de piedra, barríamos las salas de entrenamiento del templo, limpiábamos los altares, quitábamos las varitas de incienso quemadas de los incensarios y colocábamos flores frescas y fruta ante las deidades. Luego, con gran alivio, nos reuníamos en el comedor y desayunábamos gachas calientes con té, menú que no varió ni una sola vez en los seis años que permanecí allí.

»También había lecciones sobre las enseñanzas del buda e interminables cánticos de sutras que no me gustaban, aunque disfrutaba del entrenamiento de artes marciales en el templo Shaolín, que no habría existido de no haber sido por un hombre.

—¿Quién? —le pregunté, y él sonrió ante mi impaciencia.

—En mi primera semana, me llevaron a una remota cueva en las montañas. A medida que ascendíamos, veíamos cómo pequeños cúmulos de niebla emborronaban las cumbres y los barrancos. Más abajo, un halcón estuvo planeando y, luego, se hundió en la niebla.

»Nos adentramos en la cueva hasta que nos topamos con una pared, el lugar donde el sacerdote más famoso del templo llevaba diez años meditando. Le expliqué a Wen Zu que Bodhidharma era un monje indio que había viajado por toda China. Al llegar al templo, se encontró con que los monjes eran débiles y blandos y que a menudo se quedaban dormidos mientras meditaban. Él introdujo un régimen de entrenamiento para fortalecer sus cuerpos y sus mentes. Ese fue el principio tanto de la solidez como de la decadencia final del templo, años después de que el monje indio los hubiera dejado.

«¿Por qué?», me preguntó Wen Zu, el futuro emperador.

—Los monjes se convirtieron en los mejores luchadores del país. A pesar de que no tenía interés alguno en la política, el emperador se sintió amenazado por sus destrezas e intentó aniquilarlos. Sin embargo, el templo estaba demasiado bien fortificado para los soldados imperiales. Se sirvieron de un monje corrupto que les reveló la existencia de un pasadizo secreto para entrar en el templo, y todos sus moradores fueron masacrados en la batalla que siguió. Todos menos cinco monjes superiores que escaparon y llegaron a ser conocidos como los Cinco Antecesores, portadores de la sabiduría del templo.

—¿Qué le ocurrió a Bodhidharma? —pregunté, interrumpiendo a mi abuelo.

—Wen Zu me hizo la misma pregunta —dijo—. Estaba fascinado por el monje. Le dije que nadie lo supo jamás. Después de diez años de continua meditación, sentado en aquella cueva, de cara a la pared, se fue como había venido, como un halcón que vuelve a la niebla.

»Le conté a Wen Zu que una vez estuve sentado en el mismo punto y en la misma postura que el monje y que también había mirado fijamente la pared vacía. Cuenta la leyenda que, en cierta ocasión, Bodhidharma llegó a enfurecerse por haberse quedado dormido mientras meditaba, por lo que, para vencer al sueño, se cercenó los párpados con el fin de que nunca más pudieran cerrarse y traicionarlo. Permaneció alerta, vigilante, hasta en los abismos más profundos de la meditación. En la oscuridad de su cueva, pude distinguir el correr de un arroyo de montaña, los gritìtos de los murciélagos y sentir el viento helado que se colaba en su interior.

»Wen Zu hizo una mueca de descontento cuando se lo conté. A él lo que le gustaba era dormir, y recelaba de cualquier tipo de dolor innecesario. Yo tampoco alcanzaba a comprender la dedicación total que demostró el monje más representativo del templo.

»Sin embargo, la historia de Bodhidharma siguió obsesionando a Wen Zu, así que pidió a los eunucos que le consiguieran libros sobre él. Esto resultó ser un error, aunque no fuéramos conscientes de ello: pronto llegaron a oídos de la Vieja los rumores de que estaba abriendo los ojos de Wen Zu al mundo, un mundo del que ella no quería que tuviese la más mínima noción.

«Hay documentos que hablan de este monje por toda China —me informó Wen Zu después de haber leído extensamente pilas de libros y de periódicos por los que había pagado un alto precio—. Fue hasta Japón, donde sus enseñanzas se fusionaron con las creencias y los rituales locales».

»La autoridad de sus palabras me hacía gracia. «¿Qué estás haciendo?», le pregunté, señalando sus libros.

«Leer», me contestó.

«No. Estás estudiando», repliqué, y él tuvo a bien reírse.

«Tú has triunfado donde otros han fracasado», me dijo.

—¿Y la familia? ¿No la echaba de menos? —pregunté cuando mi abuelo hizo una pausa y le serví más té.

—Oh, muchísimo. Una vez al mes me daban permiso para regresar a casa. Me dolía mucho que tu madre y tía Mei estuvieran creciendo tan deprisa en mi ausencia, y me preguntaba si mi nombramiento como tutor real era tal honor después de todo. Mi padre, como prometió, venía a visitarme siempre que podía y me traía algún plato que mi madre había cocinado o una prenda de ropa que me había confeccionado. Él me parecía cada vez más mayor y fui consciente de los cambios que tenían lugar en el mundo exterior. Las potencias occidentales estaban desgarrando China y el emperador era de poca ayuda, así que el país se debilitó. Ya sabes que hay un dicho de Confucio que dice: «Cuando el hijo del cielo es débil, la nación es débil». Una visión simple pero perspicaz, ¿no crees? Las visitas de mi padre siempre me dejaban abatido; cuando se marchaba, el palacio me parecía más grande, más vacío, y los silencios, más atronadores.

»El tiempo en el palacio se asemejaba al humo en una habitación sin aire, completamente inmóvil, suspendido. Una mañana, el maestro Chow me llevó a la Galería de los Diez Mil para asistir a una audiencia con la emperatriz viuda Tzu Xsi. Al aproximarnos a la galería, pareció como si nos elevásemos y flotásemos en medio del aroma del opio. Ella, rodeada de su séquito de eunucos de risita nerviosa y de doncellas vestidas de colores estridentes, me examinó de arriba abajo con una mirada intensa.

»Ya entonces era vieja, vieja como la enorme tortuga con una cadena de oro que tenía al lado y que consideraba su mascota y su talismán. Habían cubierto toda la concha de la criatura con tatuajes de líneas intrincadas y palabras sagradas. En un brasero estaban calentando una olla de sopa. Los movimientos lentos y agónicos de la rana que estaban hirviendo viva atrajeron mi mirada. Me llegó el olor a su carne cocida y me pregunté cómo sería morir cocinado a fuego lento.

»Estaba valorando hasta qué punto yo podría representar un obstáculo en su camino. Nuestras miradas se encontraron y yo se la sostuve, pero la bajé al cabo de un segundo, de modo que se sintió satisfecha. Inhaló de una pipa que le pasaron. Sus dedos eran como garras, tenía las uñas tan largas que se le habían curvado como alambres y debía mantenerlas metidas en fundas de oro. Me hizo un gesto con un ornamentado dedo y me incliné hacia delante.

«Asegúrate de que el heredero al trono aprende sus lecciones. También estás aquí para abrirle los ojos al mundo —susurró, con una voz espesa como el humo que le salía en espirales de la boca apenas abierta—. Ábrele los ojos, pero no demasiado».

—No pude más que asentir y arrodillarme en señal de obediencia, odiándome por deshonrar con mis actos a los antepasados de mi madre.

—¿Los antepasados de su madre?

No quería interrumpirlo de nuevo, pero tenía muchas preguntas que hacerle para intentar desenmarañar las cosas antes de enredarme en esta historia.

—Mi madre procedía de un viejo linaje de revolucionarios que deseaban derrocar al gobierno. Muchos de ellos se habían pasado a la clandestinidad para evitar la persecución y la muerte. Ella era una han, un pueblo que los historiadores consideran el auténtico y originario de China. Habían luchado contra todo forastero que había invadido y conquistado China, incluyendo a los manchúes que fundaron la dinastía Ching en 1644. Mi padre era manchú, y siempre pensé en lo mucho que mi madre debió de quererlo para pasarse a su bando. Sin embargo, ella se aseguró de que yo nunca olvidase su historia y ya de pequeño me contaba las proezas y la grandeza de su gente. Entonces, cuando me vi en el centro de la galería, frente a aquella bruja que era la líder de los enemigos de mi madre y de su sangre, tuve que humillarme.

—Pero usted era el tutor del futuro emperador —apunté.

—Entre las filas de los eunucos más viejos existía la opinión tácita de que el futuro de Wen Zu como emperador no agradaba a la Vieja. Él apenas si estaba conectado a ella y, por lo tanto, su influencia sobre él sería mínima una vez que el actual emperador faltase. Wen Zu era una simple medida temporal; corrían rumores persistentes de que la emperatriz tenía a más de un candidato en mente y, a su debido tiempo, anunciaría el nombre de un heredero al trono más próximo a ella. Después de conocer a la Vieja, empecé a temer por la vida de Wen Zu y por la mía. Me guardaba aquellos miedos. Eran tiempos tumultuosos: el país aún se estaba recuperando de la rebelión de los bóxers de 1900.

En algún lugar había leído que el levantamiento lo habían desatado los disturbios y los ataques a los misioneros extranjeros y a los conversos cristianos locales perpetrados por los miembros de los Puños Rectos y Armoniosos, grupos de gentes a las que la sequía, el hambre y los terremotos habían desprovisto de todo. Culpaban de estas calamidades al yugo con el que las potencias occidentales estaban oprimiendo China. La armonía del país se había echado a perder con la presencia de aquellos odiados diablos forasteros, y el objetivo de los bóxers era expulsarlos.

—Siempre he querido saber por qué se llamaban «bóxers» —le dije—. Me viene a la cabeza una imagen extraña de gente correteando por ahí con guantes de boxeo.

—El nombre se lo pusieron los historiadores europeos. Estas gentes creían que los conjuros espirituales y el entrenamiento en las artes marciales los harían inmunes a las cuchillas y las espadas, invencibles frente a las «lanzas de fuego» de los extranjeros.

—Debieron de morir miles de ellos —apunté.

Él asintió.

—Los extranjeros, entre los que se contaban también los japoneses, respondieron con contundencia. Saquearon, desvalijaron y quemaron el palacio de verano, y la emperatriz viuda y el emperador se vieron forzados a abandonar Pekín y escapar a Xian, la antigua capital, más de mil kilómetros al oeste. Sabía todo esto porque mi padre había formado parte de los escoltas del emperador cuando huyeron de Pekín.

»Al final, firmaron la paz con los diablos extranjeros y China cedió más territorios y perdió más prestigio.

»Una noche, Wen Zu me llevó a uno de los muchos salones descomunales y silenciosos del palacio. Los oficiales lo llamaban el Salón del Arrepentimiento. Había un abanico de seda colgado de una viga de madera en el centro de la estancia vacía. Estaba completamente desplegado y medía seis metros de ancho. Levanté la vista hacia la seda blanca plegada con los finos huesos de marfil del abanico. Estaba cubierto por franjas verticales de escritura en tinta negra. Reconocí los nombres al instante: Nanjing, Tientsin, Hong Kong, Amoy y muchos otros. Esos fueron los puertos y ciudades cedidos de acuerdo con los términos de los Tratados Desiguales que siguieron a las guerras que China perdió contra Occidente. Las palabras del abanico nos parecieron reprimendas de nuestros antepasados, como si nos preguntaran: «¿Cómo habéis permitido que pase esto?».

»Wen Zu, consciente quizá de su delicada posición como futuro emperador de China, proclamaba con regularidad que esperaba que el dios del cielo lo oyera y lo ayudara a asegurar su destino. «Cuando sea emperador, tú te quedarás a mi lado como amigo y consejero —solía decir—. Habrá que hacer muchos cambios para fortalecer de nuevo nuestro país. Tenemos que mostrar a Occidente nuestro potencial».

»No hacía sino repetir las viejas ideas que habían dominado el palacio unos cuantos años antes de la rebelión de los bóxers, cuando un grupo de reformistas partidarios de restablecer el imperio, basándose en una vaga reinterpretación de los escritos de Confucio, y de modernizarlo siguiendo ideales occidentales, se lo demandaban al emperador.

—Seguro que el emperador no les hizo el menor caso.

—Al contrario, les brindó su apoyo y emitió una serie de edictos que proclamaban que las reformas se llevarían a cabo. Pero el movimiento reformista fracasó, y el emperador, desilusionado, volvió a sus viejos hábitos de indolencia y a su actitud autocomplaciente.

»Pensé que nunca más oiríamos voces reformistas y modernizadoras, pero me equivocaba. En la primavera de 1908, en mi segundo año en el palacio, el movimiento se reavivó. Una vez más, el emperador salió de su letargo, ansioso por reclamar su dignidad. Durante un tiempo estuvo ebrio, no de vino u opio, sino del deseo de figurar en los libros de historia como el salvador de la dinastía, especialmente si consideramos la grave humillación sufrida tras la desgracia de la rebelión de los bóxers. Así que reanudó sus reformas en contra de los deseos de la emperatriz viuda.

»Estos nuevos reformistas, que ganaron poder gracias a los edictos del emperador, arrasaron Shanghái, Cantón y Pekín. Destruyeron las fábricas y todas las reservas de opio que almacenaban las casas de comercio occidentales.

»Mi padre, en una de sus visitas, me advirtió de que no me involucrara. Yo le transmití su advertencia a Wen Zu, pero este hizo oídos sordos. Siguió yendo al Salón del Arrepentimiento con regularidad, a recitar como un mantra los nombres de los puertos perdidos y de los territorios cedidos. «Esos puertos volverán a pertenecer a China —proclamaba con los ojos brillantes, convencido de que el futuro sería tal y como lo imaginaban los reformistas—. Pronto volveremos a ser los dueños del país». Dio a conocer sin reservas sus opiniones. Como a muchos jóvenes, le gustaba impresionar, pero yo estaba seguro de que creía sinceramente en la causa. Sin embargo, la sinceridad no siempre era una virtud en palacio.

—¿Cómo resistió allí tanto tiempo? Debió de ser sofocante —le dije.

—De vez en cuando nos escapábamos a la ciudad durante una hora o así. Deambulábamos por las calles que yo conocía de toda la vida y pasábamos junto a las casas de té y los burdeles de nombres extravagantes como La Torre de las Estrellas Mareantes y la Posada del Placer Cósmico. Había mujeres excesivamente maquilladas que agitaban sus pañuelos perfumados desde los balcones para atraer a los que pasaban por debajo, con promesas de placeres exquisitos y celestiales. Las calles bullían de mendigos, músicos y vendedores ambulantes, y el aire estaba hilvanado de olor a carne asada, caramelo hervido, tofu frito, suciedad y basura. Refugiados venidos del norte, víctimas de la sequía y la guerra, yacían aturdidos por todas partes. Se oían multitud de lenguas: de Mongolia, del desierto del Gobi y de los límites más remotos del imperio. Se mantenían discusiones en varios dialectos de las provincias; todos hilos de diferentes colores cosidos en el tapiz que era el Reino del Centro. Sin duda se trataba del centro del mundo. Habíamos inventado la brújula y consideraba de justicia que nos situáramos justo en el corazón de ella.

»No era raro toparse con adictos al opio tirados por las calles, con los ojos vidriosos, indiferentes, incluso cuando los reformistas los increpaban. Se derribaron los fumaderos y se quemaron las fábricas y los almacenes de esta droga propiedad de extranjeros, enviando nubes de humo dulce al cielo, tan densas, potentes e interminables que pensé que los dioses, en sus moradas de las alturas, se embriagarían con los gases. Puede que lo hicieran, pues el país sufrió catástrofes y desastres. Supe que muchos adictos empobrecidos se congregaron ante aquellas quemas para inhalar el aire, con la esperanza de extraer cada ápice posible de su droga de semejante desperdicio. Me preocupaban las reacciones de la Vieja, ya que, sin duda, los reformistas estaban mermando su influencia, colocándola en una posición peligrosa de cara a los occidentales, furiosos por la destrucción de sus propiedades. También era de todos conocido que la Vieja tenía sus garras clavadas en muchas de aquellas empresas.

»En una de nuestras excursiones, vimos que un eunuco llevaba una caja de madera a la tienda de un comerciante de antigüedades. El propietario examinó el contenido de la caja, pareció embelesado y también dispuesto a marcharse con una gran cantidad de taels de oro.

»Entonces supimos que lo que estábamos presenciando era uno de los muchos métodos que los eunucos utilizaban para enriquecerse. El robo de los tesoros del palacio se había convertido en una de las indeseables prácticas que el emperador, en un arranque de celo reformador, decidió entonces erradicar por completo.

»Se escudriñaron las cuentas de palacio. Los eunucos se dejaron llevar por el pánico y muchos de ellos huyeron en plena noche, llevándose consigo los recipientes que contenían sus pertenencias más preciadas: sus órganos conservados. Conocían la prohibición de entrar en el cielo si estaban incompletos.

»Para salvar el pellejo, algunos acusaron de robo a compañeros eunucos. Más preocupante fue el número de suicidios. Se convirtió en algo habitual escuchar a las criadas gritar de horror al abrir una puerta y encontrar un par de piernas pendiendo ante sus ojos y un cuerpo colgado de una viga. Lo que más miedo me daba era que corrían rumores de que algunos de aquellos suicidios eran en realidad asesinatos ordenados por la Vieja.

»Y entonces nos llegó la noticia de que la emperatriz viuda había elegido en secreto a otro heredero, un bebé recién destetado de su madre. Las facciones que una vez habían respaldado a Wen Zu cambiaron de bando, como los trozos de cristal de un periscopio que un profesor inglés me había enseñado una vez, creando nuevas configuraciones de poder que dejaban a Wen Zu a su suerte. El nombramiento aún no se había anunciado y yo intentaba calmar la rabia y los miedos del joven. Tener que ceder ante un infante era un insulto directo hacia su persona, y me di cuenta de que Wen Zu se había convertido en alguien prescindible e incluso incómodo.

»Aunque la mayoría de los eunucos eran demasiado listos como para enfurecer a Wen Zu (ya que nunca se sabía qué vientos soplarían el día de mañana), fueron también lo suficientemente inteligentes en términos políticos como para reconocer su precaria situación. En cambio, los menos experimentados siguieron a nuestro lado, en particular Tsiao Li, un joven esbelto y bello que, como yo sabía, amaba a Wen Zu. Él fue quien me advirtió.

—¿De qué le advirtió?

Le rocé ligeramente el codo cuando me pareció que se había perdido en sus pensamientos.

—Resulta extraño que aún pueda recordarlo con tanta nitidez —continuó en voz baja. Me acerqué más a él, pues no quería perderme nada—. Era un día de verano, las carpas estaban tan en calma que las libélulas parecían hipnotizadas por sus propios reflejos en el agua. Cuando paseaba por los senderos que circundaban los estanques, a la espera de que Wen Zu se uniese a mí en una partida de ajedrez del elefante, Tsiao Li vino con un mensaje de Wen Zu.

»El joven eunuco se comportó de un modo inusualmente formal. «Su Alteza lamenta comunicarle que ha sido convocado por el emperador para discutir las reformas y, por tanto, le será imposible reunirse con usted».

»Yo hice una mueca. «¿Tienes que hablar de esa forma tan horrible? ¿Es que no puedes hablar como una persona normal?». Estaba demasiado molesto y demasiado acalorado como para prestarle atención y esperaba que me respondiese con uno de sus comentarios ingeniosos.

«Debe comer correctamente y cuidar su salud. Y la de Su Alteza también. Una vez que la propia salud se rompe, ya no se puede reformar».

»El empleo de esa última palabra y el tono de miedo que detecté en su voz me alertaron e hicieron que dejase de abanicarme. Nuestras miradas se encontraron y se me heló la sangre. De repente, el calor del verano ya no me molestaba.

«Sí —respondí con dificultad, utilizando el mismo modo forzado—. Como debes hacer tú también».

»Miré a su espalda. Había unos cuantos cortesanos en un puente contemplando el estanque. «No solo debo temer la comida, sino el puñal que se esconde en la lengua melosa», dijo el joven eunuco.

»Entonces dio media vuelta y se fue a toda prisa. Yo me quedé mirando la bandeja de fruta que tenía ante mí. Esa fue la última vez que hablé con él, pues dos días más tarde lo sacaron de un viejo pozo, con los ojos abiertos como platos y goteando agua por la boca.

«Estás loco —me dijo Wen Zu cuando le conté la conversación que había mantenido con el eunuco—. ¡Nadie se atrevería!». Se hizo el silencio. Ambos sabíamos que solo había una persona en palacio que sí sería capaz.

»Entonces saqué el alfiler de jade que mi madre me había dado. A ella se lo había regalado su abad, que una vez había enseñado en el monasterio Shaolín. Había pertenecido a uno de los Cinco Antecesores y se decía que lo había utilizado para comprobar si había veneno en su comida, en cuyo caso el jade se volvía de color verde oscuro.

»Wen Zu asintió cuando se lo conté. Al contrario que yo, lo creía a pies juntillas. Puede que por aquel entonces también temiese por su vida. Recordé uno de los muchos dichos extraños que había tenido que memorizar en mis clases de inglés. Se refería a alguien a punto de ahogarse que se aferra a una brizna de paja. Ahora nosotros éramos jóvenes moribundos aferrados a un alfiler.

«Mételo ahí». Wen Zu señaló la tetera que contenía una tisana de hierba de lengua de serpiente, una infusión refrescante, perfecta para un caluroso día de verano. Serví un poco en una taza pequeña e introduje mi alfiler. Cuando lo sacamos del té, contuvimos la respiración.

«¿Se ha vuelto más oscuro?», preguntó.

»Lo estudié más de cerca. «No lo sé. Creo que sí. Creo que nos están envenenando en pequeñas dosis».

»Él enmascaró su miedo creciente con enojo. «¿No lo puedes asegurar?».

«No hago pruebas de envenenamiento todos los días», repuse.

»Él resopló y se alejó. Si habían echado veneno, la cantidad había sido mínima, dije para tranquilizarme. A partir de entonces, decidí comprobar cada plato con el alfiler. Pero primero, había una persona a la que debíamos alertar.

»Yo había visto al emperador una vez de lejos, a los pocos días de mi llegada. Ahora, cuando entramos en sus habitaciones, me pregunté si la persona que teníamos delante era el mismo hombre. Parecía haber recuperado la salud: su palidez, tan común en los fumadores de opio, había desaparecido, aunque aún tosía con violencia. Su piel, una vez tirante y seca, lucía ahora la elasticidad de su relativa juventud. Hicimos una reverencia tocando el suelo con la cabeza y nos arrastramos de rodillas hasta él.

—Seguro que no resultó fácil conseguir audiencia con el emperador —dije.

—La audiencia con él fue solo posible gracias a la desenvoltura de Wen Zu que, incumpliendo numerosas reglas de etiqueta y burocracia, se limitó a ir a los aposentos del emperador y pedir una respuesta inmediata. Fuera había caído la noche. De vez en cuando, al cambiar de dirección el viento, me parecía escuchar al sereno dar la hora, con voz afligida, como la de un perro apaleado.

»El Emperador escuchó nuestra advertencia, cuidadosamente formulada. Frunció el ceño, pero en sus tristes ojos vi que ya estaba al tanto de cómo había cambiado la situación. Temía por él. Había disfrutado ejerciendo su poder mediante sus recientes edictos, una posibilidad que se le había denegado durante mucho tiempo. Me pregunté cuánto más se le permitiría antes de que fuese destituido, esta vez quizá para siempre.

«Me traéis acusaciones sin fundamento contra personas que no queréis nombrar. ¿Qué esperáis que haga?», dijo finalmente.

»Yo guardé silencio pero, por la manera en que Wen Zu levantó la cabeza, supe las palabras que iba a pronunciar. Al echar la vista atrás, pienso que quizá, si lo hubiese detenido, las cosas habrían sido diferentes. Supongo que, como tutor, le fallé.

«Si mis palabras han sido oscuras, perdonadme. Lo que deseo declarar es que sospechamos que la emperatriz viuda nos está envenenando. También sospechamos que a usted le están suministrando dosis de veneno».

»El emperador se puso en pie, vino hasta nosotros y levantó del suelo a Wen Zu. «Gracias por avisarme —dijo—. Ahora, id a descansar».

»Nos dimos cuenta de que ya conocía su destino. Y, en consecuencia, el nuestro también se había revelado. Nos acompañó hasta la puerta y añadió: «Que lo que habéis descubierto sea un buen consejo: nunca permitáis que vuestros hijos se conviertan en un peligro para vosotros. —Alzó la vista hacia la luna, con una risa de complicidad y amargura—. Ese fue también el consejo de la emperatriz viuda, hace años».

»Aquella noche no dormí bien. Aferré el alfiler con todas mis fuerzas y susurré una oración a los dioses de mi madre para pedirles protección.

»Un mes después, el emperador cayó enfermo. Los médicos del Asentamiento Internacional lo visitaron, pero no encontraron nada anormal. Para curarlo, la Vieja ordenó que le administraran opio. Y el día en que se ejecutó la orden, me dio la sensación de oler y paladear el penetrante aroma dulzón en cada una de las estancias del palacio. La reforma, con su impulsor eliminado, se desmoronó. Aquellos miembros que no pudieron huir a tiempo acabaron asesinados.

»Era hora de que un nuevo emperador ascendiera al Trono del Dragón y Wen Zu sabía con certeza que no sería él. Una noche, el alfiler salió negro de un cuenco de sopa y él dejó escapar un gemido. Tiré la comida, como había hecho durante semanas, y me dispuse a planear nuestra escapada. Me negaba a morir allí, a que lanzaran mi cuerpo a algún pozo abandonado. Tenía que llevar a mi familia a un lugar seguro y recóndito. «Debes venir conmigo», recomendé encarecidamente a Wen Zu. Él se quedó mirando el alfiler, fascinado.

«¿Dónde iremos? ¿En qué lugar de la vasta China podemos escondernos de ella? No tenemos dinero ni amigos. Su poder es infinito. No dejará de perseguirnos hasta darnos caza».

«Mi madre tiene amigos. Ellos nos darán cobijo y nos guiarán hasta un lugar seguro».

«¿Amigos de tu madre? Son revolucionarios y delincuentes y les encantaría verme muerto, o peor, me capturarían y me mandarían de vuelta con la Vieja por puro rencor».

«No. Tú eres mi amigo y eso es suficiente».

»Lo cogí de los hombros con firmeza, pero él apartó la vista y dijo: «Háblame otra vez de tus famosos monjes».

«Este no es momento para refugiarse en cuentos de hadas. ¡Debemos actuar ya! ¡Esta noche!».

«Tengo mucho miedo. Ella nos encontrará allá donde nos escondamos. —Soltó una carcajada—. Nos perseguirá hasta después de la muerte. Tendríamos que estar alerta el resto de nuestras vidas. Incluso después de muertos.»

—Cuando desvió la mirada del alfiler, vi que sus ojos eran igual de oscuros. Estaban colmados de un miedo terrible y, lo que es peor, de algo que no supe identificar.

«Nos marcharemos esta noche», dijo, después de una larga pausa.

»Cerré los ojos aliviado. Había entendido el sentido de mis argumentos.

»Empecé a empaquetar un atadillo de ropa en mi habitación. A la hora del gallo, se hizo el silencio. De repente, hasta la luna pareció ruidosa. Dejé de moverme y esperé. Un momento después, oí un pequeño gemido, un lamento que se alejaba lentamente patio tras patio, como un cuervo que volase de árbol en árbol, pregonando las horribles nuevas.

»El emperador había muerto. Yo seguí empaquetando y entonces el pánico se apoderó de mí. Cogí rápidamente el fardo y recorrí los pasillos sigilosamente para evitar las figuras espectrales que portaban faroles. Todo el mundo iba de acá para allá, a algún sitio. El lamento era implacable, como si quisiera penetrar hasta en los mismísimos confines del imperio. Corrí por los pasillos hasta que vi las luces familiares de los aposentos de Wen Zu. Estaban vacíos. Me giré, buscándolo por toda la estancia; el miedo me atenazaba. Entonces, encontré su nota en la mesa. La leí, la doblé y me dirigí al Salón del Arrepentimiento, donde pendía el gigantesco abanico de seda.

»Estaba oscuro, pero una pequeña vela arrojaba algo de luz. No oía ningún sonido excepto el lamento constante, soplando como el viento del desierto. Entré en el salón, cruzando el umbral de madera. El suelo crujía y, sobre él, el abanico de seda yacía medio plegado, como una grulla gigantesca a la que un arquero hubiese abatido del cielo, con la columna fracturada y las alas rotas.

»Wen Zu estaba sentado en una silla de madera, de espaldas a mí, frente a su obra. Por la sangre del suelo, supe que estaba muerto. Tenía el brazo izquierdo estirado encima de la mesa y en la mano sujetaba un cuchillo largo y estrecho. Fui rodeando el charco de sangre, pensando en lo horrorizado que se sentiría al ver todo aquel estropicio, y lo encaré.

»Se había rebanado la garganta. Tenía la ropa pegada al cuerpo como una pasta sanguinolenta y se había arrancado los párpados antes de matarse. Las cejas y las mejillas estaban cubiertas de sangre seca y sus ojos miraban al frente, eternamente alerta, vigilantes hasta más allá de la muerte ante la mujer a la que tanto temía.

»Me arrodillé y le hice una reverencia al que fue, durante un brevísimo instante, entre la muerte de Kuang Hsu y la suya propia, el emperador de China, el Hijo del Cielo.

En este punto, mi abuelo paró y me di cuenta de que le resultaba muy doloroso continuar. No sabía si consolarlo o instarlo a que siguiera. La casa se había quedado en silencio y el patio, iluminado por la luna, tenía el aspecto desolado de un escenario vacío. Entonces, se levantó de la silla y se desperezó.

—¿Fue la emperatriz viuda la que ordenó la muerte del emperador?

Sentí una gran tristeza por la muerte de Wen Zu y por la pérdida de mi abuelo.

Él se encogió de hombros.

—Nadie lo supo jamás, pues ella murió un día después de Kuang Hsu. Sabía que las facciones que habían querido ver muerto a Wen Zu también querían cortar de raíz todos los cabos sueltos. Mi vida corría peligro, así que hui.

»Me convertí en uno de los personajes histéricos que habitaron la noche en aquel palacio. Le envié un mensaje a mi familia y mi padre lo dispuso todo para que mi esposa y mis hijas se reunieran conmigo. Apelé al nombre de mi madre cada vez que me fue posible y recibimos un pasaje seguro hasta Hong Kong. Cuando me disponía a subir al barco a toda prisa, el carretero que nos había llevado al puerto me dijo: "No te preocupes. A tus padres también los trasladaremos a Hong Kong. Pronto los verás".

—Esperé durante tres años pero nunca llegaron. Al final, embarcamos rumbo a Malaya, con la esperanza de despistar a cualquiera que hubiesen enviado en nuestra busca. El pariente lejano de la emperatriz viuda, que por aquellos entonces contaba tres años, fue nombrado emperador y China se derrumbó. ¿Conoces esa frase del libro sagrado de los demonios extranjeros?: «¡Ay de ti, Tierra, cuyo rey es un chiquillo, y cuyos príncipes comen de mañana!».

»La monarquía desapareció para siempre y los republicanos de Sun Yat Sen rezaron ante las tumbas de los antiguos emperadores chinos han, para informarles de que, después de tanto tiempo, los invasores extranjeros (blancos o amarillos) ya no gobernaban el país. Solo entonces me sentí a salvo. Para entonces, Malaya se había convertido en mi hogar... Hasta tu abuela llegó a amar esta tierra.

—Tía Mei dijo que murió poco después de llegar a Malaya —apunté.

—Al dar a luz a mi tercer hijo, un niño —me informó mi abuelo—. Nació demasiado débil y no vivió mucho.

Dejó escapar un gran suspiro y supe que la historia había tocado a su fin.

—Toda huella y constancia de Wen Zu desapareció. Nunca existió en la historia salvo para mí y para los pocos que lo recordaban. Muchos de ellos se habrán ido ya. Puede que yo sea el único que sepa que una vez existió un emperador con ese nombre y que una vez, por extraño que parezca, yo fui su amigo. —Mi abuelo detuvo su relato, con la mirada completamente perdida en un tiempo muy remoto—. Nunca le he hablado de él a nadie. Ni a mi mujer ni a mis hijas. Sin embargo, he atesorado las lecciones que aprendí en palacio.

Me quedé sentado tan inmóvil como el bonsái que había en el patio. En algún lugar de la casa había un incienso de jazmín encendido y yo aspiré su fragancia delicada y discreta.

Qué astuto el viejo, pensé. Caí demasiado tarde en la cuenta de que había utilizado el mágico alfiler de jade para conducir mi mente a su antojo y llevársela justo adonde quería. A pesar de las lecciones de Endo-san, había caído en la trampa que me había tendido mi abuelo. Con todo, no pude evitar que me gustara. Había venido a Ipoh con la idea de que íbamos a lanzarnos acusaciones y reproches mutuos. Había planeado no volver a verlo nunca más después de aquel encuentro, pero la tarde junto a la fuente, y ahora aquel extraño cuento, lo habían hecho más humano, un hombre con una historia y no la caricatura de un individuo controlador y corto de miras. Fui consciente de que, a partir de aquel momento, ya no podría sentir indiferencia por él, sobre todo después de haberme dejado claro que yo era el único al que le había revelado su pasado.

De él nunca saldría pedir perdón por haber repudiado a mi madre, y pretender que lo hiciera sería en vano. La ofrenda de aquel extraño fragmento de su pasado era una solicitud de comprensión y absolución.

Alargó la mano y cogió la mía.

—Te he relatado este cuento prolijo y sinuoso porque quiero que tú también conozcas tu historia. Quiero que sepas que cuentas con una larga tradición a tu espalda, así que no tienes que ir en busca de una que no sea tuya.

Era obvio que se refería a Endo-san. Una vez más me pregunté quién le estaría dando cuenta de mis actividades.

—Pero es que yo quiero hacerlo —le dije, mirándolo fijamente a los ojos.

¿Quién era él para decirme lo que tenía que hacer?

—Te preguntarás por qué me opuse tanto a que tu madre se casara con tu padre. Qué viejo tan terrible, intolerante y vengativo, debes de haber pensado. Y ni siquiera me digné asistir a su funeral.

—Se me ha pasado por la cabeza, sí —concedí.

—Fui a verla, al templo. Vi cómo tu padre colocaba los huesos y las cenizas de tu madre en la urna del crematorio. Le pedí perdón. Pero, por supuesto, ya era demasiado tarde.

»Cuando tu madre se empeñó en casarse con él, intenté evitarlo por todos los medios. Me habían advertido de que no podía hacerlo.

—¿Advertido? ¿Quién?

—Una vidente del Templo de la Serpiente de Penang.

Contuve la respiración y me sobrevino un sentimiento de irrealidad cuando el recuerdo del día que pasé con Endo-san en el templo se desató en mi interior.

—Siguiendo sus advertencias, intenté detener la boda y, al fracasar, dejé que mi rabia dictase mis palabras.

—¿Cuál fue la advertencia? —pregunté.

Mi abuelo bajó la mirada y colocó las manos en su regazo.

—La vidente me dijo que ambas familias caerían en desgracia por un hijo de Yu Lian…

—Ese podría ser cualquiera. Si mi madre se hubiese casado con otro…

—… por un hijo de sangre mixta de Yu Lian que al final los traicionaría —prosiguió.

—¿Traicionarlos? ¿Ante quién?

—Ya sabes ante quién. Ante los japoneses. Ya están planeando invadir Malaya. Tú estás extremadamente cerca de uno de sus oficiales de más alto rango.

—Él es simplemente mi maestro —protesté—. Los japoneses serían unos imprudentes si emprendieran una guerra contra los británicos en Malaya. Endo-san es un oficial diplomático, no uno del ejército.

—Después de un padre, un maestro es la persona más poderosa en la vida de cualquiera.

—¿Es esta la razón por la que, después de todos estos años, finalmente ha decidido hablarme? ¿Para advertirme de las palabras de una vidente… palabras que ya causaron tanto daño a mi madre?

Él negó con la cabeza.

—No te estoy pidiendo que hagas nada contra tus propios deseos o razonamientos. A lo largo de los años he aprendido que la vida debe seguir su propio cauce. Mira a Wen Zu y a mí. A pesar de todas las advertencias que recibimos, nuestras vidas siguieron el destino que estaba escrito. Nada podría haberlo cambiado.

Suspiró y caminó hasta el extremo del patio, levantando la cabeza para mirar el cielo, cubierto ahora de nubes.

Entonces, se giró hacia mí.

—Es tarde. Acuéstate. Mañana te enseñaré mi jardín. La gente de Ipoh dice que es uno de los peores del pueblo, ¡pero yo no estoy de acuerdo!

A la mañana siguiente, tía Mei se revolvía de curiosidad, apenas controlada, pues estaba ansiosa por descubrir lo que me había contado.

—Hablamos sobre su familia y sobre mi madre —dije—. Vamos progresando.

—Sé que vais progresando —contestó, casi cortándome—. Normalmente no pasa tanto tiempo con alguien sin irritarse.

Pensé en la vida de esa mujer. Mi padre me contó una vez que habían matado a su marido Henry en un disturbio entre malayos y chinos. Las tensiones entre aquellas dos comunidades estallaban de vez en cuando en forma de brutales y sangrientos enfrentamientos; Henry iba de camino a la escuela donde ella daba clases para recogerla, cuando una muchedumbre enfurecida rodeó su Austin. Le dieron la vuelta y le prendieron fuego. Desde entonces, había vivido sola.

Me llevó hasta el Salón de los Antepasados, donde estaban colocadas las placas de los muertos, unas tablillas de madera con inscripciones labradas de aquellos que ya no estaban. Estaban colocadas verticalmente en un altar descendente, a modo de escalones de un anfiteatro que contemplaran cómo vamos agotando nuestras vidas. Las puntas quemadas de las varitas de incienso sobresalían, cual ramitas, de una gran urna de latón en una mesa baja de palo de rosa. Tres lámparas de aceite dispuestas a la misma distancia unas de otras vertían su luz en los platos de ofrendas: mandarinas, manzanas y panecillos.

—¿Por qué están aquí estas placas? —le pregunté—. No contienen las cenizas de los muertos, ¿verdad?

Ella encendió algunas varitas de incienso y me dio tres de ellas.

—Son placas conmemorativas de los muertos de nuestra familia. Aquí mantenemos vivo su recuerdo. Les rezamos para que velen por nosotros y por nuestra seguridad. —Señaló una pieza roja en la que había unos trazos dorados—. Esa de ahí es la de tu madre. Y la que hay justo encima es la de tu tío Henry.

—Gracias por organizar este encuentro —murmuré, hablándole al humo ascendente. Mis palabras iban dirigidas a tía Mei y ella sonrió.

—Ellos pueden oírte y estoy segura de que también aceptan tus palabras de agradecimiento.

Al final acabé quedándome una semana con mi abuelo y él estuvo encantado de enseñarme la ciudad.

Una noche paseamos junto a un escenario montado al aire libre en la plaza del centro. Estaba a punto de comenzar una actuación, así que nos unimos a la multitud delante de una fila de varas de incienso, las más grandes que había visto en mi vida: cada una de ellas medía unos dos metros de largo y tenían el grosor de un poste de teléfono. Las puntas ardían con la rojez del magma incandescente y emitían nubes de humo. Aunque había hileras de asientos a disposición del público, parecía que la gente prefería permanecer de pie y nadie ocupó una sola silla.

—¿Qué ocurre? —le pregunté a mi abuelo—. ¿No se nos permite sentarnos?

Él negó con la cabeza y sus cejas casi se juntaron como reproche a mi ignorancia.

—Hoy comienza el Festival de los Fantasmas Hambrientos. Una vez al año, durante un mes, las puertas del inframundo se abren para permitir que los espíritus vaguen por la Tierra. Están deseando deleitarse de nuevo con los placeres humanos, incluso a través de otros. La mayoría de ellos son benignos, pero algunos son malévolos y están enfadados. Procuramos por todos los medios no ofender a estos espíritus, por lo que les ofrecemos oraciones y comida. Los comerciantes y tenderos patrocinan estas actuaciones públicas para aplacarlos y que no perturben sus negocios. —Señaló las filas de sillas vacías—. Esas son para los invitados invisibles. No se permite que nadie se siente ahí.

La cortina se abrió y la audiencia aplaudió. Era una ópera china, los actores iban muy maquillados, con las caras pintadas de blanco y originales coloretes. Sus vestimentas eran extravagantes, en tonos rojos brillantes, y sus tocados, pesados y complicados. La música de la orquesta era estridente y los actores representaban luchas estilizadas mediante una variedad de movimientos acrobáticos. Intenté disfrutar de los elaborados saltos mortales y de los combates de espada, pero la idea de estar rodeado de espíritus, tan ávidos de recuperar sensaciones humanas que ya no podrían volver a saborear de modo tangible, me hacía sentir incómodo. Escudriñé las caras que había entre la multitud, preguntándome quién era un resucitado y quién era real.

El día antes de volver a casa, mi abuelo prescindió de los servicios del chófer y salimos del pueblo en coche en dirección a las colinas calizas. De cerca, no parecían tan desnudas como había imaginado. Había arbustos y árboles aferrados a ellas como el moho y, en ciertas zonas, la vegetación era espesa y suave como la piel de un oso. Después de media hora de camino desde Ipoh, el cielo se oscureció vaticinando lluvia.

—Estaba dando una caminata por los campos que rodean esta colina —me dijo mi abuelo—, cuando vi ese macizo en la cima... allí, ¿lo ves? El que parece la cabeza de un gato. Conseguí atravesar los árboles y la maleza y me topé con una cueva. La entrada estaba tan escondida que no la habría encontrado de no ser por los murciélagos que empezaron a salir volando en busca de su cena. Supongo que me trajo a la memoria el recuerdo de la juventud que pasé en el monasterio y de las cuevas que lo rodeaban. Dentro encontré inscripciones en las paredes de lo que creí sutras budistas, y enseguida pensé en Bodhidharma. ¿Quién sabe? Quizá llegó hasta aquí. Los ermitaños frecuentaban estas colinas en aquellos tiempos. Me decidí a comprar el terreno y construí un templo. Ahora lo verás.

Llegamos a una subida y nos detuvimos a descansar. El templo había sido excavado en la roca. Era pequeño y sencillo comparado con los que había diseminados por aquellas colinas. Parecía abandonado.

—¿Sigue viviendo alguien aquí? —pregunté.

—Los monjes se fueron yendo para unirse a monasterios más grandes. Pero yo continúo viniendo de vez en cuando. Ahora verás por qué.

A medida que subíamos por la pendiente, el templo se fue convirtiendo en algo de otro mundo. No podía creer que lo hubiesen construido manos humanas. Todo a nuestro alrededor estaba en silencio, tanto que incluso las nubes que se estaban condensando encima de nuestras cabezas parecían intrusas.

Las paredes de la entrada se habían descolorido hasta adquirir el tono de las rocas circundantes. No había puerta, solo una entrada abierta bordeada de hierba y plantas trepadoras. Una semilla había caído en una grieta de la pared y de ella había brotado un pequeño y robusto guayabo, cuyas ramas casi tapaban el acceso. Las echamos a un lado y pasamos al diminuto y austero recibidor. Los escarabajos se escabullían y el sonido del roce de sus patas en el suelo se asemejaba al de las cuentas manipuladas rápidamente por un monje durante su plegaria. Oí el eco de cánticos lejanos. A pesar del pacífico vacío del templo, este parecía estar habitado por una presencia.

—Ven —dijo mi abuelo.

Entramos en un pasillo cuyas paredes estaban lisas debido a la fina cortinilla de agua de lluvia que escurría por ellas. El pasadizo se curvaba hacia arriba y una vez me tropecé en el suelo irregular. Un resplandor circular nos invitaba a avanzar hasta que salimos a la luz del sol. Parpadeé deslumbrado y miré perplejo a mi alrededor. El pasadizo daba a un claro rodeado de colinas. Al ver mi cara, mi abuelo sonrió de oreja a oreja. No había salida salvo a través del corredor por donde habíamos venido. Las paredes que rodeaban el claro se erguían dentadas y resbaladizas. Solo las tenaces raíces de los árboles y de los pequeños arbustos conseguían llegar a la cima. El cielo sobre nosotros no era más que un agujero, y las nubes nos bañaban con la llovizna más fina, haciendo que la tierra y la hierba liberaran sus aprisionadas fragancias.

Entonces, me agarró del brazo y lo seguí hasta un saliente bajo el cual vi los escritos que tanto le habían fascinado. Invadían la cara irregular de la roca, de arriba abajo, discurrían ininterrumpidos a pesar de los abultamientos, las estrías y las oquedades de la superficie, y estaban dotados de una fluidez y una energía que los hacía parecer trazados con un pincel mojado en fuego.

Seguí aquellas líneas con la punta del dedo y, hasta el día de hoy, he sabido que aquellas palabras formaban parte de una magia antigua, creada por un saber arcano, pues así las sentí cuando las toqué. *Las sentí en mi interior.*

Él observó cómo mi dedo recorría toda la inscripción hasta el último carácter y, cuando me lo miré, vi que resplandecía con un rojo encendido. Sentí un poco de calor y percibí un vago olor a quemado.

—¿Qué dicen? —le pregunté.

Mi abuelo se encogió de hombros.

—No lo sé. Pero ¿crees que importa? Te han hablado, ¿a que sí?

No podía sino estar de acuerdo con él.

Miró el cielo.

—Es bueno que haya llegado la lluvia. Solía venir aquí cuando llovía, a sentarme bajo esos caracteres y contemplar cómo el agua caía por el lado de las rocas. Tú has traído la lluvia y por ello te doy las gracias.

Comprendí que sus palabras decían más que eso. Estaba agradecido por que hubiese ido a visitarlo y por entenderlo mejor ahora.

Entonces se quitó la camisa y vi que sus músculos eran duros y recios hasta el punto de desafiar su edad.

—Me han dicho que te están dando clases. Te agradecería mucho que me mostraras lo que has aprendido en ellas.

Yo me limpié las gotitas de lluvia de las cejas, le hice una reverencia y me preparé.

Era rápido… mucho más que Endo-san. Sus puños me empujaban hacia atrás y lo único que yo podía hacer era bloquearlos, sintiendo que el dolor me subía disparado por los brazos. Los suyos, duros como piedras. Deslicé una patada baja hacia las espinillas y él hizo una mueca, así que durante unos segundos sus manos dejaron de moverse. Entonces puse las mías en su círculo y dejé que me las cogiera y me abriera para practicarle un rápido bloqueo de muñecas *kote-gaeshi* en espiral.

Cuando lo desequilibré, le lancé un puñetazo preciso en el costado. Fue como golpear una losa de granito y no le afectó lo más mínimo. Él deshizo mi bloqueo, recuperó el equilibrio y se balanceó para enviarme una patada a la cabeza, que yo paré con los brazos y cuya fuerza de contacto me hizo dar un traspié. Di una voltereta hacia delante para escapar a sus ataques, consciente de que me partiría los brazos si seguía recibiéndolos directamente.

El suelo se estaba volviendo resbaladizo y, sin embargo, sus pies permanecían firmemente anclados a él cuando utilizaba solo las manos. Por dos veces le di patadas en los riñones, lo que únicamente provocó un endurecimiento en la expresión de su rostro y una sonrisa adusta. Intercepté uno de sus puñetazos, le di un tirón y ejecuté mi movimiento favorito, el *iriminage*, la proyección de entrada. Levanté el brazo por debajo de su barbilla, elevándole la cabeza, pero él intuyó mis intenciones y contrarrestó dándose la vuelta y poniéndose detrás de mí. Entonces me rodeó el cuello con los brazos practicando una llave, me puso la rodilla en la espalda, y el poco aire que albergaban mis pulmones fue disipándose rápidamente en mi sangre a medida que apretaba.

Me soltó y yo aspiré una bocanada fría y húmeda; la cabeza me iba a estallar. Él tiró de mí para ayudar a levantarme, pues me había desplomado de rodillas, y sacudió la hierba mojada de mis piernas. Cogió la camisa y se la puso de nuevo. La lluvia y el sudor del pecho oscurecieron de inmediato su ropa.

Miró su reloj.

—Has durado seis minutos. Bastante aceptable. Mucha gente no llegaría ni a cuatro minutos conmigo. Veo que tienes un excelente maestro.

Repasó mis errores para que los corrigiese.

—Aquí has estado demasiado flojo y por eso he podido escapar de tus llaves. Esa última podría haber sido mortal si me hubieses mantenido cerca. Sin embargo, dejaste un hueco y me resultó fácil ponerme detrás de ti.

»En cuanto a tus puñetazos y patadas, lamento decirte que contra un hombre que fue entrenado como lo fui yo desde niño, resultaban inútiles. Pero bueno, ya no vas a encontrarte con muchos de nosotros. Somos reliquias de otro tiempo.

Se quedó en silencio y luego añadió:

—Te han entrenado para matar. Lo he sentido en tu manera de luchar.

Entonces negó con la cabeza y yo quise decirle que se equivocaba, que Endo-san me había repetido varias veces la advertencia que me hizo en la puerta de la iglesia de Saint George: que nunca recurriera a utilizar lo que me había enseñado para matar. No obstante, en aquel momento, me di cuenta de que mi abuelo estaba en lo cierto.

El abuelo y tía Mei me acompañaron a la estación de tren por la mañana.

—Me alegro de que hayas venido —me dijo él—. Hemos estado alejados durante demasiado tiempo. Espero que guardes un buen recuerdo cuando pienses en mí. —Me cogió las manos y examinó los moratones que me había ocasionado en los días anteriores—. Confío en que tu señor Endo sea más amable contigo de lo que lo he sido yo. Desde el emperador perdido, nunca más he vuelto a entrenar a nadie.

Estaba plantado al lado del tren, sintiendo la tristeza de la despedida de un amigo recién encontrado.

—Me has dado mucho en qué pensar, abuelo; ¿qué son unos cuantos moratones comparados con eso? ¿Vendrás a visitarme a Penang?

Mi invitación le emocionó.

—Veamos lo que el mundo me depara, pero sí, me gustaría ir a verte a Penang. Puede que también me des el gusto de llevarme al lugar en que descansa tu madre, donde, colocándonos frente a ella, le diremos lo estúpido que fui.

—Creo que le haría muy feliz vernos juntos —le dije—. Hay una cosa a la que le he estado dando vueltas. ¿Dónde plantaste los frangipanis?

El abuelo y tía Mei intercambiaron miradas.

—Arrancamos el árbol que había junto a la fuente hace años, cuando se marchitó —dijo—. No volvimos a plantar ningún otro. A tu madre le encantaba el aroma de sus flores.

Pensé en la fragancia que me había cautivado en mi primer día de estancia, la que siempre me había parecido discretamente presente durante las jornadas que pasé en casa de mi abuelo. El anciano clavó la mirada en mí; una sonrisa cómplice y casi traviesa elevó las comisuras de sus labios y llegó hasta sus ojos. Entonces supe que algo mágico me había ocurrido.

Subí al vagón y me quedé en la puerta mientras el tren salía de la estación. Ellos me dijeron adiós hasta que tomamos una curva. Fui a mi asiento, cerré los ojos y pensé en el emperador cuya vida había sido borrada de los libros de historia.

Capítulo once

Cuando el *ferry* se acercaba al puerto y vi las bajas colinas de Penang, me di cuenta de lo mucho que había echado de menos mi hogar. Sentí que volvía convertido en otra persona. Todo empezó con un inquietante viaje por la costa hasta Kuala Lumpur, luego había conocido a mi abuelo, que me había mostrado una faceta de mis antepasados de la que nunca había sido consciente.

En el momento en que vi a tío Lim, supe quién había sido la fuente de información de mi abuelo. No pareció para nada sorprendido cuando el conductor del *rickshaw* me dejó en Istana.

—Puedes decirle a mi abuelo que he llegado bien —le dije.

Él me dedicó una sonrisa avergonzada y llevó mi bolso a mi habitación. En la cocina, una muchacha estaba removiendo una olla de sopa. Levantó la vista tímidamente.

—Esta es mi hija, Ming —dijo tío Lim al entrar—. No habla mucho inglés, así que tendrás que hablar con ella en hokkien.

Era delgada y tenía aspecto de chico; llevaba el pelo mal cortado y tenía los ojos achinados hacia arriba, negros y dulces como los dátiles que estaba añadiendo ahora a la olla.

—¿Puedo ofrecerte un poco de sopa? —me preguntó.

—Eso estaría muy bien. —Me senté a la mesa de la cocina y le dije a tío Lim que me acompañara—. ¿Cuánto tiempo has estado espiando para mi abuelo? —dije, disimulando mi regocijo.

—¿Ha ido todo bien entre el viejo y tú? —preguntó mientras Ming nos servía sopa en unos cuencos.

—Debería haberlo conocido hace tiempo.

Traté de recordar cuándo había empezado tío Lim a trabajar en nuestra casa, pero no pude. Había sido, con toda seguridad, antes de que yo naciera. Esperé a que contestara a mi pregunta y cuando, finalmente, se percató de que no podía distraerme, dijo:

—Vine justo cuando tu madre se casó con tu padre. Yo ya estaba trabajando en Penang. Tu abuelo me dijo que viniese a trabajar para el señor Hutton. No pude negarme; tenía una deuda pendiente con tu abuelo. No se lo dirás a tu padre, ¿verdad?

—Si guardas silencio sobre lo que he estado haciendo, yo haré lo mismo por ti —contesté.

Ming trajo los cuencos de sopa a la mesa.

—¿Cómo van las cosas por China?

Sentía curiosidad. De algún modo, aquel país ya no me resultaba tan remoto como antes y me di cuenta de que se debía a que mi abuelo había compartido conmigo su propio pasado.

Tío Lim suspiró.

—Muy mal —dijo.

—Nos han llegado terribles noticias de los pueblos tomados por los japoneses. Las de Nanjing han sido las peores —dijo Ming, y cerró los ojos.

—¿Qué ha pasado allí? —pregunté.

Después de apoderarse de Manchuria y de establecer un gobierno de paja en 1931, los japoneses se habían quedado al acecho, aguardando la mínima excusa para invadir el resto de China. Y eso hicieron el 7 de julio de 1937, cuando tropas chinas y japonesas se enfrentaron en el puente de Marco Polo, cerca de Pekín. Ahora, los japoneses controlaban la mayoría de los territorios nororientales de China.

Ming me relató los acontecimientos más recientes y, al principio, no la creí. Aunque el ejército imperial japonés había impedido que los periodistas extranjeros enviaran despachos sobre la situación al mundo, las noticias de sus salvajadas habían salido del país con los refugiados y los misioneros extranjeros que huían. Pero, aun así, me negaba en rotundo a creer que una raza humana pudiera ser tan bárbara, tan salvaje. Ella vio la expresión de mi cara y dijo:

—No me importa si me crees o no. Ya lo descubrirás por ti mismo cuando los japoneses lleguen aquí.

Al echar la vista atrás, resultaba extraño que todo el mundo, chinos, malayos e indios, supieran con absoluta certeza que los japoneses, al final, invadirían Malaya. Los chinos temían que los japoneses extendieran la masacre de Nanjing hasta Malaya, mientras que las comunidades tanto malayas como indias esperaban que los japoneses los liberaran del dominio colonial. La mayoría de los ingleses se mofaban de la idea de que atacaran Malaya, pues se sentían seguros tras las baterías navales de Singapur. Yo estaba dividido entre las dos creencias, como con todo en mi vida. Sabía que los japoneses no eran tan incompetentes como los pintaban los funcionarios del gobierno. Sin embargo, tampoco eran ni lo bastante fuertes ni lo suficientemente estúpidos como para embarcarse en una guerra contra el Imperio británico.

Mientras hablaban, reparé en los fuertes lazos de amor que existían entre padre e hija, pese a que él apenas la había visto crecer en su pueblo. Observé cómo tío Lim se reía cuando ella le describía al patriarca de la aldea y sus ocurrencias; era la primera vez que lo recordaba reírse como una persona normal, como un padre, como un hombre. Me sentí fuera de lugar, un intruso en aquel vínculo, así que me fui discretamente.

Ming se quedó unos cuantos días más y luego, una mañana, se había marchado. Tío Lim la había llevado al pueblo de Balik Pulau, la Espalda de la Isla, donde vivían unos parientes. En los días que siguieron, pareció más alegre e incluso prometió enseñarme boxeo chino.

Endo-san había desaparecido. Su casa estaba vacía cuando crucé hasta su isla. Corrí las puertas y sentí el silencio. Una caja de fotografías yacía en el suelo. Las había estado clavando en la pared antes de irse. Las estudié, sobre todo las que me había sacado en la choza del té en la colina de Penang. Tenía un aspecto muy diferente en ellas, pensé, mi cara aniñada se parecía muy poco a la que ahora veía en el espejo. Las otras eran aburridas instantáneas de la costa, de bosques y de pequeños pueblos. Perdí el interés después de que todas empezasen a parecerme iguales. En otra de las paredes había pinchado un mapa de Malaya sobre el que distinguí las líneas rojas que había trazado para señalar el itinerario de nuestro viaje, así como marcas de otros lugares que tenía intención de visitar. Al parecer, no tenía ningún interés por ir a Singapur, ya que estaba despejado, sin señales, anotaciones o líneas. Encontré su nota en una estantería: «He ido a la costa este. Sigue entrenando».

Me di cuenta de lo mucho que lo había echado de menos durante la visita a mi abuelo. Se había convertido en una pieza fundamental de mi vida. Echaba de menos pasar las mañanas con él, observarlo, escucharlo, anticiparme a sus estados de ánimo, a sus manías. Añoraba la forma en que el sol encendía su pelo plateado, el modo en que sus dientes resplandecían tras su sonrisa, su humor sardónico y la tristeza escondida en su interior. Sin embargo, había mucho que yo no sabía. Tomé la decisión de preguntarle más detalles de su vida a su regreso.

El nuevo año académico empezó y agradecí que Endo-san no estuviese por allí, pues andaba atareado con los deberes del instituto y con el cumplimiento de los compromisos sociales que normalmente recaían sobre mi padre. Aunque mi familia no se encontrara en Penang, las invitaciones seguían llegando casi a diario. Al ser el único miembro de los Hutton que permanecía en la isla, mi padre esperaba que lo representase mientras estaba fuera.

Una tarde, después de terminar mis deberes, fui a su estudio para examinar la correspondencia que había empezado a multiplicarse como las setas por toda la superficie de la pesada mesa de roble. Abrí dos cartas de Isabel, donde me narraba lo bien que se lo estaban pasando en Londres. Las leí primero, pues sabía que llevarían la huella de su entusiasmo y su emoción. Decía que me echaban de menos y que volverían pronto. El resto del correo se refería a la actividad social, y lo puse en la papelera rápidamente después de escribir para declinar las invitaciones con pesar. Elegía cuáles responder un poco a discreción, pero cuando los Cross llamaban, uno tenía que ir. Era como recibir una invitación de parte de la mismísima emperatriz viuda de China, pensé, al emerger en mi memoria fragmentos de la historia de mi abuelo.

La familia Cross se parecía a la nuestra en muchos aspectos. Ellos también llevaban en Penang desde el principio y su compañía, la Empire Trading, era legendaria en toda Asia y se hablaba de ella con el mismo tono de admiración y envidia que de la Jardine Matheson de Hong Kong. El patriarca, Henry Cross, era coetáneo de mi padre. Eran buenos amigos, tanto como se podía ser en aquella competitiva isla. Ambos habían ido a Oxford antes de volver a casa para llevar los negocios familiares.

Leí la tarjeta de Henry Cross, que nos invitaba al cumpleaños de su hijo George. Dejé escapar un gruñido al pensar en la horrible noche que tendría que soportar. Sin embargo, rechazar su invitación habría sido un insulto imperdonable para la reputación de Henry Cross.

Después de generaciones pasadas en el Este, muchos británicos habían llegado a entender el concepto de «reputación», que, simplificado, no era más que el respeto mutuo. Para los chinos, sin embargo, implicaba algo más profundo: si Henry Cross venía a las fiestas de mi padre (lo cual hacía invariablemente), entonces mi padre ganaba una reputación considerable. Si mi padre ayudaba económicamente a un sirviente sin aparentar que lo estaba haciendo, salvaría la reputación del criado y, por raro que parezca, él no perdería reputación ante su personal. Era un proceso laberíntico de transacciones y relaciones. Uno tenía que aprenderlo desde la cuna; de lo contrario, solo servía para confundir. Yo había dado mucha reputación a mi abuelo al visitarlo. Y él había hecho lo propio al aceptarme, contarme su historia y mostrarme su cueva en las montañas.

Solo conocía a George Cross de vista. Tenía un año menos que yo, aunque su hermano Ronald era de mi edad. Íbamos a institutos distintos, y entre el Saint Xavier y el Instituto Público de Penang siempre había cierta rivalidad.

La noche del cumpleaños no dejé de suspirar mientras me ponía algo más presentable y esperaba luego en el pórtico a que tío Lim sacara el Daimler. Era una noche húmeda, los grillos andaban muy animados y se agradecía la brisa que entraba por las ventanas. Una noche de viernes demasiado agradable como para pasarla en una fiesta.

La mansión de los Cross estaba en Northam Road, más conocida como la calle de los millonarios. Los nativos la llamaban *Ang Mo Lor*, la calle de los pelirrojos. La casa hacía que las adyacentes oficinas consulares de Tailandia (a la que, a pesar del cambio de nombre oficial en mayo, las gentes de Penang seguían llamando Siam) pareciesen diminutas, casi como su garaje. Entramos con el coche por las puertas de hierro forjado ornamentadas de negro y oro y enganchadas a unos postes de mármol, tan imponentes como monumentos a héroes muy queridos, y recorrimos el camino serpenteante de gravilla. La residencia, completamente blanca, estaba bañada de luz. Era de estilo italiano y estaba flanqueada por un par de pilares. Se escuchaba la Jerry Maxwell Band, que tocaba una selección de melodías de jazz, las risas en el aire y el tintineo de las copas. Detrás de la casa, el mar separaba la isla de la Malaya peninsular. Sentí en la lengua el regusto de la marea.

Cuando entré, me encontré con las miradas especulativas de costumbre: «Ahí viene el mestizo», pensé con sarcasmo. Me recibió Henry Cross, que parecía muy robusto y alto, con canas en las sienes y casi calvo por la coronilla. Me dio un vigoroso apretón de manos; siempre me llevé bien con él.

—¿Cuándo estará de vuelta tu padre? ¿O es que está disfrutando demasiado de Londres?

—Pronto estarán en casa.

—Cuando vuelva no va a reconocerte. ¡Vaya si has crecido! ¿Qué piensas hacer cuando acabes el instituto? Ya no te falta mucho, ¿verdad?

—No lo sé. —Hice un gesto de indiferencia con los hombros—. Ya lo pensaré cuando llegue el momento.

George me estrechó la mano y yo le deseé un feliz cumpleaños y le di su regalo. Le pregunté por Ronald.

—Está enseñándoles los jardines a algunos de sus amigos —me contestó.

Me di la vuelta y eché un vistazo a los invitados. Como siempre, la flor y nata de Penang estaba presente: el regidor residente y su esposa, además de los representantes de varios bancos y de los consulados alemán, siamés, danés, americano y ruso. Los magnates chinos y malayos locales se movían entre ellos, al igual que unas cuantas princesas malayas, vestidas de amarillo dorado, el color de la realeza que solo ellas podían llevar. Distinguí a un famoso escritor inglés, de cuyos libros había disfrutado. Cuando me dirigí hacia él, Ronald me interceptó. A su lado reconocí a su amigo Yeap Chee Kon, el hijo del presidente de la cámara de comercio china, al que todos llamábamos Towkay Yeap.

—¡Pero bueno, qué cambiado estás! —comentó Ronald.

—Esto es lo que pasa cuando intentas cocinar para ti mismo —contesté con una sonrisa.

Ronald me presentó a su amigo. Penang era una isla pequeña y sabía que la gente lo llamaba Kon, así que yo hice lo mismo. Me miró con una curiosidad que encontré desconcertante. Irradiaba exceso de confianza para alguien tan joven. Era un palmo más bajo que yo, aunque parecía más musculoso, lo que aumentaba su aspecto de duro. Sus ojos, rasgados y oscuros, traslucían una contundente inteligencia y tuve la sensación de que estaba acostumbrado a llevar siempre la razón. Iba de blanco; más tarde descubrí que casi nunca llevaba otro color. Su apretón de manos fue enérgico, y la forma en que me escudriñó hizo que me resultase antipático. Yo le devolví la mirada, impávido.

Ronald divisó a alguien con quien quería hablar. Kon me miró por encima del hombro mientras seguía a mi amigo. Oí que alguien pronunciaba mi nombre y me di la vuelta para ver que Alfred Scott me estaba haciendo señas. El señor Scott era el gerente que mi padre había designado para supervisar Hutton e Hijos mientras estaba en Londres. Llevaba trabajando para nosotros desde que tenía memoria y era la única persona en cuyas manos mi padre estaba dispuesto a dejar la empresa cada vez que tenía que ausentarse. Sin embargo, sabía que él esperaba el envío de informes diarios mediante telegrama, fuera cual fuese el coste.

—Hoy he recibido un mensaje de tu padre —me dijo—. Parten mañana. Te encontrarás con ellos cuando el barco atraque. Ya te daré la fecha de llegada. Ahora mismo no la recuerdo.

—¿Se está haciendo mayor, señor Scott?

Todos lo llamábamos así, hasta mi padre. Scott tenía cincuenta y tantos y nunca se había casado. Aunque mi padre había intentado en varias ocasiones acercarlo más a nuestra familia, el gerente seguía encerrado en sí mismo y prefería pasar su tiempo libre en las plantaciones de caucho.

—También he recibido una llamada del señor Saotome. Me ha dicho que te conoce. Parece ser que le has impresionado. —Me miró con dureza—. Quería saber si aceptaríamos a un socio japonés o si estaríamos interesados en hacer negocios con ellos.

El señor Scott negó con la cabeza de pura incredulidad.

El persistente interés de Saotome por nuestra empresa me preocupaba. Nunca supe lo que le hizo a la chica que le ofrecieron. Endo-san solo emitió un gruñido cuando se lo pregunté.

—¿Qué le ha dicho? —le pregunté al señor Scott.

—Lo que tu bisabuelo había dejado establecido: que, a menos que su apellido fuese Hutton, ningún extraño sería admitido.

Hice una mueca ante su tajante respuesta y él soltó su peculiar risotada, haciendo que la gente a nuestro alrededor nos observara con risueña indulgencia. Siguió con la mirada a un delgado camarero malayo y después bajó la voz y añadió:

—Este tal Saotome no me inspira ninguna confianza. Insistió mucho en que teníamos que cambiar nuestra mentalidad.

—¿Se lo ha comentado a mi padre?

Él negó con la cabeza.

—No es tan importante. Puedo decírselo cuando vuelva a casa. Ya tengo bastante que contarle sin eso.

Estuve de acuerdo con su decisión y así se lo hice saber. Él se terminó su bebida y dijo que tenía que irse a casa.

—Odio las fiestas —confesó.

El cónsul japonés, Shigeru Hiroshi, me vio y se acercó. Era un hombre delgado, de unos cincuenta años, aspecto enfermizo y una vestimenta poco adecuada para aquel clima. Llevaba la cabeza rapada, como muchos de los japoneses que yo había visto. Era demasiado bajo para su esmoquin y su calva brillante conjuntaba con el destello de sus solapas.

—Tú debes de ser el *deshi* de Endo-san, su alumno. Te ha descrito a la perfección.

Le hice una reverencia y le pregunté dónde estaba Endo-san. Él vaciló durante un segundo.

—Está en Kuala Lumpur.

—¿Otra vez? ¿Después de su reciente visita?

Sabía que estaba mintiendo porque recordé la nota que Endo-san me había dejado. Hiroshi no me contestó. En lugar de eso me preguntó sobre mis lecciones. Yo ya estaba acostumbrado al modo que tenían de evitar cualquier verdad que no deseaban revelar, así que, por respeto a su reputación, no seguí preguntándole más sobre Endo-san.

La conversación cambió inevitablemente a la presencia de los japoneses en China y empezó a aburrirme con su descripción de la superioridad japonesa.

—Ahora mismo, tenemos el mejor ejército de Asia. Son disciplinados, civilizados y cuentan con el mejor entrenamiento —dijo, en voz lo suficientemente alta como para que unos cuantos círculos de invitados a nuestro alrededor lo oyeran.

—Ya veo, pero ¿qué pasa con Nanking? —le pregunté, utilizando el nombre inglés para Nanjing. Décadas más tarde, la mayoría de los japoneses negaría cualquier conocimiento de las atrocidades que habían perpetrado allí, pero, cuando mi pregunta cortó de inmediato las conversaciones a nuestro alrededor y la gente se giró para mirarnos, supe que Hiroshi estaba muy al tanto de los últimos acontecimientos. Parpadeó y noté que los labios se le tensaban como la cuerda de un arco—. ¿También allí las tropas fueron «disciplinadas, altamente civilizadas y contaban con el mejor entrenamiento»? —insistí.

Finalmente reaccionó. Se bebió su copa de un trago.

—Sí, claro que lo fueron. ¿Por qué no iban a serlo? —respondió.

Hubo sonoros resoplidos a nuestro alrededor, especialmente procedentes de los chinos, y él se ruborizó de rabia.

Lo dejé y, como la fiesta se prolongaba hasta la noche, yo terminé en la playa, alejándome lentamente del ruido. Se veían algunas luces a lo largo de la costa de Province Wellesley, al otro lado del canal, brillando como las estrellas sobre mi cabeza. Había salido la luna y esta se reflejaba en las oscuras aguas oleaginosas. Los faroles de los pesqueros de arrastre en el mar se balanceaban como borrachos.

Vi una figura blanca y fantasmal a cierta distancia por delante de mí y me pregunté quién sería el que también encontraba poco atractiva la multitud. Cuando ya estaba alcanzándola, la figura se giró y yo no pude más que seguir caminando, ya que haberme dado media vuelta habría resultado demasiado obvio.

—Deberías tener cuidado con el cónsul. No le gusta que lo dejen en ridículo —dijo Kon.

—¿Cómo te has enterado? —le pregunté, muy irritado por su tono de superioridad.

Me acerqué más a él, lo que resultó ser un error.

El puñetazo pareció salir disparado de la nada. Lo evité, aunque sabía que había estado muy cerca, y le propiné uno en respuesta. Él lo interceptó y me habría roto la muñeca de no haber contrarrestado el ataque y haberlo hecho girar. Nos separamos el uno del otro, con una sonrisa de oreja a oreja.

—Eres muy bueno —dijo Kon.

—Lo mismo digo —contesté yo.

Nos movimos en círculos, recelosos. El corazón me aporreaba el pecho y despejé la mente colocándola en algún lugar del horizonte. No tenía la más mínima idea del nivel de sus habilidades, pero la forma en que casi me pilla con la guardia baja indicaba que tal vez superara las mías. Sutilmente cambié de postura y me abrí para un ataque, proporcionándole un blanco mayor.

Él lanzó su ofensiva, puñetazos a ambos lados de mi cabeza. Los esquivé y entré en su espacio. Me giré utilizando la fuerza de mis caderas y lo derribé en la arena sin esfuerzo. Dirigí un pie hacia su cara, pero esta vez él estaba preparado y lo desvió. Me había estirado demasiado; no me quedaba más opción que lanzarme encima. Me desplomé sobre él y rodamos por la arena húmeda. Le golpeé y, durante un segundo, la fuerza con la que me tenía aprisionado disminuyó lo suficiente como para agarrarle la muñeca y retorcérsela en una llave que podría haberle partido los huesos. Él intentó moverse, pero el dolor le resultó insoportable. Su forcejeo aumentaba el intenso dolor. Yo incrementé la presión.

—¿Suficiente? —pregunté.

—Sí.

Lo solté echándome hacia atrás, manteniendo los ojos en él por si me atacaba de nuevo. Ciertamente, el nivel de nuestras habilidades era parecido, pero mi mente, gracias al estricto entrenamiento al que me había sometido Endo-san, era la más fuerte. En el mismo instante en que Kon lanzó su ataque, ya había perdido. Yo me contentaba con esperar, para siempre si era necesario; él se había precipitado al comenzar la lucha.

Se puso en pie; su mirada me reveló que había satisfecho su curiosidad y que había confirmado sus sospechas. Se plantó frente a mí y, sin necesidad de pronunciar palabra, ambos nos hicimos una reverencia. Yo no intenté esconder mi sensación de desconfianza.

Los dos éramos aprendices de *aikijutsu*, el arte de las fuerzas armonizadoras.

Endo-san me había hablado en varias ocasiones de su maestro, Morihei Ueshiba, después de terminar las clases. Ueshiba era un hombre de apariencia amable, con ojos penetrantes y temperamento vivo, que se encendía rápidamente, pero que se apagaba con mayor presteza aún. Su nombre y las historias de sus proezas ya se habían extendido a lo largo y ancho de Japón e incluso expertos en otras disciplinas lo consideraban uno de los mayores maestros en artes marciales de todos los tiempos. Nacido en la década de 1880, había revolucionado el concepto de las artes del guerrero. El secreto que escondía su poder, le decía Ueshiba a menudo a sus alumnos, residía en el amor, en el amor hacia los demás, hacia el universo, incluso hacia aquel que estaba a punto de matarte. El amor era una fuerza del universo y, con el universo a tus espaldas, ¿quién podría derrotarte?

Muchas veces había pensado que su mensaje era similar al del énfasis de Jesucristo en el amor. Originalmente, el *aikijutsu* era áspero, brutal. Ueshiba lo suavizó puliendo las técnicas, redondeándolas por completo. El movimiento del círculo era la fuente de todas sus técnicas. No obstante, continuó siendo extremadamente efectivo. Las técnicas que yo había aprendido de Endo-san todavía estaban enraizadas en el viejo *aikijutsu*, ya que mi maestro había abandonado Japón cuando Ueshiba aún estaba descubriendo los conceptos que finalmente le asegurarían la inmortalidad. A través de los movimientos de Kon, pude comprobar con total claridad que el estilo de su *sensei* difería ligeramente del de Endo-san; era más suave y más redondeado. Aunque entonces no fui consciente, estaba experimentando y siendo testigo de la evolución de un arte.

—¿Dónde has aprendido todo eso? —le pregunté.

Como hijo de un hombre de negocios chino muy conocido, no esperaba que fuese tan diestro en técnicas de lucha japonesa.

—De mi *sensei* —respondió.

Para mi sorpresa, me habló en japonés, y me pregunté si me había pasado con la bebida. Él se levantó, se sacudió la arena de la ropa y se remetió la camisa por los pantalones, siempre meticuloso para su aspecto.

—Muy bien, pero ¿quién es?

Quería sacarle más respuestas.

—Tanaka-san —contestó, saboreando mi impaciencia—. A él le gustaría conocerte.

Acordé que nos veríamos en su casa al amanecer del día siguiente para visitar a su maestro. Quería conocer a su *sensei* y tenía el convencimiento de que Endo-san estaría muy complacido de saber de la presencia de otro adepto del *aikijutsu*.

Nos sentamos fuera del alcance de la marea creciente y hablamos de esto y de aquello durante un rato.

—Mi padre y yo fuimos al funeral de tu madre. Todavía guardo en la memoria algunos fragmentos de aquel día, aunque entonces era muy pequeño —saltó Kon de repente.

No recordaba haberlo visto allí. Había acudido mucha gente, no para llorar su muerte, sino por la posición de mi padre.

—Eso fue hace mucho tiempo —dije.

Kon también había perdido a su madre a muy temprana edad, según me contó. Noté el dolor cuidadosamente escondido en su interior, el sentimiento de abandono y, para mi sorpresa, lo encontré muy similar al mío.

—Lo siento —dije—. Sé cómo te sientes.

—Viniendo de ti, sé que, al menos, es verdad.

No supe muy bien cómo responder a su comentario. Vi que una sonrisa afloraba a la superficie y cómo luego se sumergía de nuevo en su cara de solemnidad, y solté una carcajada. Él perdió el control de su expresión y se agitó levemente.

Aquella noche nos quedamos charlando largo y tendido en la playa. Aunque entonces no lo sabíamos, aquel sería el comienzo de una gran amistad.

Hasta que tío Lim no me llevó en coche a casa no me di cuenta de que Kon no me había hecho ni una sola pregunta, parecía saberlo todo sobre mí y quizá incluso sobre Endo-san.

Capítulo doce

A la mañana siguiente, Kon y yo fuimos en bicicleta a Tanjung Tokong (el cabo del Templo) para visitar a su *sensei.* Pasamos por un tramo de playa desierta después del templo de la Perla del Océano. El cabo era un pueblo pesquero, comunidad de ascendencia hakka en su totalidad, y el templo era el lugar de culto a Tua Pek Kong, un peregrino que se había asentado en Penang incluso antes que Francis Light. Como a tantos otros peregrinos, lo habían deificado tras su muerte.

Pedaleamos a lo largo de un camino estrecho bordeado de hierba alta y luego por un sendero arenoso que descendía colina abajo. Habría sido incapaz de encontrar el sitio yo solo.

Al final del sendero llegamos a un bungaló de madera rodeado de una veranda y con un tejado de palma de *attap* posado sobre la casita como un sombrero de paja. Había un par de cocoteros combados sobre ella en uno de los laterales y sus hojas daban sonido al viento. Unas ardillas correteaban por el césped ralo y, cuando nos acercamos, subieron a toda prisa a los árboles, parloteando sin cesar.

Hideki Tanaka nos esperaba en el rellano de los escalones, con la cara impávida, aunque su gesto no era antipático. Al igual que el de Endo-san, su pelo estaba cortado al rape y era gris, pero él era de constitución más grande y gruesa.

—Te he estado esperando —dijo en japonés.

Asentí y le hice una profunda reverencia.

Nos sentamos en la veranda de cara al mar. La marea estaba baja y bandadas de gaviotas y otros pájaros daban saltitos en la playa, ahora al descubierto, y escarbaban con el pico en la arena en busca de comida. La playa vacía se extendía tan lejos como alcanzaba la vista y el fondo del mar era tan negro y fértil como un campo recién arado. Habían quedado charcos de agua atrapados entre las ondulaciones de la arena creadas por la marea en retirada, y me pregunté dónde habría ido a parar todo el mar.

—A veces tengo la sensación de que podría llegar andando a la península atravesando este mar que se ha abierto ante nosotros —dijo Tanaka, siguiendo mi mirada—. Llegar andando a casa.

—Como Moisés —contesté.

Él pareció perplejo, como si hubiese nombrado a un amigo que había olvidado. Luego, su cara se recompuso.

—Ah, sí. El profeta que separó las aguas del mar Rojo. Una historia encantadora.

Dio instrucciones a Kon para que nos preparase un té.

Me sentí relajado a su lado. Con todo, su calmada disposición escondía un fuerte sentido de soledad. La reconocí como había hecho con Endo-san. ¡Qué raro haber encontrado a dos japoneses tan parecidos en aquella isla!

Kon llegó con tazas de té verde caliente y, durante un rato, permanecimos en silencio tomándolo a sorbos, asimilándonos el uno al otro y extendiendo la mirada a la arena que el desaparecido mar había dejado atrás.

—Kon me ha contado lo que hiciste anoche, cómo luchaste contra él hasta derribarlo. Se ha disgustado mucho por eso. —Tanaka soltó una risotada—. Muy pocas personas lo han derrotado. Por eso le dije: «practica el *zazen*, practícalo todos los días». El poder de la mente siempre superará la fuerza y la debilidad del cuerpo.

—¿Conoce a mi *sensei*? —le pregunté.

Él asintió.

—Endo Hayato-san. De una de las familias más reputadas cerca de Toriijima.

—¿No lo tiene en gran estima? —me aventuré a decir.

—Tuvimos el mismo maestro, Ueshiba-*sensei*.

Esperé a que se explicara; su respuesta había sido la típica del estilo de Endo-san cuando no quería que siguiera con un tema. Miré a Tanaka directamente a los ojos, para hacerle saber que no me iba a disuadir con su evasiva. Tanaka me dedicó una sonrisa pero no entró en detalles.

Suspiré.

—¿Cómo era Ueshiba-*sensei*? —le pregunté.

—La persona más tierna y amable que he conocido jamás. Aunque también terriblemente irascible. El mayor *budoka* —experto en artes marciales— que Japón ha producido jamás. Endo-san fue uno de sus mejores alumnos. Como lo era yo.

—¿Cómo han terminado aquí los dos, en esta isla?

—No lo sé. ¿El destino? Endo-san dejó a Ueshiba-*sensei* unos meses antes que yo. Hubo algún tipo de desacuerdo entre ellos. Yo no supe que él estaba aquí hasta unos meses después de mi llegada. Para entonces ya me había asentado y comprado esta casa. Había viajado por toda Asia y, por extraño que parezca, encontré cierta afinidad con esta isla. Así que me quedé. —Suspiró—. Para intentar encontrar algo de paz.

—Qué raro —dije—. Eso es lo que Endo-san me dijo también. Para encontrar la paz.

—Debes entenderlo, Japón está pasando por un período de gran agitación social. Allí hay mucho odio y muchas ambiciones, una mala combinación. Los militaristas y los imperialistas hacen campaña para provocar la guerra. Algunos de nosotros no creemos en la guerra, por lo que se nos considera traidores y parias.

»A mí me ordenaron enseñar a los reclutas del ejército. Enseñarles *aikijutsu* para que fuesen capaces de asesinar. ¡El *aikijutsu*, un concepto que se basa en el amor y la armonía! Yo no podía hacer eso y mi *sensei* tampoco. Para evitar más órdenes del gobierno, él se trasladó a la isla de Hokkaido, se aisló del mundo y puso allí una granja. Yo elegí abandonar Japón.

Estaba seguro de que había más en aquella historia de lo que me estaba revelando, pero respetaba sus intenciones de no seguir. Mandó a Kon dentro a hervir más agua.

—Sientes un gran afecto por Endo-san, ¿verdad? —me preguntó, a la vez que me servía otra taza de té. Experimenté un creciente sentimiento de bienestar, sentado bajo la sombra de la veranda, escuchando el canto de los pájaros y las hojas movidas por el viento, notando la brisa en el cuerpo.

Consideré su pregunta.

—Sí, sí que lo admiro. Además, albergo fuertes sentimientos hacia él. No pasa un día en que no me pregunte qué está haciendo, dónde está en tal o cual momento. Hace que me alegre de estar vivo… —dije, y mi voz se fue apagando, incapaz de expresar con palabras lo que sentía.

—Eso está bien. Creo que, al final, tu amor por él será lo que lo salve.

—¿Salvarlo? ¿De qué?

Él se limitó a sonreír y supe que no obtendría ninguna respuesta sobre ese tema. Una vez más, resolví preguntar a Endo-san sobre su vida antes de abandonar Japón.

Entonces, Tanaka intentó golpearme con un puño ligero y borroso como un halcón que baja en picado para capturar su presa. Lo evité echándome hacia un lado en la silla. Cuando retiró la mano, mantuve mi brazo pegado al suyo y seguí el movimiento de retorno hasta él, convirtiéndolo en uno de ataque. Él giró el torso e hizo que me estirase hasta que perdí el equilibrio. Me puse en cuclillas y le lancé una patada lateral, algo que, lo supe en el acto, había sido un error. Él la esquivó fácilmente echándose a un lado y me tumbó boca abajo en el suelo de madera. Todo esto mientras permanecía sentado en la postura *seiza* y en su cara no había expresión alguna.

—Tus *suwariwaza* —técnicas realizadas sentado— aún son relativamente débiles. Debes practicarlas más. Si eres fuerte incluso sentado en esta postura tan incómoda, piensa en lo fuerte que serás cuando estés de pie, *¿neh*?

Me levantó de un tirón mientras yo intentaba calmar mis ánimos encendidos. Me di cuenta de que tenía razón. Me giré y le hice una reverencia, tocando el suelo con la frente.

—Aprecio sus consejos —dije—. ¿Consideraría la posibilidad de enseñarme?

Él negó con la cabeza.

—Enseñarte mientras eres alumno de otro *sensei* iría en contra de toda ética. Sin embargo —en ese momento alzó la vista porque Kon se había plantado en la puerta—, no hay ninguna regla que prohíba que vosotros dos aprendáis el uno del otro. Opino que podéis beneficiaros en gran medida de vuestra amistad.

Kon sonrió y supe que los dos estábamos pensando en las risas que compartimos la noche anterior. Había encontrado un alma afín a la mía.

Tanaka se puso serio y su voz sonó casi insistente.

—Endo-san te ha entrenado bien. Ahora, en tu mano está descubrir por qué lo ha hecho.

Empezaba ya a preocuparme por la ausencia de Endo-san cuando encontré una nota suya en la que decía que había vuelto. Algo en mi interior saltaba como un pez en aguas cristalinas y una luminosidad bailaba dentro de mí mientras remaba hacia su isla. Me dirigí hacia el macizo de árboles con impaciencia y lo llamé a voces de camino a la casa.

Él estaba moreno, quemado por el sol, y su pelo brillaba aún más en contraste.

—Bienvenido a casa, *sensei.*

Lo saludé y vi que se alegraba de verme. Me invitó a entrar y nos sentamos delante del hogar.

—¿Te ha ido todo bien? —me preguntó.

—Sí, Endo-san —le contesté. La conversación con Tanaka me había inquietado y me preguntaba si debía contárselo a Endo-san. Vacilé. Entonces decidí que no quería ocultarle nada, así que le describí mi encuentro con el *sensei* de Kon. Él no pareció excesivamente sorprendido, pero cuando le pregunté si le gustaría visitar a Tanaka, su voz perdió toda la cordialidad.

—No deseo verlo.

—Pero ¿por qué? Practicamos el mismo arte, ambos son estilos de *bujutsu*… de hecho, ambos aprendieron del mismo hombre.

Su voz se volvió fría y sentí que había llegado demasiado lejos al presionarlo.

—Confórmate con que los dos estilos funcionen igual de bien. Debes ser consciente de que, en última instancia, no es una cuestión de estilos del mismo arte o de diferentes artes, sino más bien de la persona. Tú no puedes decir, por ejemplo, que las artes marciales chinas derrotaron ayer a los métodos japoneses, ¿verdad? ¿Cómo puede un arte vencer a otro? ¿Puedes afirmar que el arreglo floral «derrotó» a la pintura? Solo las personas se pueden vencer unas a otras.

»Sin embargo, si crees que vas a perder mucho si no aprendes bajo la tutela de Tanaka-san, no me importará dejarte marchar. ¿Eres consciente de que nunca se ha admitido tener dos *senseis* para lo mismo?

Me estremecí al oír sus bruscas palabras; eran como esquirlas de granito que se me clavaban.

—No, no, *sensei*. Siento haberle dado una impresión equivocada. La idea de dejar su tutelaje nunca se me ha pasado por la cabeza.

Él suavizó el tono y eso fue lo más cerca que estuve de conseguir una disculpa por su parte.

—Encontraste a Kon formidable, ¿verdad?

Asentí.

—Aun así conseguiste controlarlo. ¿Por qué?

Le conté lo que pensé aquella noche después de conocer a Kon, cuando analicé nuestro encuentro: que mi mente era más fuerte y calmada que la suya. Fue también lo que Tanaka me había dicho.

Endo-san mostró una de sus contadas sonrisas radiantes.

—Veo que no he perdido el tiempo contigo. Sí, la mente. Una vez que controlas la mente, el cuerpo queda indefenso. A un nivel más alto, el *bujutsu* se ejercita con la mente. Recuérdalo. Ahora entiendes mi insistencia en que practicases la meditación. La mente te salvará cuando tu cuerpo no pueda hacerlo. Estoy muy satisfecho de que hayas entrenado tanto por tu cuenta. Valoro que te hayas comprometido a esforzarte tanto. Te has dado cuenta por ti mismo de que si no te dedicas en cuerpo y alma al trabajo exigido —¡en cualquier ámbito!—, ¿quién lo va a hacer por ti?

Sus palabras me conmovieron. Mi padre jamás me había hablado así; nadie lo había hecho. Sentado en la postura *seiza*, hice una profunda reverencia, tocando el suelo con la frente, lo más bajo que alguien podía llegar. Sin embargo, nunca en mi vida me había sentido más alto.

Una pregunta se me quedó en el tintero.

—Si un nivel más alto de *bujutsu* implica la lucha con la mente, ¿qué hay en el nivel más alto de todos?

Él cerró los ojos durante un instante para ver cosas que nunca me mostraría.

—Eso sería no utilizar la lucha en absoluto —concluyó.

Capítulo trece

La situación en Europa estaba empeorando. Hitler había lanzado sus divisiones panzer en Polonia, abriendo así la brecha que pronto desgarraría el tejido de Europa hasta dejarlo hecho jirones. Una noche, estaba en la isla de Endo-san cuando me llamó desde el interior de la casa. Había sintonizado el servicio de noticias de la BBC Overseas: la voz de Neville Chamberlain, con un tono hueco por la distancia y las interferencias, declaraba que Gran Bretaña había entrado en guerra con Alemania.

—¿Estará tu familia a salvo? —preguntó Endo-san.

La secretaria de Alfred Scott me había dado detalles del viaje de vuelta a casa de mi familia unos días después de la fiesta en casa de Henry Cross.

—Partieron de Southampton hace dos semanas —contesté.

—Las rutas marítimas estarán controladas por submarinos alemanes —dijo él.

Comprobé la fecha en su calendario.

—Ahora estarán a medio camino de casa, lejos de Europa.

Intenté no mostrar mi preocupación, pero el viaje era muy largo y las distancias en aguas no protegidas, muy vastas. Me sentí culpable; en condiciones normales tendrían que haber estado en casa hacía dos meses, pero como yo había elegido no acompañarlos, mi padre decidió prolongar su estancia en Londres, dado que yo no iba a perder clases del nuevo año académico

Anoté mentalmente llamar a Scott y ver si había sabido algo más de mi padre.

Continuamos escuchando las noticias. Todo ocurría tan lejos que no pensé que fuera a afectar a nuestras vidas en lo más mínimo. Las novedades que llegaban parecían un serial de los que se oyen o se leen en el desayuno y luego se olvidan hasta que una nueva entrega, más terrible, aparece a la mañana siguiente.

A pesar de la reanudación de las clases en el instituto, Endo-san había intensificado mi entrenamiento después de volver de sus viajes, casi como si tuviese que cumplir con algún tipo de programa no escrito. Accedió a darme sus lecciones a última hora de la tarde para amoldarse a mis horarios, pero entonces comenzó a presionarme casi hasta la furia; aparte de Kon, yo no tenía a nadie con quien desahogarme.

Una vez que me hice amigo de Kon, empecé a enterarme de las historias que rodeaban a su padre, Towkay Yeap. Llevaban un tiempo circulando aquí y allá, pero nunca les había prestado mucha atención. A tío Lim, en particular, le encantaba cotillear sobre el presunto líder de la Sociedad del Estandarte Rojo.

—Eres como los sirvientes de la cocina, siempre con lo mismo —le dije un día, aunque me moría de curiosidad por descubrir más.

Supe que la Sociedad del Estandarte Rojo era una tríada, una banda criminal china, liderada por alguien a quien denominaban Cabeza de Dragón. Muchos de los primeros emigrantes que vinieron de China eran miembros de estas organizaciones, traían consigo las tradiciones y prácticas de sus tríadas y, por una suma de dinero, ayudaban a sus conciudadanos, que seguían emigrando, a establecerse en un nuevo país. Las guerras de Perak, que tuvieron lugar en Malaya en la década de 1880, estuvieron respaldadas por tríadas rivales, cada cual interesada en hacerse con la mayor extensión de territorio posible. Sus ingresos procedían de los honorarios de protección que pagaban sus miembros, con actividades que iban de la prostitución al juego ilegal. Muchos regentaban sus propios fumaderos de opio y pasaban también drogas de contrabando.

—¿Eres tú miembro de alguna de ellas? —le pregunté a tío Lim, que me miró fijamente, ofendido por que le hubiese hecho una pregunta tan personal.

—No hagas que Towkay Yeap se enfade —fue, en cambio, su advertencia—. Algunos dicen que su poder es mayor que el del gobernador de Singapur.

—¿Está mi abuelo en esas tríadas? Lo está, ¿verdad? ¿Es esa la razón por la que le eres tan leal?

Por toda respuesta, tío Lim me dijo que tenía que ir a buscar unas piezas para el coche y se negó a contarme nada más.

En los pocos momentos libres de que disponía, cuando Endo-san estaba ocupado, me convertí en un visitante asiduo de la casa de Kon. La residencia estaba en la zona china rica de Georgetown, que se dividía en Pitt Street, Light Street y China Street. Estaba situada dos casas más allá de La Maison Bleu, la antigua morada de Cheong Fatt Tze, que había sido el cónsul general chino para Singapur al servicio del gobierno manchú. Mi padre me dijo una vez que su funeral en 1916 fue el mayor que Penang había visto jamás; hasta los gobiernos holandés e inglés pidieron que las banderas ondearan a media asta en todas sus colonias.

«Esa es la casa en la que conocí a tu madre, en 1922 —me había contado—. El hijo mayor de Cheong Fatt Tze continuó con la tradición de su padre de celebrar sus famosas fiestas. Y allí, una noche, vi a tu madre, que estaba bailando. Me acerqué a ella, me sonrió y, sin mediar palabra, dejó sola a su pobre pareja y bailó conmigo el resto de la noche».

Vi cómo sonreía al ver a mi madre de nuevo.

«¿Sabes qué hizo cuando se le rompió el tacón? —continuó—. Se quitó los zapatos y los tiró a un rincón, lo que creó un pequeño revuelo entre las otras mujeres. Y entonces, dijo: "¿No vas a comportarte como un caballero y a quitarte tú también los zapatos?"».

«¿Y qué hiciste? —le pregunté».

«Me quité los zapatos y bailé con ella toda la noche hasta que llegó la hora de irnos —contestó, con los ojos brillantes por el recuerdo».

La Maison Bleu, la casa manchú, había recibido ese nombre porque tenía las paredes teñidas de índigo obtenido en la India, y eso hacía más fácil encontrar la casa de Kon, justo un poco más allá.

Llamé a las anchas puertas de madera. Una tapia encalada rodeaba la mansión, así que no veía lo que había dentro. Un momento después, un hombre mayor abrió con gran esfuerzo las pesadas puertas y crucé el umbral. Se cerraron detrás de mí y los sonidos de las calles se silenciaron de inmediato.

La casa estaba construida al estilo chino, con los bordes del tejado vueltos hacia arriba. Las tejas de terracota tenían una gruesa capa de moho envejecido y las palomas hurgaban con sus picos entre ellas con total confianza. Vi que Kon salía al balcón del segundo piso. Lo saludé con la mano y desapareció otra vez dentro.

Se encontró conmigo en la entrada delantera y me condujo al vestíbulo principal. Una gran mampara de madera, labrada con un millar de minuciosas figuras y recubierta con pan de oro, excluía a cualquier extraño del interior de la casa. Había farolillos rojos colgados de las vigas del techo, y pedestales cuadrados de madera con incrustaciones de madreperla que sostenían jarrones y figurillas de jade. Cuando me quité los zapatos, noté la frialdad de las baldosas de arcilla bajo mis pies desnudos y empecé a refrescarme del calor exterior.

Towkay Yeap, el padre de Kon, salió de detrás de la mampara y me estrechó la mano. Con su cara delgada y huesuda y sus ojos oscuros e inteligentes, tenía el aspecto de un erudito de los tiempos de Confucio. Había oído rumores de que, como muchos otros chinos ricos más viejos, frecuentaba los fumaderos de opio del centro. El consumo habitual de esta droga solía hacer que la carne de la cara desapareciese y que la piel se estirara hasta quedar tirante y, al mirar ahora la suya, casi creí aquellas historias.

Me preguntó por mi padre y dijo que tenían algunos negocios en común.

—Uno de los pocos *tuan besars* ingleses que ha hecho negocios con nosotros abiertamente —dijo, honrándolo con el título de «gran jefe», el término que los malayos utilizaban para referirse a hombres importantes—. Yo estuve en la boda de tus padres.

Parecía bastante simpático y me pregunté si sería capaz de ordenar la muerte de sus enemigos. Me estremecí cuando sentí que sabía lo que estaba pensando. Para perturbarme aún más, añadió:

—Por favor, transmite mis saludos a tu abuelo de Ipoh.

Estaba descubriendo lo pequeño que era mi mundo cuando Towkay Yeap me dedicó una sonrisa insondable antes de darse media vuelta y dirigirse a su estudio.

—Esta casa es preciosa —le dije a Kon cuando subíamos por una escalera de hierro forjado en espiral en el patio adoquinado. Oí las voces femeninas de la casa, las *amahs* que parloteaban en la cocina, los golpes de un gran cuchillo de acero en una tabla de cortar, pues se estaba preparando el almuerzo, y percibí el olor del arroz glutinoso al vapor cuando una suave racha de aire recorrió la casa. Un perro ladró ante mi presencia y una voz masculina le regañó: «¡Diamlah!».

—Mi padre le compró este sitio a Cheong Fatt Tze, que lo había mandado construir para una de sus esposas menores. Es mucho más pequeño que La Maison Bleu.

—¿Cuántas esposas tenía?

—Ocho oficiales.

—Número afortunado —dije.

—Para nosotros, los chinos, sí. Esta casa solo tiene diez habitaciones, pero la de Cheong tenía treinta y ocho. Aparte de eso, los detalles arquitectónicos y la decoración son casi idénticos. Realizados por el mismo equipo de artesanos.

Yo creía que mi habitación estaba hasta arriba de libros, pero en la de Kon había incluso más. A diferencia de los míos, los suyos, además de los que estaban escritos en inglés, incluían volúmenes en chino.

—Siento el desorden. Tengo una gran colección de libros sobre historia y arte chinos —señaló—. Cuando comencé mis estudios con Tanaka-san, empecé a coleccionar también libros sobre cultura japonesa.

Kon quitó una pila de libros de una silla y me pidió que me sentara. Los grandes ventanales y la puerta que daban a un balcón dejaban entrar la luz. Oí las voces de un vendedor ambulante que pasaba por delante de la casa vendiendo fideos *wonton,* y el *toc toc* de los badajos de madera que tocaba mientras pedaleaba en su carretilla.

—¿Cómo conociste a Tanaka-san?

—En la ceremonia de la Observación de la Llama, en el templo de la Perla del Océano, cerca de su casa. —Kon se percató de mi expresión de ignorancia y me lo explicó—: La decimocuarta noche del año nuevo chino, mi padre, como uno de los miembros del consejo de administración del templo, celebra una ceremonia. Se colocan unas brasas de papel sagrado en una urna y se abanican hasta que prenden fuego. Luego, los monjes del templo leen las llamas y predicen la suerte del nuevo año. La gente suele esperar fuera del templo para oír el veredicto del monje. Yo estaba allí una noche en que se desató una pelea. Vi cómo Tanaka-san la disolvía, me dirigí a él y le pedí que me enseñara.

—¿Así que empezaste el aprendizaje bajo su tutela aquella misma noche?

Kon negó con la cabeza.

—Al principio, se negó. Pero yo descubrí dónde vivía y esperé delante de su casa cada día después de clase hasta el anochecer. Hice esto durante unas cuantas semanas hasta que, al final, cedió. ¿Y tú?

—Yo lo tuve más fácil. Endo-san vino a mi casa a pedir prestado un bote y, después de eso, se ofreció a enseñarme.

—Debió de ver algo en ti —dijo Kon—, alguna cualidad que tienes.

Me sentía incómodo con el tema. En varias ocasiones me había preguntado por qué Endo-san había decidido convertirme en su alumno. ¿Que alquilase nuestra isla y que luego se convirtiera en una parte tan importante de mi vida había sido una mera coincidencia?

—¿Crees que mi encuentro con él, y el nuestro —todo— ha sido por casualidad? —le pregunté.

Kon tocó uno de sus libros.

—Depende de a quién le preguntes. Hay gente que lo verá como la consecuencia de las elecciones hechas en nuestras vidas previas.

—Una vez Endo-san me habló de la rueda de la vida del buda. Yo no creo en eso. Seguro que no estamos destinados a pagar continuamente por los mismos errores.

Pero entonces, Kon dijo algo que hizo que me preguntara si cada vida que empezaba era tan pura como a algunos les gustaría creer.

—El problema —continuó— es que algunos errores pueden ser tan grandes y tan graves que terminamos pagando por ellos una y otra vez, durante todas nuestras vidas, hasta que, al final, olvidamos por qué empezamos a hacerlo. Si eres capaz de recordar, entonces debes hacer el mayor de los esfuerzos para enderezar las cosas ahora, antes de que se te olvide otra vez.

Entonces se levantó.

—Basta ya de cháchara. Vamos a practicar. Me gustaría que me enseñaras algunas de las cosas que has aprendido —dijo.

Salimos de la habitación de los montones de libros y las palabras inquietantes y bajamos las escaleras para dirigirnos a la sala de entrenamiento. Sin embargo, nunca olvidaría aquellas palabras, que volverían a mí de boca de Endo-san.

—Debes prestar atención. Lo que hacemos aquí es cuestión de vida o muerte —me dijo Endo-san, con un tono brusco derivado de su exasperación.

Últimamente, nuestros temperamentos habían estado flotando justo por debajo de la superficie, listos para saltar fuera del agua como un pez aguja que atrapa el anzuelo. Yo me mordí la lengua para no responderle, maldiciéndolo por dentro, maldiciéndome a mí mismo. Ahora, en nuestras clases, la sombra de la incertidumbre y la distracción solía pender en el aire. Él muchas veces parecía preocupado, con la mirada distante y la mente en otra época. Otras, lo sorprendía mirándome fijamente, aunque sentía que asimismo estaba en otro tiempo. Entonces, regresaba de donde sus pensamientos lo habían hecho divagar y se apartaba de mí, haciéndome sentir que había hecho algo malo. Como resultado, mi mente estaba en cualquier sitio menos en el presente y perdía la concentración, lo que solo aumentaba su enfado.

Al nivel al que estábamos entrenando, esa falta de concentración era peligrosa. En un movimiento que no anticipé, Endo-san me volteó sobre él mediante una proyección con bloqueo de muñeca. No fui lo suficientemente rápido como para seguir la dirección del movimiento y así poder protegerme, y sentí un dolor agudo en la muñeca que me había torcido.

Endo-san supo, incluso sin que le dijese nada, que me había lesionado. Fue a la casa a por una caja que contenía sus productos medicinales.

Metió el dedo en un tarro con un ungüento de hierbas y me frotó la mano con movimientos rápidos y enérgicos. Hice una mueca de dolor, pero el esguince comenzó a calentarse en cuanto la piel absorbió la sustancia.

—Sanará en unos días —soltó con brusquedad, y volvió a la casa a preparar la cena.

Yo me cambié de ropa, me puse otra seca y lo seguí. Hasta que no me senté a la mesa, no me di cuenta de que mi mano lesionada era incapaz de manejar un par de palillos. Los dejé caer pesadamente y los platillos y el recipiente con la salsa de soja retemblaron. Nuestras miradas se encontraron y él se acercó más a mí. Cogió hábilmente una loncha de salmón y me sujetó la barbilla mientras la colocaba en mi boca. Mastiqué lentamente y mi mirada nunca se apartó de la suya. Él dejó los palillos en la mesa con cuidado y cogió una taza de té.

Solo se oía el burbujeo de la olla en el fuego. Estábamos tan cerca que cada aliento que él expulsaba, yo lo inhalaba, y cada aliento que yo liberaba, él lo poseía. Esperé a que continuara, a que tranquilizara la repentina confusión que sentí en mi interior. Al oír su respiración, supe que el siguiente paso dependía de mí, así que me planté firmemente en el camino que iba a tomar, me incliné hacia adelante y recibí otra ofrenda de su mano.

Aquel momento marcó el principio de nuestra relación, nuestra verdadera relación. Habíamos traspasado las fronteras que rodeaban la relación entre maestro y pupilo. Desde aquel instante, él comenzó a tratarme cada vez más como a un igual, aunque yo sentía que se contenía como si no quisiera repetir un error cometido en su vida anterior.

Capítulo catorce

El día del regreso de mi familia llegó antes de lo que esperaba. Una mañana me desperté y supe que la casa iba a llenarse de nuevo de sonidos y risas, que habría fiestas, bailes y almuerzos después de los partidos de tenis.

Esperé en la verja del muelle Weld, junto al Daimler negro al que tío Lim había sacado brillo hasta dejarlo reluciente. Mascaba un trozo de buñuelo de plátano mientras observaba el trasatlántico P&O entrar en puerto y traer a mi familia de vuelta a Penang. Habían pasado fuera seis meses, incluidas las ocho semanas que requerían los viajes de ida y vuelta. Yo había disfrutado de mi soledad y esperaba que su retorno no interrumpiera la rutina a la que me había acostumbrado.

El ruido del puerto me rodeaba: estibadores y culis llamándose a voces, vendedores ambulantes ofreciendo sus mercancías, gente saludando a sus amigos, perros ladrando, niños pequeños correteando de acá para allá mientras sus desesperados abuelos les gritaban para que parasen. Sobre nosotros volaban y chillaban gaviotas y, de vez en cuando, sonaba la sirena de un barco que se aproximaba al puerto. Durante unos instantes, deseé que Endo-san estuviese a mi lado.

Estaba preocupado por el número de soldados australianos que pululaban por el muelle. Eran todos muy jóvenes y tenían la cara roja por el calor y los uniformes verde oliva oscurecidos por el sudor. Lo que más me perturbó fue la mirada de determinación en sus rostros; sabían que había un motivo por el que estaban allí y me pregunté si el resto de nosotros íbamos a compartir aquel conocimiento. El gobernador de Singapur había asegurado a los que nos encontrábamos en Malaya que la presencia de soldados no debía ser motivo de alarma, que el Departamento de Guerra solo procuraba proteger el suministro de caucho y estaño. Al mirar a mi alrededor, me pregunté si había dicho toda la verdad.

Tío Lim volvió de la oficina del puerto.

—El barco está atracando ahora mismo —me informó.

Sentía un sano respeto por él; era duro como una caja de clavos y me había enseñado unos cuantos trucos sucios de lucha callejera. Sin embargo, también era amable y su voz, suave.

—A tu padre no le haría gracia que pasaras tanto tiempo con el japonés —me dijo, como para recordármelo otra vez.

—Bien, entonces tendremos que asegurarnos de que no se entera, ¿verdad? —le contesté—. De todas formas, es muy buen profesor —continué cuando Lim empezó a restregarse el codo, en el punto donde le había golpeado e inmovilizado la noche anterior.

Él se percató de mi sonrisa de suficiencia.

—Anoche tuviste suerte. Estaba un poco borracho.

Solté un resoplido exagerado.

—Estoy más que dispuesto a permitirte una revancha cuando estés sobrio.

Él meneó la cabeza y continuó:

—Debo admitir que ese japonés te ha enseñado bien.

A la primera que vi fue a Isabel, que salió corriendo (como siempre, a pesar de las veces que nuestra *amah* le había regañado por hacerlo) de entre la multitud que desembarcaba, con el pelo ondeando tras de sí. Tenía veintiún años y se estaba convirtiendo en una belleza; exhibía una fuerte presencia de los rasgos de mi padre. Nosotros dos éramos los que más nos parecíamos a él; Edward y William se parecían a su madre. Corrió hacia mis brazos y tío Lim se apartó a un lado con disimulo, asumiendo una vez más el papel de conductor discreto.

—¡Pero qué cambiado estás! —exclamó, recobrando el aliento—. Te hemos echado de menos.

A ella no le podía mentir, así que no le dije que yo también la había echado de menos. Me soltó y se giró para buscar a los demás.

—Oh, mira, ahí está padre. Ha mandado a los chicos a recoger el equipaje.

Noel Hutton, mi padre, salió a grandes zancadas de la sombra del muelle ajustándose el sombrero; era la viva imagen del inglés por excelencia. Medía un poco menos de metro ochenta, estaba bien proporcionado, aunque una incipiente barriga era reveladora de su buena vida. Tengo que decir que era muy atractivo: sus ojos eran de un azul marmóreo claro, tenía la mandíbula firme y las orejas un poco despegadas de una forma entrañable. Su pelo ya era de un gris impecable.

Primero buscó su coche favorito, echándole un rápido vistazo, comprobando si había sufrido algún daño en su ausencia. Después, me vio a mí y, durante un segundo, pareció perplejo y las cejas casi se le juntaron. Acto seguido sonrió, me dio un apretón de manos y olí su familiar perfume. Años más tarde, tras la guerra, encontré en su habitación una botella sellada de la loción Burberry para después del afeitado que él usaba, y desenrosqué el tapón. Su olor, tan repentino, tan inesperado, me hizo soltar la botella, que cayó al suelo derramando el contenido y oscureciendo el suelo de madera. Por un instante, creí que mi padre estaba de nuevo conmigo.

—Te habrás portado bien, ¿no? —me preguntó, mirando de reojo a tío Lim, que asentía ligeramente.

—Pues claro —le dije. Era mi turno de mirar rápidamente a tío Lim.

Me rodeó los hombros con su brazo y supe que me quería, sin lugar a dudas. Entonces, ¿por qué no era capaz de darle yo la misma cantidad de amor? ¿Aquel defecto mío se debía a la amargura que aún sentía por la muerte de mi madre, que me había dejado un sentimiento de huérfano abandonado en la puerta de una casa?

Me soltó y estrechó la mano de tío Lim.

—Bienvenido a casa, señor.

Tío Lim solo hablaba en inglés con mi padre, aunque sabía que este se expresaba en su dialecto hokkien casi con fluidez.

Edward y William salieron con el equipaje, siguiendo al maletero que habían encontrado. Ellos también se sorprendieron de mi cambio de aspecto. No había visto a William desde hacía tres años y, sin embargo, me pareció el mismo, con su sonrisa insinuando una nueva travesura aún no perpetrada y sus movimientos enérgicos y rápidos.

—Veo que has pasado hambre —dijo William. Me dio un apretón de manos y luego me lanzó un puñetazo al hombro, aunque esta vez, a diferencia de otras, lo evité fácilmente y le atrapé la mano, a la que le di la vuelta girándole la muñeca, bloqueándole las articulaciones y obligándolo a doblar las rodillas.

—¡Eh, para, eso duele! —se quejó.

Lo solté.

—¿Dónde has aprendido a hacer eso? —me preguntó.

—Parece que nuestro hermanito ha aprendido a contraatacar —dijo Isabel—. Me alegro por él.

Entonces se alargó y me dio un beso rápido en la mejilla.

En el coche no paraban de hablar de la guerra en Europa.

—Tuvimos suerte de partir cuando lo hicimos. Los submarinos U-boots de Hitler están hundiendo muchos de nuestros barcos —me comentó mi padre—. Se nos avecinan tiempos difíciles.

—Gran Bretaña necesitará más materias primas para sus fábricas —predije.

La opinión entre los comerciantes de Penang era que la guerra en Europa haría salir a la economía malaya de la profunda depresión en la que había caído. Los precios del estaño, el caucho y el mineral de hierro se dispararían.

—Eso es obvio, pero transportarlos por barco va a ser un problema —señaló Edward.

—Aquí estaremos bien —dijo William—. Lejos de la guerra.

Dijo esto con un poco de amargura y me di cuenta de que había vuelto a Penang a regañadientes. Siempre había dejado claro que no deseaba entrar en la compañía familiar, pero la orden directa de mi padre había sido lo suficientemente firme como para asegurar que hacía el viaje de trece mil kilómetros de vuelta a casa con ellos.

Noel, que miraba por la ventanilla, apretó los labios.

—Sabes que preferiría que trabajases en la empresa durante uno o dos años antes de que te alistaras. Y esa fue la promesa que me hiciste antes de partir. Al menos aprende de dónde viene el dinero que has estado derrochando con tus amigos en Londres.

William se sintió profundamente herido y, antes de que pudiera contestar, me precipité a llenar el silencio.

—El *Straits Times* fue vehemente y condenatorio acerca del ataque sorpresa que se lanzó sobre la base naval de Scapa Flow.

—Malditos alemanes —dijo Edward—. Se perdieron más de setecientas vidas. Vidas británicas —añadió, como si esas tuviesen mucho más valor.

—Y los japoneses en China —dijo mi padre, girándose hacia nosotros— están desgarrando el país. ¿Cómo está tu familia, Lim?

Tío Lim nos miró por el espejo retrovisor.

—Están a salvo, señor. Mi hija ya está aquí.

—Bien. Deberías mandar a buscar también a tus esposas. Creo sinceramente que aquí estarán más seguras. En Penang no les sucederá nada. Malaya es uno de los lugares más seguros en los que se puede estar en estos momentos.

Volví a pensar en las historias de Ming. En las últimas semanas, tío Lim me había tenido al tanto de las crueldades japonesas que había leído en los periódicos chinos locales más sensacionalistas. Quería pedirle que parase, pero una parte de mí ansiaba oírlas.

—¿No crees que vaya a invadir Malaya? —preguntó Isabel a nadie en particular.

Mi padre, con la mirada perdida en la distancia, dijo:

—Creo que lo intentarán. Y fracasarán. Singapur está armada hasta los dientes para luchar contra quien sea. Tienen cañones de casi un metro apuntando al océano. Los destructores surcan los mares vigilando por si un imprudente barco japonés intenta colarse y, como puedes ver, hay soldados por todas partes, incluso aquí, en Penang. Estaremos a salvo.

Su opinión era la que prevalecía entre los europeos que vivían en Malaya. La seguridad de sus palabras nos dio confianza, por lo que dejamos el tema y nos pusimos a hablar del viaje.

—¿Sabéis lo que más he echado de menos en Londres? ¿Os importaría que parásemos en el puesto de *mee rebus* de Rajoo?

La tensa atmósfera del coche se desvaneció de inmediato. Isabel y Edward se rieron y accedieron a permitir que se diera un capricho con sus fideos indios favoritos en el único puesto callejero en que se los comería.

La vida volvió a la normalidad durante los meses restantes de aquel año. Era mi último trimestre en el instituto y me preparé a conciencia para los exámenes finales con los que obtendría el título. Endo-san redujo la frecuencia de mis lecciones con el fin de dejarme tiempo para estudiar. Solventé bien la situación y saqué notas altas en Latín, Matemáticas e Inglés. La mayoría de los miembros de mi familia se sorprendieron, pero Endo-san no. Él sabía lo que podía conseguir cuando me lo proponía. Después de todo, era él quien me había entrenado para ello.

Mi padre era un ávido lector y estaba orgulloso de su biblioteca. En sus maletas había traído de Londres, como de costumbre, una gran colección de libros. Los asuntos de la empresa le habían impedido desempaquetarlos inmediatamente a su vuelta, y yo sabía que estaba deseando ponerse manos a la obra. Un fin de semana de diciembre, después del desayuno, me dijo:

—Ahora tienes mucho tiempo libre. Ven y ayúdame con los libros.

Él sabía que disfrutaría haciéndolo, pues nuestras caras reflejaban la misma expresión de satisfacción cuando deambulábamos por la biblioteca, colocando en las estanterías el libro apropiado en el lugar correcto, hablando de ellos mientras tanto, discutiendo sobre los méritos y defectos de cada uno.

La biblioteca estaba en la esquina oeste de la casa, lejos de los salones donde comíamos o recibíamos a las visitas. A pesar de su tamaño, era un lugar tranquilo y agradable. Las ventanas estaban abiertas. Fuera, el sol despedía aquella luz que solo estaba presente en Penang: brillante, cálida, potente, capaz de avivar los colores del mar. La brisa mecía suavemente la casuarina, mientras unos gorriones danzaban en sus ramas, agitando las alas frenéticamente.

Había un escritorio de caoba cerca de las ventanas donde mi padre solía sentarse cuando tenía trabajo que hacer. Las estanterías llegaban hasta el techo, pero una de las paredes se había dejado libre para exhibir su colección de mariposas y sus espadas *keris*.

Las mariposas estaban montadas y perfectamente etiquetadas en cajas de madera con frontales de cristal, en las que formaban hileras ordenadas de *Papilionidae*, cuyas alas disecadas todavía conservaban intactos sus colores, aunque estuviesen destinadas a no volver a volar. Mi padre había sido un entusiasta coleccionista de lepidópteros y había viajado por toda Malaya para aumentar su muestrario, hasta que mi madre enfermó cuando lo acompañaba en uno de sus viajes a los bosques pluviales. Tenía la esperanza de encontrar una *Trogonoptera brookiana*, una rara especie descubierta por Alfred Russell Wallace en 1855.

De hecho, la encontró en aquel viaje y ahora estaba montada en su propia caja: una criatura grande y bella, de casi veinte centímetros de largo con las alas negras extendidas, decoradas con una serie de dibujos de color verde luminoso en forma de dientes. Ahora pasaba por su lado sin echarle siquiera un vistazo ni a este ni a ninguno de los otros ejemplares. Además, había dejado de coleccionar mariposas desde aquel viaje, desviando su interés a la adquisición de espadas tradicionales javanesas y malayas. Ya contaba con ocho de ellas en su haber.

Ahora estaba plantado delante de aquellas hojas curvadas, cada una de las cuales tenía por lo general siete ondas que les conferían el aspecto de serpientes congeladas. Las *keris* eran cortas, más o menos de la longitud del antebrazo de un hombre desde el codo a los dedos. La empuñadura de la *keris* que estaba examinando en particular representaba un animal mitológico grabado en marfil y decorado con diamantes.

Había comprado esa *keris* en particular justo antes de marcharse a Londres, a un sultán depuesto de un estado malayo que pasaba por un mal momento. El sultán le había advertido de los elementos mágicos de una *keris*: cada daga albergaba un espíritu que protegería al dueño de la desgracia, a cambio de ofrendas regulares de comida y bebida. Sin embargo, como iba a ser traspasada a un europeo, el sultán le aseguró que un *bomoh*, un brujo malayo, le había quitado el alma y ya no se requerirían tales rituales.

Noel cogió la *keris* de su soporte, con una expresión de reverencia en el rostro parecida a la de Endo-san cada vez que examinaba su espada Nagamitsu. Ahora que tenía mi propia espada, apreciaba mejor la fascinación que sentía mi padre por las suyas. La tomé de sus manos y probé su acabado con unos cuantos amagos de puñaladas y cuchilladas. Había sido forjada con exquisitez, y la combinación de hierro, níquel y acero hacía que la hoja pareciese oscura y untuosa. Las espirales resultantes del proceso de fraguado y modelado de la hoja capturaban la luz y, al levantar la espada, daba la sensación de que subía humo hasta la punta.

—Parece como si supieses utilizarla —dijo.

Me encogí de hombros y le devolví la *keris*.

—He hecho algunas indagaciones sobre ella en el Museo Británico —continuó—. El viejo sultán no mentía. Fue forjada para un rey en los tiempos del imperio Majapahit, hace quinientos años. —La volvió a dejar en su soporte de la pared y negó con la cabeza—. De entre las creaciones de nuestro mundo moderno, ¿qué crees que seguirá en pie y tendrá valor histórico y estético dentro de quinientos años?

—No sé —contesté—. La verdad es que nunca me lo había planteado.

—Deberías hacerlo si tanto interés tienes por la historia —repuso—. Te garantizo que no es una pregunta que pueda contestarse a la ligera.

Entonces, se dirigió a una caja abierta y dijo:

—Esto es para ti.

Tomé la pesada caja de sus manos. Había leído sobre la existencia del *Bosquejo de la historia* de H.G. Wells por primera vez hacía un año en el *Straits Times* y, desde entonces, había estado pidiendo una copia en las librerías de Kuala Lumpur y Singapur, sin éxito.

—¿Cómo sabías…? —empecé. Nunca le había hablado del libro.

Él disfrutó de la expresión de sorpresa de mi cara.

—Soy tu padre, ya sabes —me respondió, casi disimulando con la alegría de su voz las emociones contenidas en su sencilla declaración.

Sin embargo, yo las sentí y modifiqué mi respuesta en consecuencia para hacerle saber que lo había entendido y para evitar una pérdida de reputación por su parte. Ambos sabíamos lo que el otro había querido decir, y eso era suficiente.

—Gracias —dije—. ¿Puedo leérmelo ahora?

—Ni hablar. Primero vas a ayudarme a colocar esto en las estanterías —contestó.

Pasamos la mañana catalogando sus recientes compras: yo, haciendo comentarios despectivos en broma sobre algunos de ellos, y mi padre, defendiéndolos sin mucha convicción. Una de las criadas entró para limpiar el polvo, pero cuando nos vio reír y charlar, se marchó discretamente.

—¿Fuiste al templo con tu tía? —me preguntó.

—Así es.

—Bien. Le pedí que se asegurara de que ibas. —Noté que se sentía complacido de que hubiese obedecido a tía Mei—. Tus notas han sido excelentes. Ojalá las de William hubiesen sido tan buenas.

—Lo he hecho lo mejor que he podido —contesté medio tartamudeando por el súbito rubor de orgullo contenido que me embargó.

Él no solía elogiar tan fácilmente.

—¿A qué universidad te gustaría ir? Con tus notas podrías elegir la que quisieras.

—La verdad es que no lo he pensado —respondí—. Todavía queda tiempo.

Él asintió, pensativo.

—De todas formas, tendrías que aguardar hasta el próximo octubre y, en estos momentos, es demasiado peligroso mandarte fuera.

Uno de los pocos inconvenientes de ir a un instituto local era que nuestros trimestres estaban organizados de forma diferente a los de Inglaterra, así que tendría que esperar hasta el comienzo del siguiente año académico inglés para continuar con mis estudios superiores. Y, ¿quién sabía lo que iba a durar la guerra en Europa?

En aquel momento, estaba satisfecho con aquel estado de las cosas, ya que no quería abandonar mis lecciones con Endo-san. La nuestra era una relación que no se podía dejar a un lado sin más, como él me había advertido, y yo sabía que estaba obligado a mantener mi parte del trato. Además, todavía había mucho que deseaba aprender de él.

—No quiero que desaproveches el tiempo como ha estado haciendo William —me advirtió mi padre—. ¿Has pensado en lo que quieres hacer mientras tanto?

—Me gustaría trabajar durante un tiempo en la empresa —propuse—. Como Edward y William. Quiero saber mucho más sobre nuestra familia.

La idea había estado rondándome por la cabeza y llevaba sopesándola un tiempo. Además, se había reforzado al ver la importancia que mi padre daba a la presencia de William en la compañía. La conciencia de mi patrimonio había despertado tras la visita a mi abuelo y, por la cara de felicidad no disimulada de mi padre, supe que había tomado la decisión correcta.

—Eso es maravilloso —dijo—. Ya te encontraremos algo.

Justo antes de mediodía dijo:

—Bueno, ya está. Vayamos a tomarnos algo.

—Tengo que decirte una cosa —le anuncié, tomando una rápida decisión. Me senté y le conté lo de mis clases con Endo-san: este había insistido en que lo hiciera. Fue una de las pocas veces en que mi padre perdió los estribos conmigo. Su enfado barrió la anterior cordialidad de un plumazo.

—¡Es un maldito japonés! —dijo, levantando la voz.

—Al que tú le alquilaste la isla —respondí, enviando mi mente donde el mar y el cielo se confundían, manteniendo mi centro.

Antes de conocer a Endo-san, habría contestado a mi padre a gritos.

—Sabes lo que están haciendo en China. ¿Qué quiere de ti?

—Enseñarme su cultura y algunas habilidades de defensa personal.

—Tú no necesitas ese tipo de destrezas. Además, no confío en él.

—Yo sí.

Entonces, dejó escapar un suspiro.

—Sé que no he sido un buen padre. Estás perdiendo el rumbo.

Yo negué con la cabeza.

—No he perdido el rumbo. Mírame. Estoy más en forma que nunca. Mi mente es más aguda, más lúcida. Mírame bien.

Él se sentó y me miró a los ojos. Yo quise apartar la vista, pues había demasiada desesperación en los suyos.

—Cuando naciste, tu madre me hizo prometer que nunca te controlaría como su padre la había controlado a ella, pero ver cómo te has relacionado con un japonés hace que me pregunte si no debería haberlo hecho.

—Si de verdad te importaba, entonces, mantén la promesa que le hiciste —dije, aferrándome a la pequeña grieta que había abierto y utilizándola en mi provecho—. La guerra no va a llegar hasta aquí. No va a pasar nada. Tú mismo lo has dicho.

En mi cabeza oía la voz de Endo-san: «Redirige el impulso de tu oponente de vuelta hacia él mismo».

Mi padre permaneció en silencio, sin saber muy bien qué decir, y supe que, una vez más, me lo había llevado a mi terreno.

—He conocido a mi abuelo —le conté.

«Guía la mente», me había dicho Endo-san. Ahora mi padre me miraba con mayor interés y sus pensamientos, por el momento, estaban donde yo quería que estuviesen.

—¿Cómo está el viejo? —me preguntó.

—Sigue muy fuerte —le dije—. Creo que nos caímos bien y lo invité a venir a Penang. Parece arrepentirse del pasado y de cómo trató a madre.

—Sabes que yo quería a tu madre, ¿verdad? —me confesó—. La gente pensaba que me había naturalizado, como hacen tantos otros, pero ellos no comprendían lo que sentíamos el uno por el otro.

—Lo sé —dije, en un intento por mantener la frágil conexión que había surgido, de improviso, entre los dos.

Él nunca me hablaba sobre mi madre y me percaté de su lucha interior al intentar contarme más. Apartó la vista de las mariposas enmarcadas, pero no fue lo suficientemente rápido como para esconder el dolor de sus ojos, como si se hubiera cortado sin darse cuenta con una de sus *keris*.

—Había demasiadas cosas que superar. Pensé que podía hacerlo, pero ella supo, desde el principio, lo difícil que resultaría. Aun así se casó conmigo. Su padre hizo que los criados sacaran todas sus pertenencias de la casa el día en que ella le comunicó la fecha de nuestra boda. Nunca más volvió a verlo —me contó. Deseaba que continuara.

»Los europeos locales la trataban mal y nunca fue bien recibida entre su propia gente. Pero era tan fuerte y tan indomable que me dio fuerzas mientras estuvo viva. Quería demostrar a todo el mundo que se equivocaban.

Su voz se suavizó.

—Nunca te he enseñado el río que hay cerca de casa, ¿verdad?

—Creo que sé dónde está —dije.

No era uno de mis habituales refugios solitarios. Prefería el mar. Mi padre me reveló entonces lo especial que era aquel sitio, lo que nunca había sabido.

—Era nuestro escondite secreto, el lugar tranquilo al que escapábamos cuando las cosas nos superaban —me dijo—. Siempre íbamos al atardecer, guiados por la fragancia del frangipani que ella plantó allí. Remábamos río abajo, ella se echaba en mis brazos y esperábamos en nuestra barca a que aparecieran las luciérnagas en los árboles que bordean la orilla. Había miles de ellas iluminando la oscuridad, mostrándonos el camino.

Me imaginé la escena, dos amantes completamente atípicos intentando encontrar su lugar en el mundo, rodeados por una barrera protectora de luz.

—Unas semanas después de que nos casáramos, llegué tarde a casa una noche. Todo estaba a oscuras. Corrí hacia el interior, convencido de que algo horrible había sucedido.

—¿Qué *había* sucedido? —pregunté.

Desde que tenía memoria, siempre había habido una luz encendida en Istana por la noche y era difícil imaginar la silueta de su gigantesca estructura indefinible recortada contra el cielo oscuro.

—Me estaba esperando con una vela en la mano. Se llevó un dedo a los labios y me condujo hasta nuestra habitación en el piso de arriba. Cuando llegamos al umbral, apagó la vela y abrió la puerta. No podía creer lo que estaba viendo —dijo con la voz convertida ya en un susurro.

»Había dejado caer las mosquiteras sobre la cama para cubrirla por completo. Y, en la oscuridad, entre los pliegues de la mosquitera, había cientos de luciérnagas que ella había capturado en el río.

Entonces calló, incómodo, pero al ver la expresión de comprensión y curiosidad en mi cara y, después de un corto silencio, añadió:

—Pasamos la noche bajo una lluvia de luz. Fue la noche en que te concebimos.

Me recosté en la silla y dejé escapar un largo suspiro, intentando ocultarle las lágrimas que, al igual que ocurre con la marea que se queda atrapada formando charcos entre las rocas, me habían inundado los ojos. Sin embargo, cuando alcé la vista hasta él, vi que los ojos que yo había heredado también estaban empañados.

—A la mañana siguiente, capturó todas las luciérnagas, las metió en tarros de cristal y las devolvió al río —dijo, con voz forzada, aunque una sonrisa triste que indicaba lo muchísimo que echaba de menos a mi madre y sus excentricidades apareció en su cara.

»Muchas veces pienso en lo difícil que debe de ser para ti; siempre te alejas, intentas no formar parte de nosotros. Pero tú también eres un Hutton. Nunca lo podrás evitar. ¿Sabes lo mucho que te hemos echado de menos?

Entonces, me alborotó el pelo, algo que no había permitido que me hiciera desde hacía mucho tiempo. Se puso en pie y se fue, dejándome en la biblioteca rodeado de todos sus libros. Recorrí las estanterías mirando los títulos: las *Historias* de Heródoto, el *Banquete* de Platón o la antología de relatos cortos de Maugham. Todas las grandes obras estaban allí y comprendían tanto literatura como historia y filosofía. Abrí el libro que me había regalado, pero descubrí que era incapaz de leer ni una sola letra. Sus tiernas palabras me habían desconcertado y me desvelaron que lo había herido durante todos aquellos años. Él siempre había sido un hombre muy reservado y había hecho falta una gran dosis de humildad por su parte para revelarme los detalles de mi concepción. Como el mejor de los padres, había soportado mi insensibilidad con dignidad y silencio, así que lo único que pude hacer fue sentarme, cerrar el libro y pensar en la forma de compensarlo.

Capítulo quince

Hice un alto en el relato; Michiko tenía la vista puesta en el cielo iluminado por una pálida luna. Ya era más de medianoche y había pasado más de una semana desde que le abrí la puerta y la dejé entrar en mi casa. Habíamos fijado una rutina tácita: yo le seguía contando más y más fragmentos de mi historia cada noche después de cenar.

Le di un sorbo al té, sin dejar de observarla. Era bastante bella, como solo las mujeres japonesas pueden serlo: recatada por fuera y con venas de acero por dentro.

—Nuestro paseo en barca por el río... —susurró—. Y pensar que una vez tus padres estuvieron allí también y que vimos lo mismo que ellos... Eso hace que me sienta como si las luces de las *hotaru* que presenciamos fuesen las mismas bajo las que tus padres se abrazaron, casi como la luz de las estrellas que han estado brillando durante millones de años, iluminándolo todo en su viaje, y que acaba de llegarnos a nosotros.

Nunca antes había pensado en eso, pero su observación me hizo sentir que, de hecho, habíamos estado en presencia de la misma fuente de resplandor que una vez había proporcionado consuelo a mis padres y que, hacía unas pocas noches, también desplegó su magia y me transmitió un sentimiento parecido, aunque debilitado, de ese amparo.

—¿Quieres descansar? —le pregunté en voz baja.

Ella cerró los ojos y cuando los volvió a abrir, había un brillo líquido en ellos.

—Me gustaría escuchar más, pero no esta noche. Estoy cansada.

Entonces, la ayudé a levantarse y la conduje a su habitación.

Aunque creí que yo no iba a necesitar muchas horas de sueño, a la mañana siguiente me desperté tarde. Michiko ya estaba en la terraza cuando salí.

—¿Has dormido bien? —le pregunté al tiempo que le servía una taza de té.

Ella negó con la cabeza, haciendo una mueca de dolor al estirarse. Tuve la impresión de que había adelgazado desde el día en que llegó, y eso me preocupaba.

—Las pastillas ya no te hacen nada, ¿verdad?

La taza tembleqeó en el platillo cuando la cogió de mi mano y se la llevó a los labios.

—Las detesto, pero hay días en que el dolor es tan grande que no me queda otro remedio. Ni el *zazen* sirve de nada.

—¿Has ido a varios médicos?

—A todos los médicos y especialistas que el dinero y la influencia pueden pagar —contestó—. ¿Cómo lo has descubierto? Nadie lo sabe.

—Tu pérdida de peso, las pastillas que tomas cuando crees que nadie te ve. Tu viaje aquí, a Penang. Pequeños detalles —dije.

En aquel momento reflexioné sobre el papel que estaba desempeñando, el de un contador de cuentos a una mujer achacosa, a la que paseaba de una parte a otra de mi pasado.

—No te preocupes, aguantaré hasta que llegues al final.

—Intentaré saltarme más cosas —le propuse, en tono de broma, pero ella rechazó mi oferta.

—No, por favor, no hagas eso. Deseo oírlo todo. Prométemelo —dijo, y eso hice.

Entonces, me levanté y añadí:

—¿Te veré esta noche?

—Sí, estoy deseándolo. —Ella también se levantó y ambos nos saludamos—. Me preguntaba si… —dijo.

—¿Sí? —Me detuve en la puerta y me giré para verla.

—Me gustaría ver algunos de esos otros sitios a los que llevaste a Endo-san en Penang. No te preocupes, no insistiré en ir a su pequeña isla. Ahora me doy cuenta de que sigue doliendo después de todo este tiempo.

Accedí a su petición. Había vuelto a muchos de aquellos lugares en los días que siguieron a la guerra, cuando en los silencios de mi vida lo echaba de menos. Había acudido con la esperanza de que los sitios siguieran conservando un eco de su presencia y de su paso, pero solo me encontré con vacíos. Los ecos resonaban aún más fuerte en mi cabeza, confinados dentro del universo de mi mente.

Sentado a mi escritorio en Beach Street, me pregunté si, al contarle a Michiko cosas sobre Endo-san, podría dejar que esos ecos de mi mente se expandieran más allá de las fronteras de mi memoria, para que así su fuerza se debilitara poco a poco y se difuminara para siempre en el silencio. Una parte de mí deseaba con toda el alma que me abandonase definitivamente. Sin embargo, la parte que siempre lo querría se mostraba reacia ante la posibilidad de tan irremplazable pérdida. Las palabras de mi abuelo volvieron a mí tan altas y claras que me di la vuelta involuntariamente para mirar detrás de mí, como si estuviese allí de pie. «Después de un padre, un maestro es la persona más poderosa en la vida de cualquiera». Y Endo-san había sido más que mi padre, mucho más que mi maestro.

—¿Señor Hutton? —interrumpió.

Dejé la voz de mi abuelo y volví al presente.

—¿Qué ocurre?

—La señorita Penelope Cheah ha venido a verle. El periodista, también.

—Oh, sí, haga pasar a la señorita Cheah primero, por favor.

Después de la guerra, me dio por pasear a menudo con el coche por calles de casas abandonadas por sus propietarios, muchos de los cuales habían muerto, ya fuese en los campos de prisioneros o en el mar, cuando los cazas japoneses hundieron los barcos en los que huían. Cuando la paz volvió, hubo compañías que compraron la mayoría de esas propiedades y las derribaron para construir tiendas modernas. Un sentimiento de pérdida me embargaba cada vez que otra casa, seguramente la única en el mundo de su estilo, era destruida y reducida a escombros.

—Muy bien, ¿y por qué no las compra? —me preguntó Adele una mañana cuando llegué quejándome amargamente de otra demolición que había presenciado.

—¿Y qué hago con ellas?

Ella se encogió de hombros.

—Restaurarlas. Abrirlas al público o convertirlas en hoteles de lujo. —La miré fijamente hasta hacerla sentir incómoda—. Olvídelo. Era una idea estúpida —zanjó.

—No, no lo era. Es una idea maravillosa —respondí.

Fue así como creé la Fundación Hutton para la Preservación del Legado y, con el paso de los años, salvé de la desaparición incontables edificios, desde las tiendas-casa de Georgetown a las mansiones de Northam Road. Muchas fueron restauradas por artesanos de China e Inglaterra. Intenté obtener materiales tan parecidos a los originales como me fuera posible y viajé para ello hasta el interior de China para buscar las tejas adecuadas o para intentar encontrar a un operario que trabajase a la antigua usanza. Hay gente que colecciona sellos; yo coleccionaba casas antiguas.

Hace tres años, la residencia de Towkay Yeap, la que el cónsul manchú había mandado construir para una de sus ocho esposas, sucumbió a los golpes del martillo. Nunca supe lo que le había sucedido al padre de Kon. Después de la guerra, pareció como si se lo hubiese tragado la tierra y su casa se deterioró, quedando desocupada hasta que un inglés intentó convertirla en una galería de arte. Cuando el inglés murió, los bancos se apropiaron de ella y tuve que hacer la oferta más grande que se recordaba en Penang por una mansión.

—Hice muchos enemigos en la subasta —le dije a Adele—. ¡Pero la conseguí!

Busqué a un arquitecto que organizase el proyecto de la casa de Towkay Yeap, pues mi equipo de costumbre no estaba habituado a aquel tipo de diseño. Después de leer una entrevista que le hacían a Penelope Cheah en una revista de arquitectura, contacté con ella y la invité a mi oficina. Era una china bajita de unos treinta años, con ojos brillantes y penetrantes y la mente, como sus manos, llena de planos enrollados, listos para ser desplegados y convertidos en realidad.

Me mostró lo que había hecho con su propia casa solariega en Leith Street, que era muy parecida a la de Towkay Yeap, y me gustó.

Los dos nos desplazamos a Stoke-on-Trent para buscar baldosas, a la fundición MacFarlane & Co. de Glasgow para encontrar a un herrero que pudiese replicar las rejas de hierro forjado originales, e incluso a la provincia de Fujian en el sur de China para contratar a un experto artesano que reparase y recrease las tejas rotas del tejado.

Solo tenía un principio: cada elemento tenía que ser original o tan parecido a él como fuese posible en estos tiempos de usar y tirar, pues siempre recordé la pregunta que me hizo mi padre en la biblioteca al volver de su viaje a Londres, la que no pude contestar en su momento: «De entre las creaciones de nuestro mundo moderno, ¿qué crees que seguirá en pie y tendrá valor histórico y estético dentro de quinientos años?».

Hay días en que me siento pesaroso al pensar en la cantidad de arquitectos y asesores que dimitieron mientras trabajaban para la fundación. Penelope Cheah, en cambio, además de poseer conocimientos sobre arquitectura, era una apasionada de los viejos edificios coloniales de Penang. Los dos compartíamos esa pasión y eso fue lo que la mantuvo en el proyecto cada vez que yo me impacientaba o me ponía exigente o poco razonable.

Adele la hizo pasar a mi oficina y su sonrisa era, como siempre, alegre e infatigable. Ella sola había aguantado más tiempo que cualquiera de los demás arquitectos.

—¿Cómo van las obras? —pregunté.

—Ya está casi terminada. Y será la mejor restauración que jamás haya emprendido la fundación. Se rumorea que la UNESCO tal vez nos otorgue el máximo galardón por conservación del patrimonio histórico.

—Eso es maravilloso. También será la última restauración que haga.

—No entiendo.

—Me estoy haciendo mayor y estoy cansado. Quería parar hace mucho tiempo, pero esta… esta me trae recuerdos especiales.

—Has hecho mucho por la conservación de la historia de esta isla. Sería una auténtica pena que lo dejaras —dijo.

—Últimamente he estado pensando cuánto tiempo puede uno aferrarse a la historia. He procurado detener el tiempo, que no avanzara, y quizá me haya equivocado y haya sido un ingenuo.

—¿Recuerdas las primeras veces que entramos en la casa después de que la compraras? —me preguntó en un intento por apartarme de mi evidente ánimo melancólico.

—Sí. Era un desastre —contesté para seguirle la corriente, emocionado por su preocupación.

Una semana después de que el papeleo de la venta hubiese terminado, me quedé plantado frente a las puertas de madera de la casa de Towkay Yeap. Fue como si los años nunca hubiesen pasado. La luz era la misma y, cuando alargué la mano para tocar el pomo cuadrado, oí los gritos del vendedor ambulante que pasaba por delante de la casa vendiendo fideos *wonton,* y el *toc toc* de los badajos de madera al pedalear en su carretilla. El vendedor pasó por mi lado y sus sonidos se desvanecieron.

Salí al jardín y, aunque había visto muchas casas en estado de abandono, el descuido —no, el *maltrato*— de esta me impresionó. El tejado estaba medio hundido y muchas tejas, partidas en fragmentos como los cascarones de un pájaro mítico, estaban desperdigadas por el césped esmirriado y arenoso. Unos ocupantes ocasionales habían descolgado las puertas de palo de rosa y las habían utilizado para hacer fuego, y las vidrieras de colores *art déco* estaban hechas añicos.

Dentro era aún peor. Donde no habían cortado a hachazos la preciosa mampara adornada con pan de oro, el humo de las hogueras utilizadas para cocinar la había echado a perder. Las molduras habían desaparecido y solo quedaban protuberancias incrustadas en las paredes, capullos condenados a no florecer jamás.

Ahora, al rememorar aquel día, no pude más que hacer un gesto de reprobación. Penelope sonrió al compartir mis recuerdos.

—Hoy tiene un aspecto completamente distinto —dijo, incapaz de reprimir el orgullo de su voz.

—Me gustaría mostrársela a una amiga mía. ¿Cuándo la tendrás lista?

—Creo que a finales de esta semana.

—Buena fecha —dije. Adele entró y me recordó la entrevista con un reportero del periódico local. Me había mostrado reacio a concedérsela, pero la jefa de redacción tenía interés en publicar un artículo sobre la Fundación Hutton.

—No te marches todavía —le dije a Penelope—. Tú también formas parte de esto.

El periodista era un chino joven y cortés, y hablamos durante un rato sobre la conservación de la historia y de la memoria colectiva de la isla. Sin embargo, me di cuenta de que la entrevista escondía otro motivo cuando sus preguntas cambiaron de dirección.

—Este año se cumple el cincuenta aniversario del final de la ocupación japonesa —dijo con expresión incómoda—. ¿Cómo justificaría el papel que desempeñó durante ese tiempo?

—Todo eso pertenece al pasado —contesté.

—¿En serio? Entre algunas personas es considerado un criminal de guerra que, de alguna forma, consiguió escapar a la justicia. ¿Es correcta esa percepción?

Penelope protestó.

—Eso no tiene nada que ver con la fundación.

La silencié con una mirada. Me dejé llevar por mi enfado un momento, consciente de lo imponente que podía llegar a parecer cuando quería y, a continuación, dejé que este se consumiera.

—¿Cuántos años tiene?

Él había estado esperando un ataque por mi parte y me dedicó una mirada recelosa.

—Treinta y cuatro.

—Entonces, no estaba allí. No conoció aquello y nunca le afectó directamente. Compruebe bien sus datos primero.

—El problema, señor Hutton, es que en su caso, existen demasiados datos. Y todos son contradictorios.

—Pues ahí reside la verdad que busca —dije, lo que aumentó su confusión. Me levanté—. Ahora debe marcharse. Por favor.

Cuando llegó a la puerta, el joven periodista se detuvo.

—Lo siento, señor. Mi jefa me dio instrucciones de hacerle esas preguntas.

Lo compadecí. La jefa de redacción, una mujer de mi edad, había sufrido lo indecible bajo el dominio japonés durante aquellos años y siempre odió mi postura en la guerra. Me había acusado de mantenerme al margen y no hacer nada cuando atacaron y asesinaron a su abuelo, mientras yo mandaba requisar un piano de su casa.

El periodista me tendió la mano.

—Mi padre está ya postrado en la cama y su fin está cerca. Pero cuando se enteró de que iba a conocerle, me rogó que le transmitiese su gratitud por salvarle la vida a él y a mi madre de los escuadrones de la muerte japoneses.

—¿Cómo se llaman?

Me dijo sus nombres.

—No los recuerdo. Lo siento —le contesté.

Cogí su mano en la mía, como tratando de establecer un vínculo con sus padres a través de él.

—No importa. Eran demasiados. Y se equivoca. Me afectó directamente. Si no hubiese sido por usted, yo no estaría hoy aquí hablándole.

Apreté su mano con más fuerza.

—¿Quién sabe lo que podría haber sucedido? Dígale a su jefa... dígale que si fui un criminal de guerra como ha dicho, nunca hui. He permanecido aquí toda mi vida. Nunca me fui.

Regresé a Istana a última hora de la tarde. Entré en la cocina y me encontré a Michiko echada sobre el fregadero, con las manos aferradas al borde y las venas de sus muñecas marcadas, como si trataran de escapar de su piel. Solté el maletín en el suelo y la sostuve mientras ella intentaba controlar la tos. El blanco fregadero de porcelana estaba moteado de sangre, al igual que las comisuras de su boca. Tenía la cara pálida y parecía un actor de teatro *kabuki* demente, con los labios embadurnados de bermellón.

La ayudé a sentarse, le limpié la sangre de la cara y, a continuación, le di un vaso de agua. No se lo bebió, sino que lo puso encima de la mesa. Eché agua en el fregadero sin hacer ruido antes de que Maria lo viese; Maria, como tantos de nosotros que crecimos durante la ocupación japonesa, odiaba ver la sangre.

—Estabas allí cuando lanzaron la bomba —dije.

—Sí —susurró, respirando con dificultad.

Le di las pastillas que necesitaba.

—Siento que pierden la batalla. Pronto me fallarán.

—Bébete el agua. Te sentirás mejor.

—Gracias, Philip-san —dijo con voz débil.

Salimos al que ya se había convertido en nuestro lugar de encuentro, la terraza, donde durante unas cuantas horas cada noche podía distraerla de su propio dolor revelándole el mío. Aunque al principio había albergado mis dudas, descubrí que aquellos momentos que pasaba con Michiko no resultaban tan difíciles como había temido. Era doloroso, sí, pero al recordar los días de mi juventud para ella y los hechos que me habían obligado al tránsito de niño a hombre, sentía que me quitaba el lastre de la edad, que me elevaba y me liberaba de las ataduras del tiempo, de modo que ahora podía echar la vista atrás y maravillarme del rumbo que había tomado mi vida.

Aquella noche en el río habíamos compartido algo especial; sentí como si las luciérnagas hubiesen iluminado una parte de mi vida que siempre había permanecido sumida en la oscuridad. Las preguntas del periodista ese día habían distado mucho de resultar impertinentes. Quizá debería haber puesto más ahínco en explicar las cosas, en volver a contar lo que experimenté durante la guerra. Pero el dolor había sido demasiado vívido y el sentimiento de culpa demasiado abrumador. Además, también estaba el orgullo. Mi educación inglesa y china había garantizado, o más bien impuesto, que mantuviera mis sentimientos a raya para no incomodar o abochornar a nadie ni cubrirme de vergüenza o manchar la reputación de mi familia. Encontraba irónico que las dos corrientes de mi sangre, procedentes de lados opuestos de la brújula, hubiesen fluido en una insólita convergencia que ahogaba mi capacidad de expresar mis sentimientos.

Ahora, el hecho de poder revelárselo todo a una mujer desconocida que había llegado por sorpresa a mi casa me proporcionaba un sentimiento de liberación, de volver a pisar tierra firme. Debo admitir también que la aprensión atenuaba esa sensación.

Lo que me había hecho superar mi miedo era la conciencia de que Michiko no estaba condicionada por la historia de la isla que había sido mi hogar ni por la gente y su presunto conocimiento de mi vida. Fue entonces cuando supe que me obligaría a revelárselo todo, costase lo que costase. Hubo veces, durante las horas que pasamos juntos, en que me sentí tentado de cambiar la verdad, de suavizarla y retratarme bajo una luz nueva y mejorada. Pero ¿cuál habría sido el propósito de todo eso, a nuestra edad?

Michiko había aparecido en mi vida sin avisar, pero no era una extraña. Había conocido a Endo-san y tal vez, a través de mi historia, ella aún pudiera identificar por qué, después de tanto tiempo, él seguía vivo en nuestros pensamientos.

Capítulo dieciséis

Comencé a trabajar en Hutton e Hijos a principios de 1940, siguiendo a mi padre por las oficinas y aprendiendo el negocio. Por primera vez en mi vida, llegué a conocerlo de verdad. Era un negociante duro y astuto, pero flexible en sus maneras cuando era necesario: se sentía a gusto con las costumbres y reglas no escritas de los comerciantes malayos y era un experto en hacer tratos con los chinos. Sabía cuándo presionarlos y cuándo, por cuestiones de reputación, dejar que ganasen, asegurando de ese modo una mayor victoria para todas las partes implicadas.

Tuve que reducir mis visitas a la isla de Endo-san porque mi padre esperaba que siguiese su horario. Me puso mi propio despacho, una habitación pequeña a la que nadie le había encontrado ningún uso. El personal me llamaba *tuan kechil*, el pequeño jefe, y el guarda de seguridad sij nos saludaba cada mañana cuando atravesábamos las puertas de madera y cristal de la entrada.

La primera vez que puse un pie en el edificio fue un momento extraño para mí. De pequeño, había ido a ver a mi padre alguna vez que otra a su despacho para jugar en su escritorio, pero ahora era diferente. Aquel primer día sentí que había conectado con una tradición; sentí que estaba ocupando mi lugar entre aquellos que habían llegado a Penang un siglo atrás. Todo hacía mella en mí: el suelo de mármol a cuadros blancos y negros del vestíbulo, los ventiladores que giraban lentamente, los grandes pilares redondos y la calma, rota únicamente por el sonido de las máquinas de escribir y los teléfonos. Ahora comprendía por qué mi padre había hecho de aquel lugar su santuario.

Él puso en palabras las emociones que yo estaba experimentando al decir:

—Se puede sentir el tiempo, ¿verdad?

—Sí —contesté. Entonces, estiró los brazos, me ajustó bruscamente el cuello de la camisa y me enderezó el nudo de la corbata.

—Bueno, venga. Hagamos más dinero hoy —dijo.

—Dicho como un auténtico chino —comenté, y él sonrió de oreja a oreja.

Aprendí con detalle la gran variedad de negocios que teníamos entre manos. Éramos dueños de tres millones de hectáreas de plantaciones de caucho por toda Malaya, de cuatro minas de estaño en Perak y Selangor, aserraderos, plantaciones de pimienta, una línea de barcos de vapor, huertos y otros inmuebles. Mi padre parecía estar continuamente al teléfono, y la señora Teoh, su eficiente secretaria china, se pasaba el día de pie, corriendo de una sala a otra en busca de archivos. Yo ayudaba leyéndome los informes para luego resumírselos al señor Scott y a mi padre, y comprobando el papeleo que se necesitaba para nuestras exportaciones, que destinábamos, en su totalidad, a Inglaterra.

De vez en cuando me mandaban a los almacenes del muelle Weld a controlar a los culis o a supervisar la descarga de mercancías. Estos almacenes (hileras de grandes locales y naves que daban al puerto) eran oscuros y calurosos; la mayoría de ellos, llenos hasta el ondulado techo de estaño de sacos de pimienta y chiles, clavos, canela en rama o anís estrellado. Estos me resultaban tolerables, pero odiaba entrar en los que guardaban capas de caucho ahumado. El hedor se me adhería a la ropa y al pelo. Volvía de aquellas visitas con la camisa pegada al cuerpo y el nudo de la corbata deshecho, deseando beberme de un trago la tetera entera que la señora Teoh siempre me preparaba.

Pronto tuve que visitar el puerto a diario, pues el Partido Comunista Malayo estaba dando mítines a los culis indios para que tirasen sus toallas empapadas de sudor y se unieran en una huelga a nivel nacional.

Una mañana, mi padre me llamó a su despacho. El gerente, el señor Chin, lo había llamado por teléfono unos minutos antes casi presa del pánico, hablando tan alto que yo era capaz de escucharlo a través del receptor.

—Los malditos rojos están causando problemas de nuevo. ¿Qué debo hacer?

—Pensé que el gobierno había prohibido el partido —le dije a mi padre.

—Eso no iba a impedir que dejasen de acosar a nuestros trabajadores —me respondió, al tiempo que se ponía la chaqueta y nos preparábamos para visitar los almacenes.

Cuando cruzamos Beach Street para dirigirnos al puerto, se había formado ya una multitud. Mi padre dejó escapar una palabrota: «¡Bastardos!». Había un indio subido a un cajón de madera, gritando consignas antibritánicas. Cuando nos vio, alzó la voz:

—¡Aquí vienen los que os oprimen, los que os hacen trabajar como esclavos y os pagan unos salarios con los que no se puede ni alimentar a un perro!

Había un grupo de chinos apostados a su lado, vestidos pulcramente y sin decir nada.

—Son del PCM —me susurró mi padre.

Algunos de nuestros trabajadores ya habían cruzado la línea y gritaban junto al portavoz, pero cuando vieron a Noel Hutton, sus voces se fueron apagando y se acallaron. En el silencio, las palabras del indio sonaban aún más estridentes. Entonces, levantó el puño.

—¿De qué tenéis miedo? ¿Por qué tembláis como enclenques?

Mi padre caminó hasta el centro de la multitud, que le abrió paso.

—Aquel que quiera irse con estos alborotadores es libre de hacerlo —dijo en malayo, que era el idioma que hablaban los obreros—. Pero que no venga a trabajar mañana. —Repitió sus palabras en hokkien y fue describiendo un círculo, mirando a cada uno de los operarios a los ojos—. Aquellos que hayan decidido unirse a este mono, que salgan ahora mismo de mi propiedad. Haré circular vuestros nombres y me aseguraré de que nadie más os contrate.

Los trabajadores emitieron un iracundo lamento.

Un culi chino cogió una de las palancas curvas de hierro que los jornaleros utilizaban para levantar los sacos de yute de los palés de madera. Se acercó corriendo. Mi padre se quedó plantado, impertérrito. Yo estuve a punto de abalanzarme y empujarlo hacia un lado, pero, cuando el culi blandió la palanca, mi padre le propinó un puñetazo en la cara que le partió la nariz. El culi cayó de rodillas y se cubrió el rostro destrozado con las manos, dejando caer la palanca estrepitosamente al suelo. Los obreros prorrumpieron en gritos y se acercaron para ayudar al caído.

Otro estibador se acercó balanceando una cadena, caminando amenazante alrededor de mi padre.

—Deja que me encargue yo de este —le dije, esperando que me dijese que me mantuviera al margen.

—Todo tuyo —dijo para mi sorpresa, y se retiró.

Me acerqué más y los obreros empezaron a corearnos, moviendo los cuerpos al ritmo de sus voces. El culi era un hombre musculoso y de espaldas anchas, fortalecido por su brutal trabajo, y que todavía conservaba un vestigio de la trenza que le habían cortado hacía años, cuando expulsaron a los manchúes del Trono del Dragón en China. Había visto a esos hombres levantar y transportar sacos de arroz de cincuenta kilos al hombro, mientras blasfemaban, reían y entonaban canciones populares subidas de tono típicas de sus pueblos.

Empezó a balancear la cadena más rápido y yo mantuve la calma, a la espera del momento adecuado. Me negaba a hacer el primer movimiento, pues él podía utilizar hábilmente la cadena a modo de látigo y partirme la cara.

Entonces dio un golpe de muñeca y la punta de la cadena salió disparada, pero yo describí un ángulo con el cuerpo y la esquivé como si nada. Él la recogió con un movimiento oscilante, más rápido aún, haciéndola silbar al dibujar en el aire la forma infinita de un ocho. El culi cogió impulso levantando la mano hacia atrás para darme un latigazo, pero yo intervine y extendí las manos aprovechando su movimiento de retroceso, haciéndole perder el equilibrio. Le enrollé los brazos con mis manos, cogí la cadena y, mientras trastabillaba, le envolví las muñecas en una llave. Todo el mundo oyó el crujido de sus huesos al quebrarse. El culi emitió un grito agonizante y cayó sobre una rodilla, agarrándose la mano como un animal al que hubiesen disparado. Me giré sobre un talón describiendo un círculo cerrado y le di una patada en la mandíbula. El restallido que se produjo al fracturarse sonó más alto que el de la muñeca.

Los obreros y los miembros del PCM se quedaron atónitos, pero no por mucho tiempo. Cuando la policía llegó, echaron a correr por las callejas y los callejones que rodeaban los almacenes.

Mi padre se me acercó y me agarró por los hombros.

—¿Estás bien?

—Sí —le dije.

Durante el ataque me había sentido completamente en calma y ahora estaba desconcertado al descubrir que estaba temblando. Uno de los músculos de la pantorrilla me estaba dando un tirón como reacción a lo que había ocurrido. Respiré hondo unas cuantas veces, llevando el aire hacia las profundidades del estómago, y pronto noté que recuperaba la noción de la realidad. Era la primera vez en mi vida que había herido a otro hombre, y me sentí culpable, pero también eufórico.

Era difícil asimilar la imagen de mi padre rompiéndole la nariz a un culi. Supongo que los niños nunca esperan ver a sus padres dar un puñetazo a nadie y menos destrozarle la nariz. Y lo mismo podía decir de él, que nunca había esperado ver a un hijo suyo hacer lo que había hecho yo. Sus ojos irradiaban tranquilidad al contemplarme.

—¿Las enseñanzas del señor Endo? —inquirió.

Yo asentí y él negó con la cabeza.

—¿Qué ha sido todo eso? —le pregunté en revancha, imitando con las manos los puñetazos de un boxeador.

—Oh, ¿eso? —dijo—. Oxford Boxing Cuppers, 1911: boxeaba como peso wélter para Trinity.

Solté una carcajada descargando la tensión de la lucha. Le di un abrazo repentino que nos sorprendió a ambos.

La rapidez con que los últimos meses de 1940 transcurrieron y dieron paso a un nuevo año me tenía completamente desconcertado. A pesar del recrudecimiento de la guerra en Europa y China, nosotros no parábamos. Había mucho que aprender en la empresa y mi padre era muy exigente. Solía quedarse hasta muy tarde y esperaba que yo hiciera lo mismo. Aunque parecía haber aceptado mis clases con Endo-san, seguía percibiendo una brevísima mueca de irritación en su cara si tenía que irme de la oficina antes de que hubiese terminado conmigo.

De repente, Endo-san también estaba desbordado de trabajo; sus ausencias de Penang aumentaron y nos resultaba difícil mantener el horario de las clases, así que se molestaba mucho cuando yo llegaba aunque fuese un poquito tarde.

Sabía que Noel estaba usando la excusa del trabajo para hacerme perder las clases, y una tarde fui a su despacho y me senté frente a él.

—Parece que siempre me haces trabajar hasta tarde cuando tengo clase con Endo-san —le dije.

Él no parecía tener problema en admitirlo.

—Preferiría que pasaras menos tiempo allí. Me han llegado comentarios sobre la compañía que frecuentas.

—¿De quién?

—De la gente del pueblo. De nuestros socios.

Se refería a los miembros de la comunidad china de negociantes, con quienes llevábamos muchos años de relaciones comerciales.

—¿Y qué les has dicho?

—Que no era asunto suyo —contestó.

A pesar de mi enfado con él, me conmovió la lealtad que demostró hacia mí.

—¿Mi amistad con un japonés está afectando a la empresa? —le pregunté, suavizando el tono.

—Por ahora no —dijo—. Pero, al final, tendrás que elegir entre continuar tus enseñanzas con el señor Endo o proteger la reputación de nuestra compañía.

—No es una opción que esté en mi mano —le aseguré—. Le prometí que aprendería tanto como él pudiese enseñarme y, como tantas veces nos has repetido, no puedo faltar a mi palabra. —Me levanté—. Tengo que irme. Tengo que asistir a una clase.

—No estoy preocupado solo por nuestra compañía —me confesó—. No deseo verte atrapado entre dos lados opuestos y que sufras en el proceso.

Yo ya estaba en la puerta de su despacho, pero me detuve.

—Encontraré una forma de mantener un equilibrio —dije, sonando más seguro de lo que me sentía en realidad.

William, a pesar de su rechazo inicial a trabajar en la empresa familiar, había adoptado una rutina fiable que satisfacía a nuestro padre. Sabía que todavía se mostraba resentido por haber capitulado a sus deseos, pero mantenía su descontento bien oculto.

En cualquier caso, había descubierto una nueva pasión. Una tarde de domingo, cuando estaba lloviendo demasiado fuerte como para ir a visitar a Endo-san, apareció en mi habitación con una cajita que colocó encima de mi cama. La abrió y sacó una cámara.

—Mira esto —dijo—. La pedí a Singapur y ya me ha llegado.

Cogí la Leica de sus manos y la examiné. La cámara de Endo-san era un modelo anterior, pero muy parecido. William estaba rompiendo la caja.

—¿Qué pasa? —le pregunté.

—¡No trae libro de instrucciones!

Zarandeó el envoltorio lleno de frustración.

—Mírate, pareces uno de los monos de los Jardines Botánicos que intenta abrir un paquete de comida —le dije.

Parecía muy triste y me dio pena. Las palabras de mi padre en la biblioteca hacía más de un año, cuando lo ayudé a desempaquetar sus libros: «Siempre te alejas, intentas no formar parte de nosotros», volvieron a sacudirme.

—Trae, anda —le dije—. Sé cómo se usa.

Él no parecía muy seguro, pero al mostrarle cómo funcionaba, pronto descubrió que era casi un experto. Tenía que serlo a la fuerza, después de haber visto y ayudado tantas veces a Endo-san.

—Eres bueno en esto —se permitió admitir.

—Debo de haber aprendido algo de todas esas veces en que me hiciste ayudarte con tus juguetes y tus proyectos —le dije.

—De los que siempre te escabullías —respondió—. Siempre preferías pasar el tiempo solo en la playa.

Comprendí lo que no dijo. A William le fascinaba cualquier cosa mecánica o compleja. Siempre me estaba enseñando alguno de sus nuevos artilugios, con la esperanza de que yo compartiese su entusiasmo. Yo nunca lo hice y, en aquel momento, se me ocurrió que no eran los objetos en lo que había intentado que me interesara, sino en fomentar un vínculo más fuerte entre nosotros. Quise contárselo, hacerle saber que ahora lo entendía, pero los años de aislamiento me habían vuelto incapaz de echar abajo las barreras que había levantado. Me sentí como un prisionero, capaz de ver más allá de mis confines pero incapaz de alcanzarlos.

Y, de todas formas, ¿podría William comprender mi situación? Él siempre había estado seguro de su lugar en el mundo, desde el momento de su nacimiento. Nunca había tenido que pelearse con sus compañeros de clase por su identidad, nunca había tenido que soportar la mirada de superioridad de las personas que le rodeaban, desde los criados hasta los amigos y socios de nuestro padre. Nunca se había sentido un impostor en su propia casa.

Me di cuenta de que me había quedado mirando fijamente a William, que parecía incómodo. Quería hablar, hacerle saber que sus esfuerzos no habían caído en saco roto. Pero, en aquel momento, fui incapaz de revelarle lo mucho que Endo-san me había transformado con sus lecciones, que, yo lo sabía, eran, en parte, responsables de aquella creciente comprensión de mi relación con la familia. Sentí que William no entendería la sensación de seguridad que mi *sensei* había hecho nacer en mí. Al fortalecer mi cuerpo, Endo-san también estaba fortaleciendo mi mente, tal y como me había prometido. Era un proceso que me proporcionaba la capacidad de reducir los elementos conflictivos de mi vida y crear un equilibrio.

William se dirigió hacia la ventana.

—El cielo se está despejando. Venga, vamos a ver si este chisme funciona. Si no te lo has cargado, claro.

Pasamos el resto de la tarde en el jardín. La cámara funcionaba mucho mejor que la de Endo-san. Mientras William hacía sus fotos, me dijo que se alegraba de que yo estuviese trabajando con nuestro padre, pues eso significaba que ahora podíamos ir juntos a almorzar al centro. Edward casi siempre estaba en Pahang, en Selangor o más al sur, en Kuala Lumpur. Con la guerra instaurada en Europa, la demanda de caucho y de estaño se había disparado, y cada uno de nosotros, incluida Isabel, estaba ocupado rellenando pedidos y organizando el transporte y envío de nuestros productos.

—Se está poniendo demasiado oscuro y creo que me ha caído una gota de lluvia —dije una hora más tarde. Habíamos terminado el carrete, pero ahora, al menos, William sabía manejar su cámara. Subimos por el camino de acceso y cuando pasamos la fuente, me detuve y le conté lo de mi visita a mi abuelo.

—¿Te acuerdas de aquella vez cuando…

—… capturamos aquellas libélulas? Sí —me confirmó William—. Qué par de mocosos más malos éramos.

—Ahora sé por qué mi madre nos puso aquel castigo tan severo.

Él escuchó mi explicación y suspiró.

—Lo siento —dijo.

—Yo también —repuse—. Pero ya es demasiado tarde.

Entonces, me rodeó los hombros con un brazo y me apretujó. Por un momento, volvimos a ser el niño pequeño y el hermano mayor que siempre hacía trastadas, el que siempre hacía que nuestro padre preguntase: «¿En qué lío os habéis metido ahora vosotros dos?».

Extendí la palma de la mano y comprobé que empezaba otro chaparrón.

—Tu cámara se está mojando. Vamos dentro.

Aunque trabajábamos en el mismo edificio, William y yo raramente nos veíamos a lo largo de la jornada. Un día sugirió que adoptásemos la costumbre de almorzar juntos en el restaurante chino que había a la vuelta de la esquina. Él siempre pagaba. «Yo gano más que las migajas que padre te paga a ti. No, no discutas conmigo. Yo también pasé por el mismo proceso». Y yo siempre comía las famosas tortitas de plátano del local. «Todos los días te pides la misma porquería», se quejaba William.

Normalmente quedábamos en el restaurante justo antes de la hora del almuerzo para conseguir una buena mesa. Un día se retrasó y yo tomé asiento en el comedor al ver que la gente empezaba a llenarlo.

—¿Qué te ha pasado? —le pregunté cuando por fin llegó.

Él se sentó y me di cuenta de que estaba entusiasmado por algo.

—Vas a tener que encontrar algún modo de decirle al viejo que me he alistado en la Marina.

Sabía que William todavía estaba descontento por su vuelta de Londres, aunque hubiera pasado ya un año y yo intentara facilitarle el trabajo en la oficina encargándome de la mayoría de las tareas más banales que normalmente le asignaban. Con todo, oír aquella noticia me decepcionó. Lo echaría de menos si tenía que dejar Penang.

—¡Se va a subir por las paredes! ¿Por qué yo? —le pregunté.

—Bueno, porque tú eres el más pequeño y por tanto te lo ordeno, y mmm…, también porque… bueno, tú eres su ojito derecho.

—¡Yo no soy su ojito derecho! Ese honor le corresponde a Isabel —le contesté—. Por cierto, ¿por qué no le pides…?

—*Creemos* que es mejor que no —me cortó William. Estaba claro que ya había hablado del tema con Isabel—. Y además, no creo que se suba *tanto* por las paredes. No van a enviarme a Inglaterra. Es solo para la Marina de aquí. Ya sabes… en Singapur. Por si los japoneses se vuelven locos y nos atacan. Y yo dije que iba a trabajar aquí un año y eso he hecho. Así que he cumplido mi promesa.

Entonces hizo un gesto con la mano invitándome a observar con detenimiento el restaurante. A pesar de las baldosas grasientas, los ventiladores ribeteados de suciedad que pendían del techo y los camareros maleducados, seguía sirviendo la mejor comida de la ciudad.

—¿No te has dado cuenta de una cosa? Solo quedan viejos. Todos los jóvenes se han marchado para luchar en la guerra.

—Bueno, entonces, díselo tú mismo. Te sugiero que se lo expliques sin tapujos y que no te andes con rodeos. Él odia eso.

—Me gustaría que, al menos, estuvieras presente cuando se lo diga.

Aunque albergaba ya un sentimiento de pérdida, no pude evitar esbozar una pequeña sonrisa. Aquí tenía a un hombre lo suficientemente valiente como para irse a la guerra, pero que todavía le tenía miedo a su padre. Al ver la mirada suplicante de William, accedí a su petición.

—¿De verdad? —me preguntó— ¿Lo harás?

—Sí, sí. Lo haré. Ahora, larguémonos. Tenemos mucho trabajo que hacer.

Aquella noche, cuando vi que mi padre se dirigía al jardín para alimentar a su carpa, pensé en su vida, en lo solo que debió de haberse sentido tras la muerte de sus dos esposas. Me pregunté si una amante sería capaz de llenar el hueco de su cama y el vacío de su corazón. Por su bien, esperaba que sí. Desde nuestra conversación en la biblioteca, sabía sin lugar a dudas que había querido a mi madre y que ambos encontraron, durante un efímero momento, su propio lugar en el mundo.

Llamé a William.

—Creo que ahora es un buen momento para decírselo.

Salimos al crepúsculo. En algún lugar carretera abajo, el jardinero de los Hardwicke estaba quemando las hojas que había rastrillado durante el día, y el olor a humo teñía la luz de dulzura y pena. Cuando pasábamos por la fuente y la hilera de palmeras, el camino de gravilla sonaba como cuando trituras hielo. Observé la fuente y volví a compararla con la que había en el jardín de mi abuelo. Esperaba que, al menos, hubiese proporcionado a mi madre algún consuelo.

Me giré para observar la casa, reconfortado por su presencia detrás de mí. Se alzaba a mi espalda como un antepasado protector. Podía sentir su dimensión física y, a un nivel más profundo, su conexión conmigo. Me pregunté si William lo sentía también mientras nos acercábamos a nuestro padre saludándolo con la mano.

Una neblina color azafrán lo cubrió todo cuando el sol se puso y los árboles y la hierba parecían repletos de polvo de oro. Las hileras de azucenas que bordeaban el camino despedían un tierno perfume. Mi padre tiró al estanque los trozos de pan que le quedaban, se sacudió las manos y dijo:

—¿En qué lío os habéis metido ahora vosotros dos?

Entonces William se lo contó, con una voz tartamudeante que fue ganando seguridad, como un hilillo de agua que se convirtiera en arroyo y el arroyo, en río. Observé la cara de nuestro padre cuando el río llegó al mar. El enfado se tornó en tristeza y, luego, en resignación. Negó lentamente con la cabeza, pero William supo que ya estaba a salvo.

—Supongo que todos tenemos que hacer lo que creemos correcto —dijo, a la vez que nos rodeaba con los brazos y nos dirigíamos hacia la casa, ahora cálida e iluminada por dentro, resplandeciendo como un farolillo chino y ofreciendo, de repente, un aspecto igual de frágil.

Al entrar, nos detuvo.

—¿Qué tal una fiesta? —dijo—. Hace mucho tiempo que no organizamos una. Será una fiesta de despedida para William. Algo excesivo e irresponsable, ya que puede que no volvamos a ver días como estos.

Un matiz en su voz me hizo comprender que estaba empezando a ver las señales, que la guerra llegaría a Malaya, que todas nuestras antiguas costumbres desaparecerían para siempre.

—Estáis creciendo muy deprisa —continuó, desviando su mirada de mí a William y después a Isabel, que había salido para decirnos que la cena pronto estaría lista—. Y bien, ¿quién quiere ayudarme a organizarla?

—Yo lo haré —contesté, a la vez que William decía al mismo tiempo, mirándome y señalándome:

—Él lo hará.

Vi la sonrisa de complacencia de mi padre, pues yo formaba, finalmente, parte de la familia.

Veía cada vez menos a Endo-san, que parecía viajar más a menudo. Cuando regresaba, endurecía mi entrenamiento, pero pronto sus ausencias se hicieron demasiado frecuentes, de modo que lo arregló todo para que pudiese entrenar en el consulado japonés con los guardaespaldas del cónsul.

El consulado quedaba un poco lejos de casa, en el tranquilo barrio residencial de Jesselton Heights, que lindaba con el Club Hípico de Penang. Fui hasta allí en bicicleta y el centinela me dejó pasar con un gesto. Tuve la precaución de no cruzarme con Hiroshi, por lo que aparqué la bicicleta detrás de una arboleda de mangos. El *dojo* se encontraba en un edificio aparte, lejos del consulado y cerca de la cocina. Cuanto más me aproximaba, más hambre me hacía sentir el olor a comida, aunque, una vez que entré en el *dojo*, el apetito se me quitó por completo al ver a mis compañeros de entrenamiento.

Parecían duros y adustos, y pronto descubrí que eran una pandilla de matones. Todos ellos pertenecían al ejército. Desde aquel primer día, desde el momento en que los saludé, comencé a recibir un castigo tras otro. Tuve que cambiar mi estilo y mis recursos para luchar con la cabeza y dirigir mi ataque a los puntos de presión que Kon me había enseñado, en lugar de golpearlos en el pecho o en la cara. Esto surtió efecto y me puso casi a su mismo nivel, aunque algunos de ellos, de la isla de Okinawa, eran extremadamente letales en karate, el camino de la mano vacía. Cuando Japón subyugó Okinawa hacía algunos siglos, el uso de las armas fue prohibido por los japoneses gobernantes, por lo que los campesinos recurrieron a herramientas de cultivo tradicionales, como mayales para el arroz y hoces, para poder entrenar. Las principales armas con las que contaban eran sus manos, duras y callosas tras años de entrenamiento. Que una de aquellas manos te golpeara no era para tomárselo a risa. Cuando Goro, mi principal *sparring*, rompió mis defensas y me dio un puñetazo en las costillas, salí rodando por el suelo de madera. Durante unos segundos me quedé sin aliento y el pecho me empezó a arder cuando el dolor se fue expandiendo como un tóxico vertido químico. Sabía que tenía que levantarme. En mi cabeza oía la voz de Endo-san que me decía: «Uno no se puede permitir el lujo de quedarse tendido en el suelo».

Goro se rio.

—Un chino. Peor que eso, ¡un mestizo! —se burló y se alejó para seguir entrenando con sus amigos.

Yo me levanté como pude y me senté en uno de los bancos. Me doblé en dos e intenté reprimir las náuseas para no ponerme aún más en ridículo delante de ellos y, lo que es peor, dejar en ridículo a Endo-san. Goro era miembro del personal del consulado, aunque no estaba muy seguro de cuál era su cometido real. Tenía treinta y tantos y había cierta tosquedad en su cara que me disgustaba profundamente y me hacía desconfiar. Era un verdadero aficionado al karate y consideraba las demás formas de lucha inferiores.

Aquella misma noche en la isla, Endo-san me frotó el pecho con un ungüento de alcanfor.

—Te encontrarás con todo tipo de personas. Algunas serán buenas; otras serán como Goro-san. Tienes que estar preparado.

Ya no le pregunté para qué tenía que estar preparado: supongo que, en lo más profundo de mi ser, sabía la respuesta.

Observé cómo se movía de acá para allá preparando nuestra cena. Pensé en el día en que vino del mar a mi vida y la transformó por completo. En el tiempo transcurrido desde entonces, habíamos reforzado nuestro vínculo, estableciendo una cálida rutina, aunque todavía seguíamos extremando las precauciones para que no nos vieran juntos en público. Los sentimientos antijaponeses iban en aumento; la Campaña de Ayuda a China los mantenía encendidos. No obstante, había eventos sociales y de negocios en los que coincidíamos. En esos casos, teníamos educadas conversaciones cargadas de cautelosas referencias a nuestra vida. Desarrollamos nuestro propio lenguaje hasta el punto de que podíamos hablar ostensiblemente de las exigencias de los trabajadores del puerto cuando en realidad nos referíamos a una clase de la noche anterior.

Tenía el pelo más canoso y parecía cansado. Rememoré las tardes que había pasado con él y las cosas de las que habíamos hablado. Había abierto mi mente y la había iluminado con la suya. Le di las gracias por el ungüento.

—Me gusta este olor —le dije.

—No te acostumbres a él —me respondió. Retiró la botella y volvió a sentarse conmigo junto al hogar—. ¿Qué te ocurre?

Quería saber la razón de la fuerte presencia de militares en el consulado. Esa se había convertido en la principal de mis preocupaciones. Aquellos compradores de caucho que había conocido en Kampong Pangkor… ¿en qué estaban metidos en realidad? Recordé las preguntas que Endo-san me había hecho tantas veces y vi en mi mente las cajas de fotografías que había tomado. Me interrogué acerca de sus frecuentes viajes por todo el país. ¿Qué estaba haciendo realmente?

Sin embargo, ¿cómo preguntárselo? Y —lo que aumentaba aún más mis miedos—, ¿cuáles serían las respuestas y qué efecto tendrían en mi relación con él?

Él repitió su pregunta, pero yo supe que nunca podría poner voz a mis propias interrogantes y dudas. Quizá ya entonces sabía pero elegí ignorar, dejarlo correr. La fuerza de mi vínculo con él era tal que no necesitaba ni quería ninguna explicación para aceptarlo. Ya entonces lo quería, aunque no me diera cuenta, pues nunca antes había amado.

—¿Recuerdas que me dijiste lo bonito que se veía el mar el día que nos conocimos? —pronuncié en voz baja.

A través de las puertas *shoji* se podía ver un fragmento del cielo nocturno por un hueco entre los árboles. Estaba repleto de estrellas.

A lo lejos, las olas competían por llegar a la orilla y siseaban al fundirse en la arena.

Él sonrió, pero su voz sonó atenuada.

—Lo recuerdo. Vi cómo se te enternecía la mirada. Fue como ver una piedra convertirse en miel.

En mi cabeza no dejaban de flotar pensamientos como mariposas ebrias: pensamientos sobre cómo cuidarlo, cómo prepararle la comida y pasar el resto de mi vida aprendiendo bajo su tutela; pensamientos que seguirían siendo solo eso, pensamientos que nunca se convertirían en realidad mientras el mero hecho de saludarle en público estuviese cargado de riesgos. Tantas cosas que la mayoría de la gente daba por sentadas.

—¿En qué estás pensando? —me preguntó con un bostezo.

—En mariposas —respondí, no sin cierta tristeza por cómo estaba el mundo.

Capítulo diecisiete

Aumenté la frecuencia con la que iba a la casa de Kon. Nunca había entablado amistad con los otros chicos del instituto y solo él me hizo caer en la cuenta, por primera vez en mi vida, de la posibilidad de trabar una.

Aprendí mucho de él. Pasábamos las tardes descomponiendo los movimientos de nuestras técnicas e intentando otras nuevas. Consideraba que el *aikijutsu* de Tanaka-san era mucho más suave que el de Endo-san, los movimientos, mucho más circulares que los que yo había aprendido. A Kon, por su parte, los míos, casi lineales, le parecían efectivos y rápidos, así que ambos encontramos un equilibrio, una armonía entre el círculo y la línea. Le conté lo de mis clases con los miembros del consulado.

—Eso no es nada. Deberías probar uno de los combates ilegales que se celebran cada mes —me dijo.

—¿Qué son?

—Las tríadas organizan un combate cada quince días en uno de los almacenes del puerto. Todo el mundo puede asistir pagando una entrada. No hay reglas ni restricciones de ningún tipo. Puedes tener dieciocho años, o ser más joven o más viejo, hombre o mujer, no importa.

—¿Has luchado tú alguna vez en uno de esos?

—Sí, una vez. Cuando Tanaka-*sensei* se enteró, se enfadó muchísimo e incluso amenazó con dejar de darme clases. Paré de inmediato y, movido por su insistencia, doné el dinero que había ganado a un templo.

—Hacemos muchas cosas solo para complacer a nuestros maestros —le dije, y se notaba que él pensaba lo mismo.

Nos secamos el sudor y nos cambiamos el *gi* de entrenamiento, que estaba empapado. La pregunta salió de mí antes de que pudiera reconsiderarla o reformularla...

—¿Has matado alguna vez a alguien?

Él hizo un pulcro fardo con su ropa, doblándola firmemente con la mano.

—No —contestó—. Si me lo preguntas, debo suponer que tú sí.

—No, pero he herido a un hombre. —La confesión salió disparada, sin tiempo para retractarme y esconderla en lo más profundo de mi ser. Le conté lo que había pasado, los pasos que había dado para proteger a mi padre y a mí mismo—. Ahora me preocupa que estas cosas me resulten más fáciles.

—No deberías haber hecho eso. Los miembros del PCM son despiadados. Deberías poner a tu padre sobre aviso.

—¿Crees que tomarán represalias?

Él meneó la cabeza, pues no tenía respuesta para eso, pero me sentí mejor tras haber hablado con él.

—Ven a la fiesta —dije—. Trae a tu padre y a Tanaka-san.

—Lo haré —contestó—. Pero, ven conmigo. Tengo algo que enseñarte.

Vi la expresión de entusiasmo en su cara y lo seguí por las escaleras de hierro forjado en espiral hasta el patio, espantando las palomas, que revolotearon hasta los aleros. Salimos al garaje en la parte trasera de la casa. Él abrió las puertas y la luz capturó el tono plateado del coche oculto en el interior.

—No puedo creerlo —dije, sin poder apartar la vista del MG—. ¿Es de tu padre?

—No. Mío. Un regalo de cumpleaños. ¿Te gusta?

—¡Pero qué suertudo eres! —exclamé. Acaricié el cálido metal de su carrocería baja y lustrosa. Él abrió la capota y saltó al interior. Lo arrancó y las paredes del garaje, de repente, parecieron demasiado frágiles, como incapaces de contener el retumbante ronroneo.

—¿Quieres dar una vuelta?

Recorrimos despacio las calles de Georgetown, conscientes de que éramos el centro de atención y encantados de ello. Una vez que estuvimos en la carretera de la costa, pisó el acelerador y fuimos tomando las estrechas curvas a toda velocidad, casi sin pisar el freno. El escarpado frente de roca de los acantilados pasaba a toda velocidad a nuestro lado, mientras que al otro, una aterradora vista del precipicio que terminaba en el mar rocoso lo mantenía alerta. Nos cruzamos con un autobús municipal en el carril contrario cuando Kon se puso a adelantar un camión del ejército y conseguimos incorporarnos de nuevo en nuestro carril casi rozando las rocas. Los soldados del camión nos vitorearon y yo me giré y los saludé con la mano. Los dejamos atrás y seguimos nuestro camino bajo la luz moteada que nos aguardaba por encima del entramado de los árboles.

La carretera estaba sumida en la sombra y, a veces, parecía que viajásemos por el interior de un túnel fresco y húmedo que olía a tierra y a mantillo. A través de los huecos que se abrían entre las hojas, el mar brillaba azul y cálido a la luz del sol, y diminutos veleros del Club de Natación de Penang aparecían como chinchetas de colores en un tapete fulgurante.

Kon conducía bien y el MG se agarraba al asfalto, se adhería como una oruga a una rama. Recorrimos todo el camino hasta que la carretera se terminó, una vez pasadas las playas de Tanjung Bungah y Batu Ferringhi. Apenas si me dio tiempo a ver Istana antes de que desapareciese a nuestra espalda. Giró hacia un camino de tierra en dirección a Bay of Reflected Light, en el extremo más nororiental de la isla, y espantamos unas gallinas al pasar por una aldea malaya. Siguió conduciendo hasta que los neumáticos comenzaron a hundirse en la arena, y paró.

Dejé escapar un suspiro.

—Eso ha sido…

Negué con la cabeza y solté una carcajada.

Nos bajamos del coche y nos sentamos en la playa a observar las diamantinas olas verdes, sintiendo cómo la adrenalina que había intoxicado nuestra sangre se disolvía poco a poco. Había barquitos pesqueros varados en la arena y se oían los chillidos de los cormoranes que llevaban atados. Los pescadores solían amarrarlos para que capturaran peces y complementaran las capturas de las redes.

La cara de Kon irradiaba felicidad y juventud y estaba rebosante de vida. Ahora, de viejo, y después de las muchas cosas que nos ocurrieron, es como me gusta recordarlo, en aquel día en que rompimos todas las normas de tráfico, cuando nos sentamos en los confines del mundo y observamos el mar donde el estrecho de Malaca se encuentra con el océano Índico.

—Seguro que sabes lo de mi padre —dijo Kon, sin más preámbulo.

Me pregunté qué quería que le respondiera y, como no lo sabía, decidí contarle la verdad.

—He oído rumores e historias.

—¿Has oído hablar de las tríadas?

—Tío Lim me ha hablado de ellas, pero preferiría que me lo contaras tú.

Entonces, inspiró profundamente y dijo:

—Las tríadas son un extraño producto de la historia. El nombre proviene del uso que hacen de un diagrama triangular que simboliza la relación existente entre Cielo, Tierra y Hombre. Se crearon en un principio como fuerza de resistencia al dominio mongol sobre China. Tienen fuertes influencias del budismo; de hecho, la mayoría de los miembros fundadores eran monjes budistas, aunque sus detalles se perdieron en el tiempo. Mi padre es de los que opinan que las tríadas tal y como las conocemos ahora provienen del comienzo de la dinastía Ching. Cuando los manchúes conquistaron China en el siglo XVII, intentaron eliminar toda forma de resistencia…

Kon me explicó que, a lo largo de los siglos, un elemento más criminal se había ido infiltrando sigilosamente en la composición de las tríadas. La migración masiva de chinos ayudó a extender su influencia y poder más allá de las fronteras de China. Los miembros de las tríadas se comunicaban y se reconocían en público mediante unas elaboradas señales que practicaban con las manos.

En ese momento paró, y a mí me costó comprender lo que había dicho. Sonaba confuso, como a hermandad secreta, como los francmasones entre los que mi padre solía incluir en broma al señor Scott.

Los británicos habían proscrito cualquier forma de sociedad secreta como medida para contener las tríadas. Fue inútil, por supuesto.

Las tríadas eran una ley en sí mismas; nadie podía controlarlas salvo sus Cabezas de Dragón, los líderes de las sociedades.

—¿Es tu padre un Cabeza de Dragón? —le pregunté, cruzando la frontera de la amistad. Kon, sin embargo, ya estaba al otro lado, esperándome.

—Él es el líder de la Sociedad del Estandarte Rojo.

Sabía que había oído antes aquel nombre y no solo a tío Lim. Rebusqué en mi memoria y recordé que los periódicos, una vez, habían escrito una detallada historia sobre la violencia y las tensiones creadas por sociedades enfrentadas para aumentar sus territorios. La Sociedad del Estandarte Rojo se había labrado su propia reputación de grupo cruento y bien organizado. Sus orígenes tenían sus raíces en la provincia china de Fujian, de donde procedían tantos de los chinos que vivían en Penang. Se decía que era una de las sociedades más fuertes.

—Cuando mi padre deje su puesto, yo me convertiré en el nuevo Cabeza de Dragón. Espero que eso no afecte a nuestra amistad —dijo Kon, y noté cómo trataba de esconder la preocupación de que no fuera a ser su amigo nunca más.

Me emocionó, así que, para tranquilizarlo, le dije:

—No lo hará. Tienes mi palabra.

Pareció aliviado, pero entonces escondió súbitamente sus emociones y yo me percaté de lo solo que estaba, de lo mucho que la reputación de su padre había influido en que él tuviese tan pocos amigos. Al igual que yo, había decidido contentarse con su propia compañía. Me veía muy reflejado en él, especialmente en la dureza de nuestro interior, resultado de nuestra decisión de caminar en solitario y evitar así que nos hiriesen.

—Deja que te enseñe algo —dijo. Entrelazó los dedos de ambas manos formando una figura, con los pulgares hacia delante y los meñiques hacia abajo—. Este es el gesto que te llevará hasta mi padre. Nosotros controlamos el mercado de Pulau Tikus y cualquiera al que se lo muestres, tendrá que obedecer.

Practiqué la señal.

—¿Por qué me estás contando esto?

—Si alguna vez necesitas ayuda, haz este gesto y la recibirás.

—No creo que vaya a necesitarla —dije.

—Apréndetelo. Nunca se sabe —me contestó él.

Me di cuenta de que, con aquella ofrenda, habíamos sellado un voto tácito de amistad e incluso de hermandad entre nosotros. No teníamos que decir nada y eso lo hacía más fuerte.

—Venga —dijo—. Vamos a cenar al centro. Toma. —Me lanzó las llaves—. Tu turno.

Tras el ocaso, Georgetown se convertía en un mundo diferente, y el lugar al que me llevó Kon era algo con lo que nunca me había encontrado antes por la noche. Aparcamos el coche y nos dirigimos a Bishop Street. Los callejones de metro y medio de ancho fuera de las tiendas estaban a rebosar de vendedores ambulantes que cocinaban bajo la luz de quinqués. Me habían advertido del peligro de andar por aquella zona de la ciudad por la noche, pero al lado de Kon me sentía seguro.

—Ah, el Tigre Blanco; nos honras esta noche con tu presencia —le saludó el vendedor de gachas con buen humor, y después le preguntó por su padre. Limpió la mesa grasienta con un paño que colgaba de su rollizo hombro y nos sentamos en bancos de madera colocados a lo largo de la calleja. Un hombre grueso en camiseta echó tiras de masa en una caldera de aceite hirviendo y, cuando estuvieron doradas, las sacó con un par de palillos de unos treinta centímetros de largo. Aquel *yew-char-kway* podía mojarse en las gachas de pescado, que venían con una guarnición de chalotas, cebolletas, unas gotas de aceite de sésamo y láminas de jengibre.

—¿Por qué te han llamado eso? —le pregunté.

Kon se encogió de hombros y señaló su camisa.

—Puede que porque me gusta ir de blanco.

—¿Y lo del Tigre? —Pareció incómodo por mi pregunta y levanté las manos en señal de rendición—. Me lo puedo imaginar. No quiero saberlo.

—Come y calla —dijo.

—¿Por qué nos está sonriendo esa mujer? —le pregunté.

Una joven china vestida con un *cheongsam* rojo ondeaba su pañuelo para llamar mi atención. Estaba apoyada en el quicio de una puerta y la luz de atrás recortaba su silueta y la hacía parecer mayor.

Kon se giró para mirar.

—Es una fulana y quiere que te acuestes con ella.

—Ah, creía que era una vieja amiga tuya.

La comida vino y la devoramos. El *yew-char-kway* estaba crujiente, abrasaba y tenía un sabor delicioso empapado en las gachas.

—¡Otro cuenco de gachas! —le grité al vendedor ambulante. Entonces, llegaron conductores de *trishaws*, aparcaron sus vehículos en la calle, se sentaron a nuestro alrededor y, de repente, la atmósfera se llenó de alborozo y de sus afables tacos.

—Deberías sentarte como ellos —dijo Kon.

—¿Qué? ¿Cómo?

Estudié a los hombres y me di cuenta de que apoyaban una pierna en el banco al sentarse, por lo que una rodilla sobresalía de la mesa como el pico de una montaña mientras se atiborraban de comida.

—Quizá en la próxima gala del regidor residente —propuse.

Ambos nos levantamos al mismo tiempo cuando oímos el alboroto procedente del burdel. Una brusca voz de hombre se alzó por encima del ruido de las mesas.

—¡Largo de aquí! ¡Fuera!

Las puertas batientes se abrieron de par en par y un inglés de mediana edad salió dando tumbos al callejón y se chocó contra una columna. Rodaba por el suelo cuando un joven chino se acercó y le dio una patada en la cabeza.

—¡Basta ya! —dijo Kon mientras bloqueaba otra de sus patadas. El chino le retiró la mano y cerró los puños pero, entonces, reconoció a Kon.

—Maestro Kon, lo siento. Pero este *ang-moh* estaba causando molestias.

—Déjamelo a mí —dijo Kon. El hombre le obedeció sin rechistar y regresó al burdel. Los conductores de *trishaws* que había a nuestro alrededor volvieron a sus comidas.

Kon acompañó al inglés borracho hasta nuestra mesa y le dio una taza de té.

—¿Está bien?

—Sí, sí. Chicas preciosas… Oh, sí, nos lo pasaremos bien… —farfulló el hombre. Kon le hizo beberse el té y, después de un rato, pareció más sobrio—. Creo que me habéis salvado ahí. Pero ¿quién demonios sois?

—Dos amigos que están cenando fuera —dije.

—¿Podéis llevarme a mi hotel?

Pedí la cuenta y el inglés me lanzó una mirada calculadora.

En el coche nos dijo que se llamaba Martin Edgecumbe.

—¿Qué estaba haciendo en esa parte de la ciudad? —le pregunté.

—Parece que hablas muy bien el dialecto local para ser europeo —dijo, ignorando mi pregunta.

—Mi madre era china —aclaré.

Le dije mi nombre y él aguzó los ojos.

—¿El hijo de Noel Hutton?

—Correcto.

—¿Y tú?

Entonces miró a Kon, que le dijo su nombre.

—¿Va a decirnos que sabe de quién es hijo? — solté con un toque de sarcasmo.

—El hijo de Towkay Yeap —respondió Edgecumbe.

—Creo que es nuestro turno de preguntas… ¿Quién demonios es usted? —le dije.

—Llevadme al E&O —dijo Edgecumbe, ignorándome una vez más.

Como correspondía a la grandeza del legendario Hotel Eastern & Oriental, Balwant Singh, el portero sij del vestíbulo, permaneció impasible cuando entre los dos condujimos a Edgecumbe, que sangraba por la nariz, escaleras arriba hasta su habitación.

Kon machacó un poco de hielo, lo envolvió en una toalla y se lo dio a Edgecumbe. La habitación era lujosa y tenía un balcón que daba a la piscina y, más abajo, al mar. La brisa de la noche soplaba desde la costa hacia el agua, susurrando entre la fronda de cocoteros. La espuma blanca resplandecía donde tocaba la playa, y la luna, llena y redonda, parecía muy cercana y dura.

—¿Qué otras lenguas habláis vosotros dos? —preguntó Edgecumbe mientras se daba toquecitos en la nariz con el atadillo de hielo. Kon, que negaba con la cabeza ante tan debiluchos intentos, le arrebató el hielo y lo presionó firmemente contra la nariz de Edgecumbe, que gritó de dolor.

—¡Por todos los santos! ¡Para!

—Deje de moverse; esto hará que se le corte la hemorragia.

Me di la vuelta para salvar las apariencias y contuve la risa. Él volvió a formular la misma pregunta.

—Hablo hokkien, inglés, malayo y algo de cantonés, pero ninguno de los dialectos indios. Aquí mi amigo habla las mismas lenguas que yo además de mandarín.

—Y ambos hablamos y escribimos japonés —añadió Kon.

Me pregunté por qué había obviado eso. Puede que, en lo más profundo de mi ser, sintiese que era una admisión vergonzosa, que revelarlo no era del todo prudente. Pero también sabía que había establecido un vínculo tan fuerte con Endo-san que ahora casi nunca pensaba en su nacionalidad y, cuando hablábamos, no era consciente de si lo hacíamos en japonés, inglés o una mezcla de las dos lenguas, sino únicamente de que nos comunicábamos y nos comprendíamos a la perfección. Al oír a Kon afirmar que yo me expresaba en japonés con fluidez, hasta yo mismo me sorprendí.

—Eso no es muy frecuente —dijo Edgecumbe—. Entonces tal vez ha sido el destino el que ha decidido que nos conociésemos esta noche.

Kon y yo nos miramos el uno al otro, preguntándonos qué quería decir aquel hombre.

—Seguro que no habéis oído hablar de la Fuerza 136 —continuó Edgecumbe—, así que dejad que os cuente de qué va. Debo advertiros que esta es información clasificada y que, una vez que dejéis esta habitación, se os prohíbe comentarla con nadie más. ¿Queda claro?

Yo quería salir de aquel cuarto. No deseaba saber lo que iba a contarnos, pero Kon accedió.

—Sí, lo entendemos.

—Es una unidad formada por el ejército británico. Somos perfectamente conscientes de que los japoneses *podrían* tener intención de invadir Malaya, aunque el Ministerio de Asuntos Exteriores no lo crea probable. Nosotros, sin embargo, no nos hemos quedado de brazos cruzados. Hemos empezado a reclutar a gente selecta para formar «redes de espionaje e injerencia» y contraatacar a los japoneses *en caso* de que nos declaren la guerra.

—Una campaña de resistencia organizada —dije, viendo el panorama con inmediata claridad, maravillado ante la audacia del plan y, al mismo tiempo, albergando un sentimiento de traición. Así que el gobierno británico ya sospechaba que pudiera producirse un ataque, que Malaya podría caer, y aun así seguía manteniendo que no, que las armas de Singapur repelerían cualquier intento de ese tipo.

—Estamos buscando a gente que sepa hablar malayo, tamil, inglés y cualquiera de los dialectos locales chinos —prosiguió Edgecumbe.

—¿Y después qué? —preguntó Kon.

Su fascinación por el plan me hizo querer apartarlo de Edgecumbe. En ese momento me di cuenta de la enorme diferencia que existía entre Kon y yo: él era un idealista y yo no. Para mí, Edgecumbe no era muy diferente de los *mandurs*, aquellos agentes de reclutamiento del siglo XVIII que iban de aldea en aldea por la India atrayendo a tanta gente como fuese posible para mandarla en barco hacia Malaya como culis.

—Los grupos se situarán en las junglas para formar equipos con los aldeanos y las tribus que allí viven. Recopilarán información sobre el enemigo y probablemente incluso lleven a cabo algún sabotaje contra los japoneses —explicó Edgecumbe.

—¿Y le gustaría reclutarnos? —preguntó Kon.

—Creo que vosotros dos seríais perfectos para eso. Contáis con la ventaja lingüística. ¡Dios, hasta sabéis hablar japonés! Os proporcionaríamos entrenamiento, del tipo lucha cuerpo a cuerpo elemental, nada demasiado complicado para dos jóvenes como vosotros. Algunas instrucciones sobre armas de fuego, así como técnicas básicas de supervivencia en la jungla.

No me gustaba el giro que estaba dando la conversación.

—Ha sido un día muy largo y estoy agotado. ¿Qué tal si nos vamos a casa? —le propuse a Kon al tiempo que me levantaba.

—Ya le informaremos de nuestra decisión, señor Edgecumbe —dijo Kon, y el hombre escribió su número de teléfono y se lo dio.

—No os lo penséis demasiado. No queda mucho tiempo —nos advirtió Edgecumbe y, en aquel momento, me pareció completamente sobrio.

Capítulo dieciocho

Kon permaneció en silencio durante el camino de vuelta.

—¿Qué te ha parecido ese tal Edgecumbe? —le pregunté cuando me bajé del coche en Istana.

Él apagó el motor.

—Parecía sincero. Puede que considere su oferta. ¿Y tú?

—La verdad es que no lo sé. Obviamente, no puedo hablar de esto con Endo-san. Tendré que pensármelo.

La propuesta de Edgecumbe me preocupaba. El hecho de que ya tuviese voluntarios significaba que había personas en Malaya con buenas razones para creer que la guerra era muy probable.

—Ya me dirás —añadió Kon, y arrancó el motor.

—Lo haré. Acuérdate de venir a la fiesta —le grité cuando se iba. Lo vi saludar con la mano y esperé bajo el pórtico hasta que las luces de su coche desaparecieron.

Aunque lo necesitaba, y mucho, no tuve oportunidad de volver a hablarle a Kon acerca de Edgecumbe. Isabel y yo estuvimos ocupados preparando la fiesta y, cuando podía sacar un poco de tiempo, siempre me decían que Kon no estaba en casa o que estaba con su amigo Ronald Cross.

Me dejé distraer de la morbosa contemplación del futuro. Hicimos varios viajes a Whiteaway Laidlaw & Co. y a Cold Storage Company, para hacer compras alegres y casi compulsivas de cajas de champán y *pâté de foie gras*; telefoneamos al Robinson's en Singapur para que nos mandasen fresas australianas recién cosechadas; nos aseguramos de que limpiaban la casa a fondo y quitaban el polvo de cada superficie.

Dada la cantidad de trabajo que había que hacer, le preguntamos a tío Lim si a Ming le gustaría echar una mano para sacarse un dinero extra. Vino al día siguiente y me alegró ver que su estancia en el pueblo había borrado de su cara la habitual expresión de preocupación y miedo. Se había prometido en matrimonio con un pescador y parecía feliz con la perspectiva.

Isabel me dio el nombre de una persona a la que quería invitar.

—Pon a este en la lista —me dijo, alargándome un trozo de papel.

—Peter MacAllister —le dije, mirándola—. ¿Quién es? ¿De tu club de tiro?

—Nadie que te importe. Añade su nombre y punto.

—De acuerdo, pero sabes muy bien que el viejo desaprobará a cualquier hombre que traigas —le advertí—. Nunca le ha gustado ninguno de tus novios.

—Peter no es «cualquier hombre» y padre lo aprobará —repuso ella.

—Entonces, ¿quién es Peter?

—Es un abogado de K.L. —dijo—. Tiene cuarenta y siete años.

—Ay, querida —dije para burlarme de ella—. En ese caso, *debemos* añadir su nombre.

—Me alegro mucho de que estemos haciendo esto —dijo Isabel cuando salimos de Pritchards, donde ella había estado eligiendo la mantelería para las mesas. Yo me había tomado la mañana libre para ayudarla.

—Sí, hace ya mucho tiempo desde nuestra última gran fiesta —convine con ella.

—También me refería a esto. —Entonces describió un círculo en el aire con la mano entre los dos—. Pasar tiempo juntos.

—Está muy bien —dije—. Sin embargo, tengo mejores cosas que hacer.

Puse cara de desdén y aburrimiento pero no pude aguantarla durante mucho tiempo y ambos estallamos en risas.

Faltaba una hora para el almuerzo, así que decidimos tomarnos unas copas en el Hotel Eastern & Oriental. Miré a mi alrededor al entrar, preguntándome si Edgecumbe seguiría alojándose allí. Había pasado casi una semana desde que lo dejamos en su habitación sujetándose el atadillo de hielo. Sentía un fuerte deseo de hablar de su oferta con Isabel, pero la advertencia de Edgecumbe había sido inequívoca.

Mi hermana escogió una mesa en la veranda, junto al mar. Habían levantado las persianas de madera y la brisa y el sol que nos acariciaban la piel eran como un bálsamo elaborado con viento y luz.

El Hotel E&O era propiedad de los hermanos Sarkie, dos armenios que también dirigían el Hotel Raffles en Singapur. El establecimiento se enorgullecía de su lista de huéspedes, que había incluido a Noel Coward y Somerset Maugham.

—Una vez nos visitó —dijo Isabel—. ¿Te acuerdas?

—¿Quién? —dije, distraído por el menú y los pensamientos de Edgecumbe.

—Somerset Maugham, tonto. No me estabas escuchando. Padre le preparó una pequeña velada y yo me llevé una gran decepción porque nunca escribió sobre nosotros. Probablemente nos encontrase demasiado aburridos. Tú entonces eras bastante pequeño.

—Estoy de acuerdo. ¡Somos la familia más aburrida de la ciudad!

Observamos a un grupo de niños que nadaban en el mar bajo la atenta mirada de sus *amahs*, que iban vestidas con sus habituales *samfoo* blanquinegros y permanecían sentadas bajo grandes sombrillas. El viento traía la alegre risa infantil, que yo encontraba contagiosa.

—Deberías estar siempre así —dijo Isabel.

Aparté la vista del mar.

—¿Así cómo?

—Ni más ni menos que así —contestó—. Últimamente pareces más contento. No sé cómo describirlo, pero te sientes más parte de nosotros.

—Siempre he sido parte de todos vosotros —le contesté, con un repentino sentimiento de reticencia.

—No, mantenías cierta distancia. Supongo que fue un poco duro después de la muerte de tía Lian —dijo, refiriéndose a mi madre.

Mis padres se habían casado en 1922, cuando Isabel tenía justo cuatro años, y mi madre se hizo cargo de William e Isabel hasta su muerte en 1930. Edward nunca sintió apego por mi madre, pero una vez Isabel me contó que Yu Lian había sido más madre para ella y para William que para mí, porque ellos, al menos, habían sido lo suficientemente mayores como para recordarla.

—Solo conservo fragmentos de ella en mi memoria —confesé.

Isabel negó con la cabeza y parpadeó.

—Yo ni siquiera conservo fragmentos de mi verdadera madre. Todas esas fotografías y retratos de ella en la casa me resultan tan extraños como deben de resultarte a ti. Creo que eso es preferible…, al menos así no echo de menos lo que no puedo recordar.

Percibí la inesperada fragilidad de su tono y, por un momento, pensé en lo que había dicho. Me chocó que su voz sonara tan amarga. Entonces la vi como realmente era, una chica confundida por su inexplicable rabia, que intentaba ahogar siendo Isabel: alguien que reía perpetuamente, en constante búsqueda de la próxima cosa emocionante que hacer y que siempre se esforzaba por conseguir ser el centro de atención.

Meneé la cabeza.

—Te sientes igual de mal. Siempre quedará un vacío en el interior, sea cual sea la forma de nuestras pérdidas, sea cual sea el déficit de nuestras memorias.

Hizo rodar su copa de vino entre las manos, como un alfarero dando forma a su creación.

—Puede que tengas razón. La memoria es traicionera. Cuando he dicho que no conservaba recuerdos de mi madre, me refería a que no la recordaba aquí. —Se tocó la frente—. Y sin embargo…

Sus manos volvieron a moldear la copa.

—Y sin embargo la sientes aquí —le dije, con la mano puesta en el corazón.

Detuve sus manos y se las apreté, sintiendo la dureza de la copa de vino debajo, casi hasta el punto de rotura.

—Eso no es memoria, Isabel —proseguí—. Eso es amor.

Ella volvió a parpadear y se pasó un dedo por los ojos para esconder sus lágrimas. Nos habíamos revelado más cosas en aquellos momentos que en los últimos años. ¿Eso era parte del proceso de conversión en adulto, ver al fin a la gente más próxima a nosotros bajo una nueva luz, más clara?

—Eso suena muy maduro, viniendo de ti —dijo alzando la mirada.

Ignoré su tentativa de aligerar la conversación. Entonces, se inclinó hacia delante y añadió en voz baja:

—¿De modo que esta gran perspicacia es lo que tu profesor japonés te ha enseñado?

—Supongo que padre te ha hablado de él —le respondí.

—Philip, siempre has sido de naturaleza reservada. William y yo hemos ido montando el rompecabezas con piezas de aquí y de allá. ¿Quién es?

A excepción de mi padre, había preservado mi asociación con Endo-san al margen de mi familia. Siempre habíamos llevado nuestras propias vidas, así que me resultaba sencillo mantener mis clases con él sin llamar la atención. Valoraba mucho lo que había descubierto con Endo san y era reacio a hablar de ello, pues temía que su poder y su pureza se diluyeran al hacerlo.

—Nos tiene alquilada la isla. Ha construido una cabañita y lo conocí cuando estabais fuera —le conté, ciñéndome estrictamente a los hechos.

—Sabes que entablar amistad con los japos es peligroso, ¿no?

Me molestó que el tono hubiese cambiado entre nosotros. Era obvio que estaba repitiendo la opinión de otra persona y, probablemente, utilizando sus mismas palabras.

—¿Quién te ha enseñado a decir eso? ¿Peter? —le pregunté.

Tuvo la gracia de bajar los ojos y de sonrojarse un poco.

—Peter tiene buenos contactos y ha oído cosas —prosiguió.

—¿Qué tipo de cosas?

—Que los japos van a invadir Malaya. Que llevan años con espías aquí. En pueblos y pequeñas comunidades por toda la costa, situados cerca de ubicaciones militares estratégicas. Se camuflan como comerciantes y tenderos, compradores de caucho y pescadores. Solo espero que tu amigo japonés no sea uno de ellos.

—No, estoy seguro de que mi «amigo japonés» no es «uno de ellos». Lo que has oído no son más que rumores. Es casi hora de almorzar. ¿Vas a pedir algo para comer o no?

Me encontraba en mi pequeño cubículo cuando mi padre salió de su despacho y vino a verme.

—¿Cómo van los preparativos para la fiesta?

Revolví la caja de invitaciones que había recogido de la imprenta.

—Solo falta rellenarlas con los nombres de los invitados.

—Envíale una invitación al señor Endo y otra al cónsul japonés —me dijo—. He decidido invitar también a otros japoneses de Penang.

Era un gesto amable, pero me picó la curiosidad.

—¿Es eso prudente? También vamos a invitar a un gran número de *towkays* chinos.

Le di una lista de los nombres de los magnates locales. El ejército imperial japonés había tomado Cantón hacía solo una semana y hasta Ming estaba más callada que de costumbre, pues se preguntaba cómo estaría su madre, aunque Isabel había intentado aplacar sus miedos diciéndole que probablemente estaría a salvo en el campo. La comunidad china de Penang, al igual que los miembros de la Campaña de Ayuda a China, habían iniciado manifestaciones y marchas de protesta contra los japoneses de Malaya para pedir que fuesen deportados. El regidor residente había aceptado una propuesta de la cámara de comercio china, dirigida por el padre de Kon, con una petición similar. Para indignación de los miembros de la cámara, el regidor residente se había negado a remitir la petición al gobernador de Singapur. El jefe de redacción de un periódico local se había hecho con la petición y había publicado el contenido íntegro y los nombres de los solicitantes. Ahora la cámara, a ojos del público, había demostrado ser completamente ineficaz. Eso significaba una gran pérdida de reputación para los chinos.

Mi padre sonrió de un modo que no me gustó demasiado.

—Son tus amigos, así que te tocará a ti mantener la paz.

Dejé las tarjetas y me pregunté cómo iba a hacer eso.

—Ah, por cierto —añadió cuando se disponía a entrar en su despacho—, no te olvides de invitar a tu abuelo y a tía Mei.

La fiesta iba a celebrarse el último sábado de octubre de 1941. Como mi padre había predicho, sería una de las últimas grandes fiestas del año. Todo empezó bien, con la llegada a casa de William procedente de su academia naval dos días antes del evento. No nos había dicho que iba a venir, y entró en casa, hasta el comedor, cuando estábamos cenando. Mi padre levantó su copa hacia él, e Isabel dio un grito de alegría.

William todavía llevaba puesto el uniforme y le hicimos dar una vuelta para enseñárnoslo. Noté una chispa de envidia en los ojos de Edward y vi que mi padre también la había captado.

—Me han destinado a un barco de guerra en Singapur —nos comunicó William—. El acorazado HMS Prince of Wales ni más ni menos, el que hundió el Bismarck, el orgullo de la Marina. Será mi hogar durante los próximos meses.

Entonces empezamos a hacer comentarios denigrantes sobre su corte de pelo al rape y su cara quemada por el sol.

—Y lo que es más —dijo, mirándome—, también nos van a entrenar en técnicas de combate cuerpo a cuerpo… Cuando quieras te doy una lección, hermanito.

Lo abucheamos.

—¡Cierra ya el pico, William! —exclamó Isabel.

—Bueno, ¿cómo van los preparativos para mi fiesta?

Le tiré un chusco de pan. Isabel se rio e hizo lo mismo, y luego Edward y nuestro padre se unieron a nosotros, y bombardearon a William a panecillos.

—¿Quién te ha dicho que la fiesta es por ti? —le dije.

—Bueno, entonces supongo que será mejor que regrese a Singapur, ¿no? Vale, vale, no más panecillos, por favor. Eso es lo único que comemos. Estoy harto de ellos.

Se sentó en su sitio de siempre y comió con avidez, acompañado por nuestros groseros comentarios sobre los modales de los marineros a la mesa. Avanzada la noche, apartamos nuestros platos y el calor, el fuego y la chispa de nuestra conversación se fueron volviendo más cálidos y apacibles ayudados por el vino. Percibí una expresión de satisfacción en el rostro de mi padre, que se había relajado, y vi que el brillo azul de sus bonitos ojos había perdido su dureza. Eché un vistazo a mi alrededor y comprendía que todos reflejábamos los sentimientos de nuestro padre. Miré en mi interior y me complací al descubrir que yo también me sentía satisfecho y feliz. Mi padre me miró desde el otro lado de la mesa y asintió ligeramente. Ambos sabíamos que, después de haber caminado solo durante tantos años, distanciándome, finalmente había regresado a mi familia. Era un regreso al hogar para William. Era un regreso al hogar para mí.

Capítulo diecinueve

Habíamos mandado invitaciones para la fiesta a la flor y nata de Penang: la clase británica gobernante, que incluía al regidor residente y a su mujer, a funcionarios de alto rango y a oficiales del Ejército y de la Marina; unos cuantos dramaturgos y músicos; los redactores jefes de varios periódicos y la gente que realmente controlaba la isla: los magnates chinos, los aristócratas malayos y los *tuan besars* británicos. Y también estaban los japoneses que yo había invitado. Era una verdadera reunión de amigos y enemigos.

A Isabel se la veía nerviosa cuando fuimos por la casa dando los últimos retoques. Le temblaban las manos cuando se puso a sacarle brillo a las copas y se las tuve que quitar.

—¡Pero bueno! ¿La cinco veces campeona del Club de Tiro de Penang con manos temblorosas? ¿Cómo puedes apuntar a algo así?

—¡Oh, cállate! —me replicó.

Solté una carcajada mientras la veía subir a su habitación, pero la envidiaba: había encontrado a alguien que significaba mucho para ella y se lo presentaría a nuestro padre y a la gente de la fiesta. Me di mi chapuzón vespertino y repasé mentalmente todos los preparativos en un intento por descubrir si se me había pasado algo por alto. Estaba preocupado por la presencia de Endo-san y me preguntaba cómo actuaría. Había tenido que invitar a Shigeru Hiroshi y estaba seguro de que no me había perdonado por dañar su reputación en la fiesta de Henry Cross. También estaba Kon, su padre Towkay Yeap, Tanaka, el *sensei* de Kon, y mi abuelo y tía Mei. A medida que la tarde se apagaba y el frescor de la noche reemplazaba el calor del día allí en la piscina, mi preocupación empezó a aumentar. Decidí que quedarme sentado no ayudaría. De repente, la ansiedad de Isabel no me pareció tan graciosa.

Era una noche cálida: los cielos eran una paleta relajante de bermellón, violeta y azul oscuro, realzados por largas estelas de nubes. Los grillos se contestaban unos a otros en los árboles y la hierba y, sobre nosotros, una bandada de golondrinas volaba de regreso a casa, surcando el firmamento sin esfuerzo con sus colas en forma de tijera. Habíamos colgado farolillos chinos en los árboles que bordeaban el camino de acceso, dándole el aspecto de un gigantesco collar de perlas incandescentes.

Mi padre y yo dábamos la bienvenida a los invitados en el rellano de la escalinata del pórtico. Al contrario que la mayoría de los europeos, él se negaba a llevar el esmoquin estándar blanco; en vez de eso, se había puesto el negro de siempre, que lo hacía parecer muy distinguido, a lo que contribuía también un mechón de pelo que le hacía cosquillas en la ceja izquierda.

Se oía la orquesta de ocho componentes tocar una selección de Irving Berlin en los jardines. Entre apretones de manos y bienvenidas a los invitados, hablamos.

—Has hecho un trabajo espléndido —comentó, tarareando al ritmo de la música.

—Después de haber estado en tantas fiestas, no hay mucho que no haya aprendido sobre la marcha —le contesté.

—Tu madre estaría muy orgullosa de ti —me dijo, pillándome por sorpresa.

—No. De los dos —contesté—. Gracias por aquel día en la biblioteca, por tus palabras.

—Estoy orgulloso de ti —dijo en tono grave, y me cogió de la mano.

Por primera vez en mi vida, sentí que cada uno era una parte viva del otro. Y supe, gracias a la perspicacia que había surgido en mí como consecuencia de las enseñanzas de Endo-san, que me había querido desde el momento en que nací, incluso durante aquellos años en que estuve distanciado de él y de mi familia. Ese fue uno de los mayores regalos que Endo-san me había hecho: la capacidad de amar y de reconocer que era amado.

Contuve las lágrimas amenazadoras con un rápido parpadeo y, en aquel momento, a la hora en punto, el coche del cónsul japonés entró por el pórtico. Reconocí a Goro al volante, pero él no me prestó la menor atención.

El cónsul, Shigeru Hiroshi, parecía llevar la misma chaqueta que se había puesto en la fiesta de los Cross. Endo-san me lo presentó y ambos fingimos que nos veíamos por primera vez, aunque yo sabía que todo era una farsa, una farsa para salvar su reputación. Contesté a sus preguntas en japonés, consciente de que impresionaría a mi padre. Luego, Hiroshi volvió a hablar en perfecto inglés.

—Buenas noches, señor Hutton.

—Buenas noches, señor Hiroshi —contestó mi padre.

—Este es mi vicecónsul, el señor Hayato Endo.

Vi que mi padre miraba a Endo-san con interés.

—Ya nos conocemos —dijo.

—Sí, efectivamente —contestó Endo-san.

Le hice una reverencia.

—Buenas noches, *sensei*.

—Puedo arreglármelas solo —dijo mi padre—. ¿Por qué no acompañas dentro a nuestros invitados?

Los conduje por la casa y salimos al jardín. Hiroshi siguió adelante y me dejó con Endo-san. Él también estaba muy elegante, vestido con un traje de chaqueta gris marengo y una corbata granate, que servía para acentuar el plateado de su pelo. Alcancé dos copas de champán de un camarero que pasaba. Le encendí un puro y él exhaló un anillo de humo hacia la noche.

Un camarero indio pasó por nuestro lado; había algo en su aspecto que me hizo pensar en detenerlo, pero entonces, Endo-san me habló.

—¿Cómo estás? No deberías perder más clases de las necesarias —dijo.

Le había informado de que necesitaba una semana libre de clases para preparar la fiesta. Lo había echado de menos y así se lo hice saber.

—Yo también te he echado de menos.

Mi padre se nos unió. Endo-san le hizo una reverencia y mi padre inclinó ligeramente la cabeza.

—¿Qué tal su isla? —preguntó

—Muy tranquila —contestó Endo-san, lanzándome una mirada irónica—. Espero que no esté pensando en recuperarla todavía.

—No, por supuesto que no. He oído que ha estado viajando mucho.

—Sí, tratando de hablar con los dirigentes de su gobierno para convencerlos de que somos inofensivos. Reuniéndome con dueños de compañías para ver si podemos hacer negocios juntos. Japón tiene mucho interés en invertir en Malaya.

—Me han comentado que el señor Saotome desea hablar de algunos negocios conmigo —dijo mi padre—, pero me temo que el deseo expreso de mi abuelo era que Hutton e Hijos permaneciese siempre en las únicas manos de la familia. No tenemos socios y no estamos en venta.

—Ah, sí, los principios del famoso Graham Hutton. Se lo haré saber a Saotome-san. Será una gran decepción —respondió Endo-san.

—¿Está pensando Japón en invadir Malaya? —preguntó mi padre.

El aire debió de transportar sus palabras, pues varias cabezas se giraron para mirarnos.

—No lo sé. Esa es una decisión que debe tomar mi gobierno. Yo solo soy un modesto siervo de mi país —repuso Endo-san, y yo me di cuenta de cómo ponía en práctica los principios del *aikijutsu* en su respuesta.

Posé suavemente la mano en el brazo de mi padre. Él asintió y me sonrió.

—Por esta noche, todos creeremos eso —convino. Un grupo de personas que entraban por las puertas abiertas llamó su atención—. Veo que tu abuelo ha llegado. Quizá deberías acompañarme a saludarlo.

A menudo me había preguntado cómo se comportaría mi padre cuando se encontrase cara a cara con mi abuelo. Observé que los dos hombres, que tanto daño se habían causado mutuamente y a la mujer que ambos querían, ahora se saludaban con gran civismo.

—Señor Hutton —dijo mi abuelo.

—Señor Khoo —contestó mi padre, igual de apacible, consciente de que había dado mucha reputación y ahora la estaba recibiendo de vuelta al haberle mandado la invitación a mi abuelo y al haber aceptado este. Nunca obtendría una disculpa abierta de mi abuelo y ahora mi padre lo aceptaba; y cambió el tono de su voz del mismo modo que hacía en sus tratos, cuando las cosas empezaban a ir como él quería—. Me alegra que haya podido asistir.

—Pensé que ya era hora de venir a ver a mi nieto.

—Sí. Ya era hora —respondió mi padre, rodeándome con el brazo.

Fue entonces cuando me di cuenta de que también estaba celebrando aquella fiesta por mí, con la esperanza de que, a través de mi persona, se reconstruyeran los puentes rotos.

Los dos hombres se miraron el uno al otro largo y tendido y supe que ambos estaban pensando en mi madre, cada uno con sus recuerdos personales y favoritos de ella.

Intervine y tomé a mi abuelo del brazo.

—¿Dónde está tía Mei?

—La han arrestado —dijo.

—¿Qué? —dijimos mi padre y yo al unísono.

—Oh, no es nada. —Se encogió de hombros de la forma que tantas veces había visto en Ipoh—. Estaba en una manifestación protestando con la gente de la Campaña de Ayuda a China contra los japoneses. La policía les dijo que se dispersaran pero ellos no hicieron caso. Yo me ofrecí a sacarla de allí, pero ella se negó. Manda sus disculpas, por cierto. La gente joven de ahora…

Suspiró, bastante ajeno al hecho de que tía Mei ya había pasado su edad fértil.

Fui a buscar a William e Isabel, que me habían hecho prometer que les presentaría a mi abuelo. Los encontré en la cocina, supervisando a los sirvientes. Isabel llamó a Edward y juntos me siguieron hasta donde él esperaba.

Estaban nerviosos por mi abuelo y yo entendía por qué. Él iba vestido con una sobria túnica mandarina en color gris que brillaba cuando se movía. Llevaba las mangas ribeteadas en plata, a juego con sus cejas, que había dejado crecer sobre sus fríos y vivos ojos. Con aquella ropa tenía aspecto de hombre duro y robusto.

Se produjo un raro silencio, pues ninguno de nosotros sabía muy bien qué decir después de terminar con las presentaciones. Mi abuelo parecía no saber qué pensar de mis hermanos. Parpadeaba rápidamente, turbado, lo cual me resultó tanto sorprendente como entrañable.

Isabel nos salvó de aquella situación embarazosa.

—Todos echamos mucho de menos a tía Lian desde que murió. Era maravillosa con nosotros y siempre pensé en ella como en mi madre.

Mi abuelo inclinó la cabeza.

—Me alegro de que significase tanto para ti.

—¿Puedo llamarlo también abuelo? —preguntó Isabel.

Mi abuelo pareció sorprendido.

—Mejor no —respondió.

Me sentí herido e Isabel se quedó desconcertada, temerosa de haberlo insultado.

Sin embargo, había juzgado mal al anciano.

—Preferiría que me llamases *ah kong* —dijo, utilizando el término hokkien para «abuelo».

Entonces sonrió y mi dolor se tornó en admiración y afecto. Isabel y William parecieron aliviados. Se disculparon y volvieron a la cocina y yo me llevé a mi abuelo a los jardines, donde estaban puestas las mesas.

Las criadas no paraban de hacer viajes a la cocina, trayendo bandejas de comida. Habíamos decidido servir un combinación de platos ingleses y malayos, y mi padre había elegido sus favoritos de siempre: *curry* de pescado indio, ternera *rendang*, arroz de coco, pollo *kapitan* al *curry, assam laksa*, *kuay teow* frito, *rojak* y *mee rebus*. Había contratado a unos cuantos vendedores ambulantes locales para que trajeran sus puestecillos a Istana y ahora estaban cocinando en el jardín. Olía los pinchos de pollo y de ternera que el vendedor de *satays* asaba en una parrilla de carbón. Cada vez que los untaba con un tallo de limoncillo mojado en aceite de cacahuete, las llamas procedentes de los carbones estallaban, iluminando los árboles a su alrededor y enviando al aire de la noche una nube de olores que hacían la boca agua.

Mi abuelo cogió una copa de champán de un camarero y dijo:

—¿Dónde está tu maestro japonés? Me gustaría conocerlo.

Eché un vistazo a la terraza en busca de Endo-san y lo encontré junto a un grupo de hombres de negocios japoneses. Él me vio y vino hacia nosotros.

—Ya nos conocemos. El señor Endo, ¿verdad? —preguntó mi abuelo.

Endo-san asintió. En el momento en que se estrecharon la mano, noté que algo se movía, que se desenfocaba y volvía a enfocarse de nuevo. Me sentí como si estuviera borracho, y eso que aún no había probado ni una gota de vino.

—Usted es el que ha estado enseñando a mi nieto.

—Así es —respondió Endo-san—. Está ansioso por aprender y eso lo hace más placentero. Es maravilloso haber encontrado a alguien como él. En todos los viajes que he hecho, nunca había conocido a nadie con su capacidad. Aprende muy rápido.

—Casi como si le hubieran enseñado en otra vida, ¿verdad?

La cara de Endo-san se iluminó.

—¿Cree en tales cosas, señor Khoo?

—Efectivamente.

—Entonces comprenderá que hay ciertas cosas que no se pueden detener, que hay que dejar que pasen, a pesar de las consecuencias.

—Sé que uno no puede escapar a su senda en el continente del tiempo —dijo el abuelo Khoo.

Una sensación de desconcierto me fue invadiendo a medida que seguía su extraña conversación. Era como escuchar a dos monjes discutir sobre la existencia de la nada. Recordé lo que Endo-san me había dicho en el Templo de la Serpiente; qué lejos quedaba todo aquello ahora y cuánto tiempo parecía haber pasado.

—He entrenado y enseñado a su nieto lo mejor que he podido para que se enfrente a la vida que le ha tocado llevar —continuó Endo-san.

—Lo comprendo. Pero, como ambos sabemos, eso nunca es suficiente, ¿verdad? Hay muchas cosas que nunca se pueden enseñar a superar.

—Eso dependerá de la entereza y fortaleza de la persona y del nivel de desesperación al que se enfrente.

Eso no le gustó nada a mi abuelo.

—Eso no es justo, señor Endo.

—Me temo que no está en mis manos, señor Khoo —dijo Endo-san, y en su voz detecté una pena insoportable.

—¿De qué estabais hablando vosotros dos? —le pregunté más tarde a mi abuelo, cuando Endo-san se unió a otro grupo de personas. El abuelo parecía distraído y no respondió hasta que le toqué suavemente el brazo.

—Estábamos hablando del destino —dijo por fin—. De que no se puede escapar de él.

—Parecías creerle.

—Dice la verdad. Pero es lo que hace con ella lo que lo hará peligroso.

—Lo que dices no tiene sentido, abuelo.

—¿Te ha hablado alguna vez sobre tus vidas anteriores?

—Sí, una vez.

—¿Y?

—Confío en él —dije.

—Pero tienes tus dudas.

No me gustaba el giro que había tomado la conversación. En una magnífica noche como aquella, no me apetecía lo más mínimo oír hablar sobre mi pasado o mi futuro.

—Ven conmigo —le propuse, tirándole de la manga.

Lo conduje hasta la fuente. Las luces de la casa se reflejaban en el agua espumosa, volviéndola del color del champán que se servía. Él completó un círculo alrededor de la fuente, como yo había hecho en su casa de Ipoh.

—No mentías —dijo—. Soy incapaz de encontrar diferencia alguna.

—Aquella de allá arriba era su habitación —le dije señalando el segundo piso—. Podía ver la fuente desde sus ventanas y también oírla claramente.

—¿Podrías dejarme un momento a solas? —me pidió, y se sentó en el borde.

—¿Estás seguro?

Él sonrió y dijo:

—Ve a ayudar a tu padre. Ya hablaremos más tarde.

La mayoría de los invitados estaban llegando ahora a la vez y mi padre pareció aliviado cuando me vio aparecer.

—El regidor residente y su esposa; Monkey Hargreaves, el jefe de redacción del periódico; y ahí llegan Towkay Yeap y su hijo. Va a ser una noche interesante.

La verdad es que no lo estaba escuchando; las palabras que Endo-san y mi abuelo habían intercambiado no paraban de darme vueltas en la cabeza en un intento por hilvanarse y revelar algún significado.

Towkay Yeap y Kon bajaron de su coche, subieron los escalones y le estrecharon la mano a mi padre.

—Tenemos algo urgente que contaros —dijo entonces Kon.

Noté la expresión apremiante en sus rostros y le dije a mi padre:

—Voy a llamar a William y a Edward para que reciban a los invitados. Me reuniré con vosotros en la biblioteca.

Mi padre estaba apoyado en su escritorio de caoba junto a la ventana cuando entré en la biblioteca y cerré la puerta tras de mí.

—¿Qué ocurre? —le pregunté a Kon.

—Hemos recibido información de que los comunistas han colocado una bomba en tu casa.

—¿Dónde exactamente?

Kon negó con la cabeza.

—Lo único que sabemos es que se trata de una represalia por vuestro uso de la fuerza contra ellos. Saben que va a venir mucha gente a la fiesta, que todo al que desearían ver muerto está aquí: el regidor residente, los *tuans*, la prensa. Daría para un buen titular.

—¿Les decimos a los invitados que se marchen? —pregunté.

—Eso provocaría el pánico —contestó mi padre.

No le pregunté a Kon cómo él y su padre habían obtenido la información. Confiaba en Kon y hacerlo habría supuesto un insulto. Seguro que habían infiltrado a miembros de su sociedad entre los comunistas.

—Pensemos con calma. Habrán puesto la bomba donde haya más gente. Comprobemos primero los jardines. Nos dividiremos en grupos e iremos por toda la casa —decidió Noel.

—Tenemos a algunos de nuestros hombres esperando fuera de la verja de la entrada. ¿Pueden pasar y ayudar en la búsqueda? —preguntó Towkay Yeap.

—Por supuesto. Y diles también que se queden en la fiesta.

Ese era mi padre. Una vez que empezaba una fiesta, esta debía continuar.

Kon me siguió fuera. Los jardines de la casa tenían un aspecto festivo y estaban a rebosar de invitados que parecían casi un solo cuerpo con sus esmóquines blancos y crema y sus camisas blancas. Solo las mujeres destacaban, salpicadas entre la marea blanca con sus naranjas, azules y rojos.

Empezamos a buscar bajo las mesas. Estaban cubiertas con gruesos manteles blancos almidonados, encima de los cuales había cubremanteles azules, y las copas de champán estaban dispuestas como bulbos de cristal congelados en una cama. Kon se puso a gatear bajo la primera mesa y salió sacudiéndose las rodillas.

—Nada —dijo.

—¿Sabes siquiera qué aspecto tiene? —le pregunté, y no me sorprendió cuando me contestó.

—Sí.

—Hay ocho mesas más que revisar —dije, dirigiéndome a la siguiente. Gateamos por debajo de ellas y las examinamos todas una por una.

—Estamos buscando el cachorrito de mi hermana —contestaba yo cuando los invitados se giraban e intentaban descubrir lo que estábamos haciendo.

—¿Alguna novedad? —preguntó mi padre cuando nos encontramos en la cocina.

Negué con la cabeza. Había algo que rondaba mis pensamientos, pero que no conseguía identificar. Creía que lo tenía y, un segundo después, se me escapaba. No servía de nada tratar de perseguirlo; sabía que si calmaba mi mente, volvería a mí.

—Hemos comprobado los jardines, el garaje y las dependencias de los criados —informó Towkay. Todo parece normal.

—Puede que todavía no la hayan colocado —apuntó Kon—. Quizá la lleven aún encima a la espera del momento y el lugar adecuados.

Towkay Yeap encendió un puro.

—Tendremos que mantener los ojos abiertos —dijo. Observé la punta de su puro y me aparté con sutileza para evitar la nube de humo. Fue entonces cuando recordé mi anterior conversación con Endo-san y el camarero que me había distraído.

—El indio de los muelles de aquel día —le dije a mi padre—. ¿Te acuerdas? El que estaba gritando e incitando a nuestros trabajadores… Lo he visto esta noche. Es uno de los camareros.

—Muéstranos quién es —propuso Towkay Yeap mirando a su hijo, que me siguió cuando nos dirigimos de nuevo a la fiesta.

—Tanaka-san ha llegado —le dije a Kon.

—Ahora no tenemos tiempo —respondió, saludando con la mano a su *sensei* antes de adentrarnos en la muchedumbre. Creí ver una o dos veces al camarero indio que intentábamos encontrar, pero al final no era él. La música era adictiva y me vi siguiendo el ritmo dándome golpecitos en la pierna mientras pedíamos disculpas al intentar abrirnos camino entre el gentío.

—¿Todavía estáis buscando a ese cachorro? —preguntó un invitado.

—No, ya lo hemos encontrado. Ahora buscamos a un camarero —le dije.

Volvimos a la casa e ignoré a Isabel, que nos saludaba. Mi abuelo me dio un toquecito en el hombro.

—¿Va todo bien? —me preguntó.

—Luego te cuento —le contesté, antes de continuar. Me encontré con la mirada de Kon—. Ese es.

El camarero estaba entrando en la casa. Vimos sus facciones claramente iluminadas bajo una de las hileras de farolillos del jardín y supe que era el hombre del puerto. Lo seguimos hasta el interior.

—Ve y busca a nuestros padres. Nos encontraremos en la biblioteca —me sugirió Kon.

Asentí y salí corriendo. Los encontré rodeados de colegas empresarios. Mi padre me vio y le indiqué que me siguiera. Ellos se excusaron y me acompañaron.

—Lo hemos encontrado —les informé.

Volvimos a la casa y entramos en la biblioteca. El camarero estaba sentado en una silla con la mejilla hinchada y el pelo negro y rizado, que tan cuidadosamente se había atusado, caído ahora sobre las cejas como garras grasientas. Kon no llevaba armas y me maravillé del miedo que había logrado infundir al camarero, que intentaba hundirse cada vez más en la silla a medida que lo rodeábamos.

—Aquí Ramanathan decía que no sabía de lo que estaba hablando —dijo Kon—. Pero ha cambiado de parecer. Sigue en el porche de atrás. Id y recogedla antes de que alguien se la lleve.

—Yo me encargo de eso —dijo Towkay Yeap, y se fue sin hacer ruido.

Mi padre se inclinó para acercarse más al camarero.

—¿Tan mal trato a mis trabajadores para que queráis matarnos?

—Mientras siga habiendo trabajadores y dueños, sí —contestó Ramanathan.

—Esa es tu respuesta estándar. Estoy más interesado en tu opinión personal. Vamos, ¿es que no piensas por ti mismo? —Mi padre alzó las manos—. ¡Malditos bolcheviques! ¡No sois más que unos traidores! ¡Todos!

El camarero, indignado por el desprecio de mi padre, soltó una palabrota.

—¡*Puki mak*! ¿Yo, traidor? Mira a tu hijo mestizo… ¡Ese sí que es un traidor!

Noel le dio un puñetazo, pero pude agarrarle el brazo cuando lo levantó de nuevo.

—¿De qué estás hablando?

Kon se levantó.

—Escucha con atención, Ramanathan. Nos lo puedes contar todo o puedo decirles que salgan de la habitación para que podamos hacer el mismo numerito de antes. La biblioteca está hecha a prueba de gritos; con la fiesta y la música de fuera… Y, como puedes ver, aquí no faltan objetos afilados… —Kon señaló con un gesto de la mano la colección de *keris* de Noel.

Por primera vez oí lo dura y cruel que podía sonar la voz de Kon y recordé cuando el vendedor de gachas se refirió a él como el Tigre Blanco.

—Quiero dinero —dijo Ramanathan—. Tenéis que entenderlo, cuando vean que la bomba no ha explotado, sabrán que he hablado. Vendrán a por mí. Quiero dinero y un salvoconducto hasta Madrás.

—Bien —dijo mi padre—. Te pagaré. Y estoy seguro de que Towkay Yeap podrá garantizarte un viaje seguro.

—¿Quién ordenó colocar la bomba? —preguntó Kon.

—¿Quién crees? —dijo Ramanathan, señalándome—. Tus amigos, tus amigos japoneses.

Aparté a mi padre a un lado.

—¿Quiénes? ¿Qué amigos?

Conseguí mantener la voz bajo control, aliviado de que no mostrase el más mínimo temblor.

—Sois unos necios, todos vosotros. —Ramanathan meneó la cabeza—. Pronto estarán aquí y echarán a todos los europeos.

—¿En serio crees su propaganda? ¿Lo de que los japoneses quieren expulsar a los colonos y devolverles los países a sus legítimos dueños? ¿Que quieren crear lo que ellos llaman la Esfera de Coprosperidad de la Gran Asia Oriental para compartir la riqueza de la región? La quieren toda para ellos, no quieren compartir ni el poder ni la riqueza con las otras naciones a las que tan brutalmente han tratado —dijo mi padre con voz cansada.

—Te equivocas. Nos libraran de vosotros, de los europeos. Y os matarán uno a uno.

—¿Quién contactó contigo? ¿Cómo se llama? —le pregunté.

—No lo sé —dijo Ramanathan, dedicándome una sonrisa engreída y casi compasiva—. Son tus amigos, ¿por qué no les preguntas?

Esta vez fue mi padre el que tuvo que impedir que pegase al sonriente camarero.

Capítulo veinte

Al salir de la biblioteca, nos encontramos con William.

—¿Dónde habéis estado? Todo el mundo os está buscando. Isabel quiere que conozcas a alguien, padre. Tú también —dijo, cogiéndome el brazo cuando empecé a caminar.

Vimos a Towkay Yeap entre la multitud de invitados. Asintió una vez, haciéndonos saber que la situación estaba controlada. Y entonces Isabel salió de entre la gente y supe que el hombre que la seguía era el que me había pedido que incluyese en la lista de invitados.

A mi padre se le tensó un poco la mandíbula cuando Peter MacAllister le estrechó la mano. Era un hombre alto y ancho de pecho, con una ligera barriguita. Junto a él, Isabel parecía una chiquilla. Se la notaba tensa y su inquietud no se apaciguó cuando nuestro padre le dedicó una sonrisa, pues todos sabíamos que él nunca avergonzaría a su familia en público. De momento, estaba siendo perfectamente encantador con MacAllister. Las palabras severas vendrían después de la fiesta, aunque aquella vez, no sé por qué, supe que Isabel no se dejaría intimidar.

Los dejé. No podía evitar preguntarme si Endo-san había tenido algo que ver con el atentado contra la vida de mi padre. Vi que estaba solo, en el borde del césped, bajo la casuarina, mirando hacia su isla. Me negaba a creer que supiese algo. Era así de sencillo.

—Tu padre es un buen hombre —comentó cuando llegué hasta él.

Fuimos caminando hasta el lateral de la piscina. Habían colocado cientos de lámparas de aceite flotantes en azucenas de agua artificiales y su resplandor combinado hacía rielar el agua. Habíamos puesto velas junto a la colección de estatuas de mi padre y parecían moverse como seres vivos cuando las llamas luchaban contra la brisa.

Había salido la luna, haciendo palidecer las estrellas hasta la insignificancia. El faro, a un kilómetro y medio de Istana, acuchillaba con su rayo el mar infinito. Decidí no contarle a Endo-san las revelaciones de Ramanathan. Utilicé el método del *zazen* para apartar, capa a capa, los ruidos de la fiesta y fingir que éramos las dos únicas personas allí.

—Philip-san.

Una voz se acercó a nosotros por detrás. Era Tanaka, el maestro de Kon, al que hice una reverencia.

—Tanaka-san, *konbanwa* —dije.

Él me devolvió el saludo y le habló a Endo-san.

—¿Cómo estás? Ha pasado mucho tiempo, ¿verdad?

—Estoy bastante bien. Sí, hace ya tiempo. ¿Cómo está Ueshiba-*sensei*?

—Me temo que no tengo noticias suyas. Lo último que supe fue justo antes de que se mudase a Hokkaido.

—¿Hokkaido?

—Quería alejarse de la guerra, de los generales y de los ministros que lo atosigaban a diario para que enseñara a los reclutas del ejército —contestó Tanaka—. Me dio un mensaje para ti, por si te veía.

Endo-san suspiró, como si lo hubiese estado esperando.

—Dijo que ahora comprendía tus actos pero que eso no significa que los apruebe. Tienes un deber con tu familia, pero no debes apartarte del camino que te enseñó. También me dijo que siempre te consideraría su alumno.

Endo-san permaneció impasible.

—¿Cómo está tu *oto-san*? —continuó Tanaka.

Escuché con atención; no quería perderme nada de aquel intercambio de palabras. Endo-san no me había contado gran cosa sobre su padre.

—Se está recuperando de una reciente enfermedad. El gobierno lo trata bien y le proporciona las medicinas que necesita. Gracias por preguntar.

El tono de voz de Endo-san dejaba claro que el tema de su padre estaba zanjado, pero Tanaka lo ignoró.

—Nuestro emperador nunca debería haber escuchado a los generales —prosiguió Tanaka—. Tu padre hizo lo correcto al no contradecir sus creencias, a pesar del precio que ha tenido que pagar. Demasiado sufrimiento. ¿Terminará pronto la guerra en China?

—No lo sé. Eso espero.

—Deberías volver a casa, viejo amigo —dijo Tanaka.

—Hice un trato con el gobierno y lo cumpliré hasta que liberen a mi padre —dijo Endo-san—. Dile a mi familia que no necesito que veles por mí.

—No lo estoy haciendo solo por ellos. Todos estamos preocupados por ti, incluso los que no somos de tu familia.

Endo-san no pudo responder a eso y quedó claro que habían llegado al final de la conversación. Se despidieron con una reverencia y Tanaka se fue, desapareciendo entre la multitud.

—No me has hablado mucho de tu padre ni de tu familia —le dije.

—Algún día lo haré —contestó, sin apartar los ojos de la figura de Tanaka.

Puso en orden sus pensamientos, miró el reloj y dijo:

—Hiroshi-san y yo nos iremos pronto.

—Os perderéis el discurso de mi padre. Deberíais quedaros hasta entonces; sus discursos son famosos por su ingenio —dije, observando su cara con detenimiento.

De repente, sentí náuseas al preguntarme de nuevo, sin querer, si sabría algo acerca de la bomba.

Él negó con la cabeza.

—Mañana debemos levantarnos temprano. Pero, gracias por la invitación —dijo.

—Creí que Hiroshi-san no aceptaría venir.

—Oh, ¿por qué no?

—Una vez lo insulté —dije, y le conté brevemente nuestra conversación en la casa de Henry Cross.

Endo-san se rio casi con regocijo malicioso.

—Eso fue muy malvado por tu parte.

—¿Japón va a invadir Malaya?

Era mi turno de hacer preguntas.

Él no dudó ni un segundo.

—Sí.

Mi mundo cambió con una sola palabra. No hubo ningún intento de envolver ni de adornar la verdad para convertirla en algo aceptable como lo de la Esfera de Coprosperidad en la que creía Ramanathan.

—¿Cuándo?

—No lo sé. Pero será rápido. —Se giró hacia el mar—. No tienes por qué preocuparte. Me aseguraré de que permanezcas a salvo, y tu familia también. Pero tendréis que cooperar.

—Lo has sabido todo el tiempo, ¿verdad? —le dije, intentando disimular la rabia que albergaba en mi interior.

Entonces, me atravesó con la mirada y yo di un paso atrás.

—¿Qué ha pasado con todos los ideales que me has enseñado, los ideales que te enseñó tu *sensei*? ¿El amor, la paz y la armonía? ¿Qué ha sido de ellos?

No tenía respuesta.

—Tu abuelo… —Hizo una pausa y luego continuó—: Una vez te dije que todos hemos vivido ya antes. ¿Lo recuerdas?

Lo recordaba. Cuando volvimos del Templo de la Serpiente, dimos un paseo por la playa, que acababa de ser barrida por la marea en retirada y, al andar, íbamos dejando detrás una hilera de huellas en la arena inmaculada.

«¿Qué sentiste la primera vez que me viste?».

«Como si ya le conociera de antes. Probablemente le reconocí de algún evento social».

Pero yo sabía que no era así. No, la sensación había sido distinta. Como un pliegue en el tiempo».

«De hecho, nos conocimos hace mucho, mucho tiempo, muchas vidas atrás. Y nos hemos conocido durante muchas vidas».

Entonces se detuvo, se giró y señaló la hilera de huellas.

«Ahora estamos de pie en el presente; esas son las vidas que hemos vivido. ¿Ves cómo nuestras huellas se cruzan en algunos puntos? —Se giró de nuevo y señaló el vasto tramo de arena sin tacha que se extendía ante nosotros—. Y esas son las vidas que nos quedan por vivir. Y nuestras huellas volverán a cruzarse una y otra vez».

«¿Cómo lo sabe? ¿Cómo puede estar tan seguro?».

«Viene a mí cuando medito. Destellos y vislumbres, puñaladas de sentimientos, algunos afilados como una catana y otros que apenas siento».

«¿Cómo terminaron nuestras vidas?», pregunté, curioso, aun a mi pesar.

Él desvió la vista hacia el mar. Un barco de pesca había salido a faenar y se balanceaba en la cuerda floja del horizonte.

«Con dolor y frustración, sin llegar a completarse. Por eso nos vemos forzados a revivirlas una y otra vez, para encontrarnos y resolverlas.»

En realidad, no había creído sus palabras. La idea de no controlar mi propia vida me resultaba horrorosa, como si te obligaran a copiar laboriosamente un libro que alguien ya ha escrito. ¿Dónde estaba la originalidad, la excitación de pasar la página y rellenarla con algo nuevo?

Los sonidos de la fiesta me devolvieron al presente.

—¿Qué tiene eso que ver con la invasión de Malaya?

—Significa que no podemos cambiar nada. Que todo ha sido dispuesto para nosotros.

Me niego a creer eso —dije.

—¿Crees que nuestro encuentro se debió a la pura casualidad? ¿Intentas trivializarlo?

Negué con la cabeza, en vano.

—No lo sé. Lo único que sé es que tu país pronto atacará el mío.

—La invasión de Malaya significa que estamos a punto de volvernos enemigos de nuevo. Que nuestro ciclo de dolor y nuestro intento de redención pronto comenzarán. A eso se refería tu abuelo.

Hizo un alto en la conversación y se quedó observando a los invitados que reían y brindaban.

—Pero quiero que recuerdes una cosa, siempre, incluso cuando parezca que luchamos hasta la muerte —dijo—. Recuerda siempre que te quiero y que te he querido durante mucho, mucho tiempo.

—Alargó la mano y me tocó suavemente el hombro. Miró hacia la casa—. ¿Es esa tu habitación? —Indicó una serie de ventanas que había frente a nosotros al tiempo que enarcaba las cejas.

—Sí.

—¿Puedo verla?

Abandonamos la fiesta. Era la primera vez que le enseñaba la casa a Endo-san, pero, a medida que atravesábamos las estancias de la planta baja y subíamos las escaleras, fui percatándome de que las reconocía gracias a mis descripciones. Subimos hasta la penumbra de mi habitación. Abrí las ventanas y dejé que la brisa levantase las cortinas de gasa. Me giré y él estaba allí, y la banda, abajo, comenzó a tocar *Moonglow*. Él ojeó los libros de mis estanterías y se burló amablemente de mis intentos de caligrafía.

—Vas mejorando —dijo, volviendo a colocar las hojas de papel de arroz en el escritorio.

Cogió otra hoja y se rio. Detecté el deleite en su voz.

—Veo que estás intentando copiar el dibujo de Musashi —dijo.

Miré por encima de su hombro el dibujo de Bodhidharma y me pregunté qué querría decir. Él y el emperador perdido me habían atormentado en sueños desde que oí la historia de mi abuelo.

—¿Qué dibujo de Musashi? —pregunté.

—El de Daruma, en mi casa —respondió.

—No —dije—. Este es de un monje de China, Bodhidarma, que se cortó los párpados para permanecer siempre despierto. Mi abuelo me contó la historia.

—Philip, son la misma persona —dijo.

En ese punto, me di cuenta de que, inconscientemente, *había* hecho una réplica del dibujo de Musashi, el que Endo-san había copiado, y, durante el instante más breve del mundo, vi cómo todas las cosas, la gente y el tiempo estaban conectados de alguna manera. Una luz dorada, más brillante que la del sol, inundó mi habitación y todo se volvió tan claro y tan lúcido que dejé escapar un suave suspiro y cerré los ojos, con la esperanza de capturarlo en la memoria de mi corazón. Me sentí completamente en paz, ascendiendo cada vez más alto hasta una comprensión envolvente. Lo vi todo, al completo, de principio a fin, y luego, otra vez de vuelta a un nuevo principio. Y después de un momento de eternidad, aquella claridad absoluta, aquella satisfacción total que, aunque no lo supe entonces, buscaría el resto de mi vida, sin conseguirlo, se fue.

Endo-san me miró fijamente.

—*Satori* —susurró.

No me despedí de Endo-san, sino que me puse a deambular entre los invitados. Al mirar sus caras sonrientes, sus gestos y movimientos, me sentí extraño e incluso frío después de la experiencia que había vivido en mi habitación. No tenían la menor idea de que todo iba a cambiar muy pronto y muy rápido.

Robert Loh, el dueño de la fábrica de conservas Lucky Fortune, en Butterworth, se había emborrachado y ahora estaba reprendiendo a Monkey Hargreaves por publicar en su periódico el nombre de los miembros de la cámara de comercio china que habían firmado la petición antijaponesa. Monkey, igual de bebido, propinó a Robert Loh un puñetazo y ambos cayeron al suelo. Los demás invitados les hicieron sitio y me di cuenta de que estaban descargando su rabia a través de los dos alborotadores borrachos. Estaba demasiado exhausto para preocuparme por eso.

Un comerciante de estaño chino golpeó a un fotógrafo japonés que estaba haciendo fotos de la pelea y la gresca fue en aumento. La cosa se estaba poniendo muy fea. Vinieron más chinos en ayuda del comerciante y los japoneses se arremolinaron para unirse a la trifulca. La gente empezó a gritar y estaba pensando qué hacer cuando sonó un disparo.

Todo el mundo paró, acallado. Seguí sus miradas y me di la vuelta. En el balcón, iluminada por las luces de abajo como un ángel resplandeciente, estaba Isabel, con la falda blanca ondeando suavemente al viento. Llevaba su rifle Winchester en las manos.

—Basta ya. ¿Queréis echar a perder la fiesta de mi padre? —dijo.

Yo solté una carcajada, liberando toda mi tensión. Una lámpara de *flash* destelló cuando alguien le hizo una foto. Mi abuelo empezó a aplaudir y, enseguida, todo el mundo se unió. La banda reanudó su melodía y los camareros vinieron a recoger los desperfectos.

—¿Estás borracho? —me preguntó Kon, que estaba a mi espalda—. Pareces desorientado.

—Así es como me siento —le dije, alegre de verle—. ¿Dónde está tu padre?

Señaló hacia donde Towkay Yeap estaba hablando con mi abuelo.

—¿Son amigos? —pregunté.

—Se conocieron en Hong Kong antes de la Gran Guerra.

—Entonces somos casi familia —le dije, y una vez más pensé en el momento de revelación e iluminación que había experimentado en mi cuarto, en cómo todos estábamos conectados—. Gracias por avisarnos de la bomba. Has salvado la vida de mi padre y seguramente la de todos los que estamos aquí. No lo olvidaré.

—Yo tampoco —contestó—. Mi padre quería decirte que mantendremos al señor Hutton bajo vigilancia durante un tiempo. Para asegurarnos de que se encuentra a salvo.

Le dediqué una larga y dura mirada, temiendo por su futuro, por el futuro de los dos.

—Esta noche me han informado de que los japoneses pronto desembarcarán en Malaya.

—Lo sé —dijo—. Lo cual tiene que ver con otra cosa que me gustaría preguntarte.

Al oír el tono grave de su voz, pensé: «¿Es que esta fiesta no va a acabar nunca?».

Se aseguró de que estuviésemos solos, lejos de la gente, antes de decir:

—¿Has tomado ya una decisión? ¿Sobre lo de la oferta de Edgecumbe?

Asentí y me pregunté si habríamos hecho la misma elección. Había pasado las últimas semanas dándole vueltas al plan y, una o dos veces, me había visto tentado de preguntarle a Endo-san su opinión, aunque sabía que era imposible. No quería ponerlo en un aprieto. Si su gobierno invadía Malaya, él tendría que elegir entre traicionar a su país ocultando la información acerca de la Fuerza 136 o traicionar mi confianza. Ahora reí amargamente en mi interior al recordar las palabras que había pronunciado hacía un rato y me sentí aliviado de no haberle hecho esa confidencia. Al mismo tiempo me entristeció, porque ahora le escondía secretos, cuando antes se lo había contado todo. Se había producido un cambio y no me gustaba nada.

—¿Crees que deberíamos unirnos? —le pregunté.

—Soy perfecto para ello y tú también. Ya disponemos de las habilidades necesarias para sobrevivir.

—¿Cómo te sientes al ir contra la gente de Tanaka-san?

—Siento un profundo respeto y un gran afecto por mi *sensei*, como sé que tú lo sientes hacia el tuyo, pero *va a haber* una guerra y, si los japoneses planean infligirnos el mismo daño que hicieron en China, entonces haré lo que sea para proteger a los míos. Es lo correcto. Sé que Tanaka-san lo entenderá y nada ha cambiado entre nosotros. Él no ha tenido nada que ver con la guerra que se avecina.

Deseaba poder decir lo mismo de Endo-san, que era inocente, pero aquella noche me había revelado sus verdaderas intenciones, su verdadero conocimiento de las cosas.

—Espero que decidas unirte —continuó Kon—. Podemos pedir que nos asignen al mismo grupo.

—No sé. Necesito más tiempo para pensar —respondí—. No creo que sea una buena idea. Tengo que quedarme aquí y cuidar de mi familia.

A medida que pronunciaba aquellas palabras, una repentina premonición, tal vez un vestigio del *satori* que había experimentado antes, me reveló que mis palabras eran ciertas, que mi familia me necesitaría cerca.

—De acuerdo, no contactaré todavía con Edgecumbe —dijo, y alargó la mano. Le di un firme apretón con la mía y, de repente, me sentí perdido. No sé cómo intuyó mis miedos y añadió—: Sé fuerte, amigo mío. Muy pronto, todos tendremos que serlo.

Lo observé alejarse en dirección a su padre. Ambos teníamos dieciocho años.

Noel Hutton subió al pequeño escenario y la banda fue atenuando obediente las últimas notas. Cogió el micrófono del cantante y dijo:

—Gracias a todos por venir.

Los invitados se fueron callando poco a poco y unos cuantos le aplaudieron.

—He estado a punto de no poder pronunciar el discurso de esta noche por razones que mejor me reservaré. —Hizo una pausa—.

En las invitaciones ponía que esta fiesta era por mi hijo William, que se ha alistado en la Marina. Pero hay mucho más que eso. Esta noche es también por todos nosotros, por nuestros hijos, hermanos, padres, amigos y amores, que han decidido unirse a las Fuerzas. Algunos ya han sido enviados a varias partes del mundo y no pueden estar con nosotros aquí. Les enviamos nuestras plegarias y rezaremos para que se encuentren a salvo y vuelvan pronto a casa.

Se oyó una erupción de voces de acuerdo que resonaron en la noche, y la gente empezó a aplaudir y a dar golpecitos a sus copas con los cuchillos.

—Esta noche va también por aquellos de nosotros que nos hemos quedado para mantener vivos la economía y nuestros espíritus y prepararnos para el día en que nuestros seres queridos vuelvan a caminar junto a nosotros por las calles de Penang, por nuestras plantaciones y nuestros hogares.

Me buscó con la mirada entre la gente, me guiñó un ojo y añadió:

—Y ahora, un regalo del señor Khoo, un miembro de mi familia.

Cinco espigas envueltas en llamas se alzaron sobre nuestras cabezas, iluminando la oscuridad como largos cortes de espadas que desgarrasen el cielo para permitir que viésemos la luz del nuevo día. Subieron a ritmo constante, como si intentaran reclamar su sitio junto a sus hermanas estrellas. Al final, no pudieron subir más y explotaron, dando lugar a una serie de flores incandescentes, cada una de las cuales daba nacimiento a la siguiente, como si se pasaran las llamas de la una a la otra y arrojar su luz a nuestras caras, que contemplaban el cielo. La gente aplaudió, silbó y chilló.

Mi estómago eligió aquel momento para avisarme de que no había comido nada desde que empezó la velada. Me giré al sentir que alguien se me acercaba por detrás.

—Ya es hora de que este viejo se vaya a dormir —dijo mi abuelo.

—No me habías comentado nada de esto —le dije, señalando el cielo.

—Una sorpresa para ti —declaró, y la satisfacción le arrugó el rostro.

—Gracias —respondí, esperando que supiese que me refería a algo más que a los fuegos artificiales.

Captó el significado de mis palabras sin ningún problema.

—Oh, tus hermanos me han caído bien. No albergan ni un ápice de esnobismo inglés. Y, sin levantar un dedo, me he encontrado con que tengo tres nuevos nietos.

—¿Tan importante es tener nietos?

Sabía que los chinos los valoraban mucho, pues, ¿quién más quedaría para cuidar de sus tumbas y colocar ofrendas de comida y papel moneda para que los consumieran en el más allá? No obstante, sentía curiosidad por oír su opinión.

—¿Podrías hacerme una visita mañana? Voy a quedarme en la casa de tu tía Mei.

—Sí.

Sabía que no debía presionarlo para que contestase. Ya me lo mostraría a su manera.

—Ven justo antes de mediodía.

Y, dicho esto, se dio media vuelta y se dirigió al interior de la casa.

Capítulo veintiuno

El calor del sol fue reptando por mi cama, llegó hasta mis ojos cerrados y los chillidos de las gaviotas irrumpieron en mis sueños. No tenía ni idea de cuándo había terminado la fiesta, solo sabía que cuando me acosté eran más de las dos de la madrugada. Miré el reloj de mi habitación. Ya era bien entrada la mañana.

Me levanté, me estiré y salí al balcón, donde sentí las decoradas baldosas holandesas caldeadas bajo los pies. El césped era un desastre, las sillas apiladas parecían paquetes de cartas abandonadas en una mesa de juego y los toldos aleteaban desconsolados. Las copas tintineaban las unas contra las otras cuando la brisa las remecía. El mar resplandecía tanto que apenas si tenía color, era solo una lámina de luz rielante.

En la cocina, Ming estaba preparando el desayuno y se ofreció a hacerme un té.

—Fue una fiesta maravillosa —dijo, al tiempo que me pasaba una taza—. Nunca había asistido a nada parecido en el pueblo.

—Gracias. No tienes por qué hacer eso. Deja que las criadas lo hagan —le dije cuando empezó a limpiar la mesa—. ¿Cuándo es tu boda?

Sus ojos casi desaparecieron cuando una sonrisa amorosa de oreja a oreja le iluminó el rostro al pensar en su prometido.

—Aún no hemos ido a consultar a la adivina. Ella nos dará una fecha. Estás invitado, si quieres.

—Claro que quiero —contesté, dibujando una amplia sonrisa—. Consulta a la vidente que quieras, pero no vayas a la del Templo de la Serpiente.

Ella enarcó una ceja.

—¿Por qué no? Está considerada como la mejor de Malaya. Sé que la gente viene desde lugares tan distantes como Siam y Birmania para verla.

—Créeme y hazme caso.

—De acuerdo, así lo haré. Casi se me olvida, tu abuelo dijo que mandaría un coche a recogerte.

—Entonces será mejor no hacerle esperar —dije poniéndome en pie—. Gracias por el té. Espero recibir tu invitación de boda.

El coche se detuvo en el Kuan Yin Teng, en el cruce con China Street. El patio de granito del templo dedicado a la diosa de la Compasión estaba lleno de bandadas de palomas gris púrpura, vendedores de incienso, puestos de flores y devotos que rezaban para pedir buena fortuna. Una densa cortina de humo procedente de los cientos de varitas de incienso que se iban consumiendo hacía que el templo pareciese un recuerdo borroso, nítido solo el instante en que el viento le devolvía su imagen, vuelto a olvidar en cuanto el humo se reinstauraba. Supuse que íbamos a entrar en el interior neblinoso, pero el abuelo me instó a seguir caminando.

Marcó un ritmo relajado y fuimos absorbiendo el ambiente de las calles mientras paseábamos junto a los templos indios, de cuyos dinteles de entrada surgían tallas esculpidas en piedra que representaban a dioses y seres inmortales pintados en vivos colores. Desde el interior nos llegaba flotando el sonido de las campanillas que tocaban los sacerdotes. Unos vendedores ambulantes en bicicleta nos pasaron por un lateral empujando sus carritos, voceando la comida que vendían. Las calles se volvieron más estrechas y transitables cuando enfilamos Campbell Street y torcimos hacia Cannon Street. Había niños jugando en los callejones cubiertos (que los locales llamaban «caminos de metro y medio») a los que daban las tiendas-casa, y hombres y mujeres mayores sentados en taburetes de madera vigilando a sus nietos, vigilando el mundo. La colada pendía de palos de bambú en los primeros pisos, tamizando la luz del sol, tornándola en parches de colores vivos y sombras a nuestro paso.

—¿Por qué me siento como si estuviésemos atravesando un laberinto dentro de una fortaleza? —le pregunté.

—Porque *es* una fortaleza, ingeniosamente camuflada como un laberinto de callejuelas. Solo existe una entrada formal, pero te he conducido por una lateral. Estás en las calles y pasadizos de los Khoos.

Nunca antes me había adentrado en aquellas calles. Aquel era el corazón chino de la isla y me era completamente desconocido. Había pasado mi juventud entre europeos y, sin embargo, entendía las palabras que las mujeres gritaban en el mercado de la esquina y las palabrotas que soltaban los niños pequeños, que jugaban a policías y ladrones, palabras que indefectiblemente aludían a las madres de unos y otros y a sus respectivas partes íntimas. Era una sensación inquietante, como si hubiese estado dormido mucho tiempo y ahora me hubiese despertado y entendiese la lengua, aunque no comprendiese los patrones de vida a los que daba voz.

Entramos en un callejón cubierto por el piso superior de una tienda de madera y salimos a la brillante luz de un patio adoquinado de granito. En el centro había un edificio que parecía como transportado desde las páginas más profundas y densas de los mitos chinos.

—¡Qué maravilla! —le dije—. ¿Qué es?

—El Leong San Thong o Templo de la Montaña del Dragón, construido por el clan de los Khoo.

Me explicó lo que significaba un clan. Cada chino pertenecía a un clan, normalmente dependiendo del pueblo de donde procedía o, más comúnmente, de su apellido. Tales asociaciones eran habituales allí donde los chinos emigraban y se creaban para proporcionar protección a sus miembros, para resolver disputas y para actuar como organizaciones de apoyo social. También proporcionaban educación a los niños del clan, facilitaban la asistencia médica y se encargaban de preparar los funerales de sus miembros. Además, cada asociación desempeñaba un papel en las festividades religiosas del calendario lunar e invertía grandes sumas de dinero en inmuebles y negocios, de donde obtenían los beneficios que les permitían llevar a cabo sus actividades.

—Cuando llegué a Malaya, este fue el primer lugar al que vine. Buscaba el consejo del Senado de Ancianos y acepté su ayuda agradecido. El terreno que rodea este templo es propiedad del mismo. La gente con la que nos hemos cruzado justo antes de entrar… todos tenemos el mismo apellido. Nadie más puede vivir aquí.

Al pasar junto a los dos leones grises de piedra que custodiaban el templo los acaricié.

—¿Recuerdas el patio del que te hablé, el que mi padre y yo atravesamos en la Ciudad Prohibida? Este me lo recuerda, aunque es mucho más pequeño —me explicó mi abuelo.

Las esquinas de los tejados escalonados del templo apuntaban hacia arriba, como los extremos del bigote de un sij, y grupos de tallas y estatuas (dragones, fénix, doncellas, héroes, dioses, diosas, hadas, sabios, animales, árboles y palacios) nos observaban desde arriba, delicadas y finamente talladas, como muñecas de porcelana, todas exquisitas y con detalles como cejas, arrugas en vestiduras o las más pequeñas escamas de los dragones.

Bajo los aleros más esculturas recubrían las columnas que sujetaban los techos como vegetación petrificada. Aunque un edificio hubiese pasado siglos sumergido en los océanos más profundos, como en una especie de Atlántida oriental, y luego lo hubiesen sacado, repleto de corales y percebes, no sería más que una triste copia en comparación. Unos farolillos cilíndricos embadurnados de escrituras rojas colgaban a intervalos de las vigas de madera, ennegrecidas por décadas de hollín procedente del incienso, de las velas y del tiempo mismo, y sus borlas se estremecían suavemente con el calor.

Subimos los escalones y seguimos el olor del incienso hacia la penumbra del interior. Las golondrinas entraban y salían volando de entre las esculturas que había bajo los aleros, como si las criaturas de piedra hubiesen cobrado vida.

Nos recibió un custodio anciano, jorobado y de gafas gruesas y pesadas. Se me quedó mirando sin ningún pudor, preguntándose qué estaba haciendo alguien como yo en el templo.

—Ah, señor Khoo —dijo para saludar a mi abuelo, recibiendo el *ang pow*, un paquete de papel rojo de dinero, con placer no disimulado.

—Señor Khoo —le saludó el abuelo a su vez.

Permanecimos en el interior de la sala principal, bajo la atenta mirada de los dioses, cuyo lustre estaba cubierto por años de humo procedente de las espirales de incienso que colgaban por encima de nosotros.

—Este podría haber sido uno de los salones menos importantes de la Ciudad Prohibida de mi juventud —apuntó el abuelo mientras yo evitaba los ojos iracundos y los tridentes y sables enarbolados.

—Es… Me he quedado sin palabras.

—Según los más viejos del lugar, esto no es nada. Por lo visto, el templo original era más increíble aún, pero fue reducido a cenizas.

—¿Quién lo quemó?

—Nadie lo sabe, pero se dice que la belleza y opulencia del edificio original enfadó a los dioses y estos lo destruyeron.

Entonces, caminó hasta el borde del altar, acariciándolo suavemente con las manos a su paso y levantando una fina línea de polvo, como si sus dedos estuviesen quemando la madera y saliese humo. Parecía no haber ni una superficie vacía, ya que tanto las paredes, como los techos, los pilares, los dinteles, los rodapiés e incluso las puertas y las ventanas estaban repletos de tallas, estatuas, dibujos y caligrafía.

Otro guardia custodio se acercó a nosotros.

—Señor Khoo —le dijo a mi abuelo.

—Señor Khoo, aquí le presento a mi nieto —dijo él. El hombre disimuló su mirada inquisidora mejor de lo que lo había hecho el primero.

El guarda nos enseñó el Salón de los Antepasados, las gradas de placas se elevaban hasta el techo sumido en las sombras, generaciones de nuestra sangre que se filtraban hasta mí a través de mi abuelo.

Unas losas de mármol rectangulares llenaban una de las paredes en una estancia contigua al salón y en ellas había columnas de nombres escritos en chino, así como un sorprendente gran número de nombres en inglés, con una breve descripción de sus logros. Vi algunos médicos de familia, muchos doctores, unos cuantos licenciados en derecho y un consejero de la reina.

—Todos los Khoos —me ilustró mi abuelo—. He puesto mi nombre allí. Mira.

Seguí la dirección que señalaba su dedo.

—Junto a mi nombre está el de tu abuela, debajo está el de tu tía y el de tu madre. Y allí, bajo el de tu madre, está el tuyo.

Había añadido un «Khoo» con guion al apellido Hutton, por lo que mi apellido ahora era Khoo-Hutton. Me sobrevino una sensación de desplazamiento, como si me hubiesen abducido y luego recolocado, todo ello con el simple trazo de un guion. Este era similar al ideograma de «uno» en japonés y, como más tarde descubriría, en chino también. Una vez más, experimenté la misma conexión y conjunción de la noche anterior en mi habitación, frágil y, aun así, evocadora como la niebla de la mañana.

—Cuando estés perdido, en este mundo o en el continente mismo del tiempo, recuerda quién has sido y sabrás quién eres. Todas estas personas fueron tú, y tú eres ellos. Yo fui tú antes de que tú nacieses y tú serás yo cuando me haya ido. Ese es el significado de la familia.

Entonces, me cogió las manos y añadió:

—La historia que te conté y este templo son todo lo que tengo que enseñarte.

Yo incliné la cabeza ante él, todavía abrumado por lo que había hecho con mi nombre.

—El señor Endo tiene buen corazón pero, a la vez, está perdido, confundido por todo lo que está pasando, por la ilusión del mundo material. Esa es la razón por la que no puede encontrar su camino.

—¿Hacia dónde se dirige? —le pregunté.

El abuelo pareció triste por un momento.

—Quiere volver a casa, como todos.

Ahora mi conciencia del mundo era suficiente para entender que no se refería a la casa de Endo-san en el pueblo marinero de Japón.

—Pero está perdido y tú, por joven que seas, tendrás que guiarlo de camino a casa.

A menudo me preguntaba cómo sabía tantas cosas sobre Endo-san, porque lo que decía era completamente cierto. Tratando de encontrar algún tipo de respuesta, cuya totalidad escaparía para siempre a mi entendimiento, volví una y otra vez a la historia que me había contado, la de aquella época de su vida que pasó en el palacio eterno. La Ciudad Prohibida... ¿Para qué y para quién estaba prohibida? ¿Los centinelas que había en las puertas levantaban sus manos enguantadas e impedían que el Tiempo entrase? ¿Qué había aprendido él entre aquellas paredes? ¿Qué había visto en las habitaciones que la gente y los años habían echado en el olvido?

Los días posteriores a la fiesta parecieron moverse a cámara lenta, como sin rumbo. En el aire se respiraba la sensación de que algo tocaba a su fin cuando vimos a William preparar el petate, su apreciada cámara y el equipo fotográfico mientras nosotros nos quedábamos sentados en el jardín, charlando, bebiendo té helado de menta o nadando en la piscina. Habían llamado a William a filas para servir en el HMS Prince of Wales y esperábamos aquel día, deseando que no llegase nunca.

El abuelo, que estaba quedándose en la casa de tía Mei, nos visitaba casi a diario. Se llevaba bien con todos, incluso con Edward, que no podía mantener su actitud de superioridad ante el anciano. Edward creía en la inherente supremacía de los europeos sobre los autóctonos, por lo que me producía un malvado placer ver cómo se debilitaban las creencias de toda una vida. Yo mismo había vivido con conceptos equivocados parecidos durante tanto tiempo que comprobar ahora que eran erróneos me hacía admirar aún más a mi abuelo. Por un lado, Edward me daba pena: mi abuelo era un extraño para él y, por lo tanto, no le debía nada. Otra parte de mí, sin embargo (la parte heredada de mi madre), sentía que, aunque solo fuera por su edad, merecía respeto.

Justo antes de que el chófer viniese a recogerlo a la hora acordada, mi abuelo siempre me pedía que diese un paseo con él por la playa y así pasar un rato juntos: fueron momentos que pronto empecé a atesorar.

—Dentro de poco volveré a Ipoh —me dijo una tarde mientras contemplábamos la isla de Endo-san—. Sin embargo, me gustaría pasar más tiempo aquí en el futuro.

—Siempre puedes quedarte con nosotros si en casa de tía Mei estáis demasiado estrechos.

Él negó con la cabeza.

—Un hombre siempre debe ser señor de su propia casa, sobre todo cuando se trata de alguien tan difícil como yo. He pensado abrir de nuevo mi residencia de Armenian Street.

—¿Tienes una casa allí? —le pregunté. Nunca se lo había oído mencionar a mi tía.

—Sí. Mi primera casa en Malaya, antes de que nos mudásemos a Ipoh para estar más cerca de mis minas. Nunca la vendí.

—Entonces mi madre te perdonó hace mucho tiempo cuando eligió Arminius como mi segundo nombre —le dije.

Nunca me había gustado el nombre que me había puesto, pues pensaba que era una elección absurda. Pero ahora creí entender el mensaje que mi madre había estado intentando transmitir a su enemistado padre y eso calmó el dolor de las burlas crueles y constantes que tuve que soportar de pequeño por parte de mis compañeros de clase, cuando me llamaban cosas como «Arminius el Pulgosius» y se creían muy graciosos.

—Nunca lo había visto de ese modo pero, sí, podría ser —concluyó mi abuelo, aunque no pareció tan convencido como yo.

—¿Sigue sin gustarte mi padre? Siempre te marchas justo antes de que él vuelva a casa —quise saber.

—Eres muy perspicaz. Los años de amargura no pueden borrarse de un plumazo. Necesitamos tiempo para volver a adaptarnos el uno al otro. Al menos ahora hablamos cuando nos encontramos y no actuamos como gatos que sacan las uñas al verse en un callejón.

—Él la quiso con locura, de eso no te quepa duda —le aseguré.

En aquel instante me vino a la mente la imagen de unas luciérnagas destellando en la oscuridad.

De repente, pareció envejecer, estar casi a punto de apagarse poco a poco, y tuve que reprimir el impulso de sostenerlo.

—Eso hace que todo lo que ocurrió, el tiempo que desaproveché, la muerte de tu madre y la pérdida de tu padre, resulte más difícil de sobrellevar, ¿no crees? —dijo.

No se me ocurría nada que decir para consolarlo, para refutar la verdad de sus palabras. Me di cuenta del dolor que había soportado desde la muerte de mi madre; era una carga que sabía que nunca sería capaz de aligerar. Me asustaba que una persona pudiese aguantar aquel peso, porque, si lo que él y Endo-san habían dicho era cierto, que esas cargas se llevaban de una vida a otra, ¿cómo podían tolerar la acumulación de tanta pena?

Lo que empeoraba aún más las cosas era que nunca podríamos compartir tales cargas ni con nuestros seres más queridos. Al final, los errores que cometemos son exclusivamente nuestros y, por tanto, debemos sufrir las consecuencias en solitario.

Pronto llegó el día en que William tuvo que dejarnos y fue difícil verlo partir. Cuando nos despedimos de él bajo el pórtico, ya iba vestido de uniforme y tenía los grandes petates apoyados en las piernas, como fieles perros de caza reacios a dejar que su amo se fuera. Él parecía feliz, los ojos le brillaban y llevaba el pelo perfectamente engominado y lustroso.

Mi padre le dio un fuerte abrazo.

—Me haces sentir orgulloso, William.

William se retiró y alzó la vista hacia la casa. Sus ojos la recorrieron de un lado a otro y subieron hasta las habitaciones de arriba. Luego, se giró y contempló el jardín, la fuente de mi madre, el estanque con la carpa de mi padre y las flores que tan llenas de vida se abrían bajo el cielo. Puede que entonces cayese en la cuenta de lo que estaba a punto de hacer y eso iluminara la bondad y la riqueza de su vida, pues se quedó callado y su mirada se entristeció. Movido por un impulso, y a pesar de que ya era tarde, sacó la cámara de uno de los petates y le pidió a tío Lim que nos hiciera una fotografía bajo el pórtico.

Mi abuelo pidió estar presente. Le estrechó la mano a William y luego decidió darle un abrazo. Edward e Isabel también lo abrazaron. Mi padre se quedó plantado observándolos, con los ojos de un azul vidrioso. Cuando llegó mi turno, le di a William un gran abrazo y la realidad de su partida me resultó insoportable.

—Haz cuanto esté en tu mano para cuidar de la familia —me susurró al oído.

—Eso haré. Y tú, cuídate.

Me entregó su cámara.

—Guárdamela. Saca fotos decentes y envíamelas cuando puedas. Cuando vuelva a casa, deberíamos hacer un viaje. Ir a algún sitio. ¿Me lo prometes?

—Sí —le contesté—. Trato hecho.

Nos quedamos viendo cómo tío Lim se llevaba a William en el Daimler. Él se giró en el asiento para decirnos adiós. Noel Hutton rodeó a sus tres hijos con los brazos y así nos quedamos durante un buen rato.

La casa de dos plantas de Armenian Street era alta y estrecha, y tenía una verja lisa de hierro. Mi abuelo nunca había dejado que cayera en estado de abandono, a pesar de no haber vivido allí desde hacía mucho tiempo. Hizo que el casero volviera a ponerla en orden. Ambos sabíamos, sin tener que utilizar palabras, que lo hacía para estar más cerca de mí, y yo le estaba agradecido.

—No es tan grandiosa como tu casa de Ipoh —le dije la primera vez que lo visité.

—No necesito una casa grande. Cuanto más viejo eres, más deseas simplificar tu vida —me explicó—. Esta me viene bien ahora. —Miró el pequeño jardín. Nos sentamos bajo un mango, cuyas frutas maduras atraían filas de hormigas a sus ramas y perfumaban el aire con una dulzura fresca y limpia—. De hecho, me alegro de haber regresado al lugar en el que empecé. A tu madre le encantaba jugar en el césped.

Visitarlo después del trabajo se había convertido en un ritual. Me sentaba junto a él y escuchábamos atenuarse los sonidos de la calle, como si aquellos también fuesen adeptos al *zazen* y se preparasen para la meditación de la tarde tamizando la cacofonía del día. Disfrutaba al sentir cómo la tarde se apagaba poco a poco hasta convertirse en noche. En mi primera visita me senté frente a él a la mesa, como mandaban los cánones, pero él me dijo, muy irritado: «No, no. Ven y siéntate a mi lado». Así que, desde entonces, siempre me senté junto a él sin que me lo pidiera. Después me preguntaba cosas sobre las actividades de mi familia y sobre si había recibido alguna noticia de William. Luego, le servía el té. La primera vez que lo hice, me observó mientras llenaba la taza tamborileando suavemente en la mesa con los nudillos de los dedos índice y medio de la mano derecha. Lo siguió haciendo cada vez que le servía y, al final, le pregunté qué significaba aquello.

—Así es como le damos las gracias a la persona que nos está sirviendo —contestó—. Todos los chinos conocen este gesto.

—Yo no lo había visto —le confesé.

—Nadie sabe con exactitud dónde o cuándo se originó esta práctica —me explicó—. Cuenta la leyenda que, una vez, un emperador de China decidió pasear por las calles como un plebeyo para ver cómo vivía su gente. No necesitaba ponerse ningún disfraz, pues nadie del pueblo llano lo había visto jamás. Iba acompañado de un fiel cortesano y, en una casa de té, el emperador dijo que deseaba experimentar la novedad de servirle el té a su acompañante.

—No hay nada de malo en ello —le dije, pero él meneó un dedo en gesto negativo.

—Eso suponía una grave inversión del orden divino y el cortesano protestó enérgicamente. No obstante, se vio obligado a complacer a su emperador, que procedió a servirle el té. El cortesano, al verse incapaz de arrodillarse para cumplir con la manera adecuada de obediencia, recurrió a doblar los dos dedos sobre la mesa y a hacerlos sonar en ella para representar ese acto.

Yo hice lo propio con los nudillos de mis dos dedos en la mesa. Estos, doblados, se asemejaban a un hombre arrodillado.

—O también puede ser una forma práctica de hacerte saber que ya has llenado suficiente la taza —añadió.

—Ahora no sé si creerte o no —dije.

Él pareció pensativo.

—En las pocas ocasiones en que Wen Zu y yo salimos a hurtadillas de palacio y visitamos una casa de té, él también me pidió que le dejara servirme y esta fue la forma en que se lo agradecí. Ambos solíamos reírnos de cómo se repite la historia.

Bebimos té a sorbos en silencio durante un rato.

—¿Conoces la historia de la casa de al lado? —me preguntó luego.

—No —respondí.

Le rellené la taza de té una vez más. Se le escapó una risa traviesa y me alegré de ver que el ánimo sombrío lo había abandonado.

—Antes era la sede central de la rama malaya del Partido Nacionalista Chino del doctor Sun Yat Sen, el Tung Ming Hui —me contó.

Caí en la cuenta de la broma que la historia nos había gastado. Mi abuelo, una vez tutor del heredero al Trono del Dragón, vivía al lado de la residencia del hombre que había desempeñado un papel sustancial en su completa destrucción.

—Aquí fue donde planeó el levantamiento de Cantón en la primavera de 1911. Creo que esa fue la principal razón por la que compré este sitio —dijo, echándose a reír ahora desenfrenadamente.

—Debes invitarlo a venir —dije, disfrutando de su humor.

Sin embargo, volvió a ponerse serio.

—No sé si sigue vivo. Volvió a China para dirigir el gobierno. Pero el país ha entrado en una guerra civil, poniéndole a los japoneses la conquista mucho más fácil.

—¿Echas de menos China?

—Sí. Pero solo la antigua. En la nueva no hay lugar para mí. Quizá vaya una vez que termine la guerra. ¿Te gustaría acompañarme?

—Sí. También me gustaría visitar Japón.

—¿Y cómo sigue el señor Endo?

—Apenas lo veo. Casi siempre está fuera. Y cuando está en la ciudad, se pasa casi todo el tiempo trabajando.

Entonces me miró con aquellos ojos que tantas cosas habían visto.

—Y tú lo echas de menos —me dijo.

Asentí.

—Lleva tiempo sin darme clase. Creo que mi nivel de destreza se está deteriorando. Aunque sigo practicando en el consulado.

—Pero no es lo mismo.

—No.

Él negó con la cabeza.

—¿Qué harás cuando los japoneses ataquen?

—No lo sé —confesé—. Puede que eso no ocurra.

—Desde que te conozco, te he considerado un chico muy inteligente. Tienes que serlo, pues llevas nuestra sangre: la mía, la de tu madre y la de tu padre. Me causaría un profundo dolor que una combinación tan potente diera como resultado un imbécil. Y tú has conseguido aprender mucho del señor Endo, un hombre al que respeto, sean cuales sean sus intenciones. —Se inclinó más hacia mí—. Así que abre los ojos ya. Ábrelos tanto como el monje demente que se cortó los párpados. Y ve, de una vez por todas.

Me quedé perplejo por su vehemencia. Él había comprendido con claridad lo que yo había tratado de ignorar: que en lo más profundo de mi ser sabía que los japoneses nos invadirían. Todas las señales habían estado ahí desde el momento en que conocí a Endo-san. Y también recordé las palabras de Endo-san aquella noche cuando nos sentamos bajo las víboras del hotel de la colina de Penang: «La enorme capacidad humana para elegir no ver». Lo más doloroso fue que Endo-san lo admitiera la noche de la fiesta.

Y entonces, como respetaba a mi abuelo y, sobre todo, como había llegado a quererlo, supe que era hora de aceptar la verdad. Le conté las revelaciones de Endo-san sobre la inminente invasión. Sin embargo, admitirlo no significaba que ya tuviese la solución.

—No sé qué hacer —reconocí.

—Pronto tendrás que adoptar una postura. Toda persona debe hacerlo en algún momento de su vida. Pero la verdad es que te compadezco.

—¿Por qué?

—Tomes las decisiones que tomes, nunca serán del todo correctas —me dijo—. Ese es tu sino.

—¡Lo estás arreglando! —le reprendí, escondiendo la ansiedad que despertaron sus palabras bajo un tono de voz sardónico que no consiguió engañarlo.

—Sobrevivirás —me aseguró—. Has tenido que hacerlo toda la vida. Estoy seguro de que no te ha resultado fácil crecer en este lugar siendo un niño de origen mixto. Pero esa es tu fortaleza. Acepta el hecho de que eres diferente, de que perteneces a dos mundos. Y quiero que recuerdes esto cuando sientas que no puedes continuar: estás acostumbrado a la dualidad de la vida. Tienes la capacidad de cohesionar en un todo los elementos dispares de la existencia. Así que úsala.

Me lo quedé mirando boquiabierto. Había explicado las circunstancias de mi vida entera de una forma que nunca antes me había planteado. Pensé que había simplificado demasiado muchas cosas, pero, por un momento, sentí que el curso de mi vida, mi propia existencia, finalmente tenían sentido.

—Pensabas que tu madre te había puesto el nombre por la calle en la que ella había crecido —continuó—. Pero no lo creo. Siempre he tenido la sensación de que había otro motivo.

Esperé a que me lo explicase.

—Después de abandonar China, como te conté, pasé tres años en Hong Kong. Encontré refugio en una escuela de misioneros y allí lo aprendí todo sobre el dios de Occidente y sobre su hijo. El hijo que trajo la salvación al mundo.

»Allí había un holandés, un viejo teólogo, el padre Martinus, que me contó las enseñanzas de otro holandés llamado Jacobus Harmensz, que vivió a mediados del siglo XVI.

»Jacobus Harmensz era considerado un hereje por los cristianos ortodoxos de su tiempo porque planteó la idea de que la salvación de la persona residía en el ejercicio de su libre albedrío y no en la gracia de Dios. Estaba en contra de la idea de que la vida de un hombre, su salvación o condenación eterna, se hubiera decidido antes de su nacimiento.

Empecé a moverme inquieto en mi asiento. Mi abuelo me lanzó una mirada reprobadora y continuó.

—Debo admitir que nunca entendí del todo lo que aquel anciano teólogo intentaba explicarme. Con todo, el concepto de libre albedrío me intrigó, aun sin creer en las teorías de Harmensz. Yo sentía que el curso y la salvación de la vida de una persona estaban predestinados. Lo discutí varias veces con tu madre, después de contarle las palabras de la vidente, cuando alcanzó la edad para entenderlas. Ella se oponía rotundamente.

—¿Y qué tiene que ver ese tal Harmensz conmigo?

—El nombre de Jacobus Harmensz se tradujo al latín como Jacobus Arminius. Ahora sus enseñanzas se conocen con el nombre de arminianismo. Al elegir tu nombre, tu madre estaba intentando demostrar que la adivina, y yo, nos equivocábamos.

—Siempre podemos elegir. Nada es fijo ni permanente —dije.

—Esas fueron las palabras casi exactas de tu madre. El hecho de que solo se nos presenten ciertas opciones, ¿no indica que otro poder ha limitado ya nuestras elecciones?

—Entonces, ¿qué sentido tiene la vida? —le pregunté, incapaz de aceptar lo que me estaba diciendo.

—Te lo contaré cuando lo descubra —me respondió. Entonces, estiró la mano y cogió la mía—. Tu madre era una mujer extraordinaria y de fuertes convicciones. Puede que tuviera razón. De lo que sí estoy seguro es de que nunca te habría puesto el nombre por una simple calle. —Le dio un último sorbo a su té—. Hablo demasiado —añadió—. Me ha entrado hambre. Ven, quiero comer en los puestos ambulantes. Es verdad lo que dicen: Penang tiene la mejor comida callejera de toda Malaya.

Gracias a nuestros encuentros casi diarios, habíamos alcanzado gran familiaridad el uno con el otro, rompiendo para siempre los grilletes de la formalidad. Me levanté y le restregué la barriguita fingiendo indignación.

—¡Esta no para de crecer! Aquí no haces otra cosa que sentarte, hablar y zampar.

—¡Deja mi barriga en paz! —soltó, con la voz convertida en un rugido profundo, pero con expresión sonriente ante mi impertinencia.

Habíamos adoptado la costumbre de sentarnos en la parte delantera de la casa y pasar allí un rato antes de acostarnos. En la veranda, construida alrededor de la casa para proporcionar un cinturón de aire fresco, se estaba más a gusto. Las persianas de bambú estaban enrolladas, como el pelo recogido de una mujer, y se habían encendido espirales de incienso a nuestros pies para repeler los mosquitos.

Habían pasado unas tres semanas desde la partida de William. Yo estaba apoyado en la balaustrada de mármol, escuchando a Isabel contar cosas sobre Peter MacAllister. Nuestro padre estaba leyendo los periódicos, sin prestarle atención, al menos en apariencia. Se notaba que estaba muy enamorada del abogado de Kuala Lumpur. La noche anterior la había llevado a bailar al Club de Natación de Penang y no la había traído de vuelta hasta aquella mañana, para enfado mayúsculo de mi padre. Uno solo tenía que mirarla para saber que aún conservaba la belleza de las horas pasadas, sustento de sus pensamientos y emociones. Noel Hutton seguía sin estar convencido, como todos los padres, de que aquel hombre fuese el apropiado para su hija.

—Peter dice que va a llevarme a navegar por la costa en su yate —saltó Isabel. Bajo su alegría, se dejaba entrever la preocupación por lo que opinaría nuestro padre—. Y tengo intención de ir con él.

Pero antes de que él pudiese responder, oímos la voz de tío Lim.

—¿Señor Hutton?

Se quedó plantado en los escalones y mi padre lo invitó a pasar. Noté que Isabel respiró aliviada por aquella interrupción.

—Salvada —le dije por lo bajini y, aunque me guiñó un ojo, detecté un nerviosismo poco característico en ella.

Tío Lim le entregó un sobre a mi padre.

—Es una invitación para la boda de mi hija el uno de diciembre. Espero que puedan honrarnos con su presencia.

—¿Todos nosotros? —le pregunté con una sonrisa torcida.

Tío Lim asintió.

—Será un honor —le contestó mi padre pasándome la tarjeta. Como todas las invitaciones de boda chinas, la tarjeta y el sobre eran rojos, el color de la felicidad, la buena suerte y la fortuna. Despedía un ligero olor a sándalo, y mis manos se impregnaron al tocarlo. Así que la adivina había encontrado finalmente una fecha que favoreciese los horóscopos de la pareja. Le dediqué una sonrisa a tío Lim, contento por él.

—Estaremos encantados de ir —dije.

Después de que se marchara, vi que Isabel cogía aire y entonces supe cuáles iban a ser sus próximas palabras.

—Peter quiere casarse conmigo.

—Es demasiado mayor para ti —respondió nuestro padre—. Y he oído cosas sobre su reputación con las mujeres, así que ya puedes ir olvidándote de ir a navegar con él.

Empezaron a discutir. Los dejé y bajé a la playa. En la isla de Endo-san, un pequeño destello de luz se abrió paso entre los árboles. Llevaba un tiempo sin verlo y sentí el impulso inmediato de pasar un rato con él.

Saqué mi bote del varadero y crucé hasta la isla. El mar parecía espeso bajo la barca y brillaba con una fosforescencia que se pegaba a mis remos a cada golpe. Tuve la sensación de estar remando sobre una película de luz elástica.

Solo había una luz encendida en la casa y las puertas estaban abiertas. La rodeé y fui hasta el afloramiento rocoso que daba al mar abierto; divisé su figura oscura de pie en las rocas. Una luz destelló en su mano como una estrella capturada y, allá a lo lejos, en la oscuridad del mar, se distinguió un parpadeo como respuesta.

Volví silenciosamente a mi bote; mi necesidad de verlo había desaparecido de repente.

Capítulo veintidós

Envié una nota al consulado japonés y cancelé las clases que había fijado con Endo-san. No podía enfrentarme a él en aquel momento. No podía engañarme durante más tiempo. Una cosa era oírlo admitir que sabía de la intención de su país de atacarnos y otra muy distinta presenciar su papel activo en ello. Seguí viéndolo en aquella roca una y otra vez, enviando sus señales secretas al mar expectante. Ahora sabía con seguridad lo que estaba haciendo y el papel que yo había desempeñado al ayudarlo.

Tanaka, el *sensei* de Kon, era la única persona que podía ayudarme, así que decidí visitarlo el día antes de la boda de Ming.

Fui hasta su casa en Tanjung Tokong y esperé a la sombra de la veranda. Hice sonar el carillón de viento.

—¡Tanaka-san! —grité.

La puerta con la mosquitera se abrió y él salió.

—¡Ah, qué bien! Estaba pensando en ti. Que oportuno que hayas venido.

Una vez más nos sentamos en la veranda, pero esta vez no había té.

—Ruego que me perdones, pero ya he empaquetado la mayoría de mis cosas —dijo.

—¿Se marcha? ¿Vuelve a casa?

—No. He decidido buscar refugio en un monasterio en las montañas que rodean Ayer Itam.

—Usted también cree que habrá guerra —dije.

—Siempre las habrá —contestó Tanaka.

—¡Deje de hablar como un monje novicio, Tanaka-san! —me quejé y luego, sorprendido por mi propia grosería, me disculpé.

Él se acercó más y escrutó mi cara.

—¿Qué te preocupa?

Se lo conté todo, lo de las actividades de Endo-san y cómo me había manipulado. Fue un inmenso alivio poder confiar finalmente en otra persona que conocía a Endo-san, alguien que no me condenaría.

Tanaka cerró los ojos y pareció haberse dormido, pero dijo:

—Tu deber a tu familia y a tu hogar pesa mucho, al igual que tu obligación hacia tu *sensei*. Sé cómo te sientes. Especialmente por Endo-san.

—¿Cómo puede saberlo, cuando existe tanta enemistad entre Endo-san y usted?

Abrió los ojos, sorprendido.

—¿Enemistad? No hay ninguna, en absoluto.

—Apenas si se hablaron en la fiesta.

—Eso no significa que no nos comuniquemos. Endo-san ha sido el mayor amigo que jamás he tenido y siempre lo será. De hecho, tu amistad con Kon me recuerda mucho a nosotros cuando éramos jóvenes.

—¿Qué ocurrió?

Tanaka escuchó la brisa en las barras del carillón de viento. Todo estaba tan en silencio que podía oír su respiración. Me resultaba difícil creer que un ejército invasor estuviera preparándose en aquel momento para derramarse por el país como alubias de un saco de arpillera.

—Los ideales pacifistas del padre de Endo-san no se consideraban en armonía con la visión del emperador y lo despojaron de su puesto como cortesano. La familia cayó en desgracia y regresaron a Toriijima, donde pusieron en marcha un negocio —respondió finalmente.

Sus continuas evasivas me exasperaban. Me propuse obtener la verdad durante aquella visita, pues tal vez no se me presentara otra oportunidad. De modo que le dije con voz firme y resuelta:

—Ya he oído todo eso antes. ¿Por qué está realmente aquí? ¿Por qué, de todos los sitios del mundo, eligió Penang? Una vez me lo contó, pero supe que estaba mintiendo.

Me dedicó una sonrisa fugaz y culpable, pero sus ojos continuaron tristes. Él comprendía la situación en la que me habían puesto y sabía que no podía aceptar nada menos que toda la verdad y nada más que la verdad.

—Lamento no haber sido del todo sincero contigo —se disculpó—. Cuando Japón extendió su influencia por China, el padre de Endo-san criticó al gobierno públicamente, lo que en Japón se considera un ataque personal contra el emperador. Lo encarcelaron y, posteriormente, cayó enfermo y la madre de Endo-san se encerró en su propio mundo. Endo-san y Umeko, su hermana, eran los únicos que podían hacerse cargo de sus hermanos pequeños.

Entonces se calló, e hizo una pausa para reorganizar sus palabras como un experto en ikebana con sus flores, cambiándolas de sitio, doblándolas, añadiendo y quitando para conseguir los resultados deseados.

—Endo-san nunca se sintió cercano a su madre, pero incluso a él le conmovía el estado mental en el que se encontraba. La mujer se sentaba al sol con la mirada perdida en el lago u observaba a los campesinos plantar arroz. Yo la visitaba a menudo. A veces me cantaba una nana a mí o a sus niños dormidos.

Oí mi propia voz recitando los versos del poema que le regalé a Endo-san a cambio de su espada Nagamitsu. Ahora entendía por qué el poema le había emocionado mucho más de lo que yo había previsto.

—La salud del padre de Endo-san empeoró. El gobierno estaba al tanto de que Endo-san había viajado mucho, por lo que decidió hacer uso de su experiencia. Le ofrecieron la oportunidad de trabajar para el gobierno a cambio de tratamiento médico y los cuidados de una enfermera para su padre. Cuando le dieron un puesto en este consulado, su padre, Aritaki-san, solicitó verme. Fui a la cárcel y me pidió un gran favor.

—Le pidió que cuidara de su hijo. Y usted siguió a Endo-san hasta aquí —dije, lanzando una suposición correcta.

—Al principio me negué. Umeko, la hermana de Endo-san, me lo imploró. Y también había una joven, Michiko, que amaba con locura a Endo-san, y yo…

—Y usted estaba muy enamorado de ella —dije para terminar su frase.

—Yo sabía que mi amor por Michiko no era correspondido, pero, como la amaba, le prometí que cuidaría de Endo-san, allá donde fuese. Y también porque Endo-san era mi amigo. Aritaki-san incluso le pidió ayuda a nuestro *sensei* para que me convenciera. Mi *sensei* pensaba que Endo-san necesitaba que alguien le recordase constantemente sus enseñanzas. Yo soy ese recordatorio. Por eso no le gusta mi presencia aquí.

—Pero ahora no se puede marchar. Endo-san va a necesitar a un amigo ahora más que nunca.

—He visto cómo ha cambiado desde que empezó su trabajo aquí. Ahora tenemos distintas creencias. Yo no apruebo la guerra que mi país ha comenzado. Este es el momento en que nuestros caminos divergen. Ya no lo vigilaré más. Lo he intentado, pero él se ha cerrado por completo a los demás.

—Está huyendo —le solté, incrédulo—. Se está apartando de su deber.

Esta era una acusación muy grave, pero los hechos resultaban claros e irrefutables. Tanaka no discrepó, sino que se quedó sentado en silencio; su cara imposible de descifrar, era como una máscara *noh*.

—No puede obviar un mundo en guerra, Tanaka-san.

Entonces me miró a los ojos.

—Y tú no puedes obviar tu destino, mi joven amigo. Es hora de despedirme de ti.

—¿Nos volveremos a encontrar?

—Por supuesto. Cuando toda esta locura termine; cuando la armonía se restaure, tú y Endo-san me encontraréis aquí.

—¿Qué debo hacer, Tanaka-san? —le pregunté.

—¿Qué crees que debes hacer?

Fui incapaz de responder. Él me dedicó una sonrisa triste y compasiva.

—Tú ya sabes lo que tienes que hacer —contestó.

Hice un último intento para convencerlo.

—Es su amigo; debe quedarse.

Él negó con la cabeza.

—Ya no me necesita. Te tiene a ti.

Seguimos el mapa que tío Lim había hecho imprimir en el reverso de la invitación. La aldea quedaba a cincuenta kilómetros de la ciudad, en el extremo suroccidental de Penang, lo que los nativos llamaban Balik Pulau, la Espalda de la Isla. Mi padre conducía el Daimler con las mandíbulas apretadas y la expresión de su cara duplicada en la de Isabel. No necesitaba información acerca de cómo habían ido las discusiones por su compromiso con Peter MacAllister durante las dos últimas semanas.

Había tenido demasiadas cosas en la cabeza como para prestarles atención. El relato de Tanaka había revelado otro aspecto de la presencia de Endo-san en Penang y había aumentado la sensación de desequilibrio que yo estaba experimentando. Se parecía mucho a cuando Endo-san me proyectaba una y otra vez al finalizar cada lección. Yo me caía, me levantaba rápido y me enfrentaba de inmediato a otra técnica, hasta que el flujo de mi sangre parecía invertirse, sentía vértigo y no sabía dónde estaban la tierra y el cielo.

Era consciente de que me haría sentir más triste aún de lo que ya estaba, pero tomé la decisión de evitar cualquier contacto con él por el momento, hasta que fuese capaz de poner orden en mis confusos sentimientos. No sabía cuánto tiempo necesitaría y fui presa de una gran pesadumbre.

En lugar de atravesar kilómetros de jungla, mi padre decidió dar un rodeo a la isla y dirigirse al extremo más occidental antes de girar hacia el sur. La carretera discurría a lomos de pequeñas colinas y seguía escrupulosamente las curvas que marcaba la costa. Por debajo de nosotros, la espesura verde de los árboles se hilvanaba al azul del mar por una costura de espuma blanca interminable. La luz nos llegaba como salpicones de pintura a través de los árboles que se alzaban sobre nosotros, y el viento que se colaba por las ventanillas abiertas olía a limpio y a puro y tenía un regusto a tierra mojada, a hojas húmedas y, siempre, siempre, a mar.

Atravesamos aldeas malayas y tuvimos que aminorar la marcha para no atropellar a los niños que jugaban en cueros en plena calle. Gritaban de excitación cuando veían el coche. Los pájaros cantaban y volaban de árbol en árbol, alterados a nuestro paso. Había orquídeas salvajes aferradas a la cara del acantilado que la carretera bordeaba. En Teluk Bahang, la carretera se perdía en la jungla, así que torcimos hacia el sur y pasamos por huertos de árboles frutales y plantaciones de durianes y cocoteros. Los frutos espinosos del durián parecían erizos inmensos enganchados en los árboles e impregnaban el aire con su olor acre y flatulento.

Tras seguir las indicaciones de las pequeñas señales que los aldeanos habían colocado a lo largo de la carretera, salimos a la principal y entramos en Kampong Dugong. Había banderas, todas rojas, ondeando al viento en las que un maestro calígrafo había pintado palabras de felicitación doradas. Tío Lim, vestido con ropa formal de color carmesí, acudió a nuestro encuentro, feliz de vernos. Ese día, nosotros éramos los únicos europeos en el pueblo.

—Venid a conocer al señor Chua, el padre del novio, por favor —dijo tío Lim—. También es el patriarca del pueblo.

Chua era un chino de cincuenta y tantos años, aspecto amable, barba menuda de mandarín y brazos duros y nervudos.

Mi padre le estrechó la mano.

—Que su hijo sea tan longevo como la Montaña del Sur y su riqueza, como el Mar del Este —dijo, felicitándolo con frases tradicionales en hokkien.

Chua pareció sorprendido y luego se rio.

—Ahora ya sé por qué tiene esa formidable reputación, señor Hutton.

En la aldea había unas quinientas personas que vivían del mar, de los huertos circundantes y de las tierras de cultivo. Fuimos recibidos con miradas cordiales cuando nos dirigimos al embarcadero de madera, que parecía construido con los cuatro tablones, las mesas abandonadas o las puertas rotas que habían encontrado por ahí, y que pareció remecerse un poco cuando lo recorrimos mientras nuestras sombras ahuyentaban a los bancos de peces translúcidos en las aguas verdes y cristalinas.

Isabel se negó a poner un pie en él.

—No voy a subirme a esa cosa desvencijada. Voy a dar un paseo por el pueblo con tu abuelo.

Mi padre y yo recorrimos el serpenteante embarcadero hasta el final. A pesar del calor, él iba vestido de etiqueta y había insistido en que yo también lo hiciera. Me quité el sombrero y me apoyé contra un pimpollo de caucho desbabado que habían plantado en el lecho marino para aguantar la pasarela. El cielo estaba despejado y era azul como un sueño. Todas las barcas permanecían alineadas a lo largo del embarcadero, meciéndose y crujiendo, atadas a los cabos. El olor a pescado salado y a gambas secándose al sol me trajo el recuerdo de la aldea donde Endo-san hizo un alto en nuestro viaje a Kuala Lumpur.

—¿Qué piensas? —me preguntó mi padre.

Intenté adivinar a qué se refería.

—¿Sobre qué?

—Tu hermana.

Me pregunté si alguna vez podría hablarle de la conexión entre Endo-san y yo. Quizá Isabel y Peter MacAllister también contaban con un pasado en común.

—Ella lo quiere y creo que él siente lo mismo por Isabel —contesté.

—Eso nunca es suficiente —fue su rápida respuesta.

—Entonces nada será nunca suficiente.

—Necesita más tiempo y es demasiado joven.

—No tiene más tiempo. —Entonces le hablé de las palabras de Endo-san, de la inminente invasión—. El gobierno ordenará a MacAllister que evacue o los japoneses lo recluirán.

—El señor Endo no tiene ni idea de lo que está hablando —dijo, lanzando una dura mirada hacia el mar—. En Malaya no habrá guerra.

Me vino de nuevo a la cabeza Endo-san proyectando su misteriosa luz hacia el océano abierto y sentí miedo. La isla de Penang era tan vulnerable y tan fácil de asaltar como un niño al que una noche despiertan sus propios secuestradores.

—Habla con MacAllister, descubre cómo es. Tú mejor que nadie sabes lo que se siente al ser el enamorado no deseado de la hija de otro hombre —le sugerí.

—Mira —dijo, señalando el mar y fingiendo no haberme oído. Un grupo de delfines pasó como un rayo; los más revoltosos saltaban del mar y se dejaban caer. Los observamos mientras perseguían peces. Se oían sus chasquidos y sus extraños chillidos de niño pequeño—. Siempre me han gustado —añadió—. Si naciera otra vez, me gustaría ser un delfín, nadar por siempre en los océanos y disfrutar de vistas que el ojo humano nunca podrá ver.

Su voz era tierna, sus ojos más tiernos aún y su cualidad azul ya no estaba repleta de luz sino de un líquido cálido y ondulante que afloraba a la superficie.

Vislumbrar al soñador que había en él me asustó, pues siempre me había parecido una persona práctica, capaz de solventar cualquier problema que se le presentase. En aquel momento temí por él y deseé que su lado racional siempre lo guiara por la vida y que sus sueños solo se le presentasen al dormir, cuando estuviese a salvo del dolor.

Oímos que Isabel nos llamaba y regresamos andando a la aldea.

—Sé muy bien lo que se siente al ser el enamorado no deseado de la hija de otro hombre —dijo.

La boda se celebró de acuerdo con la tradición china. Ming estaba oculta tras un velo rojo y unas borlas colgantes e iba vestida de granate y oro. La llevaron en un palanquín de madera rojo vivo a la casa del novio, donde se arrodilló ante los padres de él, les sirvió té y les prometió obediencia. Cuando pasó por mi lado, giró la cabeza y, consciente de que me estaba mirando bajo el velo y de que podía leerme los labios, le deseé lo mejor. Ella ladeó levemente la cabeza y siguió adelante.

Isabel me sonrió.

—Todo saldrá bien —me dijo, y me dio un apretón en la mano.

El banquete de bodas fue espléndido, como mandaban los cánones de la reputación. Entramos en el salón comunal de la aldea y nos sentamos en una de las cuarenta mesas, preguntándonos cuánto le habría costado a tío Lim aquella celebración. Isabel cogió el menú del centro de la mesa.

—¿Qué dice? —me preguntó.

—Cochinillo asado, sopa de aleta de tiburón, pescado al vapor con jengibre, abulones, pollo asado con sésamo, pato a la naranja al estilo mandarín… Casi de todo —le dije, utilizando mis conocimientos de japonés para descifrar la escritura china. Me sobresaltaron la música alta de la orquesta china y los petardos. Towkay Yeap y Kon ocuparon los dos últimos sitios libres de nuestra mesa. Dejé el menú sobre la mesa, encantado de ver a mi amigo. Él también iba vestido de etiqueta, pero en su color favorito: el blanco.

Las cortinas del escenario de madera se abrieron y dio comienzo una ópera. Los sonidos del *erhu* y de la *pipa*, acompañados por címbalos y tambores, competían con las agudas voces felinas de los cantantes. Mi padre reprimió una mueca de dolor al oír las desgarradoras notas altas y todos nos echamos a reír.

—Lo siento —le dijo a Towkay Yeap, ruborizándose por completo.

—¿Puedo decir sin miedo a equivocarme que no conoces esta ópera? —le preguntó Towkay Yeap en tono divertido. Mi padre meneó la cabeza—. Resulta que es una de las más populares. *Los amantes mariposa.* Una historia muy trágica.

Isabel se inclinó hacia delante.

—Cuéntenosla, por favor —le pidió.

—Érase una vez, hace muchas dinastías en China, una chica, de nombre Zhu Yingtai, que quería estudiar en una escuela allá en las montañas. Por supuesto, al ser una chica, no se le permitía estudiar. Se suponía que debía quedarse en casa y cuidar de su familia y, más tarde, del marido que sus padres eligieran para ella.

—Una tradición que habría que conservar —apunté, sonriendo abiertamente a Isabel.

—Haz el favor de callarte, Philip —replicó.

—Zhu Yingtai era una chica testaruda, Isabel. Muy parecida a ti, según he oído —prosiguió Towkay Yeap entrecerrando los ojos con tierno humor.

—Has dado en el clavo, amigo —intervino mi padre, cruzándose de brazos y echándose hacia atrás en la silla.

Isabel le frunció el ceño.

—Siga, Towkay Yeap, por favor.

—Como iba diciendo, Zhu Yingtai sabía lo que quería, de modo que, engañando a sus padres y rompiendo la tradición, se puso ropas de chico y consiguió que la admitieran en la escuela. Una vez allí, se enamoró de un compañero estudiante, Liang, que no tenía ni idea de su verdadera identidad. Al cabo de tres años de estudios, se separaron en el Cenador de las Dieciocho Millas y allí Zhu le confesó a Liang que deseaba que se casara con su hermana pequeña. Le dijo que fuese a su casa al año siguiente para pedir la mano de la chica. Liang volvió como habían acordado y se dio cuenta de que tal hermana no existía, que en realidad era Zhu la que quería casarse con él. Cuando le reveló su auténtico ser, se enamoró de ella. El suyo fue un encuentro de almas y Zhu y Liang supieron que habían encontrado el uno en el otro a la persona con que viajarían, incluso después de la muerte, en vidas posteriores.

»Los padres de Zhu no tardaron en descubrir el subterfugio y la familia se sintió deshonrada. Separaron a los enamorados. Encerraron a Zhu y a Liang en sus respectivas casas. Concertaron rápidamente un matrimonio para Zhu con una familia a la que no le importaba el escándalo. Liang languidecía por ella. Cayó enfermo y murió.

»El día de la boda, Zhu se enteró de esta triste noticia y se escapó para ir a la tumba de Liang, donde lloró tanto y durante tanto tiempo que incluso los cielos se conmovieron. Las nubes se agitaron, se ennegrecieron, se desató una gran tormenta y los vientos empezaron a soplar. Nadie había visto jamás una tormenta parecida. Un rayo abrió de un restallido la tumba de Liang y Zhu se tiró al interior, justo cuando sus padres y la comitiva llegaban a la sepultura.

»Un par de mariposas salieron revoloteando de la tumba. Flotaron y se elevaron hacia el cielo, libres al fin para estar juntas y dejar atrás las penas del mundo.

—Qué historia tan horrible para ser representada en una boda —dijo mi padre. Vislumbré una grieta en los recuerdos de su abandonada pasión por las mariposas y lo que nos había costado a él, a mi madre y a mí.

Sabía que Towkay Yeap también había sentido la tristeza rápidamente reprimida de mi padre, de modo que dijo en voz baja:

—Ah, pero se te escapa la esencia, Noel. Es una historia preciosa. ¿Qué es lo que nos enseña? Que el amor encontrará una salida, que los obstáculos no importan. Nos enseña que el amor puede trascender el tiempo y seguir viviendo mucho después de que tú y yo nos hayamos marchado. Ese es el mensaje más apropiado para una boda; de hecho, es un mensaje de lo más apropiado para la vida misma, ¿no crees?

Al recordar las palabras de Endo-san, no pude estar más de acuerdo con él.

Después de que sirvieran el último plato de pasta de judías dulces en masa frita, Kon y yo salimos del salón. El sol pendía sobre nosotros, sus rayos se filtraban por entre los claros de nubes rosadas, como dedos que se introducían en el mar para tentar sus aguas.

Anduvimos por las polvorientas calles de la aldea. No había ni una sola persona; todo el mundo estaba disfrutando aún de la comilona y de la copiosa cantidad de alcohol que acompañaba todo banquete de bodas. Los chuchos que habían acudido a nuestro encuentro cuando llegamos para olisquear nuestros extraños olores estaban ahora dormidos bajo los porches y crispaban las orejas al sentir las moscas que intentaban colarse en sus sueños.

Nos detuvimos al llegar a la orilla del agua y disfrutamos del viento. Nos quitamos los zapatos y el contacto con la gruesa arena nos hizo sentir como si tuviéramos cascarillas de granos de arroz calientes bajo los pies. En el interior del salón hacía demasiado calor y yo había bebido demasiadas copas de brandy.

Kon, vestido completamente de blanco, era la personificación de la pureza, solo acuchillada por la corbata roja que se encabritaba al viento como una serpiente enfadada.

—He estado esperando tu respuesta —dijo, con un tono de reprimenda en la voz—. ¿Te has decidido ya a unirte a la Fuerza 136?

—Lo siento —le contesté—. No puedo ir contigo. Tengo que quedarme. Debo asegurarme de que mi familia está a salvo y solo puedo calmar mis miedos permaneciendo aquí. Enfermaría de preocupación por ellos si estuviese metido en la jungla.

Noté la decepción en su cara y, de algún modo, sentí que le había fallado.

—Fuiste a ver a Tanaka-san —dijo—. Me contó la conversación que habías tenido con él.

Hice un intento poco entusiasta por explicar mi situación. Él me silenció y dijo en voz queda:

—No te preocupes demasiado por eso. Estoy seguro de que haces lo correcto. Tu familia te necesitará aquí.

Asentí en señal de agradecimiento por haberme comprendido a pesar de su decepción. Esa era una de las maravillosas cualidades de Kon: entendía muchísimas cosas sin que se le dijese nada.

—Comprendes que, cuando los japoneses entren en Penang, mi padre no podrá seguir protegiendo al señor Hutton, ¿verdad? Y que se le retirarán los guardias —me explicó.

—Naturalmente. Después de todo, tienen unas familias a las que proteger, las suyas. Por eso debo quedarme. Estoy seguro de que Endo-san no tiene conocimiento del atentado contra mi padre, pero Saotome, en Kuala Lumpur... le ha echado el ojo a nuestra compañía.

Nos quedamos un rato en silencio. Yo disfrutaba de su presencia y me alegraba de haberlo conocido, pues ahora lo sentía incluso más cercano que mis dos hermanos.

—¿Volveré a verte antes de que te vayas? —le pregunté.

Me sentía realmente en paz sentado junto al mar y quería prolongar nuestra estancia en aquel pueblo que se hallaba tan lejos de las preocupaciones del mundo.

—No lo creo —me respondió.

—Seguramente supondrá un riesgo para tu seguridad, pero ¿me dirás adónde te van a enviar? —le pregunté.

—Encontraré el modo de hacerlo —dijo, y no tuvo ni que advertirme que debía mantener su localización final en secreto.

Yo alargué la mano y él la estrechó.

—Ten cuidado, hermano —me dijo.

—Lo tendré. Y tú, mantente alejado del peligro —le contesté, con voz forzada—. Rezaré por ti en el templo.

Él sonrió.

—Mejor ten cuidado contigo mismo, te estás volviendo chino.

Entonces pensé en la dualidad de la vida y dije, más para mí mismo que para nadie más:

—Eso no es tan malo, ¿no?

Ming se había cambiado de ropa y se había puesto un *cheongsam* rojo vivo, y ella y su marido iban de mesa en mesa agradeciendo a los invitados su presencia. A él le hacían beber tras un brindis en cada parada y, para cuando llegó a la nuestra, estaba bastante borracho.

—Este es Ah Hock —dijo Ming, tirando del brazo de su marido y dedicando una gran sonrisa a Isabel. Su nombre significaba «afortunado» y aquel día, con Ming a su lado, creí que ciertamente lo era. Se trataba de un hombre bajito, con una cabeza de pelo rebelde en punta y la piel oscura por su trabajo en un barco pesquero. Tenía unos brazos largos y bulbosos de tanto músculo y me lo imaginé en su bote, con los pies bien asentados en la cubierta, tirando de las redes durante las capturas. No se parecía en nada a su padre.

—Enhorabuena —los felicitó mi padre dándole la mano a Ah Hock.

—Gracias por sus amables deseos —dijo Ming, y luego me sonrió—. Todo el mundo quiere saber de ti. Me preguntan: «¿Quién es aquel chico de aspecto tan peculiar?».

—Puedes contarles quién soy —dije—. Pero solo las cosas buenas, ¿eh?

—Eso es lo que he hecho —me aseguró.

—Bueno, se está haciendo tarde y tenemos que irnos ya mismo —dije—. Que tengáis muchos hijos y seáis muy felices.

Ella me dedicó otra sonrisa y se fue a la mesa de al lado. No esperaba volver a verla. Ahora tendría su propia vida en la aldea que la había adoptado.

Y, una vez más, mientras salíamos del pueblo en coche, les deseé todo lo mejor en una oración en silencio que incluía a todos los que conocía, también a Endo-san. Recé con tanta intensidad, tan sinceramente, que pensé que cuando abriese los ojos vería mis súplicas transformadas en algo material, montando guardia ante nosotros como el santuario gigantesco que salía del mar en la costa de Japón. Recé para que los dioses que protegían la isla de Penang y cuidaban de su gente mantuvieran siempre su incansable vigilancia.

LIBRO SEGUNDO

Capítulo uno

Mi padre conservaba una vieja costumbre de los Hutton que consistía en comenzar cada lunes con un desayuno familiar, para el que se requería que todos nos sentásemos juntos en la primera comida de la semana.

Cuando bajamos las escaleras para dirigirnos al comedor aquel 8 de diciembre de 1941, no teníamos la menor noción de los acontecimientos que habían tenido lugar mientras dormíamos. Nos sentamos en consternado silencio a la mesa mientras mi padre nos leía las noticias, con un temblor en las manos que hacía crepitar el papel. A las 12:15 de aquella mañana, las tropas de la 18.ª División japonesa habían desembarcado en Kota Bahru, en la costa nororiental de la península malaya, procedentes del golfo de Siam. Pearl Harbor sería atacado una hora más tarde. Hasta aquella mañana, nunca antes había oído hablar de aquel lugar.

El esperado asalto a gran escala a Singapur no se había materializado. En lugar de eso, los japoneses habían elegido atravesar cientos de kilómetros de selvas densas e «impenetrables» y escalar las cadenas montañosas que conformaban la espina dorsal de Malaya. Yo sabía quién les había aconsejado aquella táctica. Era un movimiento clásico de *aikijutsu*: no enfrentarse a las fuerzas de Singapur de forma directa, sino desembarcar oblicuamente en la costa este, donde Endo-san había ido después de regresar de la visita a mi abuelo en Ipoh.

Los criados se pasaron la mañana de acá para allá en silencio: sus habituales conversaciones a media voz mientras realizaban sus tareas habían sido acalladas. Me pregunté si Endo-san se habría enterado y cuál habría sido su reacción. La cara de Isabel me decía que estaba haciéndose la misma pregunta, así que me alejé de ella.

Abrí las ventanas de la oficina y me quedé observando la calle. Él me había ligado a la guerra, a las ambiciones japonesas, y la conciencia de este descubrimiento pesaba sobre mis hombros como si me hubiesen cargado con otra identidad y me hubiera hundido en las profundidades del océano. Intenté controlar la respiración según las pautas del *zazen*, pero fue inútil.

El almirante sir Tom Phillips, comandante en jefe de la flota británica del Este en Singapur, envió dos de sus barcos para hacer frente a la marina japonesa. El HMS Repulse y el HMS Prince of Wales eran dos de los mejores buques de guerra de la marina británica. William estaba en el segundo barco, así que nos pegamos a la radio para escuchar las noticias de la guerra que nos llegaban a rachas a través de casi incomprensibles interferencias. Los aviones japoneses hundieron ambos barcos y a nosotros nos informaron al día siguiente. Se perdieron más de seiscientas vidas y no teníamos forma de saber si William estaba a salvo.

Oí que mi padre colgaba el teléfono en su despacho. Fui hasta allí. Un vistazo a su cara, descompuesta por el dolor, bastó para saberlo.

Por fin se dio cuenta de mi presencia junto a la puerta.

—Era el Ministerio de la Armada en Singapur —dijo.

—¿William? —pregunté con voz apagada.

—Los aviones japoneses destruyeron su barco por completo.

Mi padre hundió la cara en sus manos. Yo vacilé, sin saber muy bien qué hacer. Entonces me puse detrás de él y coloqué mis manos sobre sus hombros. A través de las ventanas abiertas, se oían los coches pasar por la calle que quedaba debajo. Desde el muelle Weld, la sirena de un barco indicó que daba comienzo su viaje..., los ruidos de siempre que nos habían acompañado durante todos aquellos años.

Tomé el control sin pensármelo dos veces. Hice caso omiso a las preguntas de los empleados y les informé de que la oficina cerraría hasta que la situación se aclarase. Les aseguré que seguiríamos pagando sus salarios. Llamé por teléfono a Edward, que estaba en

Kuala Lumpur, y le pedí que regresara a Penang y luego llevé a mi padre a casa. Sorprendí a tío Lim mirándome por el espejo retrovisor mientras conducía, y las palabras de advertencia de su hija volvieron a mi memoria: los japoneses vendrían y nos causarían sufrimiento. Evité sus ojos y miré por la ventana.

—¿Qué ha ocurrido? —preguntó Isabel, levantándose de una silla de mimbre de la veranda. Peter MacAllister estaba con ella y él también se levantó al vernos.

—William ha muerto —dije.

Ella escuchó mientras yo le contaba lo que sabíamos. No dijo nada, pero MacAllister notó su angustia y la abrazó.

Yo entré en casa y le serví a mi padre una generosa copa de *whisky*. Él la cogió de mis manos, se la bebió de un trago y la colocó cuidadosamente en la mesa.

—Tu hermano se ha ido. ¡Para siempre! Su barco se ha hundido en el mar.

Entonces recordé su sueño de ser un delfín, de nadar en las profundidades, en busca ahora de su hijo perdido.

Isabel se apoyó en MacAllister y empezó a llorar en silencio. Allí nos quedamos aquella tarde en que las nubes pasaban indiferentes por encima de nosotros, las flores cabeceaban sabiamente al compás del viento, los árboles peinaban el aire y a mi padre le caía un mechón de pelo sobre los ojos. Alargué la mano y, con cuidado, se lo aparté de la cara.

¿Cómo preparas un funeral cuando no hay un cuerpo que velar? Solo habría una ceremonia conmemorativa y palabras vacías como recuerdo triste de los que una vez estuvieron llenos de vida. Eso era lo único que nos quedaba. Mi padre me pidió que lo organizara.

—Yo sencillamente me veo incapaz —me confesó—. Siento cargarte con esto.

—Lo sé, padre. No es una carga.

—No quiero una ceremonia conjunta con las otras familias —añadió.

Nosotros no éramos los únicos que habían sufrido una pérdida, pues William iba acompañado de muchos hijos de Penang. Un pesado manto de desesperación había cubierto la isla y las calles de Georgetown.

Los dueños de las tiendas donde compré los artículos necesarios para el funeral me dieron el pésame.

—Por favor, dile a tu padre que todos lloramos su pérdida —me dijo más de uno, y yo les agradecí su amabilidad.

El Ministerio nos mandó las pertenencias de William. Abrimos la caja abollada y encontramos un sobre con las fotografías que yo había hecho y le había enviado. Mi padre las fue pasando hasta que se detuvo en una y nos la mostró. Era la que nos habíamos hecho el día en que se fue de Istana rumbo a Singapur. Todavía conservábamos nuestras sonrisas cuando tío Lim nos la hizo.

Isabel lloró durante todo el servicio, celebrado en la iglesia de Saint George, y vi cómo MacAllister la consolaba. Edward y yo flanqueábamos a nuestro inexpresivo padre. A pesar de mi decisión de dejar de ver a Endo-san, en lo más profundo de mi ser, esperaba su presencia. «Pero ahora eres el enemigo —le decía en mi mente—. Qué razón tenías. El ciclo del dolor y la pena ha comenzado».

La ceremonia fue breve, como habíamos pedido. A través de los bancos abarrotados a mi espalda pude ver a Endo-san al final del todo. Nuestras miradas se encontraron. Yo negué con la cabeza y cerré los ojos. Los notaba muy cansados. Mucho. Me di cuenta de que no había dormido demasiado desde el día en que nos habían comunicado la noticia. Me acordé de las últimas palabras que me dijo William el día que dejó su hogar y de nuestros incumplidos planes de hacer un viaje. El dolor de su pérdida me hizo sentir débil, casi a punto de caer. Envié mi mente al lugar remoto que Endo-san me había revelado, pero me costó mucho esfuerzo, más del que tendría que haberme requerido, y la lucha resultó agotadora. No sé cómo, pero logré mantener la compostura y contener el desbordante torrente de dolor. Me agarré al banco que tenía delante y me obligué a asumir la expresión imperturbable de mi padre y del hermano que me quedaba. No sería yo el que los defraudase, el que dilapidara la reputación que mi familia conservaba desde hacía tantas generaciones. Nunca se podría aligerar el peso ni compartir la carga.

Salimos de la iglesia y regresamos a casa. Mi padre quería que la lápida conmemorativa se erigiese en la esquina este de Istana, en lugar de en el cementerio de la iglesia, donde generaciones anteriores de mi familia habían sido enterradas. Yo había comprado una caja de madera y le pedí a Isabel, a Edward y a nuestro padre que metiesen algo de William dentro.

Se había excavado un hoyo donde se colocaría la lápida. Antes de cerrar la caja, metí la cámara Leica de William. Y entonces la depositamos con cuidado, como un niño al que se devuelve a la cuna, en la tierra abierta y la cubrimos con ella. Me despedí en silencio de mi hermano.

Mi abuelo se acercó a su yerno. Los dos hombres cara a cara.

—Ahora sé al fin cómo se sintió cuando ella murió —dijo mi padre.

—No es algo por lo que un padre debería pasar —respondió el anciano.

Entonces, me miró preocupado y yo hice un leve gesto de asentimiento para demostrarle que estaba bien.

Se apartó de mi padre.

—Debo volver a mi vieja casa de Ipoh para hacer preparativos y asegurarme de que los sirvientes tienen un lugar seguro donde esconderse.

—¿Cuánto tiempo estarás fuera? —le pregunté.

—No lo sé.

—No te será fácil volver cuando empiece la guerra —le dije. Quería que se quedara junto a mí—. No deberías irte.

Él meneó la cabeza.

—Ya sabes donde encontrarme si no estoy en mi casa de Ipoh. Estaré a salvo.

Busqué desesperadamente más razones para que permaneciese en Penang, pero él levantó la mano y me detuvo.

—Debes cuidar de tu tía y de tu familia.

Entonces me abrió los brazos y lo estreché contra mí, intentando acallar la sensación de que nunca volvería a verlo.

Sobre nuestras cabezas oímos aviones que patrullaban los cielos. El miedo se había apoderado de los habitantes de Penang y el éxodo había comenzado. La gente huía hacia la seguridad de la inexpugnable Singapur o embarcaba quizá hacia lugares tan lejanos como la India. Pero, como le comenté a Tanaka, ¿cómo se puede obviar un mundo en guerra?

Aquella noche, después de una cena desganada, mi padre dijo:

—Deberíais marcharos todos a Singapur. Allí estaréis más seguros.

—No tenemos ninguna intención de dejarte aquí —dijo Isabel.

Edward y yo también coincidíamos.

—Deberíamos irnos todos —dije.

Mi padre, sin embargo, se negó en rotundo.

—Alguien tiene que dirigir la compañía —señaló, sin dejar opción a réplica—. Este es nuestro hogar y siempre lo ha sido. Los malayos no se van a ir, los chinos y los indios tampoco van a huir. No voy a abandonarlos. Si lo hiciese, no podría volver a vivir aquí.

—Pero ya hemos oído de lo que son capaces los japoneses. Las mujeres no están a salvo —añadió Edward mirando a Isabel.

—Yo no me voy, Edward —contestó ella.

—Tenemos que asegurarnos de que la empresa está a salvo y de que nosotros lo estamos también —dijo mi padre y se giró hacia mí.

—¿Puedes encontrar una manera de garantizar nuestra seguridad sin comprometer nuestra integridad? ¿Puedes hablar con el señor Endo?

Quise decirle que esto iba a ser la guerra, así que, ¿por qué seguir preocupándose por la integridad? Pero, en lugar de eso, negué con la cabeza.

—Para garantizar nuestra seguridad no nos queda otra alternativa que trabajar con los japoneses. Quieren nuestra empresa. Quieren toda Malaya.

—Eso es inaceptable —saltó Edward de inmediato, frunciéndome el ceño—. No vas a hacerles ninguna propuesta.

—De todas formas, se harán con ella cuando las tropas entren en Georgetown —dije.

—Nuestros chicos les harán dar media vuelta —argumentó mi padre, aunque ahora ya no estaba tan seguro; su estabilidad emocional se resentía. Vi mi oportunidad y la aproveché, tomé el control de la situación e incliné ese precario equilibrio hacia mi lado.

—De todas formas, deberíamos tomar algunas medidas. Por si acaso.

Mi padre se recostó en su silla y, finalmente, dijo:

—Edward, mañana empieza a llamar a nuestras plantaciones y minas. Diles a los gerentes que destruyan todas las existencias y el equipo. Y a ti —se dirigió a Isabel—, que te corten el pelo. Puedes ponerte ropa de William. Pero te quiero en la colina de Penang hasta que nos cercioremos de que este es un lugar seguro. Si dices una sola palabra, te envío a Singapur —añadió, cuando Isabel abrió la boca para oponerse.

Recuperé la sensación de alivio. Después de parecer perdido en los últimos días, nuestro padre volvía a estar al pie del cañón.

Más tarde, bajé a la playa. Era un momento intemporal; el aguacero reciente había dejado la arena húmeda y sedosa. Unas nubes negras se apresuraban tierra adentro, dejando raso el cielo de la costa. La luna ya había salido, una compañera pálida del sol que se ponía de mala gana.

Algunos pájaros volaban a ras del agua, mientras que otros picoteaban en la playa en busca de crías invisibles de cangrejos fantasma. Yo no los veía porque se escabullían y solo dejaban tras de sí las huellas de su paso, marcando la arena como si una mano invisible hubiera garabateado en ella.

Hacía bastante fresco, el aire traía los vestigios de la lluvia que ahora caía casi tan imperceptible como las crías de cangrejo, como si las nubes hubieran pasado por un fino tamiz. Vi una figura solitaria de pie mirando el mar mientras las olas se desenrollaban a sus pies cual pequeños fardos de seda. Me dirigí hacia él, sintiendo la frialdad del agua.

—El cielo está en llamas —dijo.

Lo miré. Era cierto. El sol alumbraba el horizonte con vetas de rojo y ocre. De vez en cuando aparecían fogonazos brillantes y silenciosos en el cielo.

—¿Qué es eso? —pregunté.

—Una batalla aérea. Aviones de combate japoneses y británicos. Una guerra en el cielo.

Miré sin sentir nada, incapaz de desentrañar el sentido de la batalla. Parecía tan absurda, tan lejana… Resultaba extraño que pudiese tener algo que ver con este mundo.

Entonces, se giró. Su cara, a contraluz, quedaba ensombrecida. No había estado cerca de él desde la noche en que lo vi en su isla haciendo señales al mar oscurecido.

—Gracias por venir al funeral en memoria de mi hermano —dije.

Él alargó la mano y me tocó la mejilla con suavidad.

—Nunca digas cosas que no sientes. Debemos ser siempre sinceros con nosotros mismos. Puede que hasta notes que quieres hacerme daño. —Suspiró—. No te culpo.

—Pero yo sí. Me mentiste. Me utilizaste, utilizaste mis conocimientos sobre la isla. Me pediste que te llevara por ahí para que pudieses hacer fotos de ella. Y tu viaje a Kota Bahru el año pasado. Ahora lo entiendo todo. —Me aparté de su mano—. Y todo lo demás… todo falso, ¿no?

Él pareció afligido. Levantó las manos, como si pensara que su gesto me aliviaría, pero cuando di un paso atrás, las dejó caer lánguidamente a los lados del cuerpo.

—Ya no puedo confiar en ti, Endo-san.

—Recuerda las palabras que te dije en la fiesta de William —empezó, pero se calló, incapaz de continuar.

Recordé lo que había dicho esa noche: aunque pronto pasáramos a ocupar lados opuestos, nunca debía olvidar lo que él sentía por mí. Aquellas palabras no me servían ahora de consuelo.

—¿Por qué no he sido capaz de hacer lo correcto? —pregunté, confundido.

—Oh, lo harás, mi pobre muchacho. Lo harás —me contestó.

Y allá, lejos en el mar, los fogonazos se hicieron más brillantes y frecuentes, encendiendo los cielos oscuros con una lluvia de estrellas fugaces.

Capítulo dos

Cuando subía la carretera en dirección a la casa de Towkay Yeap, un escuadrón de aviones pasó por encima de mi cabeza dejando tras de sí una estela de pétalos blancos que descendieron flotando suavemente. Algunos cayeron en las copas de los árboles, donde revolotearon, desconcertando a los pájaros. El resto cubrió la calle y los jardines, y me paré a coger uno.

Era una hoja de papel, escrita en inglés, chino, malayo y tamil. Nos instaba a rendirnos pacíficamente, a dar la bienvenida al ejército imperial japonés. Nadie resultaría herido si lo hacíamos. La doblé con precisión y me la metí en el bolsillo.

Aquellos papeles llevaban cayendo de los aviones toda la semana por toda la isla, a medida que más y más zonas de Malaya se rendían al ejército japonés. El puerto estaba a rebosar de pasajeros que esperaban embarcar hacia Singapur, instigados por una sensación de histeria tácita pero casi palpable.

Toqué el timbre, pero no vino nadie. Abrí las puertas de un empujón y rodeé la casa, hasta donde estaba el padre de Kon, mirando fijamente sus premiadas orquídeas blancas, absorto en sus pensamientos. Cuando me vio, sus ojos se aclararon.

—Debes de estar buscando a mi hijo —dijo.

—Esperaba que le hubiese revelado dónde está.

Él negó con la cabeza.

—Se ha marchado. No he tenido noticias suyas y dudo que vaya a tenerlas. Siéntate, por favor.

Me senté en el borde de una jardinera de madera.

—Dijo que me lo haría saber —le comenté y el hombre asintió—. ¿Intentó persuadirlo para que no se uniera a ellos? —le pregunté.

—No. ¿Es que acaso habría servido de algo? Tú, mejor que nadie, deberías saber que todos tenemos que tomar nuestro propio camino.

—¿No va a marcharse a un lugar más seguro?

Él negó con la cabeza.

—Yo también debo seguir mi propio camino aquí. —Por un momento, me pareció mucho mayor de sus cincuenta años—. Y si me voy, ¿quién estará esperando a mi hijo cuando regrese?

—Kon se parece mucho a usted —le dije, en un intento de llenar el silencio. Nunca habíamos tenido mucho de qué hablar, pero ahora parecía encantado con mi comparación. Supongo que esa es la manera en que uno hace feliz a un padre. Observamos cómo los aviones hacían otro barrido de los cielos.

—Es mi único hijo —comentó—. Siento lo de William —continuó—. Solo los dioses saben lo que me ocurriría si perdiera a mi hijo. Creo que no sería capaz de superarlo.

—No sé si todos podremos sobrevivir a esta guerra —dije.

Él me dedicó una sonrisa casi maliciosa y enarcó las cejas.

—No me cabe la menor duda de que si alguien sobrevive, ese serás tú —me aseguró—. Y no lo digo basándome únicamente en la influencia de tu maestro. No, he conocido al señor Endo y resulta obvio que no elige a enclenques como alumnos. Creo que nos vas a sorprender a todos.

Me levanté del macetero de madera; no me gustaba hacia dónde se estaba dirigiendo la conversación. Sus palabras tenían espinas en el interior, como la carne del pescado a la que uno da un mordisco inocentemente.

—Tengo que marcharme. Dígame dónde está su hijo cuando lo averigüe, por favor.

Seguimos recibiendo noticias de masacres perpetradas por las tropas japonesas que avanzaban desde el norte y, aunque mi padre se guardaba sus miedos, yo los notaba reflejados en su cara. Había sacado el rifle del armero que tenía en su estudio y lo mantenía cargado y a mano. También había quitado su colección de keris de la biblioteca. Todas nuestras minas de estaño y nuestras plantaciones del norte de Malaya habían caído en manos niponas y me daba la impresión de que nunca les entregaría la empresa familiar. Empecé a temer por su seguridad y este miedo aumentó cuando, al volver a casa una tarde húmeda, vimos un coche del Estado Mayor aparcado en la entrada. Una bandera blanca con un círculo rojo pendía lacia sobre el capó.

—Malditos bastardos —dijo mi padre, bajándose antes de que tío Lim hubiese tenido oportunidad de parar nuestro coche por completo. Corrí tras él al interior de la casa. Oímos voces tan pronto como entramos en el vestíbulo y me detuve cuando vi a Goro, el oficial del consulado japonés, y a alguien más bajar las escaleras. Se pararon a medio camino al vernos.

—Fuera de mi casa —les ordenó mi padre.

Detrás de Goro había un hombre japonés cuya visión me aterró de manera inexplicable. Tenía ojos pequeños e imperturbables, un pequeño bigote y el pelo muy corto. Lo que más terror me produjo no fue su aspecto de soldado, sino que no fuese de uniforme. Supe al instante que estaba frente a un miembro de la Kempeitai, la policía secreta japonesa que había torturado a los refugiados que huían del norte de Malaya. Le puse una mano en el hombro a mi padre para aplacarlo.

—No será tuya por mucho tiempo —le aseguró Goro—. A Fujihara-san le gusta mucho.

El hombre le habló a Goro en japonés. Lo entendí claramente, pero Goro hizo de intérprete.

—También nos quedaremos con tu compañía, una vez que huyáis.

—Nunca huiremos —sentenció mi padre.

—Lo que hagas no es de nuestra incumbencia. Os mandaremos a todos a campos de concentración u os mataremos. —Entonces, me señaló—. Incluso a tu hijo mestizo.

Tenía que encontrar una manera de calmarlos. Había hecho una reverencia y trataba de dirigirme a ellos en tono conciliador cuando Isabel entró en el vestíbulo apuntando a Goro con el rifle de nuestro padre.

—Mi padre ha dicho que os marchéis. No lo repetiré otra vez.

—Isabel —dije—. Bájala.

Goro y el hombre de la Kempeitai no se movieron todo lo rápido que Isabel quería, así que disparó a la pared que quedaba detrás de ellos, poniéndolos perdidos de astillas de madera y de yeso. Goro protegió al otro hombre mientras bajaban las escaleras y sus ojos nunca se apartaron de la cara de Isabel hasta que salieron por la puerta. Sabía que su sentido del honor exigiría encontrar una forma de vengarse de ella.

Me volví hacia Isabel, que todavía sujetaba el rifle en posición de disparo.

—Podría haber resuelto la situación sin ponernos en su contra —le dije.

—Siempre intentas defenderlos —me respondió, igualando mi enfado.

—No estaba haciendo nada de eso. Estaba intentando ponerte a salvo —le solté, para contraatacar—. Ahora nos has dejado a todos en peligro.

—¿Quién ha estado confraternizando con los japos? ¡Deberías haberte escuchado, con esa voz tan débil y sumisa! ¡Postrándote ante ellos sin ningún pudor!

—¡Basta ya! —interrumpió mi padre—. ¡Aparta eso! ¿Qué hace aquí todavía? Se supone que deberías estar escondida en la colina.

—Me he quedado para ayudar a los criados a hacer sus maletas. He decidido irme cuando lo hagan ellos —contestó.

Ahora más que nunca me daba cuenta de que teníamos que marcharnos de Penang, de Malaya. Los japoneses nos habían hecho la cruz e irían a por nosotros si nos quedábamos.

—Ya no estamos seguros —dije—. Debemos marcharnos a Singapur de inmediato.

Mi padre continuó en sus trece.

—No nos marcharemos. Tú, si quieres, puedes irte cuando lo desees —dijo, rotundo—, pero si tienes una mínima noción de lo que significa ser parte de esta familia, algo que nunca has tenido, ¡entonces te quedarás con nosotros! —Se calló y pareció afligido—. Lo siento. No tenía intención de expresarlo así. Lo siento.

El tiempo pareció eternizarse antes de que alguna palabra saliera de nuevo de mi boca.

—Me quedo. Este es también mi hogar, mi único hogar. Me quedo. Pero lo haré a mi manera —añadí, y me fui de allí a paso lento. La decisión que tenía que tomar se me reveló ahora con claridad. Al final, todo era muy sencillo y obvio, la verdad.

Fui en bicicleta al consulado japonés. El tráfico inundaba las carreteras. Muchos de los coches llevaban grandes baúles de piel en los portaequipajes y desperdigaban a su paso los panfletos de propaganda japonesa por la carretera. Me vino a la mente la imagen de un funeral chino al que una vez asistí cuando murió uno de nuestros empleados. El monje que ofició la ceremonia iba esparciendo fajos de papel moneda mientras caminaba, y los trozos de papel habían flotado en la tarde calurosa, revoloteando y retorciéndose como las almas perdidas que se supone que tenían que apaciguar, para luego mecerse silenciosamente hasta caer en el suelo. Ahora, conforme los coches pasaban, conforme las palabras de los japoneses salían volando y descendían de nuevo en un movimiento pendular, aquel recuerdo volvió a mí y me dio miedo. Estaba presenciando los ritos funerarios de mi país, de mi hogar.

Informé al centinela de la entrada del consulado de que quería ver a Endo-san. Él abrió las verjas y yo entré empujando la bici. Pasé los macizos de bambú y los pequeños cenadores. Los frenéticos sonidos del tráfico estaban ausentes, se les había denegado la entrada en aquel lugar. El gobierno japonés había comprado el inmueble justo antes de la Gran Guerra, cuando estaban en términos más amistosos con Gran Bretaña. No era un hecho tan conocido que, durante la contienda, los británicos y los japoneses habían firmado un acuerdo para permitir que la armada nipona patrullase las aguas malayas, un tratado que parecía habérsela jugado a Gran Bretaña, pues ahora los barcos enemigos conocían perfectamente nuestra costa.

Se había realizado un esfuerzo considerable y se había invertido una buena suma de dinero para recrear en los jardines del consulado un Japón idealizado de ensueño. Yo había pasado a menudo con la bici sin prestar ninguna atención, pero ahora que medio mundo se estaba destruyendo, la belleza del paraje me hizo detenerme a apreciarla.

Las ramas de un sauce caían sobre un estanque cuya superficie se ondulaba con los besos de las carpas de vivos colores. Una figura estaba en cuclillas al borde del estanque, alimentándolas. Apoyé mi bicicleta contra un árbol y bajé la ladera cubierta de hierba para dirigirme a él. Cuando me vio, sonrió, esparció las últimas migajas de pan sobre el agua y se sacudió las manos en los pantalones.

—¿En qué lío te has metido ahora? —me preguntó.

Utilizó las mismas palabras que mi padre nos decía a William y a mí, y tuve que apartar la sensación de que cada paso de mi vida había sido trazado mucho antes de haber nacido. Era la guerra, pensé.

Había fracturado y dislocado todo lo que conocía.

—Necesito veros a ti y a Hiroshi-san —le dije. Endo-san asintió y lo seguí hasta el interior del consulado. En comparación con la paz del jardín, dentro había mucho ajetreo. Unos oficiales del ejército, todos de uniforme verde azulado, caminaban con resolución portando documentos. Fui conducido al despacho de Hiroshi, que levantó la vista y vio a Endo-san detrás de mí. Capté una mirada de triunfo en sus ojos, rápidamente disimulada.

—Quiero ofrecer mis servicios a su gobierno —dije—. Creo que el embajador de Kuala Lumpur, Saotome-san, lo aprobará.

Había ensayado aquellas palabras durante todo el trayecto desde casa, murmurándolas mientras pedaleaba, pero aun así me resultó difícil pronunciarlas. Salieron de mí, reacias a tomar forma en el aire, con el único deseo de mezclarse con mi aliento. Estaba eligiendo el camino que mayores posibilidades ofrecía de salvarnos, a toda mi familia, y yo iba a tomarlo. Había una guerra en marcha y, con toda seguridad, nadie podría culparme… o nadie lo recordaría cuando aquello hubiese acabado.

—Habíamos pensado pedirte que nos ayudases con los asuntos relacionados con el día a día de esta isla —dijo Hiroshi, indicándome que me sentara. Yo seguí de pie—. Cuentas con las habilidades lingüísticas y el conocimiento de nuestra cultura necesarios para contribuir a poner en práctica nuestras políticas.

—Puede ser mi asistente —propuso Endo-san.

—Solo pido una cosa: que dejen que mi padre siga dirigiendo su empresa después de que hayan tomado el control de Malaya.

—La autoridad del gobierno japonés se hará cargo de todos los negocios. Pero supongo que la pericia y la experiencia del señor Hutton nos serán de gran utilidad —concedió Hiroshi—. Veremos qué tipo de papel puede seguir desempeñando en la empresa de tu familia.

Entonces, salió de detrás de su escritorio, se me acercó y me puso la mano en el hombro.

—Como vas a ser un miembro del consulado, lo primero que deberías hacer es mostrar tus respetos.

Acto seguido, me giró hasta dejarme frente al retrato del emperador que estaba colgado en la pared. Sabía lo que esperaban de mí, así que me incliné ante él lo máximo que pude.

Capítulo tres

Mi padre me encomendó la tarea de asegurarme de que Isabel cambiaba totalmente de aspecto antes de subir a la colina de Penang. Yo supervisaba mientras una de las sirvientas, que se sacaba un dinero extra como peluquera, le cortaba el pelo en el patio exterior de la cocina.

—Esto es indignante —se quejó Isabel, sentada en un taburete alto y con unas hojas del *Straits Times* puestas en los hombros.

—Órdenes de padre —dije.

Ella no respondió. El incidente con los dos japoneses que habían amenazado con requisar nuestra casa había tensado la relación entre nosotros dos. Yo todavía sentía la acritud de sus palabras, lo injustificadas que eran, y me resultaba difícil perdonarla.

—Es por tu propio bien. Cuanto más parezcas un hombre, más a salvo estarás —dije—. Hay ropa de William en tu habitación. Puedes ponértela cuando hayas terminado.

La dejé y entré en casa.

Con el pelo corto y su ropa, Isabel podría haber pasado por William y, por un momento, sentimos tremendamente su ausencia. Mi padre dijo: «¡Dios santo!», e incluso Edward se quedó mudo. Isabel soltó una ligera risita para sacarnos de nuestro abatimiento. Peter MacAllister la abrazó y yo me di media vuelta, con un sentimiento de vacío en el interior. Estaba preocupado por tener que revelarle a mi padre las noticias de mi asociación con el gobierno japonés.

—Hay más refugiados huyendo del ejército de los japos —nos informó MacAllister. Ahora pasaba más tiempo en Istana hablando con mi padre, que, poco a poco, iba aceptando su presencia en nuestras vidas—. Me topé con algunos de ellos ayer en el muelle. La mayoría ha escapado solo con lo puesto.

—Podemos alojar a algunos aquí arriba —se ofreció mi padre.

MacAllister meneó la cabeza.

—No quieren quedarse en Penang. Quieren irse lo más lejos posible. De hecho, nos instaron a irnos también.

Habíamos ido recibiendo informes casi continuos de las victorias japonesas. La costa este al completo había sido tomada, al igual que los estados norteños de Perlis y Kelantan, cerca de la frontera con Tailandia. Años después, los historiadores revelarían lo poco previsor que había sido el gobierno británico y cómo había infravalorado los planes de invasión de Japón. Sin embargo, en aquel momento, solo había una avalancha de refugiados que huían, la mayoría europeos que habían hecho de Malaya su hogar.

—No me voy a ir, Peter. Ya te lo he dicho —dijo mi padre. Entonces, me miró—. ¿Cómo podría mirar a la cara a la gente que trabaja para nosotros si hiciese las maletas, saliese corriendo y los dejase en manos de los japos?

Había notado un cambio en la manera en que ahora se referían a los compatriotas de Endo-san. Ya no eran «japoneses», término más educado, sino «los japos» o, más comunmente ahora, «los *malditos* japos».

—Parece ser que los malditos japos están viajando por todo el país en bicicleta —nos contó MacAllister.

Yo guardé silencio, recordando una conversación con Endo-san en el tren que tomamos desde Kuala Lumpur cuando el vagón avanzaba por las junglas húmedas y resplandecientes.

«Nada puede atravesar esto», había dicho, mientras veíamos pasar a toda velocidad enormes columnas de árboles envueltas en helechos espesos y alta vegetación. Muchas de las higueras se sustentaban en cuñas triangulares de raíces que crecían tan gruesas y altas como paredes.

«Eso no es verdad —había apuntado yo—. Muchos de los nativos de aquí van andando o utilizan bicicletas. Hay senderos en la jungla, aunque no puedas verlos. Una vez William me dijo que se podían conseguir buenos mapas de ellos en el Ministerio del Patrimonio Forestal».

«¿Es fácil hacerse con esos mapas?».

«Supongo que sí. Lo preguntaré», le dije y, una semana después de volver de Ipoh, se los había proporcionado a Endo-san.

MacAllister le dio un abrazo a Isabel.

—Mañana no podré venir a despedirme de ti, querida. Tengo que volver a K.L. y ocuparme de mi empresa.

—No te preocupes —dije—. Yo estaré con ella.

—Debes cuidar de tu hermana —añadió—. ¿Os imagináis a una panda de monos de ojos rasgados en bicicleta haciéndose con nuestro país?

—Bueno, lo están logrando, ¿no? —dijo mi padre.

Mi padre había insistido en que el personal femenino de casa y de la oficina se escondiera en nuestra casa de la colina de Penang con Isabel. La mayoría, aunque agradecidas por la oferta, preferían quedarse con sus familias, pero algunas decidieron venir con nosotros.

—¿Qué hay de Ming? —le pregunté a tío Lim cuando nos llevó a la estación del funicular a los pies de la colina. Mi padre venía detrás de nosotros en el Daimler con las criadas que habían elegido subir.

—Estará protegida en la aldea. Está demasiado lejos de la ciudad como para que los japoneses le presten atención.

—¿Y tú?

—Yo me quedaré con el señor Hutton, por supuesto —me aseguró. Su lealtad hacia Noel estaba fuera de toda duda, pero sospechaba que la verdadera razón por la que se quedaba era la obligación que sentía para con mi abuelo, cuya naturaleza siempre se negaba a revelar a pesar de mi esfuerzos más inquisitivos.

En la estación del funicular nos unimos a una larga cola de personas que llevaban bolsas y comida. Parecía que no éramos los únicos que habían pensado en mandar a las mujeres allá arriba.

—Al menos estas no han huido —dijo Isabel.

Yo no le respondí, aunque sentí el dolor de la desavenencia que nos había separado. Me di cuenta de que estaba intentando reconciliarse conmigo, pero yo me sentía aún presa de mi terco enfado.

La muchedumbre estaba constituida por mujeres inglesas, chinas y malayas. Las inglesas se habían llevado a sus perros consigo y estos ladraban y tiraban de las correas, sumándose al ruido de las despedidas y los llantos de los niños. Mi padre nos dejó para hablar con ellas.

—¡Qué horrible! —exclamó Isabel mientras lo observábamos tranquilizar a las mujeres—. Recuérdame que nunca me convierta en una vieja chocha más preocupada por sus perros que por la gente.

—Bueno, vosotras, las inglesas, siempre termináis igual —dije, sin pensar.

Ella me dio un pequeño puñetazo en el brazo, como hacía cuando fingía indignación por mis palabras y, con ese mero gesto, noté que mi resentimiento cedía.

—Siento lo del otro día —dijo, enhebrando su brazo en el mío y tirando de mí para abrazarme—. Tenías razón: deberíamos haberlos persuadido de que abandonaran la casa.

Hice un gesto con la mano como para restar importancia al asunto, aliviado porque la frialdad que se había instaurado entre los dos desde el episodio parecía que ahora se disipaba.

—Todos estábamos bastante sensibles.

—Tú no —dijo—. Te envidio. Yo no tengo el férreo control que tú demuestras sobre tus emociones. William siempre decía que eras el más desapegado, el más imperturbable de todos nosotros. El más inglés, por así decirlo.

Me quedé mudo al oír sus palabras. ¿Era esa la imagen que había dado a mi familia: frío y desapasionado, cuando lo único que había intentado era esconder mis incertidumbres sobre mi lugar en el mundo? Estuve a punto de soltar una carcajada incrédula e incluso amarga.

Mi padre volvió a nosotros y abrazó a Isabel cuando la gente en la cola empezó a moverse.

—Ten cuidado —dijo—. Una vez que las cosas se hayan calmado, creo que deberías casarte con Peter.

Isabel lo abrazó aún más fuerte.

—Gracias, padre.

Él se separó de ella y se dirigió a las mujeres de nuestra casa.

—Espero que estéis a salvo de cualquier daño. Rezaré por vuestra seguridad. Que Dios esté con todas vosotras.

Ellas le dieron las gracias y unas cuantas se enjugaron las lágrimas. Entonces, se giró hacia mí.

—Cuida de ellas. Mandaré un coche para que te recoja aquí mañana por la mañana. —Se quedó callado—. Lo que dije el otro día… cuando esos japos entraron en casa… —empezó.

Lo detuve.

—No tienes que explicar nada.

Me miró agradecido y luego me abrazó con una intensidad que, me sorprendió descubrirlo había anhelado de él toda la vida.

—Eres un buen chico —dijo y me dio un rápido beso en la mejilla.

Nos observó hasta que todos estuvimos apiñados dentro del funicular de madera. Las puertas correderas no se cerraban y una de las mujeres (la reconocí, era la señora Reilly, la esposa de un joyero) tuvo que bajarse y esperar al siguiente. El funicular dio una sacudida, se deslizó pendiente abajo y luego, cuando la cabina en la cumbre de la colina empezó a descender, las poleas se pusieron a girar y lentamente comenzamos a subir. Nos agarramos al enrejado; todos los asientos habían sido ocupados por señoras regordetas de mediana edad que se abanicaban frenéticamente, como pájaros que agitasen las alas en una jaula abarrotada. Cuando nos cruzamos con la cabina que descendía, traqueteamos en las vías y sentí que el calor daba paso poco a poco al aire fresco.

En la cima, al salir de la estación, una formación de aviones de combate pasó volando y descargó sobre Georgetown. Conté más de cincuenta. El sol capturó los círculos carmesíes de sus fuselajes y sus alas y los hizo parecer heridas abiertas, y sus cuerpos plateados y pisciformes se redujeron a motas oscuras cuando perdieron altitud. Unos minutos más tarde, vimos salir humo del puerto.

—Están bombardeando la ciudad —dijo Isabel— ¡Malditos sean!

Las nubes de humo se convirtieron en columnas negras y espesas. Los aviones sobrevolaron la ciudad y lanzaron más bombas. En el puerto, la flotilla naval parecía dar vueltas y vueltas en círculos confusos, como patos mareados en un estanque. Algunos barcos se incendiaron, explotaron y empezaron a hundirse. Las mujeres a nuestro alrededor comenzaron a angustiarse y una de ellas gritaba que tenía que volver a casa.

—Vendrán a por nosotras, vendrán a por nosotras —gimió.

—Tiene razón. ¿Y si empiezan a bombardear la colina? —preguntó Isabel.

—No lo harán —contesté, recordando la casa de estilo tudor en la que Endo-san se había interesado, la casa desde la que se podían divisar todos los mares que nos rodeaban, especialmente si estaba equipada con telescopios de alta calidad.

Isabel notó la seguridad de mi voz y decidió que no quería discutir conmigo. Nos dirigimos hacia Istana Kechil. Después de ayudar a desempaquetar las provisiones de comida, le dije:

—Voy a dar un paseo.

Me pareció que habían pasado siglos desde que estuve allí con Endo-san, mostrándole con orgullo la belleza de la colina. Ahora que conocía el sentido de sus actos, experimentaba una profunda sensación de pérdida. Resultaba extraño sentir el más mínimo rastro de rencor hacia él, solo desesperación. Era como si lo hubiese estado esperando. Había traicionado mi inocencia, pero, al mismo tiempo, la había reemplazado con conocimiento, fuerza y amor. Me pregunté si yo tenía algún defecto por el que era capaz de aceptar su traición con tanta calma o si mi entrenamiento en la técnica del *zazen* había sido más efectivo de lo que pensaba, hasta el punto de convertirme en alguien imperturbable, como Isabel había señalado.

Salí de la carretera en el cruce que llevaba a la casa de estilo tudor y bajé con cuidado por una pendiente cubierta de hierba. Incluso desde allí podía ver el humo del puerto y de otras zonas de la ciudad. Intenté no preocuparme por mi padre, con la esperanza de que se hubiese dirigido directamente a casa como había prometido. Avancé lentamente medio agachado cuando me aproximé a la entrada trasera. La verja estaba mohosa y las enredaderas habían trepado por la valla metálica. La zarandeé para comprobar si resistiría mi peso y trepé por ella.

La casa parecía vacía pero esperé, escondido detrás de un rosal, aguzando el oído por si se acercaban perros. Después de un minuto corrí hacia la pared de la fachada y me pegué a ella. Eché un vistazo por las ventanas sumidas en la oscuridad pero no vi nada. Continué bordeando el muro hasta que llegué a la esquina y allí me detuve. En el césped había una gran estructura de metal semejante a una grúa pequeña. Una antena cuadrada y provista de engranajes daba vueltas sin parar, como un papamoscas incansable. Yo sabía bien, que aquel aparato no servía para capturar insectos, sino señales de radio. Junto a la antena había un poste donde ondeaba una bandera, como la cola de un pez. La blancura de la tela intensificaba el brillo del círculo rojo volviéndolo más amenazador.

Las puertas que daban al balcón en diagonal sobre mi cabeza se abrieron y oí pisadas, el chasquido de un mechero y luego voces. El vago olor a tabaco descendió hasta llegar a mí. Desde mi escondite solo podía distinguir a dos hombres que parecían ser civiles.

—¿La flota ha recibido el mensaje?

—*Hai*, coronel Kitayama —respondió una voz de hombre más joven.

—¿El bombardeo ha sido un éxito?

—*Hai*, coronel Kitayama.

—Informe al general Yamashita.

Decidí que ya había oído bastante y, en silencio, me fui por donde había venido.

Me marché antes del amanecer, después de despedirme de Isabel. Habíamos pasado la noche sentados a la luz de una vela charlando, cosa que no habíamos hecho nunca antes.

—¿Qué se siente al estar enamorado? —le pregunté—. Tú ya has estado enamorada muchas veces; primero de aquel chico de la Straits Trading Company, luego de aquel escritor americano y luego de aquel granjero de Australia…

—La lista es interminable, ¿verdad? —Me dedicó una sonrisa irónica—. Lo que una vez sentí por ellos… está muy lejos de lo que ahora siento por Peter —me confesó—. Peter tiene muchos defectos, todos los tenemos, pero el amor hace que los pases por alto e intentes ver lo bueno. Antes no habría sido capaz de hacer eso: al primer síntoma de debilidad, dejaba a los hombres que creía amar.

Ahora es diferente. Por cierto, debería disculparme por su comentario sobre los monos de ojos rasgados.

Hice un gesto para restarle importancia y le serví otra copa de vino. Fiel a sus costumbres, Isabel se había asegurado de que hubiese generosas reservas de las cosas buenas de la vida, incluso cuando se escondía de los japoneses.

—¿Qué es lo que ves en alguien que es mucho mayor que tú? —le pregunté.

Se tomó su tiempo para elaborar la respuesta. Me di cuenta de las diferentes formas que quería dar a sus palabras, antes de descartarlas y crear una nueva.

—Me atrae su sabiduría, la sensación de que ya sabe quién es y lo que quiere de la vida. No quiero su dinero, aunque tiene bastante.

—«El amor no es amor cuando se mezcla con consideraciones enteramente extrañas a su objeto» —dije, citando una de las líneas favoritas de mi padre.

—Al menos uno de nosotros consiguió absorber algo durante aquellas largas noches en que nos leía *El rey Lear*—dijo mirándome de reojo.

En ese momento, me decidí a contarle lo de mi decisión de trabajar para los japoneses, seguro de que lo entendería. Sin embargo, su primera reacción fue de horror... y luego de furia.

—¿Cómo has podido, sabiendo lo salvajes que son?

—Creo que puedo salvaguardar los intereses de nuestra familia.

Se quedó callada durante un rato y temí que el estado de tensión que habíamos resuelto en la estación del funicular hubiese resurgido entre los dos. Entonces, suspiró.

—Estás loco, hermanito —dijo, en tono amable, y vi compasión en sus ojos—. Preferiría morir antes incluso de considerar la posibilidad de trabajar para ellos.

Abrimos las cortinas opacas y salimos al jardín. Nuestros pies desnudos aplastaron las gotas de rocío del césped y nos enviaron el ácido aroma de la noche, como si estuviéramos caminando por una alfombra de especias. Por un momento me sentí como si la guerra no hubiese empezado y estuviésemos de nuevo de vacaciones.

Allá abajo, las luces de la ciudad se habían apagado y la única iluminación procedía de los incendios que aún lo devoraban todo. De vez en cuando, al encontrar una nueva fuente de energía con la que alimentarse, surgía de repente una llamarada, y la luz llegaba hasta el cielo, tiñéndolo de carmesí, desluciendo las estrellas.

—Espero que estén a salvo en casa —dijo Isabel. Le subí el chal por los hombros. Ella me miró a los ojos y se recostó sobre mí.

—Estarán a salvo —dije y repetí las palabras, como para tranquilizarme—. Estarán a salvo.

Mi padre y yo esperamos unos cuantos días antes de intentar ir a la oficina, pues nos habían advertido que no lo hiciésemos hasta que la situación se hubiese estabilizado. Los policías, los trabajadores portuarios y los funcionarios ya habían desaparecido y abundaban los saqueos.

Una cosa era ver el humo desde la colina y otra ver *in situ* el daño causado en la ciudad. Las carreteras que conducían a Georgetown habían resultado seriamente dañadas. Hileras de tiendas-casa se habían incendiado y todavía ardían, ya que habían bombardeado el parque de bomberos. Había cuerpos desparramados por las calles; muchas personas habían salido de sus casas para ver de dónde procedían los ruidos del cielo y habían terminado destrozadas por las ráfagas de las ametralladoras. Las ratas campaban a sus anchas libres de sus habituales miedos. Había un olor horrible suspendido en el aire, una mezcla del humo de la madera quemada y del caucho vulcanizado que se amontonaba a lo largo del puerto. Apenas si podía soportar el hedor.

El edificio de Hutton e Hijos no había sufrido daños, aunque el tejado de Guthrie's, la compañía escocesa de caucho que teníamos detrás, había volado.

Abrimos las cerraduras de las puertas y empezamos a empaquetar nuestros documentos en cajas, destruyendo cualquier cosa que pudiese ayudar a los japoneses.

—¿Qué te ocurre? —me preguntó mi padre cuando sintió mi indecisión.

Meneé la cabeza.

—Nada —contesté, con la esperanza de que no se diese cuenta de que mentía.

La verdad es que me sentía como si me hubiesen obligado a tragar un cóctel de emociones contradictorias. Era oficialmente el ayudante de Endo-san y, a medida que rasgábamos informes y archivos y los quemábamos, sentía que estaba traicionando a los japoneses. Sin embargo, al elegir trabajar para ellos, también estaba traicionando a la gente de mi isla. Una vez más, me encontraba atrapado entre dos lados opuestos y no había opción de dar marcha atrás. ¿Cuándo encontraría un sentido de mí mismo, integrado, completo, sin aquel constante tira y afloja desde todos lados, cada uno buscando mi completa devoción y lealtad?

—¿Estás bien? —volvió a preguntarme mi padre.

—Solo estoy pensando en los días que no regresarán —dije, lanzando un fajo de papeles ardiendo a las llamas antes de quemarme la mano.

—Las cosas nunca volverán a ser igual —dijo—. Hemos pasado muy buenos momentos, ¿verdad?

—Los mejores —contesté, sirviendo de eco, sin saberlo, a parecidas palabras de pesar de muchos europeos que habían emprendido la huida—. ¿Dónde está Edward?

—Se fue con Peter a K.L. Van a destruir también todos sus archivos.

Me acerqué a la ventana. La destrucción de Georgetown era descorazonadora. Observé cómo gente desesperada se dirigía al puerto para intentar encontrar una litera en un barco que los evacuase.

Mi padre miró su reloj.

—Venga, vamos al puerto —dijo.

—¿Para qué?

—Quiero enseñarte algo que espero que no veas nunca más —dijo.

Cerramos con llave las puertas de la oficina y fuimos andando hasta el muelle Weld. Mantenía la cabeza erguida, con la vista al frente, obligándome a ignorar los cuerpos a nuestro alrededor, evitando incluso respirar. Nos abrimos paso a empujones entre la multitud de nativos y nos encontramos con que las verjas que daban al muelle estaban cerradas y custodiadas.

—Noel Hutton y su hijo —le dijo al joven soldado británico, alargándole un papel.

El soldado comprobó su tablilla y abrió la verja.

—¿Dónde está su equipaje, señor?

—No necesitamos ninguno —dijo mi padre.

Entramos en el embarcadero Swettenham. Nuestros soldados, en su huida, habían destruido el puerto y pilas impresionantes de escombros se esparcían por todas partes. Vimos los restos de la flota de Penang al completo: la punta del casco de un barco hundido, la esquelética estructura carbonizada de aquellas naves que no se habían ido a pique, muchas de las cuales seguían ardiendo y nos enviaban nubes de humo cada vez que el viento cambiaba de dirección. También había cadáveres y los restos del naufragio flotando en la superficie del mar.

Una gran muchedumbre se dirigía al embarcadero, donde un viejo vapor permanecía amarrado. Se respiraba desesperación en el aire, a la que ponían voz los berridos de los bebés y los sollozos de las mujeres. Muchas personas llevaban una única maleta y no dejaban de echar la vista atrás. Los miraba a los ojos, pero ellos tenían la mirada perdida. El número de civiles igualaba al personal militar. Todos eran europeos y yo me sentía fuera de lugar.

Un guardia que no parecía mayor que William dio el alto a una pareja de ancianos con cuatro perros bullmastiffs.

—Lo siento mucho, señor, pero no está permitido que los suba a bordo —dijo.

La mujer se volvió hacia su marido.

—Querido, no podemos dejarlos aquí. No podemos dejárselos a los malditos japos.

—Mire, ¿no puede dejarnos embarcar sin más? Estos perros están muy bien adiestrados y no serán una molestia —insistió el hombre.

El guardia negó con la cabeza y permaneció inflexible, a pesar de las amenazas y las súplicas de la pareja. Al final, el hombre le susurró algo a la mujer, que se aferró a su brazo, pero asintió. Hablaron a los animales en voz queda y los acariciaron. Acto seguido, el hombre besó a su esposa y la vio subir por la pasarela. Cuando hubo desaparecido de su vista, se metió la mano en el bolsillo y sacó un revólver. Condujo a los perros a través del gentío hasta un extremo alejado del embarcadero. Estaba solo cuando volvió a la pasarela unos minutos después, con las mejillas empapadas de lágrimas.

—¿Por qué te ha preguntado el hombre de la verja por nuestro equipaje? —quise saber.

—Recibí una orden de los militares de empaquetar nuestras pertenencias y pases para embarcar en uno de los últimos barcos con destino a Singapur —dijo—. Nos dieron la orden de no decir nada a nuestro personal ni a nuestros amigos. Los británicos van a dejar a los malayos a merced de los japos. Todos estamos huyendo. Así de simple. Hasta el señor Scott se ha ido. Y Henry Cross ha enviado a sus hijos a Australia. —Permaneció de pie al borde del embarcadero, con el casco del SS Pangkor, de la Straits Steamship Company, cernido sobre nosotros como una ola a punto de romper—. No puedo creerlo. ¿Es así como acaba todo?

—¿Nosotros también vamos a huir? —le pregunté, pensando que por fin había analizado las cosas desde mi punto de vista.

Él hizo un gesto negativo con la cabeza.

—No. Así no. Así nunca. Nosotros nos quedaremos. Mantendremos la bandera ondeante. Mantendremos muy alto el nombre de nuestra familia y no perderemos nuestra reputación.

Me pregunté si una vida entera en Penang le había hecho pensar como un oriental.

—Este es el último barco. Después de que zarpe, estaremos solos —dijo.

La muchedumbre nos empujaba y nos daba codazos en su camino hacia la pasarela. Sentí melancolía cuando los vi embarcar. Muy pronto no quedaría nadie, nadie, salvo nosotros dos.

Él me sujetó del brazo cuando levaron la pasarela. Resistí una súbita urgencia de correr hacia ella y gritar a los marineros que me dejasen embarcar, que me dejasen escapar del caos en el que se había convertido mi vida. El vapor hizo sonar su sirena y una vibración grave estremeció la plataforma mientras se alejaba. La gente bordeaba la cubierta y nos miraba a los dos allí abajo. No hubo serpentinas de colores, ni globos, ni risas. Un niño pequeño se agarró a la mano de su madre y levantó el brazo para decirnos adiós. Yo me aparté de mi padre hasta el mismo extremo del embarcadero y le devolví el saludo. Era una despedida no solo de un lugar, sino de un estilo de vida, de una época, y pensé que el niño sabía incluso entonces que los días en los que había crecido, los días en los que había jugado y vivido, nunca volverían.

Aunque mi padre había rechazado un pasaje secreto hasta Singapur, muchos europeos lo habían aceptado. De la noche a la mañana, la gran masa de población civil y militar británica desapareció, dejando a sus sirvientes y amigos con un sentimiento de traición. La sensación de abandono nunca cicatrizaría y los británicos, al marcharse, sufrieron la pérdida irreparable de su reputación.

Penang se convirtió en una isla fantasma. Muchos de los nativos se dirigieron a las junglas y a las remotas aldeas de las colinas con la esperanza de escapar de los soldados japoneses. Los que se quedaron, deambulaban por las calles confundidos.

Las bombas volvieron a caer silbando por las calles durante los días que siguieron, volando edificios y matando a cientos de personas. Yo estaba en la oficina, ocupado en destruir documentación, cuando oí y sentí las explosiones. Estremecían el edificio aunque parecían caer a más de un kilómetro. Al acercarme a la ventana, que permanecía abierta para dejar pasar la brisa a pesar del hedor procedente del exterior, vi que de los barracones del ejército británico salía una columna de humo. Unos escuadrones los sobrevolaban en círculos como aves de rapiña. La gente empezó a gritar en las calles. Siguieron más explosiones, que hicieron traquetear los cristales de las ventanas y saltar trozos dentados como tridentes de rayos congelados. Por primera vez desde que empezó la guerra, me sobrevino una sensación de verdadero pánico. Pronto el olor brutal y acre del humo llegó a mis fosas nasales y cerré la ventana, incapaz de respirar ni de pensar.

El teléfono sonó, sobresaltándome. Aquel sonido resultaba del todo incongruente. La ciudad estaba siendo destruida y allí estaba mi teléfono, repicando alegremente. Lo observé en silencio. Finalmente, contesté.

Era Endo-san.

—¿Qué estás haciendo en la oficina?

—Ordenando un poco —contesté débilmente.

—Vete a casa. El centro ya no es un lugar seguro. Las tropas llegarán de un momento a otro. Vete ahora mismo.

Y colgó.

Los soldados se estaban acercando. Sabía que vendrían, pero todavía me parecía imposible. Teníamos un ejército bien equipado y bien entrenado. Seguro que eran capaces de plantarles cara.

Me sacudió otra explosión. Esta vez más cerca. Y luego, otra. Tenía que irme a casa. Solo Dios sabía si estaban bombardeando Batu Ferringhi. Salí corriendo al exterior y casi decido volver a la oficina y esconderme.

La calle estaba salpicada de cráteres. Algunos coches habían caído en ellos por la parte delantera y las traseras estaban levantadas en vertical como las popas de los numerosos barcos que había visto en el puerto. Había sangre coagulada en el asfalto, espesa como aceite de motor. Las ventanas a mi alrededor habían estallado en añicos que se esparcían por los cuerpos desmembrados cual lluvia cristalizada.

Se oyó una ráfaga de viento, a continuación vi un destello de luz cegadora y una sección del Empire Trading se derrumbó. La explosión me tiró al suelo, pero practiqué una caída *ukemi* y volví a ponerme en pie, aunque me quedé desorientado y los oídos me zumbaron como un coro dirigido por un loco.

Corrí hacia el cobertizo que había detrás del edificio, donde el guarda punyabí solía guardar su bicicleta. Esperaba que la hubiese dejado allí antes de huir hacia las montañas. Para mi alivio, la encontré apoyada contra la pared. Sus prendas de ropa habían desaparecido y solo su *charpoy*, la cama plegable de lona donde dormía, se había quedado atrás.

Me subí a la bicicleta y pedaleé hasta casa por las carreteras abarrotadas de *trishaws* y de carretas con personas que abandonaban la ciudad. Todos tenían la misma idea: salir de allí y esconderse en las montañas o en los pueblos remotos. El sol caía sobre mis hombros como una fusta y la camisa empezó a pegárseme a la piel. Oí una nueva concatenación de explosiones a mi espalda que hicieron que el suelo y los rincones más recónditos de nuestros corazones se estremecieran.

No vi ni un solo oficial del ejército por el camino y me pregunté adónde habrían ido, si ya nos habrían abandonado. Me hice con un sombrero de paja que se le había caído a una mujer y me alegré de tener algo con que protegerme del sol del mediodía, pero iba con el corazón en un puño al ver las caras de terror a mi alrededor.

Me detuve en la Explanada, como la mayoría. Fuera, en el canal, dos Brewster Buffalo, del campo de aviación de Butterworth, supuse, estaban presentando batalla a los aviones japoneses, pero se encontraban en clara desventaja numérica. Las balas trazadoras salían escupidas como destellos de luz cuando los aviones nipones perseguían a los Buffalos. Uno de estos salió ardiendo. A medida que caía, el fuego se hizo más voraz y, como una boca en llamas, lo devoró de punta a cabo. Cayó en el mar y oímos el estruendo que produjo al estrellarse y el siseo serpentino cuando las aguas se tragaron las llamas.

El Buffalo que quedaba se ladeó, se alejó y yo dejé escapar un gemido junto con los cientos que habíamos estado vitoreándolos silenciosamente en nuestros corazones. Años más tarde, supe que eso era lo único que había quedado de nuestra defensa aérea: dos viejos Buffalos contra toda la fuerza aérea japonesa.

Unos días más tarde descubrí que el ejército británico ya se había marchado, que nos habían abandonado cuando consideraron que la serie de victorias enemigas en los estados del norte iba a extenderse por todo el sur hasta Johor. Habían dejado atrás a un puñado de oficiales subalternos; el resto había partido hacia Singapur. Allí se libraría la batalla final. No en Penang. Penang no sería el escenario de ningún choque armado.

Mi padre estaba andando de un lado a otro en la veranda cuando llegué a Istana.

—¡Gracias a Dios que estás bien! —exclamó—. Intenté llamarte por teléfono pero no tenías línea.

—Las calles de la ciudad ya no son seguras.

Le describí la batalla aérea que había presenciado y él meneó la cabeza en señal de desesperación.

—Isabel se las arregló para llamarme —dijo—. Han bombardeado la estación de la colina.

—Eso no tiene sentido. Los japoneses tienen una estación de radio allí arriba.

—¿Cómo sabes que tienen una estación de radio en la colina? —me preguntó, con voz severa.

—La he visto —contesté.

—Entonces, seguro que su objetivo era Bel Retiro —apuntó, refiriéndose a la residencia oficial del regidor en la colina.

—¿El resto de los criados se ha ido a casa? —pregunté.

—No —contestó.

—Creo que, por ahora, estarán más seguros aquí. Pueden reunirse con sus familias una vez que hayan cesado los ataques aéreos —propuse.

Él pareció estar de acuerdo, aunque, cuando preguntó, solo unos cuantos eligieron quedarse. Algunos, a los que conocía desde que era niño, me miraron con recelo cuando me despedí de ellos con mis mejores deseos. Mi padre se dio cuenta.

—Creen que has estado ayudando a los japoneses —me dijo cuando se hubieron marchado.

—¿Tú también lo crees? —le pregunté.

Guardó silencio durante un rato.

—Sí. Puede que el señor Endo quisiera información de alguien que estuviese familiarizado con Penang y con Malaya. Y tú se la proporcionaste.

Me desplomé en una silla y me llevé las manos a la cara. Supuse que aquel era un buen momento para decírselo.

—Voy a trabajar para el gobierno japonés cuando asuman el control —solté.

Las palabras salieron atropelladamente, a pesar de mi resolución de hablar despacio y con calma.

Mi padre dejó caer la cabeza y cerró los ojos. Sus hombros parecieron hundirse derrotados y su decepción, retorcerse como una *keris* en mi corazón, cortándome la respiración y el flujo sanguíneo. Todo aquel tiempo había mantenido la entereza, pero ahora veía que era yo quien precisamente había logrado lo que los japoneses no consiguieron: quebrar su espíritu y abrir una brecha que lo haría vulnerable.

—Entonces eso es lo que el señor Endo te ha enseñado a ser. Eso es lo que ha hecho de ti. De modo que nos has traicionado a todos, a todo el pueblo de Penang —dijo.

Y entonces, se marchó y me quedé sentado a solas pensando en lo que había hecho.

Capítulo cuatro

Las tropas japonesas no encontraron ninguna resistencia cuando entraron por las calles de Georgetown. Los soldados británicos ya habían evacuado y, con las prisas, habían dejado intactos los campos de aviación y los suministros de combustible, como regalos de bienvenida para el nuevo propietario de una casa.

Nos habíamos turnado por la noche para vigilar Istana. Habían cortado el suministro eléctrico en toda la isla; mi padre estaba convencido de que los saqueos se restringirían a las tiendas de la ciudad, pero aun así nos sentíamos más seguros manteniendo la guardia.

Cuando la mañana llegó, me vestí con ropas formales. El olor del rocío en la hierba y en las hojas de los árboles y el silencio en las carreteras me aclararon la mente durante mi camino en bici hacia Georgetown.

Las calles estaban en calma; no se escuchaban los sonidos de los vendedores ambulantes encendiendo sus hornillas, ni los traqueteos de las persianas metálicas al abrir las tiendas. Incluso los chuchos sin dueño que vagaban por las calles parecían intimidados. El puerto estaba en silencio, falto de los gritos cotidianos de los culis y del ruido del tráfico marítimo. Los más valientes o los más locos habían salido a mirar; yo me uní a un grupo de personas que permanecía al borde de la carretera.

Oímos el sonido lejano de sus pasos marciales. Cuando el rumor se hizo más fuerte, vimos las primeras filas de soldados japoneses aparecer por la carretera que conducía al puerto. Algunos de los que estaban a mi alrededor, aquellos que creían haber sido finalmente liberados de la autoridad colonial, prorrumpieron en una ovación. Los japoneses, después de todo, habían prometido devolver el país a los malayos. Hubo un repentino alzamiento de banderas japonesas improvisadas, muchas de las cuales exhibían un rudimentario círculo central rojo, enarboladas como capullos forzados a florecer súbitamente.

Después de haber oído hablar de ellos durante tanto tiempo, por fin los veía y, como a muchos otros, me resultó inconcebible que aquel grupo de soldados de aspecto andrajoso y ordinario hubiese derrotado a los británicos.

Venían en pantalones holgados, botas altas de goma y camisas sueltas manchadas de barro, con la cabeza cubierta por gorros de tela con sucios cubrecuellos y espadas que colgaban lacias y se chocaban contra las cantimploras abolladas. Solo se les permitía beber una vez al día mientras marchaban, y la ropa era la apropiada para moverse por los terrenos selváticos que habían tenido que atravesar.

Endo-san me había pedido que estuviera presente en la rendición formal de la isla en la casa oficial del regidor residente. Dejé a la multitud y me dirigí hacia la calle que conducía a la entrada principal, mientras los soldados marchaban por el camino de ingreso ensombrado de angsanas que atravesaba los jardines donde la esposa del regidor residente solía dar fiestas para recaudar fondos a favor de sus obras benéficas favoritas. En mi mente aún resonaba el tintineo de las cucharillas de té contra la porcelana china, las voces que se elevaban y bajaban en picado y las alegres risas que acompañaban las cadencias del agua de la fuente. Ahora, lo único que quedaba de aquellos tiempos era el crujir de las ramas al viento.

Tomé asiento junto a Endo-san en el jardín, fuera de las puertas principales de la residencia. Ya era un día precioso y la luz de las primeras horas de la mañana recogía las gotas de agua de la hierba y las dejaba brillar durante un instante antes de convertirlas en vapor.

Solo habían quedado unos cuantos miembros del personal que atendía al regidor residente. Su familia había abandonado Penang en la primera oleada de evacuados.

—Tu padre estará avergonzado de ti —me dijo cuando me vio tomar mi puesto junto a los japoneses.

—Está tan avergonzado de mí como de la cobardía del ejército británico, que ha dejado la isla completamente vulnerable —le respondí.

Los soldados se detuvieron junto a Hiroshi y su oficial al mando se inclinó ante él. Hiroshi se giró para quedar frente a nosotros y leyó un documento del general Tomoyuki Yamashita, que estaba dirigiendo la guerra en Asia.

Hice de intérprete durante todo el acto, ignorando las miradas de rabia del regidor residente y de los empleados que quedaban. Aquel fue el día en que empecé a darme a conocer como el «perro lacayo», término que utilizaban los lugareños para referirse a un colaboracionista. En realidad, mi presencia no respondía a ninguna necesidad, pues Hiroshi, Endo-san y el comandante militar hablaban bien inglés; era una inteligente estrategia de los japoneses para presentarme a los ingleses. Un fotógrafo militar nos hizo posar y nos sacó una instantánea para los periódicos.

Permanecimos en el jardín mientras arriaban la bandera de la Unión y la azulona de los Asentamientos del Estrecho sin ceremonia alguna. La de Japón, una gota de sangre en un lienzo blanco puro, subió suavemente hacia el cielo mientras la banda militar tocaba el *Kimigayo*. Yo no lo canté, aunque Endo-san me había enseñado la letra hacía tiempo. Y a continuación observé con el rostro absolutamente inexpresivo cómo el regidor residente y el resto de los suyos eran conducidos a un campamento para prisioneros de guerra. Nunca supe qué fue de ellos.

Hubo represalias de efecto inmediato por parte de los japoneses contra los saqueadores que habían desvalijado Georgetown. Unos informantes los identificaron y fueron arrestados y decapitados. Los japoneses clavaron sus cabezas en postes a lo largo de las calles. Muchos de ellos eran inocentes y su señalamiento había sido resultado de venganzas y rencores antiguos. Nuestra cocinera, Ah Jin, que se había quedado con nosotros, volvió un día del mercado y oí cómo sus comentarios asustaban a las demás en la cocina.

—Los *jipunakui* sorprendieron a dos jóvenes robando de un puestecillo motorizado y les cortaron las cabezas en la plaza pública del cuartel general de la policía. Allí las podéis ver. Todavía están pinchadas en largos postes. —Hubo gemidos de horror y Ah Jin continuó—: ¡*Aiyo*, cuánta sangre, como cuando matan cerdos en el mercado-*lah* de Pulau Tikus! Os lo aseguro, ¡esos *jipunakui* son unos animales!

Entonces me vio escuchando junto a la puerta y, tras coger a toda prisa su cesta, salió al patio.

Se impuso un toque de queda y se disparaba inmediatamente al que lo incumplía. Racionaron la comida y los suministros, y los militares asumieron el control de las firmas y empresas comerciales, aunque permitieron que unas cuantas (entre las que se encontraba Hutton e Hijos) siguieran bajo la dirección de sus dueños. La producción se enviaría a Japón en barco para ayudar con los gastos de la guerra, para indignación de mi padre.

No sabíamos nada de Edward ni de MacAllister.

—Espero que estén bien —me dijo mi padre de camino a una reunión convocada por Endo-san.

Se había solicitado la asistencia de los dueños y gerentes de negocios de Penang que no habían huido a Singapur.

—¿Te das cuenta de que ahora estás trabajando para el segundo hombre más poderoso de Penang? ¿Y, probablemente, uno de los cinco hombres más poderosos de Malaya? —me preguntó—. Supongo que no podré contratarte de nuevo con tu antiguo salario, ¿verdad?

Traté de apreciar su débil amago de tomarse las cosas con humor y sonreí, con la esperanza de que hubiese llegado a comprender el sentido de mi decisión.

—Lo siento. Debería haberlo hablado contigo primero —dije.

—Ya está hecho. De todas formas, te habrías ido a trabajar con ellos —dijo, y el breve momento de humor y cordialidad que habíamos intentado alcanzar se esfumó, disuelto por la amargura de su voz.

Nos condujeron a la sala de reuniones que una vez utilizara el regidor residente para llevar los asuntos de la isla. Los soldados llevaban y traían muebles y cajas, pues estaban trasladando los departamentos administrativos del consulado japonés a la residencia. Henry Cross, el director de Empire Trading, nos dio la bienvenida. A pesar de las circunstancias, iba tan bien vestido como siempre y su gran estatura y la anchura de sus hombros lo hacían parecer el hombre con más autoridad de la estancia, hasta que entró Endo-san.

Tomé asiento junto a él y miré a cada uno de los que estaban sentados alrededor de la mesa. Reconocí varias caras: gerentes de empresas, banqueros, dueños de fábricas e importantes hombres de negocios. Todos, en alguna u otra ocasión, habían pasado por nuestras fiestas en Istana y yo, a mi vez, había acudido como invitado a las suyas. Dirigí un leve gesto de asentimiento hacia Towkay Yeap, me armé de valor y miré al frente.

—El gobierno japonés me ha designado para que les ayude en la transición, para hacer de intérprete y guiar a todos en relación con asuntos culturales —comencé. Escuché los esperados murmullos de indignación pero los ignoré—. A mi lado está el señor Hayato Endo o, como prefiere que le llamen, Endo-san. Él es el vicegobernador. El señor Shigeru Hiroshi, el nuevo gobernador de Penang, envía sus disculpas, pero ha tenido que marcharse a Kuala Lumpur, que, puede que no lo sepan, se rindió justamente ayer.

Hubo expresiones de conmoción en sus caras y luego, altos murmullos de incredulidad. Mi padre me miró, atónito y enfadado. No le había revelado la noticia de la rendición de K.L. y, por su mirada, supe que estaba pensando en Edward.

—¿Tú estabas al tanto de esto y no me dijiste nada, a sabiendas de que tu hermano está allí y de que yo estaba muerto de preocupación por él? —me reprochó.

—Cumplía mis órdenes de no desvelar nada —le dijo Endo-san con voz queda.

Yo clavé la vista en la mesa, incapaz de mirar a ninguno de los dos.

—Estamos aquí para decidir vuestros papeles en la recuperación de la isla —continuó Endo-san ahora en un rápido japonés. Traduje despacio sus palabras, agradecido por que hubiese desviado la atención de mi padre. Miré las caras que tenía a mi alrededor, evitando solo la suya. Disimularon su malestar a la perfección, como buenos comerciantes.

Le había preguntado a Endo-san por qué requería los servicios de un intérprete y él contestó:

—Quiero oír las respuestas dos veces. Te sorprenderías de lo mucho que pueden llegar a decir cuando creen que no los entiendo.

Fue una respuesta convincente y no le faltaba razón. Sin embargo, empezaba a darme cuenta de que mi principal papel sería servir como instrumento de propaganda japonesa.

—El plan del general Yamashita era dejar que miembros del ejército se hicieran con el control completo de vuestras empresas. Mi opinión, no obstante, es que los soldados no saben hacer negocios. Le sugerí colocar meros asesores y permitir que vosotros nos ayudaseis a dirigir vuestras compañías.

Henry Cross pareció hablar por todos.

—Eso es del todo inaceptable. ¿Qué poder tendrán los asesores?

—Completa autoridad. Vosotros os quedaréis simplemente para asegurar que todo funciona a la perfección.

—¿Y si nos negamos?

—Entonces vuestra presencia aquí sería innecesaria y lo dispondríamos todo para internaros en un campo de prisioneros. Puede que las condiciones no fuesen tan satisfactorias como estas de las que disfrutáis ahora.

Todo fue suave como la seda a partir de entonces.

—Lo has hecho admirablemente bien —me dijo Endo-san después de la reunión. Parecía fuera de lugar entre el pesado mobiliario inglés y tuve la desconcertante sensación de que estaba en un sueño, viendo a aquel hombre —la quintaesencia de lo japonés— recostado en un sofá de piel detrás de una maciza mesa de roble—. Sé lo duro que debe de resultar para ti. Al menos, esa gente ha visto el sentido que tiene cooperar.

Me entraron ganas de decirle que eso no era cooperación sino coacción, pero solo habría confirmado lo obvio. Vi su sonrisa arrepentida, así que guardé silencio.

—Tu familia estará a salvo —dijo, restregándose los ojos.

—Eso es lo único que quiero.

—Todo volverá a la normalidad… al final. —Ahora sus ojos hicieron prisioneros a los míos—. Espero que no te salgas de tu camino.

El ejército japonés se dirigió hacia sur, a la ciudad de Johor Bahry, donde cruzaron el paso elevado sobre el estrecho de Johor y marcharon sobre Singapur. El 15 de febrero de 1942, las noticias de la rendición oficial llegaron a través de la radio del gobernador, y el general Arthur Percival fue llevado ante el general Yamashita Tomoyuki, el comandante militar de Malaya.

La fotografía de la rendición de Singapur, tomada en la fábrica Ford, donde la firma del acuerdo había tenido lugar, se envió a los periódicos del mundo entero. Nos cuadramos cuando, una vez más, tocaron el himno nacional japonés. La ocupación nipona había comenzado.

—Como el general Yamashita había prometido —anunció Hiroshi, con la voz llena de orgullo—, ¡Singapur ha sido entregada como regalo de cumpleaños del divino emperador!

Endo-san me describió una vez cómo el joven Hirohito había pasado los veranos en la villa junto al mar propiedad de su familia y que se metía en las charcas que formaba la marea en busca de especímenes para su colección, pues el futuro emperador ya era un estudioso y gran entusiasta de la biología marina. Me quedé pensando en el tipo de persona en que se había convertido para desear como regalo de cumpleaños una nación subyugada.

No había recibido noticias de tía Mei y empecé a preocuparme, preguntándome si habría dejado su casa de Bangkok Lane. Me encontré con las calles llenas de tropas japonesas en mi camino en bici al centro y me pararon en varios controles. El documento de identidad que me expidió Endo-san me evitaba problemas y no tenía que hacer las reverencias tan pronunciadas como los demás. Cuando me marchaba de uno de aquellos controles, oí cómo apaleaban a un hombre con un rifle porque había olvidado inclinarse ante un soldado. Me obligué a seguir, a ignorar los gritos groseros de los japoneses. Aprenderá, pensé. Aprenderá. Todos lo haremos.

Llamé a la puerta de tía Mei. Las ventanas estaban cerradas y las persianas de listones de madera, echadas. Qué diferencia en comparación con los viejos tiempos, cuando la calle rebosaba de sonidos y de vida. Hasta los gatos recelosos se habían ido.

—¡Tía Mei! ¡Soy yo! —grité a través de las rendijas de la puerta. Tuve la sensación de que la calle no estaba tan desierta como parecía y comencé a sentir cómo algunos ojos curiosos me observaban desde muchas de las casas. Volví a llamar.

La puerta se abrió y pude pasar al interior. Entre las sombras, vi su cara, herida y lívida. Sentí una puñalada de rabia.

—¿Los soldados? —pregunté

Ella asintió, despacio, debido a las magulladuras de la cara. La ayudé a sentarse y la examiné.

—¿Estás bien? ¿Necesitas medicinas?

—No, no. Estoy bien —dijo, con la voz apagada por la hinchazón de sus facciones.

—¿Qué ha ocurrido?

—No mostré el debido respeto a un soldado japonés.

—¿Tienes comida suficiente? —le pregunté.

—Sí.

—Debes venirte con nosotros —le dije— Te ayudaré a hacer las maletas ahora mismo.

Ella negó con la cabeza.

—Estoy bien, de verdad. No puedo ir contigo. Aún tengo ciertas obligaciones.

—Deberías dejar de preocuparte por tus alumnos; estoy seguro de que son lo bastante prudentes como para permanecer escondidos durante un tiempo.

Ella se negó a aceptar mi oferta y yo dejé de insistir.

—¿Cómo está el abuelo? ¿Sabes algo de él?

—Está bien. Los japoneses no lo han tocado. Está todo el tiempo en casa.

—Bien. Veré si puedo conseguir un permiso para ir a verlo.

Entonces, me miró con interés.

—Me han dicho que ahora trabajas para los japoneses.

—Me pareció una buena manera de salvar a mi familia. ¿No es eso lo que dijo el abuelo? ¿Que la familia lo es todo?

—Ten cuidado. Mucha gente no piensa así.

—¿Me estás diciendo que va a ocurrirme algo a mí, a mi familia?

No contestó.

—Dile a esas personas que también me he unido a los japoneses para evitar que se derrame más sangre —añadí.

—Puedo decírselo, pero solo son palabras.

—¿Significa eso que ya no vas a aceptar mi ayuda?

—Creo que es mejor que no vengas por aquí durante un tiempo. Los vecinos. Tienen miedo y hablarán.

Me levanté de la silla; la sensación de rechazo me había dolido.

—Comprendo —dije—. No hace falta que me acompañes a la puerta. —Le cogí la mano—. Pensarás que no estoy haciendo lo correcto, pero le prometí al abuelo que cuidaría de ti y que no te abandonaría.

Capítulo cinco

A pesar de mis enormes esfuerzos, no pude localizar ni a Edward ni a Peter MacAllister. Habían desaparecido entre las masas de europeos recluidos en campos de prisioneros. Isabel, que había bajado de la colina, estaba desesperada. Sabía que mi padre estaba preocupado por Edward y comía muy poco. Había perdido mucho peso desde la muerte de William.

—No puedo hacer nada; Kuala Lumpur está bajo el mando de Saotome-san —dijo Endo-san cuando acudí a él.

Oímos a Hiroshi toser violentamente en su despacho y Endo-san hizo una mueca.

—¿Puedo llamarlo por teléfono?

—Creo que sería más cortés por tu parte que fueses a verlo en persona.

—En ese caso necesitaré que me facilites un pase de viaje.

—No necesitas ninguno. Tu documento de identificación te permite viajar sin impedimentos. Déjamelo un momento.

Entonces, cogió un estuche de madera de un cajón y sacó un pequeño taco cuadrado. Lo empapó en tinta roja y estampó con cuidado su sello en el folio.

—Este es mi sello personal. Muéstralo cuando te paren. No deberías encontrar ninguna traba.

—Gracias, *sensei.*

Ignoró la vaga insinuación de sarcasmo en mi voz.

—Espero que los encuentres. Pero son prisioneros de guerra. Recuérdalo.

—Lo haré.

Me detuvo cuando iba saliendo.

—Por favor, da instrucciones al personal de la cocina para que, a partir de ahora, separen del resto los utensilios que utiliza Hiroshi-san. También deben esterilizarlos minuciosamente.

—Sí. ¿Se trata de tuberculosis como el doctor sospechaba?

—*Hai.* —Pareció apenado—. Lo que tenemos que sufrir para obedecer a los gobernantes de nuestro país.

Desde su vuelta de la colina de Penang, Isabel había estado inquieta y andaba por la casa de acá para allá, insegura y enfadada. Le habíamos prohibido que saliera fuera, aunque con su pelo corto y sus ropas holgadas casi habría estado a salvo. Insistió en venir conmigo cuando se enteró de que iba a ir a Kuala Lumpur.

Mi padre fue tajante al respecto, calmado, pero firme.

—No, no puedes ir. Aún es demasiado peligroso. Los soldados están campando a sus anchas por todo el país.

Nos llegaban noticias casi a diario de violaciones y todo tipo de atrocidades. Las tropas violaban y mataban con bayoneta a las familias y a las aldeanas que encontraban a su paso, algunas veces ni siquiera en ese orden.

—Haré todo lo que esté en mi mano para encontrarlos —dije, tocándole el brazo. Ella acarició mis dedos con la otra mano.

El servicio ferroviario se había restablecido, pero comprar un billete requería pasar por los militares y la Kempeitai se aseguraba de recopilar información de todos los viajeros.

El campo tenía el mismo aspecto que antes, no había cambiado. El tren se metió en una tormenta eléctrica justo después de salir de Butterworth, así que subí la ventanilla. Las hojas de los árboles que bordeaban las vías estaban cargadas de gotas de lluvia y salpicaban las ventanas, haciendo de la vista exterior un paisaje tembloroso e incierto.

Di algunas cabezadas, rodeado de comerciantes chinos que se las habían apañado para conseguir permisos de viaje y que discutían en voz baja sobre economía. El mercado negro estaba prosperando y los japoneses ya estaban imprimiendo dinero para contrarrestar la inflación. Fue la primera vez que oí hablar de los «billetes banana», que no era más que dinero japonés sin valor alguno, impreso con el dibujo de una bananera.

—¡*Aiyah*, uno no puede comprar ni una banana con eso! —se quejaban los comerciantes.

Yo les despertaba cierta curiosidad. Los oí susurrar en hokkien entre cabezadas, pues intentaban determinar si era europeo o no. Abrí los ojos y los saqué de dudas contestando en hokkien y disfrutando de sus caras de absoluto bochorno.

—¿Qué estás haciendo en K.L.? —me preguntó uno de ellos.

—Voy a preguntarle a los *jipunakui* dónde está mi hermano.

Sus caras se tornaron sombrías.

—No lo encontrarás. Han trasladado a los europeos a Singapur. O, peor aún, los han enviado a Siam.

—¿Por qué a Siam? Los japoneses no lo han invadido.

—Sí, pero firmaron un tratado para conservar sus territorios. A cambio, permiten que los *jipunakui* construyan un ferrocarril en el norte. —Su voz se apagó, como la mecha de una lámpara de aceite—. He oído cosas terribles sobre esa línea de ferrocarril. Terribles.

Giró la cabeza de un lado a otro, buscando las miradas de sus compañeros que corroboraban sus palabras.

—¿A quién vas a ver en K.L.? —preguntó otro de los hombres.

—A Saotome —dije.

El tren penetró en un túnel y, durante unos minutos, no pude ver sus caras ni oír lo que decían debido al traqueteo ensordecedor amplificado por el eco. Cuando salimos de nuevo a la luz del día, el primer hombre que me había hablado me advirtió:

—Debes tener cuidado con ese hombre. Es peligroso y tiene gustos muy raros. Le atrae el sufrimiento.

Volví a recordar mi cena con Saotome y a la chica que habían llevado ante su presencia. El dulce sabor de las anguilas salpicó mi boca.

—Lo tendré —dije, y les di las gracias.

Endo-san me había concertado una cita y un coche militar me estaba esperando para llevarme hasta Saotome. Volví a recorrer los tranquilos vestíbulos y pulidos pasillos de la embajada. Esta vez, sin embargo, me condujeron hasta su despacho, que daba a un pequeño jardín cubierto por completo de guijarros y rocas. Akasaki Saotome estaba rastrillando las piedrecillas y el sonido que producían era como el de las fichas de *mah-jong* que tan a menudo se oía en las calles de Georgetown cuando los jugadores las mezclaban en las mesas para «lavarlas». Un jardín zen, pensé, recordando cómo Endo-san me había descrito el que había en su casa de Japón. Se suponía que las espirales y dibujos que se creaban al pasar el rastrillo calmaban la mente, pues se asemejaban a las olas del mar.

Esperé junto a la puerta que daba al jardín. Sopló una ráfaga de viento, y un puñado de hojas se arremolinó en el aire antes de caer en los guijarros, en las líneas circulares y en las ondas dejadas por el rastrillo.

—Mira eso —dijo—. Como almas atrapadas en el tiempo, ¿*neh*?

—Prefiero verlas como barcos en medio de una marea de piedras.

—Vemos lo que queremos —dijo, colgando el rastrillo en un gancho.

Bordeó los guijarros ondulantes y sus zuecos de madera produjeron un sonido reconfortante y casi rústico. Una vez más fui consciente de lo atractivo que parecía, pero una imagen suya, escondida en los bancos de mi memoria como un cocodrilo medio camuflado bajo una capa de barro, en la que se relamía los labios, estropeó su aspecto.

—He examinado los archivos de los prisioneros. No me he encontrado con el nombre de tu hermano ni con el de ese tal Peter MacAllister.

—Estaban aquí el día que K.L. se rindió.

—Fueron unos días caóticos; no cabe duda de que los hemos pasado por alto. O que ambos huyeron a Singapur.

Negué con la cabeza.

—No lo creo.

Entonces extendió la mano y me acarició la cara. Me estremecí por el repentino contacto y él sonrió.

—Debes de querer mucho a tu hermano —dijo.

Me quedé inmóvil.

—Estoy muy al tanto de tus habilidades. Seguro que podrías romperme el cuello sin ningún esfuerzo. Pero ya ves —añadió soltando una risita contenida—, yo no necesito tales aptitudes.

Volví a ver su sonrisa, pequeña como una incisión, que revelaba solo una delgada línea roja.

Se inclinó hacia mí y olí su perfume. Me recordó al humo de hojas quemadas y esto me evocó tan vivamente el crepúsculo en Istana que me sorprendí a mí mismo saboreándolo. Era muy fácil sucumbir, pero aparté la cabeza y él hizo una pausa, con la mano todavía en mi mejilla.

—¿No? —preguntó.

—No.

—Sabes que puedo llamar a los guardias.

—No lo hará. Prefiere que sus víctimas se sometan por decisión propia. Disfruta mucho más si las controla con su consentimiento que teniéndolo que hacer por la fuerza.

Apartó la mano de mi mejilla.

—Estás temblando. No sé por qué te niegas. ¿Crees que Endo-san es diferente a mí? ¿Que solo porque es tu *sensei* va a cuidarte y a protegerte? —Saotome meneó la cabeza—. Él se parece más a mí de lo que crees. Es como yo no hace tanto tiempo y se convertirá en lo que yo soy ahora.

Había aclarado la razón por la que me sentía atraído por él, pero pensé en Endo-san y una repentina oleada de fortaleza me reconfortó y consumió mi fascinación por Saotome.

—Puede que en otra vida, Saotome-san —dije.

—Entonces esperaré —me aseguró—. Tu hermano y MacAllister han sido enviados a la cárcel de Changi y allí permanecerán hasta que termine la guerra. No hay nada que puedas hacer por ellos ahora.

Le hice una reverencia formal y lo dejé en el jardín de guijarros, entre sus almas atrapadas en las mareas del tiempo.

En el fondo de mi corazón, sabía que Saotome me había mentido. La verdad era un bien muy preciado para él y no iba a ser generoso con ella. Mientras esperaba en la estación del tren, cambié mi billete y alquilé uno de los *trishaw* que esperaban fuera formando una hilera en la calle.

—¿Adónde? —me preguntó el conductor encorvado sobre su bicicleta, con una toalla manchada colgada del hombro.

—A la cárcel Pudu —contesté.

Él palideció y echó un vistazo a su alrededor.

—Ese no es un buen sitio al que ir.

Le ofrecí doblar su tarifa y él aceptó, aunque sin parar de farfullar. La cárcel no quedaba lejos de la estación de tren, pero tardó una eternidad en llegar. Cuando alcanzó las verjas del exterior, dio media vuelta con el *trishaw.*

—Espera aquí hasta que salga —le dije—. Te pagaré más.

Fue a refugiarse bajo la sombra de un rambután y me observó mientras yo llamaba a las pesadas puertas. Se abrió un portillo.

—Necesito ver al alcaide —dije en japonés formal al tiempo que sacaba mi identificación—. Soy el agente cultural de Penang, autorizado por el vicegobernador, Endo-san.

Contuve la respiración, con la esperanza de que, como el resto de subordinados japoneses, no cuestionase el tono de autoridad que había infundido a mi voz.

El portillo se cerró y la puerta se abrió. Entré y dejé que el guardia me cachease. Otro me condujo al interior. Sentí claustrofobia de inmediato, el lugar rebosaba sufrimiento y trato inhumano. Cuando entramos, los prisioneros, la mayoría europeos, sin más vestidura que un taparrabos mugriento, se me quedaron mirando en silencio agarrados a los barrotes de un bloque de celdas construido sobre un pasaje abovedado. La cárcel parecía estar abarrotada de prisioneros de guerra y el hedor era nauseabundo.

Me acompañaron hasta el despacho del alcaide. La luz del sol entraba por un cristal roto de la ventana que tenía a su espalda y parpadeé deslumbrado cuando se levantó. Hice una profunda reverencia, la cabeza casi tocó el tablero de la mesa, y me presenté.

—Endo-san no me ha informado de tu visita —dijo el alcaide Matsuda cuando le expliqué la razón de mi presencia.

—Es culpa mía. Yo me encargo de su correspondencia y... bueno, todavía no domino mis obligaciones. Espero que no dé parte de mi error —le pedí.

—Hablas muy bien japonés —dijo.

—Gracias. La cultura japonesa me ha interesado desde niño. Creo que tenemos mucho que aprender de ella.

—Eso está muy bien, porque somos una nación culta. Ahora dime, ¿qué nombres estabas buscando?

Se los dije y añadí que se les requería en Penang por su experiencia y conocimientos sobre la industria de la fundición del estaño. Él abrió un grueso libro de registros y pasó las páginas. Yo me calmé e intenté no parecer demasiado impaciente. Él emitió un sonido y sus dedos hicieron un alto en su rastreo por las páginas.

—MacAllister, Peter, edad: cuarenta y siete —dijo, tomándose su tiempo para pronunciar el nombre correctamente, sin conseguirlo.

Había descubierto que mientras los japoneses podían hacer vibrar las erres cuando hablaban en inglés, se trabucaban cuando se trataba de las eles, y las pronunciaban, inevitablemente, como una erre. Y lo mismo le pasaba al alcaide. Curiosamente, con los chinos, el problema era justo el contrario.

Matsuda me miró por encima de las gafas.

—Estuvo aquí, pero lo han mandado a Siam, a la frontera birmana. —Intenté que no se notara mi absoluta decepción cuando sus dedos empezaron a cobrar velocidad de nuevo—. Hutton. ¿Es pariente tuyo?

Negué con la cabeza, con la esperanza de que Matsuda no estuviese familiarizado con los apellidos ingleses.

—Es un apellido muy común…, como Matsuda —dije, tras pensar rápido.

Él se rio.

—*Hai.* Tenemos a dos Matsuda de servicio en esta cárcel. ¡No veas qué confusión! Ah, aquí está. Edward Hutton —leyó del libro—. Enviado a la frontera birmana hace dos semanas, en la misma tanda que Peter MacAllister.

—¿Qué está ocurriendo en esa frontera? —pregunté.

—Estamos construyendo una línea de ferrocarril que conecte China con Malaya. Para que resulte más fácil transportar provisiones y tropas, ¿*neh*?

—¿Cómo puedo conseguir devolver a estos dos a Penang?

Se rascó el cuello.

—Tendrías que pedirlo por escrito al despacho de Saotome-san. Solo él tiene poder para trasferir prisioneros. Actúa bajo la autoridad del general Yamashita.

El último rayo de esperanza se desvaneció.

—Las dos personas que estás buscando son desgraciadas. Todavía no he sabido de nadie que haya vuelto con vida de la frontera.

Matsuda negó con la cabeza. Me di cuenta de que, a pesar de sus obligaciones, en el fondo debía de ser un buen hombre y las crueldades de la guerra le afectaban en gran medida.

Me acompañó desde su despacho hasta la entrada de la cárcel. Antes de que los guardias cerrasen las enormes puertas, me dijo:

—Matsuda no es un apellido tan común. El otro Matsuda de servicio —añadió, y esta vez me miró a los ojos—, el otro Matsuda resulta que es mi hermano menor. Siento de veras no poder ayudarte. Odiaría perder a mi hermano.

Le hice una reverencia.

—*Domo arigato gozaimasu*, Matsuda-san —le dije.

Él no me hizo ninguna reverencia, sino que me tendió la mano.

—Si tú has aprendido a saludar como nosotros, entonces quizá yo pueda aprender a estrechar la mano como vosotros, los *gai-jin*.

Le di un apretón de manos.

Isabel salió corriendo a la veranda cuando me vio llegar.

—Los han enviado a trabajar a la línea de ferrocarril de Birmania. Lo siento —dije.

Ella se tambaleó un poco y luego recuperó el equilibrio. Alargué los brazos por si se caía, pero no se movió.

—Tus amigos japoneses —dijo—. ¿Qué daño podrían hacerles Peter y Edward?

Dejé caer los brazos con gesto de desaliento y ella se alejó de mi lado.

—Sé que has hecho todo lo posible —dijo mi padre cuando volvió de la oficina, donde había estado trabajando con los representantes del ejército japonés—. Solo espero que te perdone.

Se quedó allí un momento; luego decidió que no tenía nada más que decirme y se fue a su habitación.

Me pregunté si realmente había hecho todo lo posible y qué más se me iba a pedir. Decidí ir a ver a Endo-san.

Se alegró cuando me vio arrastrar mi barca por la arena para alejarla de las olas ansiosas.

—Te he echado de menos —dijo—. ¿Saotome-san te sirvió de ayuda?

—No.

Las palabras de Saotome me vinieron a la cabeza («Es como yo no hace tanto tiempo») mientras estudiaba las facciones de Endo-san. ¿Terminaría convirtiéndose en él? ¿Culto, refinado y, aun así, con una veta de frialdad que terminaría por extenderse a modo de diminutos capilares por todo su ser?

—Pero has conseguido descubrir algo. ¿Mi sello personal fue de utilidad? —me preguntó, pues me conocía demasiado bien.

—Sí. Los han enviado a construir la línea de ferrocarril.

Siseó al inspirar.

—Lo siento.

—¿Conocías las… predilecciones de Saotome-san?

—Sí.

—¿Las conocías y aun así me enviaste allí, a él?

—Sé que eres fuerte. Por eso me alegré de que tu hermana no fuese contigo. Si no hubiera podido tenerte, la hubiese querido a ella. Y de ella, desconozco su fortaleza.

—Dijo que era como tú, una vez. Y que terminarás siendo como él con el tiempo.

—¿Y tú qué crees?

—Creo que me necesitas para evitar que eso ocurra.

—Por fin estás madurando.

Sentí que el agotamiento de mi viaje de vuelta de Kuala Lumpur me pasaba factura. El recuerdo de la expresión en el rostro de mi padre cuando hablamos era más de lo que podía soportar.

—¿Puedo pasar aquí la noche? —le pregunté.

—Por supuesto. Ven, vamos a preparar la cena. Esta noche tengo mucho trabajo que hacer. Las ausencias del trabajo de Hiroshi-san han sido más frecuentes.

—¿Cómo sigue?

—Empeorando. Le he aconsejado que pida el traslado a casa, pero él se niega a hacerlo.

—Quizá se recuperase en la casa de la colina de Penang —dije sin pensar.

Endo-san me miró atentamente.

—¿La casa de la colina? Sí, es una buena idea.

Subimos por la suave pendiente de la playa hacia la luz de su casa, que se entreveía por entre los huecos que dejaba el balanceo de los árboles mientras, a nuestra espalda, el día partía.

Capítulo seis

Las cosas se asentaron unos meses después de la victoria japonesa sobre Malaya, como el sedimento que se va depositando en las profundidades de un estanque. Vivíamos en un miedo constante que nos envolvía, hasta que perdimos la conciencia de ello. Había días en que ocurría algo, como si alguien removiese el fondo del estanque con un palo y volviéramos a elevarnos, agitados, con el miedo más aguzado por haber permanecido aletargado durante un tiempo.

Iba al trabajo todos los días en coche con Endo-san y su chófer militar. Y cada día mi padre miraba en adusto silencio mientras el Daimler negro que una vez fuera suyo me recogía. Isabel se negaba a hablarme y el resto de los criados me ignoraba. Nunca me había sentido más aislado. Únicamente en el cuartel general de los japoneses me sentía casi como en casa. La gente de allí era considerablemente más amable que mi propia familia.

Me dieron un pequeño escritorio junto al despacho de Endo-san. Todavía quedaban restos de los muebles y las pertenencias que había dejado el regidor residente. Un retrato del emperador Hirohito me clavaba la mirada desde la pared mientras yo examinaba concienzudamente documentos e informes.

Mi trabajo era administrativo: recopilar documentación y redactar respuestas a varios funcionarios militares y civiles de todo el país. Traducía las instrucciones que no dejaban de llegar desde Singapur: debían reabrirse todas las escuelas e impartirse las clases en japonés; todo el mundo tenía que inclinarse ante la bandera nipona y aprender el *Kimigayo*, que se cantaría en el trabajo y en los centros docentes antes de que diesen comienzo las actividades de cada día. También tenía que traducir anuncios de decapitaciones, lo cual me enojaba y me afligía. Esos avisos se colgaban en varios sitios públicos de Georgetown. Mi nombre aparecía al pie de todos los documentos traducidos. Me preguntaba cuántos habría en mi misma situación en toda Malaya, haciéndose tristemente célebres como *jau-kow*, perros lacayos.

Después del trabajo, entrenaba con Endo-san o, si estaba ocupado, con el personal militar. Goro, el oficial que me había llamado mestizo, me evitaba, pero yo lo observaba practicar con los demás en el *dojo* con suelo de pino. Era brutal y rápido, y sus movimientos despiadados estaban diseñados para matar. Hacía considerables esfuerzos por no coincidir con él.

Hiroshi, en uno de sus mejores días, convocó a los líderes comerciales y de las comunidades de Penang y les informó de que Saotome había emitido una orden desde Kuala Lumpur por la que los empresarios chinos de cada estado debían aportar al gobierno cincuenta millones de dólares del Estrecho.

—¡Pero eso es ridículo! —se quejó Towkay Yeap—. No tenemos esa cantidad de dinero.

Hubo murmullos de acuerdo procedentes del resto.

—Este acto mostrará vuestra lealtad al emperador. Todavía nos llegan noticias de que elementos antijaponeses intentan causarnos daño. Fujihara-san ha obtenido dicha información —dijo Hiroshi, con tos reprimida, refiriéndose al hombre bajito y silencioso que encabezaba la Kempeitai.

Fujihara era un individuo severo de mirada penetrante que exhibía una boca fina ensombrecida por este tipo de bigote de dos centímetros y medio que tanto se estilaba entre los ultranacionalistas japoneses. Intenté tener el menor trato posible con él, consciente de que no se habría olvidado del día en que Goro lo trajo a nuestra casa y mi hermana les disparó. Endo-san me había asegurado que no requisarían Istana, pero yo no estaba dispuesto a dar a la policía secreta nipona la más mínima razón para hacerlo.

La Kempeitai se había labrado su propia fama y no quería saber cuántos inocentes habían sido arrastrados de sus camas en mitad de la noche, identificados por sus acusadores encubiertos, para no volver jamás con sus familias. Ese era el tipo de cosas que removía el sedimento de nuestra existencia.

Los empresarios chinos salieron de la reunión y detecté la aversión que me profesaban. A sus ojos, yo seguía siendo chino y no era mejor que un perro callejero gorroneando sobras.

Me di cuenta de que Fujihara se me acercaba discretamente cuando iba saliendo de la sala. Sentí que me tensaba y me pregunté qué querría.

—Eres un chico lleno de recursos, Philip-san. —Por la forma en que me lo dijo, no me cupo la menor duda de que quería hacerme saber que la Kempeitai tenía un expediente sobre mi persona—. Me gustaría que hicieses algo por mí.

—Estaré encantado, si entra dentro de mis competencias —respondí.

—Quiero un piano para mi casa. Uno bueno, el mejor que puedas encontrar —dijo—. Consíguelo de cualquiera que disponga de uno. Infórmales de que es una orden mía.

Me hizo escribir la dirección de la residencia que había requisado. La conocía bien. Pertenecía a la familia Thornton, que según había oído, eligió quedarse y no evacuar.

—¿Qué les pasó a las personas que vivían en la casa? —le pregunté.

Fujihara me sonrió y yo intenté no estremecerme.

—Tu familia y tú sois afortunados de que haya encontrado otro sitio que se ajuste más a mis gustos. —Entonces, al salir de la habitación, añadió por encima del hombro—: Consígueme el piano. Goro, mi asistente, te ayudará. Tienes una semana para encontrarlo.

Hablé del tema con mi padre y le dije a Goro que estábamos dispuestos a entregarle nuestro propio piano a Fujihara. El pequeño piano de cola que teníamos en casa era un Schumann, apropiado para un salón. Lo compramos originalmente para Isabel, que había perdido el interés por tocarlo hacía años. El Schumann, idóneo para el clima de Penang, era una elección popular. Al principio, mi padre se mostró reacio a renunciar a él (todavía estaba enfadado por mi decisión de trabajar para los japoneses), pero yo sabía que su estricto sentido del deber le impediría dejar ese sacrificio en manos de otra familia que no fuera la nuestra.

Cuando informé a Fujihara de mi oferta, la rechazó educadamente, diciendo que había descubierto que aquella marca en particular era de calidad inferior. No tuve otra alternativa que recordar los nombres de aquellos que tenían pianos y enviarles cartas solicitándoles cita para examinarlos.

Una vez más fui consciente de que la intención era exhibirme ante la gente, mostrarles cómo los japoneses habían conseguido poner de su parte al hijo de una reputada familia.

Nuestras visitas a estas casas fueron, comprensiblemente, muy temidas y, aunque intenté abreviarlas al máximo y darles un toque de formalidad, la mayoría de las vece no lo conseguí. Siempre iba acompañado de Goro, que parecía disfrutar con todo el procedimiento. Me sorprendió al probar cada piano que veíamos, tocando con una destreza que hasta yo reconocía, una competencia bien oculta por los callos de sus manos y la inexpresividad de su rostro. La escena resultaba grotesca: el oficial japonés tocando el piano, yo de pie, mudo, a su lado, rodeado por los asustados y resentidos ocupantes de la casa, a los que se impedía tomar asiento mientras asistían al espectáculo. Me recordaba a la representación en honor a los fantasmas hambrientos que vi con mi abuelo en la plaza del pueblo de Ipoh. Tuve la sensación de que Goro estaba tocando para una audiencia de visitantes invisibles cuya maligna presencia casi se podía palpar.

Goro continuó con la misma rutina en todas las casas que visitamos. Entraba dando grandes zancadas y pedía que lo llevaran ante el piano. Luego se sentaba y tocaba las mismas piezas monótonas, una y otra vez, durante media hora. Finalmente, en la decimocuarta residencia de mi lista, ya estaba tan irritado que le pregunté:

—¿Es que no sabes tocar otra cosa?

Él dejó de tocar, genuinamente ofendido. Se removió en su asiento y se colocó las manos en el regazo.

—Fujihara-san considera que *Das Wohltemperierte Klavier* es una de las mejores piezas de música jamás creada y yo estoy de acuerdo con él. Los *Präludium und Fuge*, sobre todo los dos del primer libro que siempre interpreto, son los que más le gustan y los que toca más a menudo. ¿Cómo puedo saber si este es el mejor instrumento para él si no lo evalúo con la misma música que él querrá tocar?

Me quedé perplejo por su criterio y por la fluidez de su alemán.

—Tú, más que nadie, deberías saber que nosotros no somos una mera nación de salvajes incultos —dijo.

Traduje la exposición de Goro sobre la música de Bach al dueño de la residencia, un chino de mediana edad. Aunque parecía vivir solo, podía detectar la presencia de las mujeres que, sin lugar a dudas, había escondido cuando nos vio llegar. Siempre me aseguraba de anunciar nuestra llegada a las distintas propiedades tan alto como me era posible. Estábamos en la sala de estar de la planta baja y, cuando Goro empezó a tocar otra vez, levanté la cabeza casualmente hacia el techo, que, como en muchas de las casas que había visto, estaba hecho de tablas de madera. Lo recorrí con la mirada y creí atisbar un ojo observándonos a través del agujero de un nudo. Me lo quedé mirando un momento y el dueño de la casa se dio cuenta. Habló para distraerme.

—El oficial japonés es sabio y tiene razón —dijo en tono adulador—. La música de Bach es sublime, no cabe duda.

—No te he pedido tu opinión —le contestó Goro en inglés.

Se giró de nuevo hacia el piano y tocó otra pieza, solo que esta vez la anunció en alemán fluido, como para enfatiza ante mí una vez más el refinamiento de su gente.

—*Präludium und Fuge VI d-moll BMV 875.*

Yo lo ignoré y dirigí mi mirada al frente, llevando la mente a mi punto de meditación habitual, aunque me costó con el martilleo de la música. Se produjo un repentino silencio y volví al mundo real. El terror comenzó a mostrar sus primeros indicios, pues Goro nunca antes había hecho una pausa a mitad de una pieza.

—Nos llevaremos este —dijo, y se levantó. Acarició el piano—. Es el que mejor suena. —Entonces me apuntó con el dedo y luego hizo lo mismo con el propietario—. Díselo. Hoy no me apetece ensuciar mi lengua con más inglés.

—Es un Bechstein —explicó el propietario cuando le traduje la intención de Goro de llevarse el instrumento—. Nadie más en la isla lo tiene.

—¿Quién lo tocaba antes? —preguntó Goro.

—Mi nieta. A ella también le encantaba la música de Bach.

—He sentido que las teclas estaban familiarizadas con la música del gran compositor. Sin embargo, está un poco desafinado —añadió Goro, al tiempo que se le formaba un mohín torcido, como una hoz, en la cara—. Al no darle los cuidados necesarios, no lo has respetado.

Acto seguido, le propinó dos golpes en el pecho al desafortunado anciano y oí con toda claridad cómo se le rompían algunas costillas... Dos crujidos precisos e irrevocables. El anciano chilló y yo acudí corriendo desde el otro lado del piano. El hombre se convulsionó de dolor mientras caía en la alfombra y entraba en parada cardíaca, y yo no pude más que mirar. Mis ojos buscaron el agujero en el techo y meneé la cabeza lentamente para advertir a quien estuviese escondido allí arriba que no bajase.

La única oportunidad que aquel anciano tenía de sobrevivir era que saliésemos de la casa lo antes posible para permitir que su familia lo ayudase. Me contuve para no atacar a Goro.

—¿Es así como me demuestras que no sois una nación de salvajes incultos? —le espeté con frialdad.

Él se quedó demasiado perplejo como para responder y utilicé aquella oportunidad para dirigir su mente.

—Quiero que nos vayamos. Ahora. Enviaré a alguien para que se lo lleve —dije, y salí de la casa. Para mi alivio, oí los pasos de Goro que me seguía de cerca.

Más tarde me enteré, gracias a los soldados que envié a retirar el piano, que el anciano no había sobrevivido al ataque; los puñetazos de Goro le habían provocado un daño irreversible en el corazón. Cancelé los planes que había hecho para reemplazar el piano requisado con el nuestro, pues ya nada podría devolverlo a la vida.

Fujihara estaba encantado con el Bechstein e insistió en que fuese a su casa a escucharlo tocar. Era una invitación que no podía rechazar, pues hacerlo habría supuesto un insulto a su reputación. Para mi consternación, descubrí que Goro había acertado al juzgar las piezas de música favoritas de Fujihara cuando estábamos seleccionando el piano. Me resultó difícil permanecer sentado durante toda la actuación y, cuando volvió a invitarme, le puse una excusa para no asistir. Estaba seguro de que mi decisión se tomaría como un insulto.

Tenía otros problemas con los que ocupar mi mente. Isabel seguía en su empeño de no hablarme, incluso cuando le llevé las cartas de MacAllister y Edward.

—Endo-san me las ha dado hoy —le dije.

Mi padre abrió la carta de Edward y la leyó deprisa.

—No dice mucho. Los censores han emborronado líneas enteras. Está bien, no está en Malaya, pero eso ya lo sabíamos.

Me dio la carta. Las frases resultaban inconexas y entrecortadas donde habían sufrido la censura.

—¿Cómo está Peter? —le pregunté a Isabel.

—Lo mismo. No está bien —dijo—. Está en Tailandia. Mira, ha escrito «Solo puedo Informarte del Achacoso estado de Mi salud…»

—Bien hecho, Peter —dijo mi padre con una breve sonrisa que le iluminó el rostro—. Dale las gracias al señor Endo, por favor.

Isabel dobló su carta; sabía que la volvería a leer en su habitación para poder saborear cada una de aquellas pocas palabras.

—Y apunta mi nombre en la lista de personas que van a reunir el dinero —añadió.

—¿Por qué? —No podía creer lo que estaba oyendo—. Eso es solo para los chinos.

—Antes de que llegasen los japoneses, este era un buen sitio para vivir, un lugar donde todos trabajábamos unidos, europeos, chinos, malayos e indios. No voy a permitir que los japoneses nos dividan. Yo pondré mi parte, aunque no sea chino. Si todos aportamos algo, podremos conseguir la cantidad que nos piden.

—Una de las razones por las que estoy trabajando para los japoneses es para que estés exento de tales peticiones —le reproché, y los dedos que tenían refrenado mi enfado se fueron aflojando uno a uno—. Si quieres formar parte de tal imbecilidad, ¿qué sentido tiene que esté trabajando para ellos?

—Se necesitan muy pocas letras del alfabeto para convertir *razón* en *traición*. Tú te fuiste a trabajar con ellos por decisión propia, así que nunca nos utilices para justificar tus actos.

—¿No te das cuenta de que esta es la única manera de mantenernos a salvo, de mantener a salvo la empresa familiar?

—No —dijo mi padre.

—La guerra no durará —apuntó Isabel—. El ejército británico volverá.

Le dediqué una mirada compasiva.

—Se han marchado, Isabel. Nos han abandonado, nos han dejado indefensos y sin informarnos de nada. Puede que monten una contraofensiva, pero, mientras tanto, debemos cumplir las normas que nos han impuesto. —Miré a mi padre—. Una vez dijiste que nunca me había considerado parte de esta familia. ¿Por qué crees que estoy haciendo esto ahora? ¿Crees que me gusta que piensen que soy un perro a las órdenes de los japoneses? ¿Eh?

No respondió. No *hubo* respuesta. Se limitó a sostener la carta de Edward en la mano y a pasarle el pulgar hacia delante y hacia atrás, hacia delante y hacia atrás.

Una vez que la antigua casa del regidor residente se hubo reamueblado satisfactoriamente según el gusto japonés, me invitaron a cenar. Mi padre guardó silencio, sus labios permanecieron sellados formando una fina línea mientras me veía esperar al chófer bajo el pórtico.

La antigua residencia, ahora cuartel general compartido por las administraciones militares y civiles niponas, conservaba el mismo aspecto exterior, salvo por una hilera de estandartes y banderas japoneses. Lo que me entristeció fue la transformación que había sufrido el interior. Había visto cómo los operarios retiraban las pinturas al óleo con escenas de Penang que William Daniell había realizado en la década de 1880 y las sustituían por lóbregos rollos de caligrafía que ensalzaban las virtudes del emperador. La propaganda había reemplazado a la historia.

Anduve por el salón de recepciones y entablé conversación con el jefe del Estado Mayor del Ejército, el coronel Takuma Nishida.

—Su plan de desembarcar en la costa nororiental de Malaya en lugar de en Singapur fue un acierto —mencioné en el transcurso de nuestra charla.

Él aceptó mi adulación con elegancia.

—Mis hombres se aclimataron al calor y a la humedad en la isla de Hainan y contábamos con excelentes fuentes de información.

Le dediqué una pequeña pulla:

—Respecto a eso, debería darle las gracias a Hayato Endo-san.

—Cierto. Endo-san seleccionó nuestros lugares de desembarque y nos aconsejó actuar entre diciembre y febrero, durante el monzón, cuando los mares están más picados y son más peligrosos. Nadie habría esperado que lanzásemos un ataque entonces.

Sentí náuseas, pues recordé haberle contado a Endo-san que una vez, en su juventud, mi padre había intentado navegar por las revueltas aguas de Kota Bahru durante el monzón y casi se lo traga el mar para siempre. Las olas habían volcado su barca y estuvo a la deriva durante más de un día hasta que lo encontraron. Mis abuelos lo habían dado por muerto.

El coronel Nishida le dio un sorbo a su copa de vino y añadió:

—A decir verdad, de no haber sido por Endo-san, el general Yamashita no habría sido capaz de conquistar tu país con tanta facilidad. Su reputación como el Tigre de Malaya se la debe en parte a Endo-san. Pero eso que quede entre nosotros, por supuesto.

—Por supuesto —dije.

Ahora me resultaba evidente el intercambio tácito entre Endo-san y yo. Yo había aceptado el trato: su protección a cambio de mis conocimientos.

Por una vez, la meditación no ayudó. Mi mente saltaba de un pensamiento a otro, como un mono que se balanceara de árbol en árbol; el murmullo en mi interior no cesaba. Endo-san había comprendido por qué le pedí que me llevase ante Hiroshi. No hizo falta que le explicara por qué quería trabajar para él. Había días en que sentía que esa era la razón por la que me había enseñado: a cambio de traicionarme a mí, a mi hogar y a mi modo de vida, él me había proporcionado las herramientas necesarias para mantener a mi familia y a mí mismo a salvo. Por esos únicos motivos me sentía obligado a mantener mi lealtad hacia él y hacia las lecciones que me había impartido.

Sin embargo, de vez en cuando, como una llama a punto de consumirse que intenta recuperar su calor, me sobrevenía un sentimiento de furia que me quemaba por completo, y solo la práctica disciplinada del *zazen* me ayudaba a conservar mi respeto y mi amor hacia él.

Era consciente de que un día incluso eso fallaría y, entonces, ¿qué iba a ser de todos nosotros?

Capítulo siete

Las amenazas comenzaron con el cadáver de un perro salvajemente asesinado que dejaron tirado en los escalones del pórtico. Las moscas habían empezado a formar una nube a su alrededor cuando la sirvienta lo encontró y se puso a chillar. Salimos corriendo del comedor, donde estábamos desayunando, y lo aparté a un lado con el pie para poder así coger la nota empapada en sangre.

—«Perros japos, ¡vuestras vidas corren peligro!» —leí y la arrugué.

Mi padre e Isabel me observaban en silencio.

—No es nada. Solo palabras vacías —dije, obligándome a mirarlos a los ojos.

—Deshazte del perro —dijo mi padre.

Dos noches más tarde, me despertó de un zarandeo.

—¿Qué ocurre —pregunté—. ¿Qué hora es?

—La casa está en llamas.

Corrí tras él escaleras abajo hasta el salón donde, en un rincón cerca de las ventanas, unas voraces llamas crepitantes alcanzaban a las estanterías y las cortinas. Apagamos el fuego con agua que trajeron de la cocina.

—No hay necesidad de despertar ahora a los demás —dijo.

Señaló hacia la ventana; había fragmentos de cristal esparcidos por el suelo como trozos de hielo a la luz de la luna.

—He encontrado esto. —Se sacó un trozo de papel del bolsillo de la bata—. «Te cogeremos» —leyó—. Consérvala —continuó—. Y haznos un favor: no pongas la vida de todos nosotros en peligro.

Por la mañana, ya me había decidido. Llamé a la puerta de la oficina de Hiroshi.

—Quiero dimitir de mi puesto.

Él levantó la vista de su escritorio y yo disimulé el impacto que me causó su extrema delgadez. Últimamente, había tenido que abandonar a medias algunas reuniones largas y pesadas; otras veces, simplemente las evitaba. Sin embargo, siempre estaba al tanto de las cosas que se trataban en aquellos encuentros.

—¿Por qué? —me preguntó.

—He estado recibiendo amenazas de muerte. Las vidas de mis familiares corren peligro.

—Todos recibimos amenazas. Eso no significa que debamos ceder ante ellas. —Entonces, se levantó y llamó a Endo-san—. Nuestro joven amigo desea interrumpir los servicios que presta a nuestro emperador.

—Además, no estoy de acuerdo con sus políticas ni con sus actos hasta la fecha —añadí—. No era necesario ejecutar a los saqueadores. No era necesario agrupar a los chinos y enviarlos a vuestros campos de trabajos forzados.

—Esas personas estaban actuando contra nuestro gobierno, confabulando para oponerse a nosotros. Teníamos que neutralizarlos. Siempre ocurre lo mismo en períodos de transición en los que una autoridad reemplaza a otra; aparecen focos de resistencia. Nuestros métodos pueden parecer brutales para tu joven mente, pero son necesarios —explicó Hiroshi.

—Les he proporcionado mucha ayuda. Lo único que pido es que me libere del servicio.

Hiroshi se quitó las gafas y empezó a limpiarlas.

—Tu familia está a salvo ahora, aunque la Kempeitai nos ha informado de que tu hermana está difundiendo palabras hostiles entre las gentes de Penang. Eres el colaborador más famoso de esta isla. ¿Crees que vamos a dejarte marchar tan fácilmente? Eso nos crearía una muy mala imagen. Y te haríamos la vida más difícil. Nadie dudaría de nuestra palabra si difundiéramos que tú, personalmente, identificaste a muchas de las personas que hemos ejecutado. Nadie.

Sus palabras frías y precisas me cortaron como la espada samurái que había en el aparador detrás de él. Miré a Endo-san y él asintió.

Sabía cuándo me habían derrotado. Hice una breve reverencia y me fui, casi sintiendo la sonrisa dibujada en la cara de Hiroshi a mi espalda.

Solo había una persona a la que podía acudir. Me dirigí a un puesto del mercado de Pulau Tikus, donde un joven con dientes de conejo vendía un exiguo surtido de plátanos. La comida era un bien escaso y la gente había recurrido a comer sopa y a cultivar sus propias batatas y ñames. Muchos habían huido a las junglas de Pulau Tikus para eludir a los japoneses. El centro estaba casi desierto, solo quedaban unos cuantos que no tenían dónde huir. Saqué un billete nipón de cincuenta dólares y compré dos bananas: adquirir bananas con billetes banana… No pude evitar fijarme en la triste ironía.

—Tengo que ver hoy a Towkay Yeap —le dije al joven—. Dile mi nombre. —Se lo susurré; él pareció no haberme oído—. Dispón de un lugar seguro para nuestro encuentro.

Él me ignoró hasta que entrelacé los dedos, con el pulgar apuntando hacia fuera y los meñiques hacia abajo, creando el símbolo de la Cabeza del Dragón que Kon me había enseñado una vez, hacía mucho, mucho tiempo.

El joven sorbió entre los dientes, exhaló, me miró con respeto renovado y asintió.

De vuelta a casa del trabajo, me percaté de que dos hombres en bicicleta me flanqueaban. Aminoré la marcha y dejé que me alcanzaran. Los oí acercarse y me puse tenso, preguntándome si la gente que me enviaba las amenazas estaba a punto de cumplir su palabra.

—Tu petición ha sido atendida. Ve a los muelles el domingo por la mañana.

Acto seguido, se alejaron en sus bicicletas, charlando el uno con el otro.

Me subieron a un sampán tan plano como un platillo, donde el agua intentaba entrar a medida que nos adentrábamos remando en un mar de esmeralda tumultuosa y crestas blancas como la nata. Divisé las montañas azuladas de Kedah, una densa franja húmeda que se difuminaba en el vacío. Pasamos a un mugriento pesquero de arrastre que apestaba a tripas de pescado. Me encontré frente a frente con el padre de Kon en la viscosa cubierta, donde había apostados varios soldados de infantería de la Sociedad del Estandarte Rojo listos para defender a su líder al menor movimiento.

—Si necesitabas verme, solo tenías que ir a mi casa —empezó.

—No era segura. —Le resumí rápidamente mi situación—. Tengo una proposición que hacerle. Mientras trabaje para los japoneses, le haré llegar cualquier información que consiga.

Por la documentación que pasaba por mis manos, sabía que las tríadas ya tenían la estructura y la organización necesarias para plantar cara a los japoneses. Habían llevado a cabo algunos bombardeos, que habían alcanzado arsenales de munición nipones, y la Kempeitai estaba elaborando informes sobre ellas.

—¿Cómo sabemos que podemos confiar en ti? ¿Tú, tan conocido por ayudar a los japoneses?

—La vida de mi familia. Mi vida. Sabe dónde estamos. Si le traicionase, sé que no tendría donde esconderme. Su hijo respondería por mí.

Él guardó silencio y miró hacia el mar, con la túnica al viento. Parecía haber envejecido mucho desde la última vez que lo vi. Reflejaba una fragilidad, común en hombres mucho mayores que él, que no había detectado antes. Era una forma de apagarse, como si cada vez tuviese menos elementos en su interior que la luz pudiese captar y reflejar ante mis ojos. Sabía por los informantes japoneses que continuaba con sus visitas a los fumaderos de opio.

—No quiero que mi familia sufra ningún tipo de daño. Quiero que le quede claro que no puedo dejar de trabajar para los japoneses. Me han amenazado con perjudicar y encarcelar a los míos. También pido que haga saber a los miembros de la resistencia que las amenazas deben cesar.

Él asintió mostrando su acuerdo.

—Muy bien. Ordenaremos que pongan fin a las advertencias.

—Yo cumpliré con mi parte —le aseguré.

—Eres demasiado joven para estar haciendo esto —dijo.

—La guerra no escoge a sus víctimas. Kon también está cumpliendo con su parte.

—Efectivamente —dijo el anciano con una mirada triste y distante. Se veía que echaba mucho de menos a su hijo.

—¿Tiene noticias de él?

Pareció reacio a contestarme, seguramente se preguntaba si podía confiar en mí.

—Si dependiese de mí, preferiría no revelar la ubicación de mi hijo —respondió—. Sin embargo, antes de irse, insistió en que te lo hiciera saber. Está en un campamento justo a las afueras de Ipoh. Las guerrillas han unido sus fuerzas con el Partido Comunista Malayo. Su grupo ha conseguido desbaratar las actividades de los *jipunakui*. —Negó con la cabeza—. Espero que no cosechen demasiados éxitos, pues en ese caso los *jipunakui* no pararán hasta darles caza.

Entonces, se retiró caminando hacia un lateral del pesquero, donde la proa agitaba el agua hasta volverla de un blanco lechoso.

—Por favor, da las gracias a tu padre por su contribución al fondo ordenado por los *jipunakui* —dijo—. Sé que no quería hacerlo público.

—Yo estaba en contra de que lo pagara —admití.

—El hecho de que lo haya pagado es una de las razones por las que las amenazas contra ti y contra tu familia nunca se han materializado. Tu padre, al menos, es un verdadero hijo de la isla.

Me hizo un gesto para que me acercase a la barandilla, junto a él. Bajamos la vista hasta el agua y yo me eché hacia atrás casi de forma instintiva. El mar era de un verde translúcido y tentador, pero justo debajo de la superficie flotaba una armada de medusas pálidas y transparentes, muchas de las cuales eran del tamaño de un paraguas pequeño abierto y poseían unos tentáculos de casi tres metros de largo que flotaban a la zaga. Aparecían determinadas veces al mes y eran uno de los riesgos de nadar en las aguas que rodeaban la isla. Me había encontrado con ellas a menudo, pero no en semejante número. Debía de haber cerca de un millar a nuestro alrededor. Observé sus cabezas palpitantes mientras se dejaban llevar por las corrientes y recordé cuando una me picó en la pierna mientras nadaba. El dolor fue atroz y me costó horrores regresar a la orilla.

—Preciosas, ¿verdad? —dijo Towkay Yeap—. Un hombre puede sobrevivir a la picadura de una de estas pero nunca a la de todas ellas si cayese ahí en medio.

—No hay razón para que nadie caiga —dije, mirándole directamente a los ojos.

—Esperemos que no —respondió.

Remé hacia la isla de Endo-san bajo el sol poniente y las primeras estrellas, disfrutando de los sucesivos tirones y descansos que me proporcionaban los remos. Por una vez, el viaje se me hizo interminable, como si estuviese atravesando un sueño viscoso donde todos los movimientos se ralentizaban. Una parte de mí cayó en la cuenta de que había entrado en el estado más profundo del *zazen* y ya no sostenía los remos.

Estaba arrodillado en un campo, un campo tan verde y tan fresco por efecto de la lluvia que la hierba despedía una luminiscencia esmeralda. Una ligera brisa combaba las copas de los árboles, atrapaba sus fragancias y me las hacía llegar. Sabía que el mar estaba a mi alcance, pues su suave promesa flotaba mezclada con el perfume de los árboles. Y por encima de mí podía casi oír el roce del lento movimiento de las nubes contra el cielo. La luz era anormalmente brillante y los contrastes, bien definidos. Una sombra se interpuso delante del sol y yo levanté la cabeza para encontrarme con el rostro de Endo-san. Mi respiración se calmó, pues su cara estaba embebida tanto de amor como de pena, mezclados como el viento y la lluvia. Iba vestido con una túnica formal *men-tsuke* negra con ribetes de un dorado mate. En los hombros llevaba sus divisas y supe que era uno de los *daimyo* del sogún Tokugawa Ieyasu, un líder militar. Tenía el pelo blanco, lo llevaba recogido en un moño al estilo samurái y sus manos sostenían una catana tan bonita que parecía estar viva.

La alzó hasta la posición *happo*, llevando ambas manos al hombro derecho y manteniendo las rodillas flexionadas hacia fuera. Una muchedumbre se había congregado en el campo y los estandartes se agitaban frenéticos al viento: su revoloteo sonaba igual que el batir de alas de las grullas a punto de alzar el vuelo hacia un verano lejano.

Entonces, habló, y su voz se extendió por todo el campo.

—Has sido sentenciado a muerte por conspirar contra el sogún Tokugawa. Se te deniega el derecho al *seppukku*. A tu familia se la ha despojado de sus títulos y propiedades y todos van a ser ejecutados.

Pero sus ojos, ¡oh, sus ojos!, hablaban de otras cosas, de cosas que había habido entre nosotros y de cosas que ahora ya nunca volverían. Apretó los labios hasta convertirlos en una línea fina y despiadada, dura como la hoja de la espada que ahora asía por encima de su cabeza. En las profundidades de sus ojos llenos de lágrimas, sin embargo, vi el amor que sentía por mí.

Levanté el cuello, exponiéndolo al arco de su corte. Y entonces, hice un esfuerzo por aclarar mi voz temblorosa y poder así decir con firmeza:

> «Amigos que parten para siempre,
> Gansos salvajes perdidos entre las nubes».

Era un fragmento de un haiku de Matsuo Basho, su poeta favorito.

Lo oí respirar y entonces la hoja de su catana pareció atrapar un rayo de sol en el instante en que se deslizaba hacia abajo y, acto seguido, estaba sobre el campo, aquel campo eterno. Vi cómo mi cuerpo se desplomaba lentamente hasta quedar acurrucado y cómo Endo-san se agachaba sobre él. Pude sentir su pena a través del velo que separa la vida de la muerte. Quise consolarlo, decirle que no sintiese tal pena, pero alcanzarlo ahora estaba más allá de mis fuerzas.

Me recosté en la barca; mis manos aferraban los remos con fuerza y una película de sudor me refrescaba la cara. Estaba en la playa de la isla de Endo-san, sin saber muy bien cómo había llegado hasta allí; cada parte de mi cuerpo se estremecía como si intentara desgarrarse de las otras. El cuello me quemaba con el recuerdo del dolor y me asfixiaba al intentar respirar.

Abrí los ojos y lo vi de pie a mi lado, con cara de preocupación. Estiró la mano y acarició con delicadeza una línea que me bajaba por el cuello en el lugar donde me había hecho el corte en el siglo XVII. La piel se convulsionó cuando sus dedos la tocaron. Silencio, solo el sonido de las olas y los crujidos del bote.

—¿Te encuentras mal? —me preguntó.

—Sí —contesté con una larga exhalación.

Entonces supe, aunque me resultaba difícil de aceptar, que había más vidas que aquella. Que en todas nuestras encarnaciones lo había amado y que aquel amor me había causado dolor y muerte: una y otra vez, una vida tras otra.

—¿Lo ves ahora? —me preguntó dulcemente.

—¿Por qué fui ejecutado? ¿Qué hice?

—Traicionaste al gobierno del sogún al proporcionarle información a los rebeldes.

No quería creer lo que me acababa de pasar, pues aceptarlo sería reconocer que mi abuelo estaba en lo cierto cuando me explicó el origen de mi nombre en su casa de Armenian Street. Sin embargo, toda aquella experiencia había sido muy real y yo todavía estaba temblando por el rastro de pena que quedaba en mi interior.

—¿Durante cuántas vidas nos hemos perseguido? ¿Dos? ¿Tres? —pregunté por probar.

—¿Es que acaso importa?

Negué con la cabeza.

—Lo único que importa es esta vida, Endo-san. Tener la voluntad de tomar las decisiones correctas.

Me ayudó a salir del bote.

—Ya sabes que es mejor que trabajes para nosotros. Solo te puedo proteger si le eres útil a Hiroshi-san. No es que yo apruebe lo que está haciendo el ejército, pero Hiroshi-san tiene razón: todo período de transición es turbulento y solo se puede controlar con demostraciones de fuerza. Si mostrásemos debilidad, no duraríamos mucho.

—¿Lo aprobaría Ueshiba-*sensei*? —le pregunté.

Él meneó la cabeza.

—Nunca.

—Entonces, ¿por qué lo estás haciendo?

—Es mi deber y mi destino. ¿Por qué, de todos los sitios a los que he viajado —China, India e incluso las laderas del Himalaya—, he terminado aquí? Porque tú estás aquí; porque por fin ha llegado la hora de reparar nuestras vidas.

»Esta vez —continuó, agarrándome con firmeza por los hombros—, esta vez habrá equilibrio y armonía. Ese es el motivo por el que te he dado un entrenamiento tan duro, por el que te he tratado de forma tan severa. Para que pudieses estar a mi altura.

Me soltó. Yo di un paso atrás y trastabillé en la arena.

—Yo nunca levantaría mi mano contra ti, Endo-san.

—¿No? ¿Ni aunque hubiesen amenazado, herido o incluso asesinado a tu familia? No hagas promesas que no puedes cumplir.

Aquella noche utilizó su catana contra mí de forma violenta y yo le pagué con la misma moneda. Había mucha rabia y mucho miedo avivando nuestros movimientos y nuestros desahogos. Me atacaba una y otra vez, presionándome, hundiéndose con tal intensidad en mí que parecía querer imprimirme una parte de su ser, dejar una porción de su alma en la mía. Mi espada recibía su fuerza con la misma hambre y me abrí a él como las nubes se abren al sol.

Capítulo ocho

Estaba lloviendo, un suave tamborileo sobre el mundo. Desde la ventana veía la colina de Penang y sus bajas cumbres envueltas en un chal de niebla. Las densas nubes negras rodaban por las crestas como espuma de mar al romper en las rocas. Los *bungalows*, que se adivinaban como colgados en la colina en días claros, permanecían sumergidos bajo las nubes cual conchas cubiertas por la marea, como si prefiriesen desconectarse de la ciudad que tenían a sus pies y eligieran no darse cuenta de la presencia de los japoneses, que, por entonces, llevaban ocupando el país cerca de tres años. Yo, sin embargo, no tenía esa opción.

Me encontraba en mi despacho cuando una secretaria me entregó una carpeta. No tenía ni idea de lo que significaban las palabras *Sook Ching*, pero, a medida que fui leyendo el informe, me quedó clara cuál era la intención de todo aquello. Hiroshi había recibido los documentos hacía una hora. Oí la conversación de las secretarias de fondo, el repiqueteo de las máquinas de escribir y el timbre de los teléfonos. Salvo por el hecho de que las voces hablaban en japonés, podría haber estado en las oficinas de Hutton e Hijos preparando el envío de un pedido de caucho.

Sentí frío y no se debía precisamente a la lluvia incesante. Leí de nuevo el informe. Al amparo de la operación *Sook Ching*, iba a hacerse una redada contra los empresarios y aldeanos chinos sospechosos de ser miembros de grupos antijaponeses para enviarlos a campos de trabajos forzados. Cada estado de Malaya había recibido órdenes de poner en marcha sus directrices. Era la represalia que tomaban los japoneses ante la fuerte oposición que mostraban los lugareños chinos contra la guerra en China.

Hiroshi entró en mi despacho.

—¿Has leído el informe? Órdenes directas del general Yamashita.

Asentí. Me entregó otro fajo de papeles.

Esta es la primera tanda de nombres. Cópialos y envíaselos a Fujihara-san, por favor.

—Sí —dije, pero mi mente ya estaba buscando la manera de salvar a las personas de la lista.

Me apresuré para terminar mis tareas lo antes posible y, en cuanto lo hube hecho, concerté una cita con Towkay Yeap. Nos reunimos, como de costumbre, en el pesquero, aunque tuvimos que ser cautelosos, pues había barcos de la marina japonesa patrullando los mares.

—Estos son los nombres de las personas a las que van a arrestar mañana.

Le recité una lista de diez nombres que había memorizado. Todos eran empresarios chinos de mediana edad. Vi que Towkay Yeap retrocedía al mencionarle cada uno. Seguramente mantenía buenas relaciones con ellos. Se estaría preguntando cuándo llegaría su turno, cuándo pronunciaría su nombre.

—Todos estaban en la lista publicada por el *Straits Times*… Firmaron en contra de la invasión japonesa de China —dijo, al darse cuenta de inmediato.

—Debe sacarlos de aquí —le urgí.

—Eso te pondría en peligro. Fujihara sabría que hay una filtración.

—Correré ese riesgo —dije.

—Tendremos que herirte. Es la única solución —propuso.

Lo entendí. Hasta ese momento, gracias a su intervención, había estado relativamente a salvo de asaltos y hostigamientos por parte del movimiento antijaponés. Tenían órdenes de mantenerse alejados de mí. Eso iba a cambiar.

—Envíe a sus mejores hombres —añadí—. Solo así parecerá creíble.

—¿Tan bueno eres? —preguntó.

—Una vez derroté a su hijo.

Eso lo dejó sin palabras. Su mirada denotó respeto.

—Entonces, enviaré a mis mejores hombres. Asegúrate de no provocarles heridas demasiado graves.

Fujihara fue más astuto que yo. Actuó aquella misma noche, pero Towkay Yeap se las había arreglado para advertir a tres de los que estaban en la lista, que abandonaron la isla antes de que la Kempeitai llegase para llevárselos a rastras. Noté su furia a la mañana siguiente, cuando entró en mi despacho.

—¿A quién le enseñaste la relación de nombres? —me gritó.

—Solo a usted. ¿Por qué? —pregunté, ocultando mi miedo y preguntándome qué habría ocurrido.

—Alguien les ha informado. He perdido a tres de la lista. Se habían marchado, sus casas estaban vacías.

—Usted me dijo que iban a proceder con los arrestos hoy —repuse.

—Ni se te ocurra pensar que eres más listo que yo —me advirtió.

Entonces se marchó y yo dejé aflorar mi desesperación. Solo tres habían conseguido escapar. No quería saber lo que les habría ocurrido a los demás, pero Fujihara se aseguró de que lo descubriera. Regresó antes de mediodía.

—Ven conmigo —me ordernó.

Lo seguí, sin mostrar ningún tipo de emoción en mi rostro, hasta el cuartel general de la Kempeitai en Penang Road, donde la policía secreta nipona se había apoderado del ala sur del antiguo cuartel general de la policía. Subimos dos tramos de escaleras. A pesar de la escasez provocada por la guerra, me di cuenta de que habían enrejado todos los pasillos de los pisos superiores. Cuando Fujihara me vio mirándolos, dijo:

—Es para evitar que nuestros prisioneros salten del edificio. Solo nosotros decidimos cuándo van a morir.

Me condujo a una habitación sin ventanas donde había dos oficiales de la Kempeitai, solo unos años mayores que yo, y un hombre atado a una silla. Lo reconocí como Wilson Loh, el hijo de Joseph Loh, maderero y uno de los fundadores de la Campaña de Ayuda a China. Le habían dado una paliza; tenía los ojos hinchados y la boca y la nariz embadurnadas de sangre.

—El prisionero mantiene que no sabe dónde está su padre —dijo uno de los oficiales de la Kempeitai.

—Eso está bien, porque quiero que nuestro amigo aquí presente vea lo que va a pasar a continuación —dijo Fujihara, mirándome.

Levantaron a Wilson Loh y lo arrastraron hasta el exterior. Nosotros los seguimos hasta un patio cuadrado en el centro. El sol iluminaba los postes donde los prisioneros eran decapitados. Las sombras de los palos eran alargadas, como relojes de sol que mostrasen la hora. El corazón me latía cada vez más rápido y traté de centrarme y calmarme aplicando los métodos de respiración profunda que había aprendido de Endo-san.

Tendieron a Wilson Loh en el suelo cerca de una manguera conectada a una tubería de agua. Le abrieron la boca a la fuerza, se la introdujeron, y abrieron el grifo. Wilson se sacudió cuando el torrente de agua le rebosó por la boca. Uno de los oficiales recolocó bien la manguera.

—Antes estuvo pidiendo agua —dijo Fujihara.

Vimos cómo el estómago se le hinchaba. Para entonces, Wilson había dejado de forcejear y, simplemente, yacía en el suelo. Le vi los ojos; eran los de un animal agonizante.

—Basta —dijo Fujihara.

Cerraron el grifo y uno de los oficiales puso un pie en el estómago de Wilson. Echó todo su peso sobre él y a continuación, apoyándose en un compañero para mantener el equilibrio, subió el otro pie y empezó a saltar.

Me giré cuando el sonido de los gritos de Wilson se mezcló con el gorgoteo del agua que manaba a raudales de su garganta. Dirigí la vista hacia arriba, a la purificadora luz del sol, y no quise ver más que su brillo.

Estaba a punto de descubrir que la inventiva de Fujihara era inagotable. Utilizaba una amplia variedad de métodos para torturar a sus prisioneros y, durante los meses que siguieron, se aseguró de que me familiarizaba con cada uno de ellos. En todas aquellas ocasiones contuve mi angustia, pues no estaba dispuesto a perder reputación ante él mientras presenciábamos las muertes brutalmente prolongadas. Utilizaban también a muchos prisioneros como dianas vivas para sus prácticas de bayoneta. Fujihara, mientras tanto, tarareaba sus fugas y preludios favoritos en voz baja, disfrutando al máximo e incumpliendo las órdenes de guardar silencio que él mismo había dado a sus subordinados. Hasta veía cómo sus dedos se movían como si estuviese tocando el piano. Por la noche, los irreproducibles sonidos de las bayonetas al atravesar la carne de un ser vivo, acompañados por el incesante tarareo, me mantenían en vela. Era incapaz de cerrar los ojos sin recrear todas aquellas atrocidades.

Una semana después de la muerte de Wilson Loh, Goro vino a verme.

—Vamos —me ordenó.

—¿Adónde? —le pregunté.

Sentí crecer el pánico en mi interior y tuve que secarme las manos en los costados. Que uno de los oficiales de la Kempeitai te convocara era algo que todo el mundo, incluido el personal japonés, evitaba a toda costa.

—Órdenes de Fujihara-san. No hagas preguntas.

Fuimos en un Rolls Royce requisado a un magnate local chino a cambio de su vida. De vez en cuando, Goro se giraba hacia mí y me hablaba. La mayor parte del tiempo me ignoraba, aunque no era maleducado. Detrás de nosotros iba un camión militar cargado con veinte soldados, todos armados. Pasamos Balik Pulau, la Espalda de la Isla, y nos dirigimos hacia el interior, dejando atrás silenciosas y exuberantes selvas que goteaban la lluvia de la mañana, como si los mismísimos árboles estuviesen derramando lágrimas. Pronto vimos tierras de cultivo. Más adelante vi los cocoteros de una plantación. Y luego, el cinturón verde se mezcló con el gris metálico del mar azotado por la lluvia. Bajamos una pequeña loma hasta la hondonada de una aldea. Una buena ubicación para grupos antijaponeses, pensé, con fácil acceso desde la playa y rodeada de una selva frondosa. Allí había comida en abundancia, cultivada por los aldeanos. Y entonces empecé a sudar, pues la carretera me era familiar; yo había pasado antes por allí. Durante unos instantes me pregunté si estaba viviendo otro viaje en el tiempo, como el que había experimentado en la barca mientras remaba hacia la isla de Endo-san. Sin embargo, no me producía la misma sensación de realidad intensificada; aquello era el presente y estaba sucediendo.

Giramos hacia un camino de tierra y nos cruzamos con un grupo de niños que jugaban a la sombra de una chabola. Se nos quedaron mirando y vi que un pequeño abría los ojos como platos, fascinado por los gigantescos vehículos que pasaban. Me dijo adiós con la mano, pero yo no pude contestarle. Mi mano y mi cuerpo entero se negaban a moverse, pues enseguida pasamos bajo el sencillo arco de madera que conducía a Kampong Dugong, donde había asistido a la boda de Ming.

Me bajé lentamente del coche. Cuando se apagaron los motores, se hizo el silencio más absoluto a nuestro alrededor. Ni los perros ladraban. Los aldeanos tenían un aspecto de lo más normal. ¿Y qué esperaba ver? ¿Ogros tramando complots para matar a todos los japoneses? Unos eran viejos, otros, de mi edad; todos parecían inquietos por aquella repentina intrusión en sus pacíficas vidas. Estaban delgados y parecían desnutridos, pero ya antes de que la guerra comenzase me había tropezado con personas así a diario por las calles. Eran las gentes de la isla de Penang, y yo era una de ellas. Y ellos lo sabían. Pero ¿qué pensaban de mí, de aquel colaborador de los japoneses? ¿Me recordaban de la boda?

Goro ordenó que se presentase el patriarca de la aldea. Este salió de su cabaña y me vio. Recordaba su nombre, Chua; ojalá lo hubiera olvidado. Detrás de mí, los soldados bajaron del camión, provocando las primeras oleadas de miedo.

—¡Reúne a toda tu gente aquí, ya! —gritó Goro—. Díselo —añadió, dándome un empujón hacia delante.

Traduje sus órdenes. Chua se agachó para hablar con un niño, que salió corriendo. Pronto, la aldea entera apareció ante nosotros mientras los soldados iban de casa en casa abriendo puertas a patadas y espantando pollos y perros. Entre la multitud encontré a Ming y ella pareció no creer que me estaba viendo.

Goro comenzó a leer en japonés. Yo me quedé allí plantado sin saber qué hacer, hasta que él se aclaró la garganta y me miró. Repetí sus palabras como un débil eco:

—Siguiendo órdenes del general Yamashita, el comandante militar de Malaya, están aquí para arrestar a todos aquellos que hayan proporcionado asistencia al Ejército Antijaponés de los Pueblos Malayos, el EAJPM.

Un hombre vestido con ropa corriente bajó del camión con la cara cubierta por una capucha. Solo se le veían los ojos, que miraban fijamente a derecha e izquierda a través de los agujeros. Goro le ordenó que se metiera entre los aldeanos. Él fue caminando lentamente y todos se apartaban a su paso, sin querer mirarlo siquiera. Tocó a un hombre aquí, a una mujer allá, y los lloros y los gritos comenzaron.

Vi que el encapuchado se dirigía hacia Ming y su marido, Ah Hock. La miré a los ojos y ella se tapó la boca con la mano al dejar salir un sollozo, pues habían señalado a Ah Hock. Los niños empezaron a llorar cuando las tropas se mezclaron entre la gente y arrastraron a los hombres y mujeres elegidos hasta la plaza. La implicación estaba clara; no había necesidad de que tradujese nada, no había ninguna necesidad de que yo estuviese allí.

Cuando Chua vio que habían seleccionado a Ah Hock, se apartó de la muchedumbre y vino corriendo hasta mí.

—Nosotros no hemos ayudado a nadie —insistió—. Díselo. No podéis llevaros a mi hijo. No ha hecho nada malo. Nadie lo ha hecho.

Se lo dije rápidamente a Goro, que se encogió de hombros.

—Tío mayor. Por favor… —le supliqué—. Déjelos, por favor. Tiene que proteger al resto de su gente.

—¿Por qué estás haciendo esto? —me preguntó—. Te recuerdo. Eres el hijo del señor Hutton. Eres uno de los nuestros.

Me di cuenta de que no podía darle una respuesta.

—¿Qué le ocurrirá a mi hijo? —me preguntó Chua.

—Irá a prisión —dije.

Quizá él conocía la naturaleza de los japoneses y de los hombres en la guerra mejor que yo, a pesar de mi estrecho contacto con ellos. Se me quedó mirando.

—Compadezco tu inocencia —dijo.

Goro le dio un empujón, pero yo lo agarré del brazo.

—Hago todo lo que puedo —dije.

Él asintió.

—Tal vez sí.

Entonces, se giró hacia la muchedumbre e inclinó la cabeza, apesadumbrado. Su gente tenía que confiar en su decisión, ¿por qué si no iba a estar su hijo entre los prisioneros? Se escuchó un gemido cuando los soldados subieron a empujones al camión a los treinta hombres y mujeres que el informador había seleccionado.

Ming salió corriendo hacia el vehículo, gritando. Un soldado le pegó dos bofetadas y, como seguía gritando, levantó el rifle para aporrearla. Yo me adelanté y la protegí del golpe.

—Lo siento —le repetía.

Ella forcejeó entre mis brazos y no dejaba de llamar a Ah Hock. Me giré para mirarlo y vi confusión y desconcierto en su sencilla cara redonda. Era inocente, un pescador que intentaba sobrevivir en aquellos tiempos, un nombre escogido al azar por alguien de su aldea que quería constar en los libros buenos de la Kempeitai. Ming me dio una bofetada y el escozor me despertó del estupor. Chua, con lágrimas en la cara, vino para llevársela, pero ella me abofeteó una vez más. Yo me quedé allí, con los brazos caídos, mientras me pegaba una y otra vez.

Goro, que se estaba impacientando, dijo:

—Lleváosla a ella también.

Tenía que decir algo.

—No. Déjala en paz.

—Si tan desesperadamente quiere unirse a su hombre, tráela.

Le dio una orden a uno de sus hombres.

—No puedes hacer eso. No ha sido escogida.

—¿Quién eres tú para decirme lo que tengo que hacer?

Entonces, me apuntó con su arma, presionándola contra mi mejilla.

La aparté a un lado y me abalancé sobre él al mismo tiempo. El arma descargó en los árboles, de los que saltaron fragmentos de corteza. Le agarré la muñeca, la giré haciéndole una llave *kote-gaeshi* hasta que el arma le apuntó a la cara.

—Que nadie se mueva o lo dejo tuerto —dije con voz queda. Los oficiales de la Kempeitai, que se habían congregado a mi alrededor, se detuvieron—. Anula la orden —espeté—. Por el honor de tu familia, ¡anula la orden ahora mismo!

Goro miró a la tropa.

—Dejad que se vaya.

Entonces, lo desarmé y deshice la llave.

—Fujihara-san y Endo-san tendrán noticias de esto —me susurró, frotándose la muñeca.

Intenté encontrar algo que decirle a Ming, pero no lo conseguí. Cerraron la portezuela trasera del camión y arrancaron el motor que, con su rugido, rompió el silencio sobrenatural.

Una mujer dio un alarido y el sonido provocó el ladrido frenético de los perros. Sus amigos la contuvieron. Un prisionero sin afeitar le hizo un gesto negativo con la cabeza. Conduje a Ming hasta el camión, donde estiró la mano para llegar a la de su esposo. Sin embargo, la diferencia de altura era demasiado grande para que consiguiesen tocarse y solo sus miradas pudieron salvar aquella distancia.

Yo me metí en el coche y seguimos al camión fuera del pueblo bajo la ligera lluvia que había empezado a caer. Seis kilómetros más adelante, torcimos hacia un claro rodeado por una arboleda.

—¿Qué pasa? —le pregunté a Goro.

Él me miró con un brillo especial en los ojos.

—Creía que habías leído el informe.

Los guardias ordenaron descender a los prisioneros. Uno a uno fueron saltando al suelo y vi sus ojos cuando pasaron junto a mí. Ah Hock, que intentaba controlar su pánico, asintió como gesto de gratitud por haber salvado a Ming. Una prisionera joven me escupió. Cuando los guardias empezaron a distribuir palas, supe lo que iba a pasar. Las piernas querían ceder bajo mi peso; las sentía aparte, como ajenas a mi cuerpo.

Ordenaron cavar a los prisioneros y ellos lo hicieron sin descanso hasta que solo pude verles las coronillas y terrones de arcilla y barro amontonados junto a ellos. Unos cuantos se negaron a cavar más y los guardias los apalearon. La mujer que me había escupido se mordió el labio y reprimió las lágrimas.

¿Sabían que estaban cavando sus propias tumbas? ¿Cómo podían continuar? ¿No era mejor parar y que te dispararan, sabiendo que, al final, una bala terminaría con tu vida de igual modo? ¿Era la esperanza lo que los animaba a continuar y rezaban por que solo fuese una broma cruel de los *jipunakui*? ¿Pensaba que, en algún momento, los guardias se echarían a reír, se fumarían unos cigarrillos y los subirían de nuevo al camión?

Ni siquiera recibieron la orden de dejar de cavar. Goro hizo una señal con la mano y la descarga comenzó. Los disparos explotaron como una traca de petardos encendidos durante el Año Nuevo chino y los cuerpos cayeron en la tierra húmeda y abierta. Vi cómo el cuerpo de Ah Hock se sacudía cuando las balas lo alcanzaron y tuve que cerrar mi mente y colocarla entre el cielo y la tierra, en aquel punto esquivo que me liberaría de todo aquello.

Me obligué a no mostrar ninguna emoción, no delante de aquella gente. Goro me dedicó una amplia sonrisa.

—Volvamos. Estoy empapado y tengo hambre.

Dio la orden a los guardias de que se quedaran a tapar la fosa.

En el coche, con la ventanilla medio bajada a pesar de las quejas de Goro, seguía oyendo la voz del patriarca. Vi la expresión de Ming y supe que nunca tendría el coraje de volver a mirarla a la cara. Pero tendría que hacerlo, no me quedaba otra alternativa.

Una rabia creciente se estaba extendiendo por mi cuerpo, oprimiéndome la cabeza como un cepo. Había creído a Endo-san. Había creído todas sus mentiras. Me había mentido desde el primer momento. Toda su filosofía, sus enseñanzas para expandir mi mente, para aprender… ¿Con qué propósito? ¿Con el de satisfacer su orgullo? ¿Y qué si había estado ligado a él en nuestras anteriores vidas? ¿Es que tenía que estar atado a él también en aquella?

Fujihara quería imponerme un castigo, pero Endo-san intervino.

—Todavía es nuevo en esto, déjalo estar. Conseguiste a la gente que querías. Goro estaba extralimitándose en el cumplimiento de sus órdenes.

Fujihara nos miró a los dos pero no hizo nada; Endo-san era su superior después de todo. Se puso la gorra y se marchó. Endo-san, que estaba sentado tras su escritorio, se levantó, vino hacia mí y me rodeó con el brazo. Intenté no estremecerme.

—¿Estás bien? —me preguntó.

—Tú me mandaste allí, ¿no es así?

—Sí —dijo.

—¿Por qué?

—Tienes que conocer las crueldades de la guerra. —Me examinó, preocupado—. Pareces enfermo. ¿Te sientes bien?

Corrí hacia el cuarto de baño y me precipité sobre el lavabo, donde vomité lo que me quedaba en el estómago. Él entró y me alcanzó una toalla. Yo la cogí y dije:

—No creo que me sienta con fuerzas para venir a trabajar mañana.

—Vete a casa entonces. Vuelve cuando te encuentres mejor —concedió.

Después de que se marchase, abrí el grifo y me limpié los dos dedos que me había metido hasta la garganta para inducirme el vómito. Lo había engañado, pues ahora sabía lo que tenía que hacer.

Le describí a Towkay Yeap lo ocurrido en Kampong Dugong. Se lo conté todo, desde que entré en la aldea hasta los momentos finales. Estaba horrorizado y un silente rumor de espanto escapó de sus labios.

—Es la venganza de los japos por la ayuda que proporcionamos a China durante su azote a la madre patria. Están identificando a todos los chinos y matándolos aldea por aldea, ciudad por ciudad.

—No pude salvarlos —dije.

—Conozco a Chua. No puedo creer que su hijo esté muerto.

—Esto es solo el principio. He visto papeles. Van a ampliar las operaciones. No solo aquí, sino por todo el país. Tiene que hacer algo.

—Yo no… no sé qué hacer.

Por primera vez desde que lo conocía, vi que Towkay Yeap estaba perdido.

Y entonces descubrí que existía una emoción mucho peor que el miedo más agudo; era el sentimiento paralizante de la desesperación, la impotencia de no poder hacer nada. Una sensación de lasitud se apoderó de mí como si alguien me hubiese echado un cálido chal por los hombros. Estaba tan cansado que lo único que quería era acostarme y descubrir al despertar que la guerra había acabado o, mejor aún, que todo aquello no había sido más que una pesadilla. Towkay Yeap estaba asustado y perdido, pero yo tenía que continuar.

Le pedí un coche.

—¿Adónde vas? Se está haciendo de noche. No es seguro.

Levantó la mano, con los dedos huesudos en forma de garras por su creciente fragilidad, como si tuviese el poder de hacerme cumplir sus órdenes.

—Por favor, dígale a mi padre que volveré tarde a casa esta noche. Aún tengo algo que hacer.

Él comprendió y la mano cayó en su regazo.

—Ten cuidado —dijo.

Conduje por entre un macizo de alto *lalang*, de modo que la hierba salvaje, ondeante y casi tan alta como una persona, ocultaba el coche. A aquella hora, a la puesta de sol, las ranas se llamaban unas a otras, encantadas por la lluvia que todavía caía en forma de delicadas líneas de terciopelo, el tipo de lluvia bajo la que incluso a un gatito le habría encantado jugar.

Seguí las luces de la aldea. En algún sitio, un perro ladraba. La ferruginosa carretera descendía en pendiente, llena de baches rocosos. El mar estaba enfurruñado con la densa capa de nubes. Pasé el arco de entrada y sentí el silencio fantasmal de un lugar aún aturdido por los acontecimientos de la mañana. Las puertas de las casas estaban cerradas a cal y canto, como si no quisieran dejar entrar más desgracias. Oí el golpeteo de las olas en el embarcadero y el crujir de las barcas, como un viejo que diese vueltas sin poder dormir.

Conseguí extraer de mi memoria la ubicación de la casa de Ming y allí me dirigí. Me pregunté si se lo habrían dicho a tío Lim y si ya estaría en el poblado. Salvo por una luz en una de las ventanas, la casa de madera estaba a oscuras. Me metí bajo el porche y di un toque suave, como de disculpa, con los nudillos en la puerta de tablillas. Unas sombras se movieron en la luz y la puerta se abrió. Ming dio un paso atrás cuando me vio. Yo me horroricé al ver las vívidas magulladuras de su cara. ¿Tantas veces la había golpeado el soldado, tan fuerte?

—Estaba equivocado. No llegaron a la cárcel.

Le conté lo que había ocurrido, sintiendo la culpa que me acompañaría el resto de mi vida.

—Lo sé —dijo ella.

—No lo entiendo —proseguí.

Notó mi desconcierto, pero meneó la cabeza y se negó a contestarme.

—Debo ver a Chua —dije.

Ella asintió y nos dirigimos juntos hacia la casa del patriarca. Por el camino, traté de pensar en las palabras apropiadas que le diría. Pensé en el dolor que mi padre había sentido cuando William murió y supe que no había nada que pudiese decir.

Solo podía describirle lo que había pasado, pensé al llamar a la puerta. Cuando se abrió, por la expresión de Chua supe que ni siquiera necesitaba hacer eso.

—Cuando se los llevaron, supimos que nunca regresarían —dijo Chua mientras nos acomodamos en su sencillo comedor.

Había un altar de madera alto frente a la puerta de entrada y una tríada de dioses nos observaban desde allí, la misma trinidad taoísta de Prosperidad, Felicidad y Longevidad que había visto en la casa de mi abuelo. Chua había encendido unas varitas de incienso y las finas espirales de humo blancas se elevaban hasta el techo de estaño ondulado. Un gato rabón atigrado entró maullando. Se apoyó en mí y parecía querer restregarse contra mis piernas, pero de pronto se tensó y se fue a un rincón.

—Debería haberlo sabido —dije.

—¿Y qué podrías haber hecho? ¿Podrías haberlo evitado? ¿Tú, un perro lacayo?

—¿Lo sabe ya tío Lim?

Chua asintió.

—Llegará mañana por la mañana para llevarse a Ming de vuelta a tu casa. Pero ahora hay un funeral del que ocuparse. —Suspiró y oí cómo se le quebraba la voz—. Muchos funerales.

—¿Dónde murió mi marido? —preguntó Ming. Había estado llorando, pero ahora se secó los ojos—. ¿Puedes mostrárnoslo?

Miré a Chua.

—A mí también me gustaría ver a mi hijo, Ming, pero no es una buena idea. Deberíamos esperar hasta mañana —dijo el anciano.

—Me gustaría ir ahora. Esperadme aquí, voy a casa a coger ropa de abrigo y una lámpara.

Acto seguido, cerró la puerta tras ella con cuidado y nos dejó sentados ante los tres dioses.

—¿Está bien? —pregunté.

Chua fijó la vista en la puerta cerrada.

—Después de que te fueses esta mañana, aquel hombre… el que quería llevarse también a Ming, volvió, junto con tres soldados.

Goro había desaparecido tan pronto como informó sobre mí a Fujihara. No quería que me contase por qué había vuelto a Kampong Dugong. Ya lo sabía. Y el viejo patriarca se dio cuenta de que así era, pero aún así lo dijo de todos modos.

—Vinieron y la violaron. Y luego le contaron que habían matado a tiros a mi hijo… a todos.

—Ese es un delito punible. Debemos dar parte. Goro y los demás recibirán su castigo.

Él dio un puñetazo en la mesa, doblando el fino contrachapado con su poderosa muñeca de pescador. El porrazo pareció una blasfemia en el silencio.

—¡Pero qué ingenuo! —gritó—. ¿Sigues sin ver nada aun después de haber formado parte de lo que ha pasado hoy?

Bajé la mirada hasta mi regazo sin decir nada más, mientras los dioses nos observaban desde su altar. El gato olisqueó el aire y luego se marchó con paso silencioso.

Ming y yo, junto con los aldeanos que desearon ir a la fosa común de sus familiares, anduvimos en medio del crepúsculo. Yo dirigía la procesión a oscuras con la única luz que arrojaban algunos quinqués. La rabia y el dolor caminaban junto a mí, de la mano de la culpa: las tres paredes de mi celda.

Llegamos a una explanada y me detuve para intentar orientarme. Un claro en las nubes permitió que la luna creciente proyectase su tenue luminosidad sobre nosotros. La tierra parecía recién removida, como preparada para la siembra. Bajo la luz espectral, los aldeanos empezaron a llorar.

—¿Dónde estaba Ah Hock? —preguntó Ming.

Conduje a Chua y a ella al borde este del campo.

—Estaba aquí —le contesté.

Ella se arrodilló y empezó a escarbar con las manos.

—Ahora no puedes hacer nada, está demasiado oscuro —le dije, pero ella continuó, sacando puñados de tierra.

Chua la levantó con delicadeza.

—Vendremos por la mañana y celebraremos los ritos como es debido. Haremos venir a los monjes para que den descanso a sus almas.

—No puedo dejarlo aquí solo —insistió.

—No está solo. Tiene a sus amigos. Todo aquel al que conoció desde niño. Ven, hija mía —dijo Chua, y la cogió de la mano. Me miró a los ojos—: Ahora no puedes irte a casa. El toque de queda ya ha empezado. Te prepararé un sitio para que duermas esta noche. Espero que el suelo no sea demasiado duro para ti.

Me desperté en algún momento antes del amanecer, entumecido y muerto de frío. En la casa de Chua reinaba el silencio y, en el altar, una mecha en el interior de un globo de cristal con aceite se quemaba produciendo una luz líquida, dorada y cálida, como el resplandor del corazón del buda. No había dormido mucho, pues había mantenido los sentidos alerta ante la posibilidad de que regresaran más soldados. También había oído el discreto llanto de Chua procedente de su habitación durante toda la noche.

Abrí la puerta y salí al porche. Los charcos de agua brillaban como las escamas caídas de un dragón. Ya se podían ver los primeros toques de sol en la línea más lejana del horizonte y, allá en el mar, los pequeños puntos de luz de los barcos pesqueros que regresaban parecían vacilantes, tomando forma para después titilar. La lluvia de toda la noche había refrescado el aire. Enfilé el camino mojado que pasaba por la casa de Chua y me dirigí a la de Ming. Todas las luces estaban encendidas y me quedé plantado fuera. Luego, me decidí a llamar a la puerta. No hubo respuesta y, como sabía que los aldeanos nunca cerraban con llave, me limpié los pies en la esterilla y la abrí.

Pasé al pequeño recibidor. El suelo estaba cubierto de linóleo y los muebles eran baratos pero nuevos. En el altar, los cuencos de aceite colocados delante de los dioses permanecían encendidos y todo parecía limpio y ordenado. Estaba completamente diferente a la noche anterior. Había cajas junto a la puerta del dormitorio, llenas de ropa.

Salí de su casa y me dirigí andando al campo de los cadáveres; a medio camino, eché a correr. La tierra estaba resbaladiza por la lluvia y me caí una vez, llenándome de barro. Me levanté y corrí más deprisa, por lo que casi dejo atrás el desvío en la senda que conducía al claro. El viento sacudía los árboles y las ramas me salpicaban con frías gotas de agua. Salí a la explanada y miré a mi alrededor en su busca.

No había nadie. El terreno estaba plano, salvo por un montículo de tierra. Me dirigí hacia él con la sobrenatural sensación de caminar por encima de los cadáveres. Junto al montículo, encontré un hoyo y, dentro de él, a Ming. Había llegado excavando hasta Ah Hock y le había dado la vuelta, de forma que su mirada me atravesaba y se dirigía al cielo. Ella estaba echada a su lado, con los ojos abiertos hacia la fina lluvia y abrazada a su marido. No vi su sangre, pero la olí. Me metí en el hoyo y le agarré las muñecas, resbaladizas por la sangre que manaba de las venas abiertas. Todavía respiraba; sus ojos parpadearon una vez, dos veces, como una estatua que hubiese cobrado vida momentáneamente para volver a convertirse en piedra. Busqué en mis bolsillos un pañuelo con el que vendarla, pero se ennegreció de inmediato. Ella meneó la cabeza.

—Quédate conmigo —susurró.

Le cogí la mano y me senté en el barro helado.

Hacia el amanecer, su mano se tensó en la mía y movió los labios. Me incliné sobre ella y le pregunté:

—¿Qué ocurre?

—Entiérranos juntos.

Se lo prometí e, inhalando los acres olores de la tierra abierta y la sangre caliente y el frescor purificador de la lluvia, esperé a que llegara la mañana.

No vi ninguna mariposa.

Cuando los aldeanos me sacaron del hoyo que Ming había excavado con sus propias manos, retrocedieron ante la visión de la sangre que me había empapado la ropa.

Miré a tío Lim a los ojos y me di cuenta de que no podía sostener su mirada. Me apartó a un lado, se dirigió a la tumba y oí su grito, tan sobrehumano, tan cargado de pena y dolor. Solo un padre sería capaz de emitir semejante alarido. Chua permaneció a su lado y los dos hombres se estremecieron de dolor.

Me senté en una piedra y alguien se me acercó y me ofreció una taza de té. La cogí y descubrí que mis manos temblaban de cansancio.

Un grupo de monjes taoístas esperaban junto a la multitud preparándose para los ritos funerarios.

—¿Tan pronto? —le pregunté al hombre que me había ofrecido el té—. ¿No tienen que reposar los cuerpos un tiempo?

—Tienen prisa —contestó el aldeano—. Deben dirigirse a otros campos.

Su voz dejó un rastro tras de sí, que yo seguí cuando giró la cabeza.

Mi padre se había abierto camino entre la multitud. Pasó junto a mí y abrazó a tío Lim y a Chua, retirándolos con cariño de la tumba de sus hijos. Quería ir hasta él, pero en su cara vi que lo había perdido.

Capítulo nueve

Towkay Yeap cumplió su palabra. Continué recibiendo mensajes amenazadores y una panda de matones me atacó cuando iba de camino al centro. Conseguí defenderme, pero recibí un corte profundo en el brazo. Mi padre se puso furioso.

—¡Tienes que dejar de trabajar para los japos, maldita sea! ¿Qué pasa si atacan también a Isabel o a alguno de nosotros? ¿Quieres que intenten quemar la casa otra vez?

El ambiente en casa era sofocante. La relación entre mi padre y yo se había deteriorado más aún tras el incidente de Kampong Dugong, y las continuas amenazas, que solo yo sabía que eran inofensivas, no ayudaban.

No podía más que guardar silencio y aguantar su mirada de profundo desprecio. ¿Cómo contarle lo del acuerdo al que había llegado con Towkay Yeap? Después de ver los atroces actos cometidos por Fujihara y la Kempeitai, lo único que quería era que mi padre supiese lo menos posible sobre mis actividades. Era un juego de alta tensión en el que yo mismo me había metido: por una parte, parecía estar traicionando a mi propia gente, pero por otra, también estaba traicionando a los japoneses. Incapaz de confiar en nadie, deseé más que nunca que Kon estuviera allí conmigo en lugar de en alguna selva húmeda e impenetrable.

A veces me sentía como si hubiera perdido el control sobre los enmarañados giros de mi vida. Qué lío había armado con todo, pensaba; qué lío más espantoso. ¿En qué momento me había equivocado?

Un mes después de la muerte de Ming, recibí un mensaje de Towkay Yeap; me pedía que me encontrase con él en la vieja casa de Tanaka, en Tanjung Tokong. Consideré la posibilidad de que fuese una trampa, como justo castigo por mi complicidad en la masacre de la aldea de Ming, por lo que me dirigí al punto de encuentro una hora antes de que el sol se pusiera. Llegar con antelación me proporcionaría una ventaja táctica.

El bungaló estaba vacío; la extensión del mar lo hacía parecer incluso más desierto. Como era evidente, Tanaka había llevado a cabo su intención de esconderse en las colinas de Aguas Negras. Sin embargo, no había quitado el carillón y sus barritas de latón giraban con el viento. El resplandor de la puesta de sol pareció prenderle fuego e infundirle aún más movimiento, convirtiéndole en un instrumento que transformase la luz en música. Parpadeé cuando mis ojos se deslumbraron con sus reflejos.

El jardín estaba cubierto de maleza y yo me agazapé en la hierba para observar la casa, con la intención de detectar cualquier atisbo de actividad con mi energía *ki*. No oí el frufrú detrás de mí, pero sentí el sigiloso acercamiento de otra persona. Me levanté para enfrentarme a mi agresor y descubrí que era mi amigo Kon.

—Nunca serás lo suficientemente bueno como para pillarme desprevenido —dije.

—Sabía que vendrías antes de la hora acordada —respondió él.

Estaba desnutrido, tenía la cabeza completamente rapada y solo su sonrisa permanecía inalterada. Se rascó la calva distraído, vio mi cara de asombro y dijo:

—Lo siento. Piojos. Por eso tuve que rapármelo.

—Con esa pinta no te van a dejar entrar en el E&O —dije, sin esconder mi alegría por volver a verlo. Todavía no podía creer que fuese él de verdad, en carne y hueso—. ¿Qué estás haciendo aquí? Creía que vendría tu padre.

—Le pedí que organizara este encuentro.

—¿Va todo bien?

—No precisamente —contestó. Extendió la mano en dirección a la casa de Tanaka—. ¿Puedo ofrecerte una taza de té?

Había una figura en la puerta cuando subimos los escalones en dirección a la veranda. Una joven salió de la penumbra y se paró en un cuadrado de luz que había dejado el sol en su retroceso. Ni la miseria podía esconder su inusual belleza. Sus ojos, grandes y negros, subrayaban el carácter de su rostro. No era completamente china, sino de ascendencia mixta, como yo.

—Su Yen, este es el amigo del que tanto te he hablado —dijo Kon.

Nos hizo una rápida presentación, entramos en la casa y cerramos la puerta. Me llevó un rato acostumbrarme a la oscuridad. Aun así, Kon fue ventana por ventana para asegurarse de que las cortinas estuviesen bien echadas. Encendió una vela y nos sentamos en el suelo.

—Su Yen es una guerrillera del Partido Comunista Malayo. La Fuerza 136 y el PCM han llegado a un acuerdo para colaborar contra los japoneses —me explicó Kon.

—Lo sé —dije—. He leído los informes de los espías japoneses.

La información sobre la Fuerza 136 era escasa, pero la inteligencia nipona informaba de que los británicos la habían creado justo antes de la guerra y de que los reclutas procedían de todos los estratos sociales. Panaderos, hojalateros, maestros, empresarios, todo aquel que tuviese cualquier habilidad aprovechable había sido enviado a una base de entrenamiento militar en Singapur para recibir amplia formación en la guerra de guerrillas en plena jungla. Era una nueva forma de combate, casi revolucionaria. Más tarde, insertaban a estos reclutas en focos de resistencia repartidos por las selvas de Malaya.

Conocía los hechos básicos y Kon me los contó en detalle. El gobierno británico había hecho un trato con los líderes del PCM: les suministrarían municiones si trabajaban codo con codo con la Fuerza 136 para llevar a cabo ataques contra los japoneses.

Supongo que la guerra hacía extraños compañeros de cama de antiguos enemigos. El Partido Comunista Malayo, conocido por los ingleses, fanáticos de las abreviaturas, como el PCM, llevaba activo desde finales de la década de 1920 y había extendido su doctrina entre los trabajadores de las plantaciones y de las minas de estaño. Había alentado innumerables huelgas que el gobierno sofocó de manera brutal. Obligado a la clandestinidad, el PCM se había trasladado a la jungla y juró apoderarse del país.

Sus triunfos habían sido impresionantes, me relató Kon. Habían atacado, bombardeado o destruido con éxito bases militares, cárceles, oficinas del gobierno y casas de oficiales de alto rango. De vez en cuando, alguna aldea en los alrededores de ciudades más pequeñas abastecía a la Fuerza 136 con comida y medicinas. Sin embargo, las represalias de la Kempeitai contra estos campesinos eran rápidas y fatales.

—Eso lo sé demasiado bien —dije. Le conté lo ocurrido en el pueblo de Ming y en incontables lugares que había visitado con Goro—. La campaña de limpieza, como la llama la Kempeitai, aún continúa.

—¿Sabes adónde ha ido Tanaka-*sensei*? —me preguntó Kon—. ¿Se fue a las montañas como planeaba?

—No lo sé. Supongo que sí.

—¿Y tu *sensei*?

—Él es el segundo al mando de Penang.

Kon abrió los ojos como platos y decidí contárselo todo.

Cuando terminé, soltó una amarga risotada.

—Tanaka-*sensei* y yo solíamos preguntarnos qué estaba haciendo contigo. Ahora lo sabemos. Todas aquellas veces que lo llevaste por la isla… —Meneó la cabeza—. Así que es cierto que estás trabajando para ellos. Habíamos oído que los estabas ayudando, pero yo siempre lo desmentía.

No se mencionó la palabra «Kempeitai», pero esta pendía en el aire como un olor nauseabundo.

—¿Crees que me equivoqué al hacerlo?

Él negó con la cabeza.

—Estoy seguro de que tienes tus motivos.

Eché un rápido vistazo a Su Yen, pero decidí preguntarle a Kon de todas formas.

—¿Es sensato trabajar con el PCM?

—Tan sensato como trabajar para los japoneses —dijo Su Yen.

—Supongo que merezco esa respuesta —dije—. Pero ¿por qué estáis aquí? No es seguro.

—Cinco de nosotros hemos salido de la jungla. Estamos en Penang pero no tenemos ni idea del paradero exacto de cada uno. Vamos a reunirnos dentro de dos días en un lugar acordado para llevar a cabo nuestra misión.

—Y necesitáis mi ayuda.

—Tenemos que destruir el radar principal y la estación de radio militares del norte. Hace tiempo me dijiste que eso estaba en la colina. Necesitamos saber dónde exactamente.

Me puse en pie y fui hasta la ventana para echar una ojeada por la rendija de las cortinas. Ya era de noche y el mar no se distinguía de tierra firme salvo por una tira de espuma brillante donde el océano se rendía a la playa, una y otra vez.

—Eso no puedo decírtelo —dije.

—Es importante. Tenemos que cegar a los japoneses para que nuestros barcos y aviones puedan entrar sin ser detectados. Tienen que lanzarnos suministros y debemos abrir una ruta segura para el ataque.

—No puedo permitiros que bombardeéis la estación. ¿Sabes lo que pasaría si lo consiguierais? El castigo sobre los habitantes de Penang sería horrible. Sufriría gente inocente. Y la Kempeitai te buscaría y te mataría.

—Ese es el precio que hay que pagar por ganar la guerra —sentenció Kon—. No tenemos elección.

—Por supuesto que la tenéis. Olvida tu misión.

—Los líderes del PCM lo matarán si fracasa —dijo Su Yen.

—Entonces, escóndete aquí, en Penang.

—No puedo —dijo Kon dulcemente—. Tengo un deber y debo cumplirlo.

Yo me presioné las sienes.

—Ya ha muerto demasiada gente.

—Hazlo, Philip. Por mí —me suplicó—. Dime dónde está la estación.

No tuvo que mencionar la deuda pendiente que tenía con él por salvar la vida de mi padre. De modo que le dije la ubicación exacta de la casa en la colina de Penang, la que le había indicado a Endo-san y que, en efecto, él recomendó al ejército imperial japonés.

—No podéis llegar en funicular. Los japoneses bombardearon la estación y ahora la vigilan unos guardias —le advertí.

—Entonces, ¿cómo?

—Tendrás que llegar andando, por la Puerta de la Luna. —Le expliqué dónde estaba—. Mantén los ojos abiertos, hay patrullas del ejército.

—Así fue como se lo enseñaste a tu *sensei* —conjeturó.

Asentí.

—Debo marcharme.

Kon me acompañó al exterior en la oscuridad.

—No deberíamos volver a quedar aquí —dijo.

—¿Qué ocurrió durante los días previos a la pérdida de Penang? Fui a buscarte pero tu padre me dijo que te habías marchado —me sentí obligado a preguntar.

Me lo contó. Después de la boda de Ming, se fue a Singapur para reunirse con Edgecumbe en el cuartel general del Ejecutivo de Operaciones Especiales, bajo el que la Fuerza 136 operaba. Lo sometieron a un rápido entrenamiento general, junto con inspectores de policía, hacendados, mineros y maestros de escuela; en definitiva, cualquiera que conociera el país y supiese hablar sus varias lenguas.

—Fue exactamente como Edgecumbe había descrito. Nos lanzamos en paracaídas en una zona de aterrizaje en la jungla el día que Kuala Lumpur cayó. Nos recibió un grupo de guerrilleros que llevaba allí más tiempo. Era una cuadrilla variopinta: ingleses de aspecto pálido y debilucho, hoscos comunistas chinos y amigables aborígenes de las etnias gurkha y temiar.

»Las primeras semanas fueron buenas y todo resultaba nuevo y emocionante; para nosotros era una aventura. Pero luego llegó la monotonía y empezamos a desplazarnos constantemente, siempre en guardia. La comida comenzó a escasear y me pregunté qué podía aportar a la guerra un puñado de personas como nosotros.

»Lo peor vino con el monzón. Había veces que llovía sin parar durante semanas y teníamos que quedarnos días enteros metidos en las tiendas llenas de goteras y de parches. Y, cuando estábamos de guardia, nos sentábamos acurrucados cubiertos por chubasqueros o bajo helechos gigantes en la más absoluta desdicha. Casi me doy por vencido. Unos cuantos se volvieron locos. —Hizo una larga pausa—. Se convirtieron en un riesgo para nuestra seguridad y tuve que dispararles.

»Las cosas comenzaron a mejorar cuando Chin Peng, el cabecilla del PCM, nos ordenó unirnos a Yong Kwan. Nos dirigimos a su guarida, que ha sido nuestra base durante… ¿qué día es hoy?

Se lo dije y enmudeció. Entonces, se puso en cuclillas y rayó el suelo con un palo.

—Octubre de 1944 —dijo, con una voz que sonó perdida—. Así que he estado fuera tres años.

Cuando alzó la vista, vi el cansancio en sus ojos.

—Pronto acabará —dije, aunque mis palabras sonaron vacías.

Yong Kwan había sentido una antipatía instantánea por Kon. Los comunistas arrastraban un pasado de enemistad con las tríadas.

—Los hombres del grupo se dieron cuenta de que yo era mejor táctico y luchador que Yong Kwan. Lanzamos tantos ataques e incursiones exitosos sobre los japos que tuvimos que mantener un perfil bajo durante meses. Logramos dar en bastantes blancos importantes. Y nos llevábamos la comida y las medicinas de los campamentos que habíamos atacado. Alimentaba bien a mi equipo. Las cosas empeoraron cuando conocí a Su Yen. Nos hicimos amigos y, debido a nuestra juventud y nuestra soledad, nos convertimos en amantes.

—¿La mujer de Yong Kwan?

—Sí.

—Tú estás loco. ¿Por qué ha venido contigo?

—Espera un hijo.

—¿Tuyo?

—No lo sabemos. Pero tiene que abortar. Desconocemos cuánto más se alargará la guerra. No puede dar a luz en la jungla.

—Deja que se quede aquí. No puedes obligarla a que se deshaga del niño.

—Yo no estoy obligándola a nada. Ella ha insistido. —Vio la expresión de mi cara—. No te preocupes por eso. Puedo hacerme cargo yo solo. Conozco a gente en la ciudad. Gracias por darnos la información que necesitábamos. Ahora, tú y yo estamos en paz.

—Sí, lo estamos.

—Ven conmigo —añadió—. Sabes que es lo correcto.

—Ya no lo sé, Kon.

No sabía cuándo volvería a verlo, si es que eso sucedía. Dudaba entre desearle éxito para su misión y esperar que no la llevase a cabo. Al final, decidí no decirle nada y me despedí de él con una reverencia.

La estación de radar fue destruida tres días después. Sucedió a mediodía y la explosión se oyó y se vio desde Georgetown. Parte de mí estaba exultante y confiaba en que Kon hubiese conseguido escapar, pero el miedo también me corroía. Los japoneses respondieron de manera decisiva e indiscriminada y me convocaron para que leyera en voz alta más nombres en el centro de la ciudad y en las aldeas periféricas. Sabía que las personas que se llevaban a rastras eran inocentes, pero no podía hacer nada. Sentí rabia por Kon, porque él no tenía que vivir con las consecuencias.

El miedo profundo, tan constante ahora en mi vida, estaba creciendo como un tumor en mi interior. ¿Cuándo lo había dejado entrar, moverse silenciosamente y adherirse a mí? Había días en que apenas si podía respirar, como si mi sangre, coagulada por el miedo, fuese incapaz de fluir.

Cada día acompañaba a Goro a las purgas de *Sook Ching* y él siempre volvía triunfante. Sentía cómo la rabia me quemaba por dentro cada vez con más intensidad y quería matarlo.

Aun consciente de haber salvado innumerables vidas gracias a la información que le proporcioné a Towkay Yeap, no había podido salvarlos a todos. Hubo que sacrificar demasiado para que yo conservase mi coartada ante Fujihara y la Kempeitai. La policía secreta había tomado la costumbre de seguirme y no se molestaban siquiera en disimularlo. Me quejé amargamente a Endo-san.

—Es por tu propia seguridad. Eres un objetivo para los grupos antijaponeses, ¿no te das cuenta? Y, además, no tienes nada que esconder, ¿no es así?

Asentí, pero aparté la mirada. ¿Sabía algo de mi conspiración con las tríadas? ¿Estaba al tanto del papel que había desempeñado en la destrucción de la estación de radar en la colina? No había forma de sonsacarle nada. Era demasiado inteligente; poseía la astucia y la madurez de un hombre tres veces mayor que yo. Me aventajaba con mucho y caí en la cuenta, demasiado tarde, de que había sido así desde el primer día.

Después del trabajo fuimos a dar un paseo por la playa y, a más de un kilómetro de Istana, le pregunté:

—Tú debes de estar al tanto de lo que está haciendo Fujihara-san, ¿no?

—Sí.

—¿Y aun así no sientes nada?

—Siento una enorme vergüenza y un gran dolor. Pero tengo obligaciones que cumplir. Y esto es la guerra. Es parte del viaje que tenemos que hacer. Y sí, es un camino difícil.

Un escuadrón de aviones Zero nos sobrevoló, diminutos como mosquitos sobre la tierra que estaban patrullando.

—Cuando me haya ido, ¿qué es lo que más recordarás de mí? —me preguntó Endo-san, con la mirada puesta en los aviones que desaparecían en la distancia.

Reflexioné sobre la pregunta.

—No lo sé. Ni siquiera sé qué pensar de ti ahora; ¿cómo voy a plantearme qué recordaré de ti?

La isla se apaciguó tras la primera oleada de arrestos, observando, a la espera. Me había convertido en un personaje muy temido, dado que siempre acompañaba a Goro, y sentía el odio de la gente mientras hacía mi trabajo.

Las calles permanecían relativamente vacías, pues la mayoría de los habitantes estaban en la jungla o en el campo, donde el contacto con los japoneses era mínimo. En Georgetown, un gran número de casas se quedaron vacías, ya que sus moradores estaban escondidos o bien habían sido detenidos por la Kempeitai. Era difícil obtener comida y los precios en el mercado negro se volvieron astronómicos. La gente recurrió a plantar batatas y ñames en sus jardines. La inflación subió como la espuma y se imprimieron más y más billetes banana. Dejé de traer alimentos y suministros del trabajo a casa, incluso a sabiendas de que tenía derecho a ello, porque mi padre e Isabel se negaban a tocarlos. Eso me enfurecía y hacía que cada vez sintiese más impotencia. Si no querían aceptar mi ayuda, ¿qué sentido tenía mi relación con nuestros nuevos amos? Me quedaba sentado sin pronunciar palabra mientras ellos consumían caldo aguado de ñame cocinado con las hojas de las matas que los criados habían plantado en el jardín de la parte trasera de la casa. Al final, terminé pasando la mayoría de las tardes en la isla de Endo-san. Dependía cada vez más de él para recibir apoyo y me sentaba en silencio a su lado para mantener a raya los sentimientos de soledad y de rabia. Resultaba irónico, pues él era quien los causaba.

—Dime que algún día todo mejorará —le dije mientras quitaba la mesa.

—Mejorará. Pero para llegar hasta allí tendrás que viajar por el paisaje de los recuerdos y a través del continente del tiempo —me contestó en voz baja.

—Mientras estés tú para guiarme…

—Solo a veces. Como ahora, por ejemplo. Habrá ocasiones en que estarás solo; a veces estarás con otros. Pero yo permaneceré allí al final, esperándote. Nunca lo olvides.

—¿Y si te olvido?

—Hasta ahora no lo has hecho. No puedes olvidar lo que está dentro de ti. Y yo lo estoy. Cuando te sientas perdido, mira en tu interior y allí me encontrarás.

—Tengo mucho miedo, Endo-san. Mucho. No soy lo suficientemente fuerte para esto —dije y él vino y me abrazó.

Escuché los sonidos internos de su cuerpo, el latir de su corazón, el intercambio de aire en sus pulmones, el rugido de la sangre que corría por sus venas. Allí dentro había un universo que moría y volvía a la vida a cada segundo.

Su brusca carcajada estaba cargada de ironía.

—Yo también tengo miedo. —Me apartó con cuidado hacia un lado y me dio una carta—. Hoy he recibido esto —dijo—. Lo siento.

Leí la carta de Edward.

—No —dije. Me sentí agotado y hastiado de la guerra—. Tengo que decírselo.

—No envidio la carga que tienes que soportar.

—Algunas de las cargas provienen de ti, Endo-san. De ti y de tu gente. —Salí al encuentro de las reconfortantes estrellas—. Debo ir a casa ahora mismo.

—Por supuesto.

Me senté a la mesa del desayuno y esperé a mi padre y a Isabel, que, al ver mi cara, también tomaron asiento. Le di la carta a mi padre. Él la leyó, la dobló y dijo:

—Peter ha muerto. Lo han matado cuando intentaba escapar. Edward cree que no aguantará mucho más tiempo. Padece disentería e inanición. No les dan medicinas.

Isabel aferró con fuerza el tenedor, apoyándolo en la superficie de la mesa. Yo alargué la mano para agarrarle la muñeca, pero ella le dio la vuelta y me lo clavó en la mano.

—¡No me toques! —me espetó mientras yo reprimía un grito de dolor.

—No puedes culparle, Isabel —intervino mi padre, pero el tono de sus palabras procedía del deber y de la obligación, no del convencimiento.

—¡Edward se está muriendo y él sigue ayudando a esos asesinos, a esos monstruos que han matado a Peter! —Retiró su silla de un empujón—. ¡Fuera! ¡Fuera de aquí! Ya no pintas nada en esta casa.

—Tal vez deberías marcharte durante un tiempo —me aconsejó mi padre—. Hasta que decidas de qué lado estás.

Contemplé cómo los cuatro puntos que los dientes del tenedor habían marcado en mi piel emanaban sangre, y mi mano herida se fue enfriando, como si el frescor del aire hubiese encontrado una brecha por donde penetrar. Sabía que el corazón de mi padre se estaba rompiendo y, como lo quería, acepté.

—Sí, quizá sea lo mejor —dije.

Doblé bien mi servilleta, la coloqué de nuevo en la mesa y salí del comedor.

La gente se negaba a alquilarme habitaciones. En los hoteles y en las casas de huéspedes me decían que estaban llenos. Y, después de deambular por las calles de Georgetown, supe que no podía permanecer más tiempo allí, incluso aunque lograra encontrar un sitio. Me odiaban demasiado y sus habitantes no me animaban a quedarme. Incluso Towkay Yeap se negó a darme alojamiento cuando me presenté en la puerta de su casa, aduciendo que no quería que se supiese que estaba dándome cobijo.

—Ese es el precio que tienes que pagar por jugar en ambos bandos. Al final, todos desconfían de ti.

—Pero tú confías en mí, ¿no?

Se limitó a mirarme y luego, cerró la puerta.

Me dirigí a la casa de tía Mei y, como la última vez que la visité, vino hasta la puerta de mala gana y la cerró rápidamente cuando entré.

—Te dije que no vinieses por aquí hasta que fuese seguro —me reprochó sin disimular su enfado. Noté que algo iba mal porque parecía como si estuviese escondiendo algo. Desplegué mis sentidos, proyecté mi *ki* y detecté que tenía una visita.

—No puedo darte un lugar donde quedarte —dijo.

—¿Cómo sabías que buscaba un lugar donde quedarme? —pregunté.

—Yo… me he enterado en la calle, eso es todo —contestó ella—. Ahora debes irte. Tu presencia aquí no trae nada bueno.

Cuando me marchaba, eché un vistazo al piso de arriba y vi que una figura se escondía en la sombra de la veranda. Isabel. Me quedé plantado bajo el sol, esperando a que saliese. La figura se movió y me miró. Nos quedamos así un buen rato. Levanté la mano en un intento de decirle adiós. Ella cerró los ojos y regresó a la oscuridad de la casa.

Caminé hasta el final de la calle y paré un *trishaw*. Le pediría asilo a Endo-san. Era el primer sitio al que tendría que haber ido.

Endo-san nunca le había dado nombre a su isla y le pregunté el motivo de tal lapsus.

—Nunca he querido hacerlo —dijo—. Mira a tu alrededor. ¿Qué nombre se le puede poner a algo así?

Habíamos estado nadando en el mar después de mi clase con él y ahora descansábamos bajo la sombra del cocotero curvado cuyas puntiagudas hojas susurraban como un millar de escarabajos cuando el viento las mecía. Compartimos el silencio durante un rato, observando cómo los cormoranes se zambullían en busca de peces.

Mis manos tocaron la roca en la que, hacía tanto, tanto tiempo, había grabado mi nombre. Me resultó difícil comprender el rápido paso del tiempo, aceptar que ya estábamos en febrero de 1945. Los japoneses llevaban cuatro años en Malaya; yo conocía a Endo-san desde hacía casi seis. Ambos habíamos llegado a una cómoda rutina, aunque me seguía preocupando la idea de revelarle algún día mi papel como informante de Towkay Yeap.

Me acordé de Kon y recé una oración por su vida. Me pregunté dónde estaría Tanaka y, al pensar en él, recordé lo que me había dicho tiempo atrás: que había seguido a Endo-san hasta Penang.

—Dime por qué viniste aquí —le dije a Endo-san—. Quise saberlo una vez y no me contestaste. Respóndeme ahora, por favor.

Negó con la cabeza.

—En otro momento, cuando todo esto haya acabado.

Percibió mi decepción y añadió:

—Te prometo que te lo diré cuando llegue el momento adecuado.

Me vino a la cabeza aquella mañana en el saliente, cuando me pidió que me dejase llevar, que confiara en él. Aquel sentimiento estaría allí en todo momento, dándome fuerzas una y otra vez, siempre que sus actos me afectaran.

—Te tomo la palabra —afirmé.

Sin embargo, él estaba contemplando a los cormoranes y pareció no haberme oído.

Capítulo diez

Algo había cambiado en el aire, algo indefinible, como si se hubiese incorporado un nuevo elemento que se extendiera como la llegada de una nueva estación.

Recibíamos informes por radio retransmitidos desde la India y Australia, y sabíamos que Japón estaba saliendo mal parado de sus enfrentamientos contra Estados Unidos en el océano Pacífico. Cuando iba andando al centro para hacer compras, las caras de la gente parecían más luminosas, más animadas. Las voces de los tenderos empezaban a sonarme desafiantes.

Los ataques a los japoneses aumentaron, desencadenando en Fujihara una rabia frenética. Hacía redadas a diario, a la caza de radios escondidas y transmisores que difundiesen noticias. A pesar de esto, una red de grupos antijaponeses sobrevivía en Penang y pasaba información a todo el país, proporcionando detalles precisos a los guerrilleros de la jungla. La mayoría de esta información procedía de Towkay Yeap, que a su vez la había obtenido de mí, pero estaba seguro de que contaba con otros informantes que trabajaban en diferentes áreas del gobierno.

Los días en que Fujihara llevaba a cabo arrestos, volvía a nuestra oficina inexpresivo si encontraba un aparato transmisor prohibido, o de un humor de perros si las búsquedas no había dado frutos. Con todo, tanto si hallaba algo como si no, casi siempre se hacía con un grupo de prisioneros y luego desaparecía durante unos días en el patio del cuartel general de la policía. Goro lo acompañaba y regresaba con aspecto de tigre satisfecho.

—Deberías acompañarnos —decía—. A veces los utilizo para practicar. —Ensayó unos cuantos puñetazos en el aire—. Nada es tan real y satisfactorio como golpear a una persona viva.

Leía los documentos que llegaban al télex a diario y un único nombre empezó a repetirse como una mala hierba difícil de erradicar. Estaba claro que, entre los grupos de combatientes de la resistencia diseminados por el país, había uno en particular, que se hacía llamar el Tigre Blanco, con el mayor índice de victorias. Al final, el general Yamashita mandó un comunicado en el que ordenaba concentrar los esfuerzos en la detención de aquel grupo en particular.

Sabía que se trataba de Kon. Me senté en mi pequeño cubículo y me pregunté si había cometido un terrible error; si, en realidad, no habría sido mejor encaminar mi actividad hacia la Fuerza 136. Así, mi padre, Isabel y todo el mundo en la isla no me verían como un traidor.

Los echaba de menos a ellos y echaba de menos Istana. Ocupaban mi mente cada minuto y cada hora de mis días. Intentaba no demostrarlo delante de Endo-san y fingía que todo iba bien. Al atardecer, me encaminaba a la parte de la isla orientada hacia tierra firme y observaba la imponente estructura del que una vez había sido mi hogar y la casuarina solitaria plantada cuando nací y que sobresalía del risco, tan apartada. A veces, cuando los dioses de la luz decidían favorecerme, veía una figura moviéndose por los jardines; sabía que era mi padre, y un profundo abismo de pérdida se abría en mi interior.

Fujihara entró en mi despacho seguido por tío Lim. Sentí pánico de inmediato. Había envejecido muchísimo. Tenía el pelo casi blanco por completo y la ropa le quedaba tan holgada que parecía una hoja marchita. Sentí la culpa por la muerte de Ming, reciente como si hubiese ocurrido el día anterior.

—¿No es este tu chófer? Dice que tiene información útil para nosotros —dijo Fujihara, vibrando de emoción por la expectación ante la sangre fresca de una presa.

—Tío Lim, sea lo que sea lo que vas a decir, espero que hayas pensado detenidamente en las consecuencias —dije, intentando con todas mis fuerzas permanecer en calma.

No me contestó, pero con una voz firme que solo tembló un instante antes de que volviera a controlarla, dijo:

—Hay un transmisor de radio en Istana. Creo que la hija de la casa ha estado utilizándolo para pasar información a ciertas personas del continente.

—Está mintiendo —salté—. Está afectado por la muerte de su hija.

—Vayamos a comprobarlo —dijo Fujihara—. Creo que deberías venir con nosotros.

Fujihara se marchó para reunir a sus hombres y yo fui al despacho de Endo-san para contarle las intenciones del jefe de la Kempeitai.

—Está actuando dentro de sus competencias; no puedes esperar que yo intervenga —fue su respuesta.

—Puedes evitar que le hagan daño a mi hermana —dije.

Él sabía del incidente entre Fujihara e Isabel en Istana antes de la rendición, pero se lo recordé.

Él negó con la cabeza.

—El mandato de Fujihara-san proviene del representante del emperador en Malaya y esa persona es…

—Saotome —dije.

—Que ha tomado un interés personal en este asunto —intervino Fujihara al entrar en el despacho—. Acabo de hablar con él. Ha pedido estar presente cuando interroguemos a esta mujer Hutton. —Me dedicó una sonrisa, la primera vez que lo veía hacerlo—. Tu hermana. ¿Listo para venir?

Le supliqué a Endo-san con la mente, llegando hasta él con pensamientos tácitos: «Ven conmigo, al menos ven conmigo y dame fuerzas».

—Creo que voy a acompañaros, Fujihara-san —dijo Endo-san.

El jefe de la Kempeitai, con la nariz hinchada de puro triunfalismo, accedió de buena gana.

—Eres más que bienvenido, Endo-san. Os espero fuera.

—Coge mi abrigo —me pidió Endo-san. Me dirigí al guardarropa y me paré a escuchar. Cuando estuve seguro de que me encontraba solo, llamé por teléfono a Towkay Yeap.

—Dígale a mi hermana que destruya todo lo que tenga. La Kempeitai está a punto de llegar.

Todo era un error, pensé. Seguro que Isabel no estaba confabulada con ningún grupo antijaponés. No conocería a nadie que estuviese involucrado y nunca habría sido tan imprudente como para ponerse a ella y a su familia en semejante peligro. Mientras iba a toda prisa hacia el coche, intenté convencerme de esto, aunque mis esfuerzos fueron inútiles contra un abrumador sentimiento de pavor.

Durante el trayecto hasta Istana, lo único que veía era la bandera ondeante en el capó del coche. Los dos vehículos entraron por el camino de acceso y pasaron por los pilares de piedra que ahora se abrían ante nosotros como una boca desdentada. Los japoneses se habían llevado todos los accesorios ornamentales de hierro del país, los habían fundido y los habían mandado a Japón. Me entristeció ver el estado de abandono de los jardines, los árboles que crecían asilvestrados y la hierba sin cortar y cubierta de hojas. Mi padre se había sentido muy orgulloso de su jardín antes de la guerra. Las ventanas de la casa estaban cerradas, y solo permanecía abierto un postigo, por donde se colaba un delicado fragmento de cortina que entraba y salía como una lengua colgante que me hiciese burla.

Me quedé de pie junto al coche, sin saber muy bien si aquel era todavía mi hogar, sin saber muy bien si la casa me reconocería.

Dos oficiales de la Kempeitai subieron los escalones y llamaron a la puerta. Tío Lim mantenía la mirada al frente, quizá recordando la primera vez que había atravesado aquellas puertas para ver al señor de la casa. Se negaba a mirarme.

Mi padre abrió y, al verme, sus hombros se desplomaron. Albergaba una última esperanza de que Towkay Yeap hubiese conseguido alertarlo.

Fujihara entró en la casa sin más preámbulos.

—Estamos aquí para registrar tu casa. Este hombre de aquí —señaló a tío Lim— está seguro de que tu hija está pasándole información a simpatizantes del enemigo.

Los oficiales subieron a la planta de arriba.

—Aseguraos de que ningún sirviente abandona la casa —les ordenó Fujihara.

Hice amago de seguirlos, pero Endo-san me contuvo dándome un suave toque en el hombro.

Mi padre nos miraba por turnos a tío Lim y a mí, pero sus ojos azules no revelaban nada. No había nada que decir. Podía sentir el pesado silencio de Istana únicamente perturbado por los sonidos de las puertas que se abrían y se cerraban arriba. Oímos que se rompían cristales y se astillaba madera en la biblioteca cuando los oficiales destrozaron la colección de mariposas de mi padre, pero él permaneció inexpresivo.

Los oficiales bajaron.

—No hay nadie. No hemos encontrado nada.

—El varadero —dijo tío Lim.

Bajamos hasta la playa y los vientos del mar, reminiscencia de los días felices y despreocupados de mi niñez, eran compañeros sobrenaturales del asunto que nos ocupaba. Nos aproximamos al varadero. No era más que una cabaña de madera, lo suficientemente grande como para albergar mi barca y el pequeño velero que mi padre hacía mucho tiempo que había dejado de usar. En el armario encontraron la caja donde guardábamos nuestros hilos y cañas de pescar. También encontraron a Isabel escondida en la cabina del velero de mi padre.

Pataleó y forcejeó cuando la sacaron a rastras. Fujihara alargó la mano y, antes de que pudiese detenerlo, le dio dos bofetadas y la tiró a la arena.

—¿Dónde está ahora tu rifle? —le preguntó y le dio una patada en la cara. Yo sujeté a mi padre para impedir que fuera hacia Isabel.

Abrieron la caja y maldije en silencio. Cayó un transmisor de reducidas dimensiones, luego unos auriculares y un pequeño micrófono. Una pila de papeles echó a volar con una ráfaga de viento y los oficiales de la Kempeitai se dispusieron a atraparlos, como niños correteando por una playa.

—No —susurró mi padre—. Lim, ¿qué has hecho? ¿Por qué?

—Su hijo condujo a Ming a su muerte, señor Hutton —respondió él—. Es lo justo.

—No fue así como ocurrió —dije, pero nadie me estaba escuchando.

—Ahora tenemos pruebas irrefutables —dijo Fujihara—. Gracias, señor Lim.

—Isabel… —dije. Le di la mano y la ayudé a levantarse—. ¿Por qué? ¿Por qué has tenido que arriesgar tu vida de esta manera?

Me miró con tal odio que me estremecí ante la fuerza física que despedía.

—William y Peter están muertos, Edward se está muriendo poco a poco en los campos de prisioneros y padre está trabajando hasta desfallecer para intentar mantener nuestra empresa y a nuestros trabajadores con vida. Todo el mundo está poniendo de su parte para combatir a estas alimañas. Todos, menos tú. Tú escogiste el camino fácil: trabajar para los japos. Lo siento por ti, porque cuando los británicos vuelvan y echen a tus amigos a patadas, esta casa, esta isla y este país nunca volverán a ser tu hogar. Recordarás demasiadas cosas. Y habrá demasiada gente que jamás olvidará lo que has hecho.

Pensé en Saotome y en Fujihara, que estaban a la espera, listos para participar en el interrogatorio.

—¿Es que no sabes lo que va a pasarte? ¿Has pensado alguna vez en las consecuencias? —le pregunté.

—¿Recuerdas lo que te dije, no hace tanto tiempo, la noche que pasamos en la colina?

Lo sabía, lo recordaba. Pero ella lo repitió, como para asegurarse de que nunca lo olvidara:

—«Preferiría morir antes incluso de considerar la posibilidad de trabajar para ellos».

Endo-san tiró de ella bruscamente y dijo:

—Vamos, basta ya de tonterías. Fujihara-san, recoge la radio y lo que necesites y volvamos. Hace demasiado calor.

Isabel se soltó y abrazó a mi padre.

—Lo siento mucho —susurró.

Mi padre le frotó la cabeza y le olió el pelo.

—Has hecho lo correcto. Encontraremos la manera de sacarte de esto.

Yo me quedé solo, aparte, consciente de que no tenía ningún derecho a estar con ellos en aquel momento.

Fujihara sacó una cámara de su estuche y rodeó el varadero haciendo fotografías y canturreando todo el rato.

—No debes escapar —le susurró Endo-san a Isabel, tan bajo que pensé que solo había sido una corriente de aire.

Mi padre alzó la mirada, bruscamente. Endo-san repitió sus palabras.

—No debes escapar.

Se dio una palmadita en el bolsillo del abrigo, como para sentir su corazón. Yo no lo entendí, pero Isabel, sí.

Se separó de mi padre mientras él se enjugaba las lágrimas. Isabel asintió lentamente a Endo-san. Entonces, nuestras miradas se encontraron.

—Perdóname —susurré, al tiempo que caía en la cuenta del horrible trato. Ella me tendió la mano y yo la sostuve durante lo que me pareció una eternidad. Me negaba a soltarla, pero Isabel liberó sus dedos, se giró y echó a correr por la orilla: su figura brillante se reflejaba en la arena húmeda y esponjosa, dejando tras de sí un rastro de huellas que las olas lamían y borraban, aunque ella seguía corriendo, creando otras nuevas, corriendo por siempre, en eterno movimiento. El mundo se silenció en mi cabeza. Lo único que parecía oír era su respiración… o quizá era la suya y la mía. Respiramos juntos y sentí su esfuerzo, su miedo y su euforia. Poseía una ligereza sobrenatural y se movía con tanta facilidad que sus pies parecían rebotar en la arena mojada y su peso no recaía nunca en ella por completo.

Endo-san dio un grito de alarma para advertir a Fujihara y entonces metió la mano en el bolsillo de su abrigo y sacó una pistola. La levantó con el mismo movimiento natural y calmado que una vez me había enseñado en la jungla cerca de Kampong Pangkor. Apuntó antes de que Fujihara pudiese soltar la cámara y detenerlo.

Solo realizó un disparo que la hizo caer lentamente; su cuerpo siguió moviéndose como si se hundiera en la arena mientras corría. Mis pies pudieron desplazarse al fin y me dirigí a toda velocidad hacia ella mientras las olas llegaban y la arrastraban, meciendo sus brazos y su pelo con delicadeza, acunándola como si siguiera viva. Pero yo sabía que había muerto en el momento mismo en que Endo-san le había disparado. Nunca fallaba.

Saqué a mi hermana del mar, sintiendo cómo el agua me escurría por el cuerpo. El disparo de Endo-san había sido tan preciso que me costó encontrar en su espalda el orificio a través del cual la bala le había alcanzado el corazón. Y tan diestro había sido que el proyectil parecía haber taponado la herida, pues la sangre había dejado de manar. Solo un brillante círculo carmesí teñía el agua a mi alrededor, hasta que se diluyó y las olas se lo llevaron mar adentro. Isabel parecía intacta; sus ojos delicadamente cerrados, las pestañas salpicadas de gotitas de agua y los labios medio abiertos al aire que nunca volvería a respirar.

Le di un beso en la frente y la tendí en la arena alejada del alcance de las olas. En los segundos previos a la llegada de los oficiales japoneses cedí a mi angustia, pues sabía que era responsable de haberla conducido a los actos que finalmente desencadenaron su muerte. Una sensación de opresión se acumuló en mi interior, intentando liberarse. Mi boca se abrió, pero de ella no salió sonido alguno. Era un lamento silencioso que solo yo, y quizá Isabel, podíamos oír.

Nadie, me dije a mí mismo, entendería jamás lo mucho que había sufrido, y presenciar tanto dolor sin comprenderlo sería mancillarlo con deshonor. Así que el daño se alojaría dentro de mí, como la bala en Isabel. Coloqué un pesado sello sobre mi herida. El rastro de mi sangre nunca vería la luz.

Me puse en pie despacio, me estiré la ropa mojada y me giré para plantar cara a los oficiales de la Kempeitai, que dieron un paso atrás, asustados por la intensidad de mi mirada. Se produjo un momento de silencio total. Nadie sabía qué hacer a continuación. Hasta Fujihara se había quedado mudo. Busqué a mi padre, pero su cara estaba tan tensa e inexpresiva como la mía. La voz de Fujihara me devolvió a la realidad.

—¡Has dejado que escapara! ¡Cómo te has atrevido a dispararle! ¡Informaré a Saotome-san en cuanto llegue! —gritó.

Era la primera vez que veía estallar en él una emoción y me alivió, aunque solo fuera levemente, que Isabel hubiese sido la causa de la pérdida de su autocontrol.

—Tu prisionera estaba escapando y yo le disparé para evitarlo. Por favor, informa de ello a Saotome-san —repuso Endo-san, tan sereno como un cortesano—. Yo, por supuesto, también le prepararé un informe por escrito en el que le contaré cómo dejaste que la chica escapase.

Fujihara le dio una patada a la radio, rompiendo la carcasa.

—¡Coged el cadáver! No van a darle un entierro digno. Quiero que la arrojen a una fosa.

Yo protesté, pero Endo-san me contuvo.

—Calla. Ya no se puede hacer nada más. ¿Y qué es un cuerpo al fin y al cabo? Tu hermana ya se ha ido.

Sí, era cierto. Levantaron su cuerpo y lo subieron por los escalones. Nosotros fuimos a la zaga y yo tuve que sujetar a mi padre, que no podía caminar. Sin embargo, cuando llegamos arriba, se apartó de mí, detuvo a Endo-san y le hizo una reverencia antes de darnos la espalda.

La Kempeitai fue incapaz de encontrar nada útil entre los papeles que Isabel no había conseguido destruir, pero tío Lim les dio los nombres de dos de sus contactos. Fujihara descargó su frustración y su furia contra ellos. Uno era el de tía Mei; me obligaron a observar cómo la torturaban. Solo gritó hacia el final y nunca les reveló nada de utilidad.

Me senté a su lado cuando empezó a morir. Tenía la nariz rota y la habían dejado ciega de un ojo. La sostuve en mis brazos, la arropé y le di agua con una cucharilla.

—Debes perdonar a tu hermana —susurró.

Sacudí la cabeza, confundido, y entonces, me dijo:

—Aquel día, cuando viniste pidiéndome cobijo, no fue Isabel quien me sugirió que te echara. No, ella nunca quiso eso. Estaba allí para encontrar una forma de ayudar en la guerra. —Se detuvo para coger aire—. Dijo que tenía que hacer algo, lo que fuese. Y por eso fue a ver a su vieja tía, a su antigua profesora…

—Para equilibrar el daño que yo estaba haciendo, para restablecer el nombre de la familia —balbuceé.

—Sí. Yo fui quien le dijo que podía escondernos la radio y transmitir las noticias que oíamos desde Madrás hasta Singapur. Lim lo supo desde el principio. —Dejó escapar un grito de dolor cuando intentó cambiar de postura—. La guerra pronto terminará —prosiguió—. Recibimos noticias a diario. Los japoneses están acabados.

La puerta se abrió y la sombra de Fujihara oscureció la estrecha celda. Me quedé sentado en el basto suelo de piedra mientras la trasladaban al patio. La mano que le colgaba rozó la mía suavemente cuando se la llevaban.

Tío Lim se había cobrado la venganza que quería por la muerte de Ming y nunca lo volvimos a ver. Unos decían que lo habían asesinado y otros, que había huido para evitar represalias por parte de mi abuelo. Pero a veces pienso que volvió a China y rezo por que encontrase allí la felicidad en el ocaso de sus días.

A mi padre lo tuvieron preso durante más de una semana. Lo visitaba en la cárcel de Fort Cornwallis cada tarde, pero apenas hablábamos. Endo-san había utilizado toda su influencia para evitar que Fujihara practicase sus métodos extremos con él.

La celda era húmeda y calurosa, las paredes estaban garabateadas de nombres y mensajes de despedida de otros hombres antes de ser conducidos a la muerte. Coloqué la fiambrera de sopa en el suelo y me arrodillé ante él. Un gorrión se posó dando saltitos en el alféizar, se quedó entre los barrotes, ladeó la cabeza para mirarnos y salió volando.

—Pronto dejarán que te vayas. Fujihara solo quiere jugar con nosotros. Tú no sabías nada de la radio, ni de lo que Isabel estaba haciendo —dije.

—Aquella anciana tenía razón —dijo—. Decía la verdad. —Se rio en voz baja. Yo contuve la respiración, temeroso de que estuviera volviéndose loco—. Eres el que nos conducirá a todos a un final —sentenció.

Las palabras de mi abuelo —y aquellas otras irresponsables palabras de la adivina del Templo de la Serpiente— volvieron a mi memoria. La maldije entonces por determinar mi vida con sus imprudentes declaraciones. Maldije mi destino, escrito incluso antes de haber tenido siquiera oportunidad de opinar al respecto. Y maldije el día en que conocí a Endo-san.

Mi padre me agarró las manos.

—Pobre hijo mío —dijo.

Capítulo once

Akasaki Saotome llegó a Butterworth en ferri y yo fui a recibirlo en el lado que daba a la isla. La estación de los monzones nos amenazaba de nuevo y los cielos estaban oscuros y cargados de energía. Los truenos acuchillaban las nubes y el viento arremolinaba la basura de las calles. Saotome bajó la pasarela a grandes zancadas, tan lleno de poder como el firmamento sobre nuestras cabezas.

Nos saludamos con una reverencia.

—Todavía se te considera un leal miembro de nuestro gobierno. Siento lo de tu hermana, pero los traidores no deben tolerarse bajo ningún concepto —me dijo.

—Yo también lo siento. Le dispararon mientras intentaba escapar.

Él se detuvo.

—Fujihara-san no me ha mencionado eso.

—Pasó hace solo unos días. —Noté su decepción y me sobrevino una ola de indignación—. Me temo que ha hecho el viaje en balde —añadí.

—¿Pero qué te ha contado Fujihara-san, eh? Estoy aquí para cazar un tigre. —Disfrazando su disgusto, soltó una risotada—. Venga, vámonos antes de que nos empapemos. ¡Cómo detesto este país y sus interminables estaciones lluviosas!

La sesión informativa se celebró en la sala de reuniones principal, cuyo único adorno era un arreglo floral ikebana realizado por

Hiroshi. Era un diseño exuberante y casi monstruoso, muy distinto a las formas parcas y austeras que Saotome prefería. Todas las flores eran endémicas de Malaya y la combinación de hibiscos, helechos y orquídeas resultaba poco refinada.

Hiroshi, que se sacudía por la tos de pies a cabeza, estaba cambiándolo de sitio con gran estrépito cuando entramos. Aquellos accesos de tos lo atormentaban con frecuencia: solo a unos cuantos de nosotros se nos había informado de que padecía tuberculosis, pero se había corrido la voz entre los miembros del personal, de eso estaba seguro. Había perdido tanto peso que casi podíamos ver traquetear sus costillas cuando tosía. Había días en que no podía salir de la cama, y Endo-san se había hecho cargo de la mayoría de sus responsabilidades.

Saotome se sentó.

—Hiroshi-san, excúsanos, por favor. No quiero respirar tu aire —le dijo.

Se hizo un largo silencio y Fujihara no se molestó siquiera en ocultar su regocijo. Yo bajé la vista hacia la mesa, avergonzado por Hiroshi. Tal humillación pública estaba más que injustificada. Él retiró su silla, ordenó sus notas en la mesa, hizo una reverencia y cerró la puerta al salir.

—Bien —dijo Saotome—. Estamos hoy aquí para acabar de una vez por todas con las actividades de un grupo de agitadores. El grupo se hace llamar el Tigre Blanco y es una de las organizaciones celulares de la Fuerza 136 y del EAJPM que ha estado causándonos serios daños. Tengo informes que confirman que fue el responsable de la pérdida de nuestra estación de radar aquí. Tenemos una fuente bien situada dentro.

Saotome pasó una carpeta marrón a Endo-san y a Fujihara. Me hizo un gesto para que los dejase solos.

—Siempre he asistido a las reuniones —protesté.

Tenía que averiguar más cosas, descubrir qué tenían en mente para mi amigo Kon.

—Hoy no —dijo Saotome.

Cerré la puerta al salir, pasé junto a Goro, plantado fuera de la sala. Recorrí el pasillo, me senté en mi despacho y traté de pensar con calma. En la habitación de al lado oí a Hiroshi con su tos húmeda y decidí ir a ver si estaba bien. Cuando coloqué la mano en la puerta ligeramente abierta de la estancia, me detuve, dudando de si estaba oyendo voces. Estaba confundido, pues la voz de Saotome parecía venir de detrás de la puerta de Hiroshi. Pude escuchar, aunque con alguna dificultad, lo que Saotome decía: «... actuar como cebo y nuestro hombre les hará saber que el segundo mayor rango japonés está pasando por su territorio. Una vez que intenten capturarme, nuestras tropas saldrán y los atraparán. Los abriremos en canal y los colgaremos en el *padang* de Kuala Lumpur. Haremos de ellos un ejemplo para los otros grupos que osen desafiarnos. Eso les demostrará que pretendemos seguir siendo los amos de este país, aunque estemos perdiendo batallas. Quiero la cabeza de ese Tigre Blanco».

Oí que Fujihara se reía y, detrás de la puerta, un golpe de tos estremeció a Hiroshi. Me di cuenta de que aquella era la manera en que había estado siempre al tanto de los asuntos de su personal. El muy bastardo había colocado astutamente un micrófono en la sala de reuniones. Sonreí cuando caí en la cuenta de que el dispositivo debía de estar escondido en el ikebana.

Las últimas jornadas habían sido típicas de la estación de los monzones; días templados que se transformaban en lluviosos por las tardes. Hacía un calor bochornoso. Me fui del trabajo antes de que finalizase la reunión, como para evitar la lluvia. Mi mente era un torbellino cuando salí en bici del cuartel general del ejército y pasé a los centinelas que me saludaron. ¿Cómo podía avisar al equipo de Kon de que les iban a tender una emboscada? ¿Y quién era el hombre que trabajaba para los japoneses en su grupo?

Me dirigí al centro y aparqué la bicicleta cerca de los escalones del Empire Trading. Las ventanas de Hutton e Hijos estaban con los postigos echados y la oficina se había cerrado hasta que mi padre pudiese regresar. El personal lo esperaría; de no haber sido por su presencia durante toda la ocupación, los japoneses los habrían mandado a los campos de prisioneros. Anduve por las callejuelas traseras e hice algunos giros evasivos. Me detuve ante una tienda-casa maltrecha y llamé rápidamente a la puerta. Después de unos interminables minutos, me abrieron y me hicieron pasar al oscuro interior.

Me impactó de inmediato la fragancia del opio que se quemaba, dulce y empalagoso, con olor a fruta demasiado madura. La cabeza empezó a darme vueltas y tuve que coger varias bocanadas de aire especialmente profundas. Una vieja con aspecto de bruja me condujo al piso de arriba por un tramo de escalones que crujían a cada paso. Dejamos atrás unos calendarios amarillentos que mostraban chicas en *cheongsam* vendiendo cerveza y *whisky*; las aberturas de sus ajustados vestidos les llegaban hasta las caderas. El rellano estaba dividido en cubículos separados por biombos de madera. Un rayo de sol se pulverizaba a través de una grieta en un postigo. El revoloteo de las palomas en los canalones de fuera realzó el silencio opresivo del interior. El sonido de respiraciones, inhalaciones y prolongadas exhalaciones, era espectral, como si las paredes estuviesen murmurándose unas a otras a través del espacio. Había figuras oscuras tumbadas en divanes de madera que se movían mientras el humo de sus pipas subía en espiral. Gemidos silenciosos y llantos más silenciosos aún salían flotando de ellas. Los sonidos normales de un fumadero de opio, supuse. Intenté apartarlos de mi mente.

Towkay Yeap estaba tumbado en una cama de opio frente a mí, con una expresión de paz en su rostro mientras sus mejillas se contraían para succionar más aire saturado de droga. Una niña de no más de doce años, de cintura diminuta y aspecto de anciana, con la cara pintada, permanecía arrodillada ante él haciendo bolas con pellizcos de opio oscuro y pegajoso. Cuando él se terminó la pipa, ella la tomó de sus manos y encendió otra bola con la agilidad de una experta y la cara de completo aburrimiento. El aire quemaba con el opio calentado cuando le pasó de nuevo la pipa. Los mechones de pelo de Towkay Yeap temblaban un poco al ritmo del perezoso giro de los ventiladores del techo, demasiado lentos como para enfriar el aire. Parecían dar vueltas sin propósito alguno, como flores que se mecen con el viento.

Me ofreció la pipa, pero yo la rechacé. Me dedicó una sonrisa maléfica y satisfecha.

—¿Qué noticias me traes hoy?

—Su hijo pronto morirá —le dije en voz baja.

Pensé que no me había oído, pues parecía absorto en su pipa de marfil. Volvió a abrir los ojos cuando me disponía a hablar:

—Mi hijo es invencible.

Di un resoplido.

—Lleva demasiado tiempo con la pipa.

Me dedicó una perezosa mirada. La dejó a un lado, se bajó tambaleante de la cama y me condujo a una habitación en la zona más oscura. Cerró la puerta tras nosotros y se sentó.

—Por ahora, nunca me has mentido —dijo—. ¿Cómo es que mi hijo está en peligro?

Rápidamente, le conté lo de la emboscada y los soldados escondidos.

—Tiene que enviar a su gente para prevenirlos —dije.

—Mis hombres… lo que queda de ellos… son todos viejos ahora… los jóvenes han muerto o se han unido a tríadas rivales. Me han abandonado, dicen que soy débil e inútil. Como puedes comprobar…

—Es su hijo, Towkay Yeap —le reclamé, impaciente.

Estaba tan perdido como las hojas arremolinadas por el viento y temí que no sobreviviese a la guerra.

Me puso los brazos en los hombros.

—Entonces, tengo que pedirte un favor.

Sabía lo que quería, pero negué con la cabeza.

—No. No puedo salvarlo. No tengo ni las aptitudes ni la capacidad. Una vez que los japoneses descubrieran que me he ido, ¿qué cree que le pasaría a mi familia?

—Te buscaré un guía. A alguien de una tribu de la jungla, quizá.

—No.

Me levanté para irme, pero él dijo:

—Eres su amigo. No tienes elección. Nadie más puede hacerlo.

Me senté junto a Endo-san en un banco de piedra de North Coastal Road mientras él repasaba un fajo de documentos. La atmósfera en la sede administrativa había sido sofocante y me alegraba de haberlo podido acompañar cuando me lo pidió.

Me planteé los problemas de un intento de rescate de Kon. No estaba entrenado para luchar en la jungla, aunque sabía que lo que me había enseñado Endo-san me dejaría en buen lugar. No obstante, si desaparecía del mapa durante unas semanas, ¿qué le ocurriría a mi padre? Si fallaba, yo también tendría que huir a la jungla y eso no me atraía lo más mínimo, la verdad.

La marea había escurrido el agua casi por completo y bandadas de gaviotas y cuervos bajaban revoloteando al barro en busca de almejas, mejillones y caracoles marinos. Hombres y mujeres con botas de goma hasta las rodillas y cestas de mimbre enganchadas al brazo se hundían a cada paso en el barro cuando, con propósito similar, imitaban a los pájaros. Las nubes empezaron a acumularse, altas e inconquistables, cual torres y bastiones medievales.

—Pareces preocupado —comentó Endo-san.

—Solo estoy pensando en mi vida desde que tú apareciste.

—¿Ha sido buena?

—Sí. Algunos días, sí —dije con voz queda, y alargué la mano para tocar su palma cuando puso a un lado los documentos—. Otros, no tanto.

—Mira —dijo.

La lluvia había empezado en Butterworth, al otro lado del canal, emborronando la costa como una artista insatisfecha. Observamos cómo el lecho lamido del mar se llenaba de puntos con un millón de gotas de lluvia.

—Deberíamos irnos —dijo, poniéndose en pie—. Nos vamos a mojar.

—No.

Lo agarré del brazo y se sentó de nuevo. Cuando una cortina de agua empezó a descargar tan firme como el cristal y aun así, tan elástica como tiras de tela, abrimos nuestros paraguas. Perdimos de vista a los hombres y mujeres de la playa embarrada y los pájaros emprendieron el vuelo mientras, detrás de nosotros, los vendedores ambulantes se alertaban unos a otros a gritos y cerraban sus puestos. El calor se redujo sensiblemente, perseguido por el viento. La lluvia cayó sobre nosotros, a nuestro alrededor, haciendo gotear los paraguas en nuestros regazos y sobre nuestros muslos. Durante aquellos pocos minutos, estuvimos rodeados de agua, y él y yo fuimos las únicas personas en el mundo.

—¿Qué harías si un amigo tuyo estuviera en peligro? —me preguntó, y sus palabras hicieron palpitar con fuerza mi corazón.

—Dependería de la fuerza de esa amistad, pero, si los lazos fuesen estrechos, debería salvar a ese amigo —respondí, preguntándome qué intentaba decirme.

—¿A pesar del peligro?

—Sí, a pesar de eso. ¿No es eso lo que tu *sensei* Ueshiba habría dicho?

—*Hai* —contestó.

Nuestras miradas no se cruzaron en ningún momento durante la conversación. Nos quedamos sentados en cordial silencio, pues encontramos un momento único en el que podíamos limitarnos a disfrutar de la presencia del otro como si todos los años de guerra se los hubiese llevado la lluvia y volviéramos a ser un maestro y su alumno, nada más.

Y entonces, tan rápido como vino, el chaparrón de la tarde se dirigió hacia el interior y pasó. La gente salió corriendo de debajo de las marquesinas de las tiendas, el agua fluyó a raudales por las aceras y se fue por los sumideros dispuestos a propósito para los monzones y las carreteras desprendieron vapor.

En aquel breve instante de belleza y amor, de agua y silencio, en aquel momento en que esperamos en el banco, protegidos del mundo bajo el palacio de la lluvia, por fin di con una sensación de propósito. Resolví avisar a Kon. Decidí que ya no me escondería bajo la protección de Endo-san, sino que desempeñaría mi papel como Isabel había hecho. Había llegado la hora de hacer lo correcto y no iba a permitir que el miedo, la confusión o incluso el amor me venciesen de nuevo. Fue entonces cuando vi que, conmigo, las enseñanzas de Endo-san, su creencia en las fuerzas universales de la armonía y el equilibrio, habían fracasado. Tenía que dejar de creer en ellas y, tan pronto como tomé aquella decisión, vi lo sencillo que resultaba todo. Era como si la lluvia torrencial me hubiese lavado la mente y hubiese dejado en su lugar una nueva certeza.

Fui consciente de que aquello significaría el final de lo que Endo-san y yo habíamos compartido, pues al abandonar los principios que habían gobernado su vida, lo traicionaba a él y todo lo que había intentado enseñarme. Y si me capturaban, no habría nada que pudiese hacer por mí. Nada en absoluto. Aún así, debía cortar el nudo eterno en el que nos habíamos enredado para liberarnos; esa era la única manera de avanzar.

¿Lo que caían de mis ojos eran gotas de lluvia o las lágrimas de un adulto que renunciaba a algo que se había convertido en parte esencial de su vida? En realidad no quería saberlo.

Endo-san se levantó de su asiento.

—Deberías quedarte aquí un rato más. He de volver al trabajo —dijo sin mirarme.

El tono inusual de su voz me convenció. Me recliné y lo vi caminar hasta el coche que lo aguardaba sin dejar de observarlo hasta que lo perdí de vista.

Miré hacia el asiento del banco y vi una carpeta marrón que se había dejado olvidada, llena de goterones de agua, lo que le daba el aspecto de la piel de un animal. Eché un vistazo a mi alrededor y, después de asegurarme de que nadie me prestaba ninguna atención, la abrí. Había sacado la mayoría de los documentos, pues era mucho más delgada que la que Saotome le había entregado en la reunión.

Leí unas cuantas páginas. Todas llevaban el sello rojo de Saotome, como verdugones en la piel. Confirmaban lo que había oído desde el exterior de la oficina de Hiroshi, pero revelaban más cosas.

Temiendo que Kon no picara el anzuelo, Saotome también había capturado a su *sensei*, Tanaka. El convoy que llevaba a Saotome de vuelta a Kuala Lumpur también conduciría a Tanaka a su ejecución por no haberles puesto al corriente de la situación cuando se hicieron con el control del país y por trabajar contra los japoneses. Era un cargo sin ninguna base, urdido por Saotome, y que solo tenía por objetivo hacer salir a Kon de su escondite para rescatar a su *sensei*, Tanaka, que había viajado desde el lejano Japón porque alguien le había pedido que cuidara de Endo-san y porque una vez, en su juventud, habían sido amigos.

Aquella noche saqué mi barca al océano y observé las luces que los pescadores llevaban en sus botes al hacerse a la mar. Dejé que mis pensamientos se fueran a la deriva como las redes que ellos lanzaban y que trajeran arrastrando lo que encontraran a su paso.

Pensé en mis dos hermanos y en Isabel y supe que el sufrimiento de Edward en los campos y las muertes de William y de ella eran, en cierto modo, culpa mía y de mi asociación con los japoneses. Me pregunté si las cosas habrían sido diferentes de no haber conocido a Endo-san, pero no pude hallar respuestas.

Los acontecimientos de las últimas semanas, contra los que creía haber construido una barrera indestructible, encontraron ahora una forma de entrar. Me sentía exhausto y sabía que ya iba siendo hora de dejar de luchar y de rendirme completamente a la pena. En aquel momento vi con perfecta claridad lo que el futuro me deparaba: por muchas vidas que hubiese salvado y por mucho que intentase redimirme en tiempos venideros, nunca sería suficiente para recuperar la paz mental. Isabel había dicho la verdad: nunca sería capaz de olvidar.

Pasé aquella noche en la playa de la isla de Endo-san, incapaz de entrar y mirarlo a la cara. La casa estaba en silencio cuando me adentré en ella al amanecer. Lo llamé, pero él ya se había marchado en su propio bote. Experimenté un profundo sentimiento de pérdida, pero le di de lado. Enrollé mi futón, en el que no había dormido, y lo guardé en el armario. Eché un vistazo por la casa después de empaquetar toda mi ropa. La espada Nagamitsu que Endo-san me había regalado no estaba, pero la suya, que descansaba en su soporte, me detuvo. La miré y me pregunté cómo una obra de tal belleza podía, al mismo tiempo, provocar la muerte con tanta eficacia.

Me apresuré hacia la playa y me metí en mi barca. El sol había salido del mar y las densas nubes que pendían inmóviles en el cielo lo absorbieron. El mar estaba poco amistoso y ahogaba cualquier débil rayo de luz que se derramaba sobre su superficie.

Cuando me aproximaba a la orilla, apunté la proa hacia Istana y dejé que las olas y la voluntad del océano me guiasen a casa. Volví la vista hacia la isla de Endo-san mientras me alejaba de ella, y me pregunté si algún día volvería.

El bote encalló en la arena justo a un paso de donde Isabel había caído. Me detuve allí y recé una oración por ella en silencio. Alcé la vista hasta el árbol y vi a mi padre apoyado en él, el árbol y su plantador. Subí los estrechos escalones y me acerqué a él, sin molestarme en disimular mi conmoción. Parecía mucho mayor, su pelo estaba sin vida, como hebras de hilo deshechas, sus ojos eran vórtices rodeados de arrugas, hundidos en el cráneo. Toda mi determinación pareció derrumbarse y tuve que hacer un gran esfuerzo por reunirla de nuevo.

—Debo marcharme durante un tiempo —le dije—. Para ver al abuelo… y para arreglar las cosas.

—Lo sé. Tarde o temprano todos tenemos que hacerlo —respondió—. Y lo siento.

Le dije que no entendía lo que intentaba decirme.

—Prometí que te llevaría al río, donde tu madre y yo encontramos las luciérnagas. Y nunca lo hice.

—No importa. Podemos ir después de la guerra y me las enseñarás entonces —propuse—. Pero ahora debes venir conmigo. Puedo encontrar un lugar seguro donde esconderte.

Él meneó la cabeza.

—Haz lo que tengas que hacer y vuelve. Aquí estaré, esperándote. Y juntos, iremos al río.

Entonces, se agachó y vi que había traído las cajas de su colección de mariposas, que los hombres de Fujihara habían quebrado y agrietado, y que las había apilado unas encima de otras. Les había quitado las cubiertas de cristal rotas y ahora sacaba un puñado de alas disecadas.

—Es hora de liberarlas —dijo.

Aguardó, escrutando las copas de los árboles a la espera de una bocanada de viento. En el momento que estimó oportuno, estiró el brazo y el viento recogió las ingrávidas mariposas, elevándolas con una ráfaga hasta el cielo, donde los primeros rayos de sol les devolvieron el color y la vida, de modo que parecieron agitar sus delicadas alas en busca del esquivo aroma de las flores.

Me agaché con él y ambos sacamos otro puñado y otro, y otro, hasta que no quedó ninguna, y observamos cómo el viento alejaba cada vez más la estela de alas en dirección al océano, hasta que se perdieron de vista. Recé una oración en mi corazón para que siguieran volando eternamente.

—Queda una —dijo.

En su palma tenía la mariposa *Trogonoptera brookiana*, la que había estado buscando justo antes de que mi madre enfermase. Unas esquirlas de cristal roto habían cortado los bordes de sus inmensas alas negras, pero seguía pareciendo elegante y poderosa, lista para volar de nuevo.

Abrió mi mano y me la colocó en la palma.

—Haz lo que quieras con ella.

Le acaricié las alas, que seguían siendo suaves y sedosas. Por la expresión de mi padre, supe lo que tenía que hacer. De modo que la lancé a las corrientes invisibles de aire, donde pareció desplegar sus alas, sin usar durante tanto tiempo, con un ansiado placer casi tangible. Sentí la mano de mi padre en el hombro mientras seguíamos el rastro de su vuelo resucitado. Se elevó cada vez más hasta que se perdió en la claridad del nuevo día.

Había sobornado al hombre que estaba a cargo del crematorio para que incinerase a tía Mei aparte, en lugar de colectivamente con los cadáveres de los demás prisioneros asesinados por los japoneses. Me dio mucha rabia no haber podido hacer lo mismo por Isabel; su cuerpo había desaparecido.

Entré en la oficina de Endo-san y le informé de que tenía la obligación moral de comunicar a mi abuelo la muerte de tía Mei y devolverle sus cenizas para que pudiera celebrar los ritos apropiados.

—Lo entiendo —dijo—. Una vez más, siento que tengas que pasar por todo esto. Es una carga insoportable.

La luz de la mañana entraba en su oficina desde el jardín, iluminando la bandera de su patria, que pendía a su espalda. Sentí un escalofrío, pues daba la impresión de que el círculo rojo era su sangre e iba formando un charco en el lienzo blanco.

Colocó las manos a ambos lados e hizo una lenta reverencia. Yo dudé y luego me incliné. Cuando se incorporó, el sol brilló en las incipientes lágrimas de sus ojos y, de alguna manera, supimos que la próxima vez que nos encontrásemos todo habría cambiado. Aquellos viejos tiempos habrían desaparecido para siempre.

—Te deseo buena suerte en tu viaje —dijo—. Que consigas llevar a cabo lo que te propones.

Con la voz más firme que pude, dije:

—Por favor, cuida de mi padre.

—Lo haré —respondió.

Ambos nos quedamos de pie un momento, incapaces de movernos. Sabía lo que estaba esperando, aunque me avergonzaba admitirlo. Si, en aquel mismo instante, me hubiese pedido que no me fuese, le habría obedecido. Estuvo a punto de hablar, pero decidió abstenerse y permaneció en silencio. Negué con la cabeza ante mi propia debilidad y di media vuelta para marcharme.

—Espera —dijo.

Fue hacia el aparador y añadió:

—Casi me olvido de esto.

Sacó a Kumo, mi espada, de la manera tradicional, dejando que toda su extensión florara en el aire y solo la punta y la empuñadura reposaran en las palmas de sus manos.

—La mandé limpiar y engrasar. En realidad, tú, como su dueño, deberías haber hecho todo eso, pero… Piensa en ella como en un regalo de despedida por mi parte.

No pude más que aceptarla.

—Gracias —dije.

—Llévala contigo. Puede resultarte útil. He modificado tus documentos de viaje y ahora tienes derecho a portarla. Como los viejos guerreros de Japón —dijo lentamente, pues le resultaba difícil aceptar la posibilidad de que, en efecto, llegase a utilizarla; él, que había seguido y me había enseñado los caminos de la armonía.

—La mantendré en lugar seguro —dije.

—«No cejaré en mi lucha mental; ni dormirá mi espada en mi mano» —susurró.

Nunca pude esconderle nada. Él sabía que me había fallado y que yo había escogido seguir mi propio camino, libre de las lecciones que su *sensei* le había legado y que luego habían pasado a mí.

Levanté la espada a modo de despedida, asentí una vez y, luego, me marché.

Capítulo doce

Michiko y yo estábamos sentados en un banco de Gurney Drive, que una vez había sido North Coastal Road, de cara al estrecho mar, haciendo lo que la mayoría de la gente hace aquí, *makan angin*: «comerse la brisa». El paseo marítimo era un lugar muy concurrido. Jóvenes amantes hacían su salida vespertina. Los puestos ambulantes bordeaban la calle y vendían *rijak* indio, fideos fritos, arroz y zumo de azúcar de caña. Casi todo el mundo que paseaba iba comiendo algo o llevaba en las manos un paquetito de comida.

Permanecimos sentados durante un buen rato sin hablar; para entonces, ya nos conocíamos lo suficientemente bien para ello.

Entonces, Michiko dijo:

—¿Nunca utilizas el apellido de tu abuelo, el que combinó con el tuyo en el templo del clan? ¿Ni el nombre Arminius, que tu madre te puso?

—No, nunca los he usado. Me parecía mal hacerlo. Identificaban a una persona que sentía desconocida —contesté… y me callé, pues se me había ocurrido una nueva idea—. No, cada nombre, a su manera, quería dictarme un futuro, un futuro en el que yo no tenía ni voz ni voto.

—Pero el deseo de tu madre era que vivieses tu propia vida.

—Incluso con tales deseos, ya me estaba imponiendo su idea de cómo debía vivir esa vida —repuse.

Cuando la guerra terminó, me hice el firme propósito de quitarme esos dos nombres, como si el acto en sí pudiera proporcionarme una nueva identidad y garantizarme la libertad tanto con respecto a los sueños de mi madre como a la vida que mi abuelo creía destinada para mí. Así se lo expliqué a Michiko.

—Ya has vivido la mayor parte de tu vida sin ellos —dijo—. ¿Crees que ha supuesto alguna diferencia?

—No lo sé —contesté.

—Sí, sí que lo sabes. —Señaló mi corazón—. Aquí hay un vacío, ¿no es verdad? Como si faltase algo.

Me removí en el asiento, incómodo por su juicio. Nadie nos prestaba atención; éramos solo dos viejos sentados en un banco, soñando con nuestra juventud, despidiendo y dando la bienvenida al mismo tiempo a los pocos días que nos quedaban.

—Este es el punto exacto donde Endo-san y yo nos sentamos el día en que decidí salvar a Kon —le dije.

—¿Cómo has podido seguir viviendo aquí, cuando tantas cosas de la isla te recuerdan la guerra?

—¿Dónde más podía ir? Al menos aquí los recuerdos me acompañan. Cuando se me hace demasiado duro, siempre puedo irme y volver sintiéndome mejor. Es preferible a olvidar tu hogar por completo, ¿no crees?

—Sí, es cierto —respondió ella y, a continuación, enmudeció.

—Lo siento —dije—. Eso ha sido cruel por mi parte.

—Yo no recuerdo mi hogar en absoluto. Hay días en que pienso que la guerra no solo redujo mi casa a cenizas, sino todos mis recuerdos de ella. Ahora, todo son cenizas.

La marea estaba subiendo y unos rizos de espuma dejaban un rastro blanco en la llana superficie embarrada cuando las pequeñas ondas se plegaban sobre sí mismas al acercarse a la playa, en cuya lisa superficie mojada se reflejaba la costa. Los graznidos de los minás indios y de los cuervos en los árboles competían con las voces de los vendedores ambulantes. Michiko estaba bebiendo zumo de un gran coco nuevo que reposaba pesadamente en su regazo. Como una cabeza cortada, pensé, y luego alejé aquella idea de mi mente. Cada día la encontraba más débil y eso me tenía preocupado.

Me acarició la mano con delicadeza. Me gustó su tacto cálido. El viento jugaba con su pelo y ella se lo apartaba de la cara.

Me giré y señalé una hilera de *bungalows* que daban a la calle.

—Aquella casa de allí pertenecía a los Cheah —le dije, dirigiendo su mirada a una destartalada mansión cercada con una valla de alambre—. La familia tenía la mayor fábrica de galletas de Penang. Y aquella otra ha permanecido en pie durante ciento diez años. Dentro de una semana la derribarán para construir un bloque de veinte pisos. —No pude mantener a raya la amargura de mi voz—. Y aquella también —añadí, señalando otra casa—. Un amigo de mi padre vivía ahí. Su familia era dueña de un banco.

La calle estaba bordeada de residencias magníficas que se remontaban a los años veinte. Muchas de ellas habían sido demolidas, pero las veía todos los días en la geografía de mi memoria, enteras, completas, plantadas orgullosas en hilera. Y, en mi mente, recordaba a la gente que había vivido allí, que había pasado por ellas; los escándalos y las tragedias de sus vidas.

Todo se había ido. Ni siquiera yo podía comprar todos aquellos edificios. Ahora se habían convertido en bares, cafeterías, restaurantes, marisquerías que cobraban precios desorbitados y centros comerciales.

—Amas esta isla con toda el alma —dijo.

—Eso era antes. Ahora me siento desconectado —confesé—. Ahora es otro mundo. Hay que hacer sitio a los jóvenes. Puede que esa sea la razón por la que he pasado tanto tiempo y he gastado tanto dinero en comprar casas antiguas y restaurarlas. Quiero retrasar lo inevitable.

Nos levantamos, volvimos al coche y fuimos al centro, cruzamos Kimberley Street y sus muchas tiendas, que vendían varitas de incienso y comida *teo-chew*, hasta Chulia Street, y luego nos dirigimos a calles más estrechas y pequeñas. Entre Campbell Street y Cintra Street estaba el tramo antes conocido como *Jipun-kay*, la calle Japón. Retrocedí en el tiempo cuando aparcamos y empezamos a caminar, ya que allí era donde Endo-san me había llevado a comer por primera vez, como le conté a Michiko. Antes de la guerra había casas de *geishas* en la zona, así como una inusual profusión de tiendas de cámaras de fotos, lo que hizo a los locales sospechar que eran tapaderas de actividades de espionaje.

Las palabras que le dije a Endo-san en los primeros días de nuestra amistad me persiguen constantemente: «Quiero recordarlo todo». Y eso he hecho, como Isabel predijo. He sido bendecido con el don de la memoria. Que la isla no haya cambiado mucho, al menos esta parte de la ciudad, ha ayudado. Hay días en que paseo por las calles y callejuelas y oigo los sonidos, saboreo los olores y siento el calor del sol, y cuando me doy la vuelta para decirle algo a Endo-san, me doy cuenta, conmocionado, de que ya no estoy en el pasado. Los dueños de las tiendas (las estrechas tiendas indias que venden libros usados de mochileros que regresan a casa, los hoteles baratos y los cibercafés, la tienda de artículos de mimbre donde compré mi bastón para andar, al que el dueño le serró la punta para que se ajustase a mi paso) me reconocen.

Me he convertido en parte integrante del mobiliario urbano. A veces me sorprendo de que las guías no me incluyan como una de las atracciones turísticas de estas callejuelas: un anciano de pelo blanco pasea por estas calles envejecidas e intemporales, busca que te busca, a la caza de algo que nunca volverá a encontrar.

Salimos de La Maison Bleu, la antigua mansión de Cheong Fatt Tze, y agradecimos a su cuidador que nos la hubiera enseñado por dentro. El sol blanqueaba las paredes de color añil, haciéndolas parecer polvorientas.

—Esa es la casa de Towkay Yeap —dije, señalando calle abajo para indicársela.

La tomé del brazo y la conduje hasta allí.

—La compré hace unos años y, desde entonces, he intentado imitar a los de La Maison Bleu. ¿Te has fijado en cómo han hecho que la vieja mansión parezca como si Cheong Fatt Tze estuviese dando fiestas ahí de nuevo e incluso se hubiese casado por novena o décima vez? Bueno, pues esa es mi intención con la casa de Towkay Yeap.

Penelope Cheah estaba esperándonos. Le presenté a Michiko. Permanecí en silencio mientras la arquitecta especialista en restauraciones nos abría la celosía. No sabía qué esperar. Pero entonces, las puertas se abrieron y estuve de vuelta… de vuelta en el día en que visité a Kon por primera vez. Todo estaba igual que antes. La arquitecta había hurgado en las profundidades de mi memoria para recrear la casa y supe que también había rastreado los archivos del

Museo de Penang y de la cámara de comercio china en busca de fotografías y pinturas que la guiasen. En la pared que quedaba junto a las puertas, un quemador contenía una varita de incienso, cuyo humo enviaba un mensaje en espiral al dios del cielo.

Me quedé en el umbral, repentinamente temeroso. Michiko me dio la mano y dijo:

—Entra, te ha estado esperando.

Me agarré bien de su mano, entré y me detuve en la sala de invitados. Una gran mampara de madera, labrada con un millar de intrincadas figuras y recubierta con pan de oro, excluía a cualquier extraño del interior de la casa. Había farolillos rojos colgados de los aleros del techo, y pedestales cuadrados de madera con incrustaciones de madreperla sostenían jarrones y figurillas de jade. Cuando me quité los zapatos, sentí la frialdad de las baldosas bajo mis pies desnudos y empecé a refrescarme del calor exterior.

A un lado estaba colgado el retrato de Towkay Yeap e, incluso antes de girarme, mi corazón supo lo que iba a ver. El de Kon estaba frente al de su padre y, una vez más, lo vi con su sonrisa juvenil, sus brillantes ojos negros, y vestido de blanco de la cabeza a los pies a excepción de su corbata roja favorita.

—¿Dónde has encontrado esto? —le pregunté.

—En una de las cajas de seguridad de la cámara de comercio china —me informó Penelope Cheah—. Colocados allí por su padre.

—¿Es ese tu amigo Kon? —preguntó Michiko, acercándose al cuadro.

—Sí, es él.

—Me resulta muy familiar —dijo.

—Seguramente porque has estado oyendo hablar mucho de él —le respondí.

Salí al patio, donde estaba dando el sol, y me quedé plantado junto a la escalera en espiral. La barandilla de hierro forjado era nueva, pero casi idéntica a la que Towkay Yeap había utilizado. Oí las voces femeninas del servicio, las *amahs* que parloteaban en la cocina, el sonido del gran cuchillo de acero golpeando en la tabla de cortar cuando se preparaba el almuerzo, y percibí el olor del arroz glutinoso cociéndose al vapor cuando una suave bocanada de aire recorrió la casa. Un perro ladró ante mi presencia y una voz masculina le regañó: «*¡Diamlah!*».

Subí las escaleras y entré en la habitación de Kon.

«Siento el desorden. Tengo una gran colección de libros sobre historia y arte chinos».

Me giré de inmediato y fruncí el ceño.

—¿Qué ocurre? —me preguntó Penelope Cheah a mi espalda.

Levanté una mano para acallarla.

«¿Crees que mi encuentro con él, y el nuestro —todo— ha sido por casualidad?».

Esperé su respuesta.

«Algunos errores pueden ser tan grandes y tan graves que terminamos pagando por ellos una y otra vez, durante todas nuestras vidas, hasta que, al final, nos olvidamos de por qué empezamos a hacerlo».

Y entonces, como si un dios amable completase mi hechizo, un vendedor ambulante pasó con su bicicleta por la calle y, una vez más, oí las voces que daba y el sonar de sus badajos mientras pasaba por delante de la casa empujando a pedal su carrito con fideos *wonton*.

Te he echado de menos, amigo mío.

«Yo también».

Fuimos a un restaurante nyonya muy conocido para tomar una cena temprana. La comida, como los inmigrantes chinos que habían llegado a Malaya durante los días de dominio británico y que habían asimilado las formas de vida y las costumbres de los malayos, era una mezcla de cocina de los dos países. Los chinos nyonya tenían la reputación de crear excelentes platos y yo no había probado nada parecido en ninguna otra parte del mundo. Observé a Michiko para ver su reacción y su rostro expresó asombro, agrado, maravilla y placer cuando probó el pollo *kapitan* al *curry* con su ligera salsa de leche de coco y cuando mordisqueó el *otak-otak* y el *jeu-hoo-char*, todo regado con té caliente de jazmín. Comió de todos los platos, pero me di cuenta de que solo se había servido raciones pequeñas; esperaba que el día no le hubiese resultado agotador.

—La verdad es que no puedo comer mucho desde que caí enferma. Pero esto está delicioso —reconoció—. No me extraña que me dijeran que el pasatiempo más popular de este lugar era comer.

—Otra de las razones por las que estoy atado a este sitio —dije, con una sonrisa.

—Deberías sonreír más a menudo. Pareces muchísimo más joven.

El restaurante lo regentaban tres señoras, y Mary Chong, la más joven, se paró a hablar con nosotros cuando vino a traernos el té. Ella también me conocía desde hacía tiempo. Pero Cecilia, la socia más anciana, arrugó el entrecejo cuando me vio y se metió en la cocina.

—¿Cómo va el negocio?

Le hice la pregunta de siempre. El local tenía un aspecto sórdido y viejo. Recordé cuando lo abrieron, hacía casi veinte años. Dondequiera que viajase, la primera parada que hacía al volver era aquel restaurante.

—No muy bien. —Suspiró—. Todos esos nuevos cafés americanos atraen a los jóvenes. Nosotros seguimos con los clientes de siempre, en su mayoría. A usted llevábamos bastante tiempo sin verlo, aunque hemos oído cosas.

—Sí, Mary. Los rumores son ciertos. Le estoy dando a la bebida.

—Entonces debería darle también a la comida de nuestro restaurante. Estoy segura de que nuestros platos saben mejor que su *sauvignon blanc*.

Enarqué una ceja. Ahí había acertado. Michiko se rio.

Mary continuó hablándole a Michiko en un tono más sombrío:

—Usted es japonesa, ¿verdad? ¿Le ha contado Philip que él salvó la vida de mi marido en la guerra?

—Maldita sea, Mary —dije.

—No va a detenerme —prosiguió Mary—. Se lo cuento a todo el que conozco, a todos los turistas que entran aquí. Mucha gente cree que era un colaborador de los japoneses en la guerra, pero salvó la vida de mi marido, así como la de muchos de mis vecinos.

—No mucha gente piensa como tú —apunté—. Y tienen buenos motivos para ello. Ya sabes por qué Cecilia se niega a servirme. —Sabía que Michiko se había dado cuenta de la salida de Cecilia—.

Estaba con los japoneses cuando se llevaron a su padre a rastras y lo mataron. Tenía que leer en voz alta los nombres de los condenados.

—Ellos no le conocen.

La respuesta de Mary fue rápida y certera.

—Es la última vez que vengo a comer aquí —le aseguré.

—¡Ja! Siempre dice eso, pero no encontrará otro sitio como este y lo sabe —dijo Mary y, consciente de que había tenido la última palabra, volvió a la cocina.

—Lo siento —le dije a Michiko.

Ella encogió sus finos hombros y no se molestó en disimular que le había hecho gracia.

—¿Cómo salvaste a su marido?

—No importa —dije.

No me apetecía hablar de aquello. Hacía calor en el restaurante y yo estaba empezando a sudar con el té.

—Ahora ya sabes lo que pasó con las mariposas de mi padre —dije—. Sin embargo, nunca descubrí lo que ocurrió con la colección de espadas *keris.* Las escondió demasiado bien antes de que la Kempeitai pusiese nuestra casa patas arriba.

—¿La has registrado?

—De arriba abajo, sin éxito. Tal vez se las llevara la Kempeitai después de todo. La posesión de armas estaba prohibida durante la ocupación. Como en el Japón feudal.

Noté que Michiko tenía la mirada perdida y me preocupé.

—¿Qué te ocurre? ¿Te encuentras mal?

Ella negó con la cabeza.

—Creo que sé dónde escondió tu padre las espadas.

No la creí en absoluto, pero le seguí la corriente.

—¿Dónde? Dime.

—No lo haré. Pero te lo mostraré —contestó.

Se negó a revelarme nada más y, después de un rato, me pidió que continuase con mi historia.

Capítulo trece

El viaje desde Butterworth hasta Ipoh duró tres horas, pues hicieron varias paradas para inspeccionar las vías. Los objetivos favoritos del EAJPM habían sido líneas de ferrocarril y carreteras principales, así como campamentos militares y minas. Lo que fuese para importunar a los japoneses, pensé.

Estaba tenso de miedo. A medida que dejaba atrás aldeas diminutas y pueblos malayos de una sola calle, fui cuestionando mi valentía. ¿Cuál de los dos era más fuerte? ¿Kon, que había dejado todo lo que había conocido para luchar contra los japoneses, sufriendo incontables privaciones y exponiéndose a la posibilidad de morir a diario? ¿O yo, que había aceptado a los japoneses, su conquista y su gobierno, procurando vivir el día a día a salvo? ¿Quién había tomado las decisiones correctas?

Ahora más que nunca creía firmemente que Kon estaba viviendo la vida que yo mismo debería haber llevado y que eligió las opciones que yo debería haber elegido. Había escogido los caminos adecuados y adoptado las posturas correctas, mientras que yo había hecho todo lo contrario. Él volvería a casa de la guerra convertido en héroe, aclamado por todos… Y de mí, ¿qué dirían?

La estación de tren de Ipoh, un gran edificio de color crema flanqueado por torres coronadas por minaretes y cúpulas árabes, estaba tranquila. Un pequeño grupo de indios estaba sentado leyendo periódicos ataviados con sus *dhotis* blancos y sus chalecos, mientras las palomas flotaban en el aire de camino a las vigas de acero y a los huecos umbríos. La ciudad, sin embargo, era un hervidero de *trishaws* y bicicletas. Pagué una habitación en el hotel de la estación y alquilé un *trishaw* para ir a la casa de mi abuelo.

Después de llamar a la puerta durante un rato, me convencí de que estaba vacía. Fui a la parte de atrás, pero solo encontré un cobertizo para las herramientas y las habitaciones de los criados. Me quedé allí plantado bajo el sol sin saber muy bien qué hacer. Abrí la puerta del cobertizo, con la esperanza de encontrar lo que necesitaba. Había una bicicleta apoyada contra la pared, mohosa, alta y pesada. Le ajusté el sillín y me dirigí pedaleando a las colinas calizas de Ipoh.

Escondí la bicicleta y subí la pendiente, intentando recordar el camino que mi abuelo me había mostrado. En la cima, a punto estuve de pasar el templo de largo, pues el color de las paredes había empezado a fusionarse con el de los barrancos. Esperé fuera y lo llamé a voces. Después de un rato, al ver que nadie aparecía, eché a un lado las ramas del guayabo, que ahora era lo bastante grande como para que costase dios y ayuda moverlas, y entré en el templo abandonado. Una ardilla dejó de lavarse la cara, se me quedó mirando fijamente por haber osado molestarla, subió corriendo por las paredes y se metió en una grieta. Entré en el pasaje y salí al círculo cerrado. Allí estaba él, esperando, con su familiar sonrisa pícara provocándome angustia.

—Te he echado de menos —dijo, y el sonido de su voz y el brillo de su mirada me hicieron caer en la cuenta de lo mucho que yo también lo había echado de menos a él. Me acerqué y descubrí que no podía mirarlo a los ojos.

—¿Qué ha ocurrido? —preguntó.

Le describí todo lo que había pasado desde el funeral de William. Luego, le conté que los japoneses habían ejecutado a tía Mei y él se sentó en un pequeño montón de piedras. Le pasé la abollada lata de galletas Huntley & Palmer que contenía las cenizas de tía Mei. Fue el único recipiente que había podido encontrar con tan poco tiempo. La cogió y la meció en sus brazos, como había hecho con su hija cuando era pequeña.

—Te agradezco que me las hayas traído —dijo, y yo le acaricié suavemente la cabeza. Entonces levantó la mano y agarró la mía. La sentí muy fría y suave; no se parecía en nada a la mano de un trabajador de las minas de estaño.

—Fue Lim quien la traicionó, ¿no es así? —preguntó.

Asentí.

—Por mi culpa y por lo que le pasó a su hija. Lo siento mucho —dije, odiando la vacuidad de aquellas palabras, consciente de que nunca bastarían para extinguir el dolor de su pérdida.

Así que doblé los dedos índice y medio de mi mano sobre la tapa de la caja de galletas hasta la posición que recordaba a una genuflexión y los golpeé suavemente contra la superficie, para pedirle, tácitamente, que me perdonase.

Él se quedó mirando mis dedos encorvados y a continuación cubrió mi mano con las suyas y se la llevó a la frente para aceptar mi exigua ofrenda.

—Tu tía eligió su forma de vida. No había nada que hacer.

Pronunció aquellas palabras con tono distraído y noté su esfuerzo por no derrumbarse. Yo había cargado su sufrimiento con otro peso y me dolía comprender que, aunque una persona no puede llegar nunca a compartir el dolor de otra, sí puede aumentarlo con total facilidad e inconsciencia. Al margen del juicio de mi abuelo sobre las elecciones de tía Mei, yo fui el eslabón que la llevó a la muerte.

—No deberías culparte —continuó él—. Ya te lo dije una vez, tienes la capacidad de reunir los elementos dispares de la vida en un todo cohesionado. ¿Lo recuerdas? En este momento, no obstante, debes rechazar la herencia cultural de tu padre. La culpa es una invención de los occidentales y de su religión.

Yo negué con la cabeza.

—La culpa es un atributo humano.

—Nosotros, los chinos, somos más pragmáticos. Fue el destino de tu tía y de tu hermana. Y punto —resolvió con gran firmeza.

Pude haberle dicho que fue la culpa lo que le hizo acudir a mí e invitarme por primera vez a su casa. Eso y el remordimiento, que, después de todo, es otro de los aspectos de la culpa. Sin embargo, ¿qué habría conseguido discutiendo con él mi punto de vista? Su creencia me proporcionó consuelo y, si yo no podía aliviar su carga, al menos no haría nada para agravarla.

—Fui a tu casa pero estaba vacía y cerrada a cal y canto. ¿Estás viviendo aquí ahora, en esta cueva? —opté por decirle para cambiar de tema.

—Sí. Me recuerda a mi juventud en el monasterio. Aquí hay magia, como ya habrás notado. Algunas noches tengo visitas —me contó.

Se me puso la piel de gallina y noté los pelos de punta; esperaba que no se estuviese volviendo senil.

Dio un resoplido.

—No me mires como si se me hubiese ido la cabeza. A veces los espíritus de los antiguos sabios y ermitaños me visitan y charlamos. Mira, encontré esto porque uno de ellos me lo mostró.

Lo seguí hasta una pared de roca que parecía haber sido tallada recientemente. Había renglones de escritura, que reconocí como china, grabados en ella en un cuadrado de cuatro por cuatro caracteres.

—Me dijeron que quitara la capa que lo cubría y esto es lo que escondía debajo —dijo.

Lo leyó y me tradujo los dieciséis ideogramas:

> He viajado a los confines del mundo,
> He visto cosas mágicas
> Y conocido a mucha gente,
> Y he descubierto que a lo largo y ancho de los Cuatro Océanos,
> Todos los hombres son hermanos.

—Conozco eso. Es muy famoso, ¿no? —dije.

—Sí.

—El poeta debió de escribirlo antes de percatarse de las crueldades que podemos infligirnos los unos a los otros —dije.

En ese momento, el optimismo de aquellos versos parecía completamente incongruente.

—Fue compuesto en uno de los períodos más turbulentos de la historia de China, miles de años antes de que Jesucristo difundiera casi el mismo mensaje.

—¿Qué intentas decirme, abuelo?

—No permitas que el odio controle tu vida. Por muy duras que sean ahora las circunstancias, no te conviertas en alguien como Lim o los japoneses. Veo cómo aflora a la superficie en ti, listo para atacar.

—Pero ¿qué puedo hacer?

—Te habías perdido, pero creo que estás empezando a ver el camino correcto de nuevo. Ahora debes ser fuerte, pues todavía te aguardan tus mayores retos.

No sé cómo pero supe que aquellas palabras no eran suyas, sino que se las había transmitido otra fuente. Me estremecí, pero sus manos me sujetaron. Sentí cómo la fortaleza de su edad y su sabiduría se extendían para encontrar su sitio en mi interior y mis miedos remitieron.

—No tengo nada más que decirte. Ahora debes irte donde dicte tu deber. Los lazos de la amistad te llaman.

—¿Estás seguro de que eres mi abuelo y no uno de los sabios eternos que vagan por estas montañas? —le pregunté.

—¿No sería ese, entonces, el destino más maravilloso? ¿Caminar por estas preciosas colinas, libre como el mismísimo tiempo?

—Claro que sí —convine.

Se sacó el alfiler de jade, el que una vez le había salvado la vida.

—Quiero que te quedes esto.

Yo negué con la cabeza.

—No. Debes quedártelo, para comprobar todo el té que te beberás conmigo cuando termine la guerra.

En cuanto lo dije, caí en la cuenta de que él había dejado de utilizarlo desde la noche en que lo conocí y de que, en todo el tiempo que habíamos pasado juntos, en cada ocasión en que le había servido té, no lo había vuelto a ver usar el alfiler. Siempre había confiado en mí.

—Ya no lo voy a utilizar más —me aseguró. Entonces colocó el alfiler de jade en la palma de mi mano y cerró mis dedos sobre él.

Le di un fuerte abrazo; no quería dejarle ir, y recordé los días que había pasado en su casa de Armenian Street. Le froté la barriga.

—Tienes que comer más. Está encogiendo.

—¡Deja mi barriga en paz! —exclamó en tono severo y, durante un breve instante, casi logramos sonreírnos el uno al otro.

No volví a verlo más, ni siquiera después de la guerra, cuando lo busqué por todo Ipoh. Las gentes del lugar me hicieron saber que los japoneses lo capturaron durante los últimos días de la contienda, pues había sido un activo simpatizante de grupos antijaponeses.

—Mi hermano me dijo que su único nieto lo vendió a los japoneses —me contó un comerciante de pomelos con total seguridad.

Sin embargo, cuando subí a aquellas colinas intemporales y lo llamé a voces, supe que los japoneses nunca lo capturaron. No, había hallado algo allí y lo había abrazado. Y lo más extraño de todo fue que, a pesar de que los monjes más ancianos de varios monasterios de los alrededores confirmaron la existencia del templo de mi abuelo cuando les pregunté, yo nunca volví a encontrarlo.

Capítulo catorce

Regresé al hotel de la estación y entré en el bar. Las puertas daban a una veranda de unos tres metros de ancho que flanqueaba el frontal de la estación. La luz del sol se mantenía a raya gracias a unas grandes cubiertas de bambú, y unos polvorientos ventiladores giraban y giraban en el techo proyectando sombras en el suelo de baldosas a cuadros. Unas sillas bajas de mimbre con cojines rodeaban el bar al final de la veranda, donde grupos de soldados japoneses bebían, cantaban y atemorizaban a los camareros. En frente de la estación, la gente entraba y salía de las oficinas municipales de Ipoh. No hacía nada de viento y la bandera nipona del rojo sol naciente pendía enrollada en el mástil.

El padre de Kon me había dado instrucciones de salir a dar una vuelta por allí. Envolví la espada en un trapo, crucé la calle principal y me adentré en otras más bulliciosas. El calor y los olores me dieron la bienvenida. Los puestos vendían ñame frito y malanga, que se habían convertido en los alimentos básicos para muchos de nosotros. La mayoría de la gente llevaba montones de dinero en cestas para hacer compras pequeñas. Como las mujeres de Penang, las de allí no se esforzaban lo más mínimo por parecer atractivas, una táctica deliberada para no atraer las miradas de los *jipunakui*. Una niña se me quedó mirando fijamente a los ojos, se dio media vuelta y echó a andar.

La seguí. Ella continuó caminando sin acelerar el paso. Doblamos esquinas y serpenteamos por callejones hasta que estuve perdido y el sonido de las calles se redujo a un leve murmullo. La niña llamó a una puerta hecha de paneles de madera de una tienda. Alguien levantó un pequeño rectángulo y ella pasó por encima y entró. Yo la seguí.

Volvieron a colocar la tablilla en su sitio y unas manos, varios pares de ellas, me agarraron con fuerza y empezaron a empujarme. Tuve que reprimir mi instinto natural de defenderme. Entramos en otra habitación y luego recorrimos un pasillo, hasta que estuve completamente confundido después de dar tantas revueltas. Salimos a un patio y parpadeé ante la penetrante luz del sol; mi irritación aumentaba.

Un hombre de mi edad, sentado en un banco de madera, se hurgaba la nariz. Uní los puños y formé con las manos el símbolo de la tríada que Towkay Yeap me había enseñado. Me empujaron para que me arrodillase en el suelo de cemento.

—Así que un mestizo ha venido a prevenirnos contra los *jipunakui* —dijo en tono despectivo.

Por los movimientos que detectaba a mi espalda, supuse que había tres más que no podía ver. Entonces, el *hurgador* se acercó.

—Cuéntanos.

Negué con la cabeza. Le había dejado claro a Towkay Yeap que solo se lo diría a Kon en persona. No había forma de saber quién era el topo de Saotome. Sentí un repentino movimiento detrás de mí y me giré para bloquear el golpe pero, por una vez, fui demasiado lento. Me dio de lleno en la sien, se produjo una fuerte explosión en mi cerebro y luego la explosión se convirtió en oscuridad.

Me despertó un mosquito. Abrí los ojos y le di un manotazo. El aire estaba húmedo, cargado de agua invisible, y sentí que me ahogaba. Descubrí que me llevaban en una camilla y, al darme la vuelta, me caí en la tierra empapada. Me incorporé y me encontré frente a cuatro extraños, todos chinos, con aquel aspecto tan particular de dureza que delataba la vida en las calles. Sus manos portaban subfusiles Sten oxidados y me amenazaron con ellos para que continuara por el sendero casi invisible por donde íbamos. El *hurgador* llevaba mi espada. Juré que la recuperaría, aunque tuviese que matarlo.

Caminamos sin mediar palabra. El bosque selvático estaba sumido en el silencio, solo interrumpido por el repiqueteo de los pájaros carpinteros y por el canto de las aves. Los rayos del sol (¿seguía siendo el mismo día?) veteaban las hojas y las ramas; nunca había visto tantos tonos de verde y marrón. Nos abrimos paso apartando helechos moteados más altos que cualquiera de nosotros, y cuyos tallos volvían al mismo sitio con un vaivén para esconder nuestro paso. El suelo estaba cubierto de hojas grandes como platos que crujían bajo nuestros pies.

Caminamos hasta que la luz de los árboles se fue atenuando y dio paso al crepúsculo. El dolor de cabeza allí donde me habían aporreado comenzó a remitir y me sentí menos mareado. Teníamos que detenernos cada vez que el explorador que iba delante levantaba la mano. Una vez nos agazapamos en la maleza empapada, pues una patrulla de tropas japonesas iba atravesando la jungla. Estaba seguro de que nos estábamos aproximando a los peñascos más áridos de caliza, ya que la vegetación empezaba a escasear y el terreno comenzaba a empinarse. Empapado en sudor, me costaba respirar. Calculé que estuvimos andando durante unas tres horas, aunque no estaba seguro en absoluto.

El sendero se volvió abrupto y luego bajó hasta un valle. Sobre nosotros, las ramas entrelazadas de los árboles actuaban como dosel natural, por lo que no corríamos ningún peligro de ser avistados por los aviones que nos sobrevolaban. Nuestro guía frunció los labios y un miná salió revoloteando. Esperamos en el claro mientras, a nuestro alrededor, unos guerrilleros aparecieron de detrás de los arbustos. Habíamos llegado al límite exterior del campamento del Tigre Blanco.

Con los guerrilleros como escoltas, fuimos más rápido. Bajamos hasta el fondo del valle y luego el terreno empezó a subir otra vez, llevándonos hasta los barrancos, donde llegamos al final del camino.

—¿Y ahora qué? —murmuré, espantando las moscas que me rondaban la cara.

Kon apareció de la nada. La entrada de la cueva estaba oculta por un pliegue de roca, curvado como la concha de una caracola. Sonrió al verme pero, cuando inicié una reverencia, meneó rápidamente la cabeza.

—Aquí no actúes como un japonés —me advirtió, acercándose a mi oído. Me devolvieron la espada y Kon sonrió abiertamente cuando la vio—. Has venido preparado.

De acuerdo con los informes de los servicios de inteligencia que había leído, en un principio, el campamento del Tigre Blanco lo había dirigido Yong Kwan, pero se había ganado su reputación gracias a las impresionantes habilidades guerrilleras de Kon.

—¿Por qué el campamento adoptó tu nombre? —le pregunté.

Él se encogió de hombros y me apenó ver lo huesudos que estaban.

—Fue después de una de las primeras incursiones. Habíamos quemado una base militar y estuvimos corriendo toda la noche. Al alba, ya a punto de desfallecer, cavamos un hoyo donde escondernos. Entonces, vimos aparecer un tigre, uno albino. Fue la visión más increíble del mundo; ninguno de nosotros había soñado jamás que tal cosa existiese. Se quedó allí mirándonos antes de desaparecer entre los árboles como un fantasma. Uno de los hombres había oído lo de mi apodo y se lo contó a los demás. Se lo tomaron como un buen presagio y, desde entonces, el grupo se ha llamado Tigre Blanco.

Entramos en la cueva. Dentro hacía frío y las paredes estaban húmedas. El sonido del goteo del agua añadía profundidad a la oscuridad. Ante nosotros se abría un estrecho pasillo que conducía al interior del barranco, donde una abertura circular, parecida a la cueva de mi abuelo pero más pequeña, dejaba ver el cielo.

—Cocinamos aquí dentro lo que encontramos para que el humo no se vaya por este agujero —dijo Kon.

La luz se derramaba por entre las ramas de arriba y, cuando las caras se giraron para vernos entrar en el círculo, sentí como si saliéramos a un escenario, acompañados por una luminosidad familiar. Además del olor a comida, había un fuerte hedor a excrementos de murciélago. Racimos de estos animales pendían en las alturas sombrías como extrañas frutas peludas en movimiento. De vez en cuando, uno de ellos se dejaba caer y remontaba el vuelo entre chillidos antes de salir aleteando por la abertura de arriba.

Calculé que habría alrededor de treinta guerrilleros, pero la cueva estaba en silencio. Nadie parecía hablar. Había el mismo número de hombres que de mujeres chinos (algunas de ellas con el mismo aspecto duro que los hombres) y una pequeña cantidad de indios y malayos.

—¿Dónde está Yong Kwan?

—Fuera, matando japoneses. Lo veremos esta noche.

—¿Hay algún lugar donde pueda lavarme? —le pregunté.

Kon me condujo fuera de la cueva, a un punto donde el recodo de un arroyo había formado una charca poco profunda. Me hundí en ella con gusto.

—Me ha enviado tu padre —le dije.

Él asintió.

—Me lo suponía. ¿Cómo está?

—Bastante bien —mentí.

Él enarcó una ceja, incrédulo. Sentí pena al pensar en los caminos hacia donde nuestras vidas nos habían conducido. El padre de Kon tenía razón; ambos éramos demasiado jóvenes. Me pregunté cómo nos readaptaríamos una vez que la guerra hubiese terminado. ¿Nos habrían dañado nuestras experiencias de por vida?

—¿Qué estás haciendo aquí en realidad? —me preguntó Kon.

—Los japos han dispuesto un cebo para atraerte hasta un lugar abierto. ¿Has oído hablar de Saotome?

Él levantó una mano para detenerme.

—Díselo a Yong Kwan esta noche.

—¿Cómo es él?

—Antes enseñaba matemáticas en una escuela china. Probablemente fue entrenado por los chinos. No me sorprendería que hubiese intentado adoctrinar también a sus alumnos.

Era extraña esa forma de referirnos a nuestra propia gente, como para distinguirlos de nosotros. Después de todo, ¿no éramos chinos Kon y yo? Aun así, toda nuestra conversación había sido en inglés.

—Es un auténtico cabrón. Muy astuto y despiadado. Tengo la sensación de que está en esto por algo más, no solo por la gloria del comunismo.

Metí la cabeza dentro del agua y, al sacarla, me sentí mucho mejor, más limpio. Salí del río, me sequé y me puse la ropa.

—¿Cómo está Penang? —me preguntó Kon.

—Los japoneses ejecutaron a cientos de personas después de que volases la estación de radar —dije para que supiese el precio que se había pagado en su nombre. Sin embargo, en cuanto las palabras salieron de mi boca, me arrepentí. Yo tampoco estaba exento de culpa—. Eso era innecesario —reconocí de inmediato—. Lo siento.

Él negó con la cabeza.

—Me lo merezco. No tenías por qué haber venido. Te lo dije, ahora estamos en paz.

—Nunca se debería hablar de deudas y pagos entre amigos. —Le conté lo de Tanaka y su papel en la trampa que Saotome había planeado—. Él es el cebo que Saotome va a usar para hacerte salir.

La expresión de su rostro se tensó.

—No te lo conté la última vez que nos encontramos: William murió; se hundió con su barco. Edward está en un campo de trabajos forzados e Isabel…

Le hablé de Isabel con palabras entrecortadas y él permaneció en silencio.

—Tu tía estaba en lo cierto. Los británicos están haciendo planes para recuperar Malaya —dijo—. Hemos estado trabajando con soldados que están siendo lanzados en paracaídas. Todo está a punto para el asalto.

—¿Todavía confías en los británicos, después de la forma en que nos traicionaron, abandonándonos a los japoneses? Leí muchos de los documentos que se dejaron con las prisas de la huida. La defensa del país al completo era un desastre. Hubo incluso órdenes a la comunidad europea de que se marchasen en secreto al amparo de la noche, embarcasen y saliesen de allí —le conté.

—¿Qué otra opción nos queda? —me preguntó con voz amarga.

Oímos algo detrás de nosotros y nos giramos; Kon echó mano de su machete.

Reconocí a Su Yen, la guerrillera que estaba con mi amigo en la casa de Tanaka.

—Te he estado buscando —le dijo a Kon.

—Podíamos haberte matado —replicó él.

Ella se acercó para besarlo. Él la apartó y afeó su comportamiento:

—Vamos, decidimos que era demasiado peligroso seguir haciendo esto.

Ella se encogió de hombros y se justificó:

—Yong Kwan no estará de vuelta hasta esta noche y tu amigo siempre puede encontrar otra cosa con la que entretenerse.

Me miró un instante y en sus ojos vi la advertencia de que no me interpusiera en su camino.

Pero Kon fue firme y le dijo que se fuera.

—¿Y el bebé? —le pregunté.

Él asintió levemente.

—Estuvo sangrando todo el camino de vuelta. Ha cambiado después de la experiencia. Ahora lo odia todo y a todos. Creo que Su Yen perdió más que el bebé cuando la comadrona la asistió.

La verdad es que no deseaba escuchar nada más. Quería desesperadamente salir de la selva. Aquel paisaje vasto, interminable y al mismo tiempo reducido, sin puntos de referencia que pudiese reconocer, me asustaba. Allí no habría sobrevivido mucho tiempo y mi respeto por Kon no hizo más que aumentar.

Oímos voces y risas.

—Ese debe de ser Yong Kwan, que ha vuelto. Venga, vamos —dijo Kon. Me tocó en el hombro y me detuvo—: No le digas a nadie que Tanaka-san es mi *sensei*. Yong Kwan lo usaría en mi contra.

—No lo haré.

Yong Kwan era un hombre con entradas, de treinta y tantos años, bajo, fornido y de mirada dura. Su uniforme del EAJPM, como el de casi todos, había visto días mejores.

Le conté en detalle lo de la emboscada.

—Llevarán a Saotome por la carretera principal entre Ipoh y Cameron Highlands y sus tropas lo seguirán a cierta distancia. Su intención es haceros salir y, en especial, quiere a Kon.

Noté que a Yong Kwan pareció molestarle que Saotome no lo considerase a él lo suficientemente importante como para capturarlo.

—Lo más probable es que su topo te informe de cuándo llegará Saotome. Tienes un traidor entre tus filas y solo podrás descubrirlo cuando te traiga las noticias —dije, para concluir—. Ahora debo volver a Penang. Por favor, haz que uno de tus hombres me lleve de vuelta.

Él negó con la cabeza y señaló a dos de sus guerrilleros, que se acercaron por detrás y me cogieron los brazos. Uno de ellos estiró una cuerda enrollada y me ató las manos.

—Eres un colaborador muy conocido. No dejaremos que te vayas hasta estar seguros de la verdad de tus palabras.

Lo insulté. Él se acercó y me descargó una bofetada en la cara. Yo giré por la fuerza del golpe y caí al suelo.

—¡Basta! —exclamó Kon—. Lo ha enviado mi padre.

—¿Tu padre? —se mofó Yong Kwan—. ¿Un viejo sin poder, adicto al opio que regenta un burdel? ¿Nos lo manda para informarnos? Tengo la seguridad de un campamento entero en mis manos. Se queda atado hasta que capturemos a Saotome.

Me dio una patada cuando intenté ponerme en pie.

Kon hizo amago de abalanzarse hacia Yong Kwan, pero yo le dije con voz queda en japonés:

—Déjalo. Estoy diciendo la verdad.

Las palabras, sin sentido para Yong Kwan, lo enfurecieron:

—¿Qué te está diciendo ahora ese espía japonés? ¿Y tú, acaso eres también un perro de los japoneses? —le preguntó a Kon.

Kon miró deliberadamente a cada uno de los hombres que rodeaban a Yong Kwan y salió de la cueva.

Me dejaron atado en el suelo toda la noche. Al amanecer del día siguiente estaba entumecido y muerto de frío. Tenía las muñecas doloridas y los tobillos habían empezado a sangrarme por donde estaban amarrados, tiñendo las cuerdas. Estaba desesperado por escapar de allí. No podía quedarme, pues Yong Kwan me mataría. Si regresaba, Fujihara me mataría. Había estado fuera de Penang demasiado tiempo y se darían cuenta de mi ausencia.

Me quedé tumbado y reflexioné sobre las consecuencias de mi asociación con Endo-san. No me cupo la menor duda de que, si la muerte iba a ser mi destino, prefería que fuera Endo-san el encargado de poner fin a mi vida.

Kon me trajo un cuenco de gachas calientes y se puso en cuclillas junto a mí para dármelas. Mandó salir al centinela.

—Hemos recibido noticias. El contingente estará en la carretera mañana a mediodía. Yong Kwan retiene al hombre que ha traído la información.

—¿Quién es?

—Un arrocero de una pequeña aldea a kilómetro y medio de aquí. La aldea nos ha estado suministrando comida y medicinas. Ha admitido que está trabajando para los japos por dinero.

Entonces, abrió su navaja y cortó mis ataduras.

—Necesitaremos toda la ayuda posible. Tú has visto a Saotome de cerca, así que tendrás que identificarlo por nosotros.

Me levanté y estiré mi cuerpo dolorido. El sol estaba alto cuando nos dirigimos a la cueva. Un grupo de guerrilleros rodeaba a Yong Kwan, que estaba señalando un mapa. Nos vio, pero continuó con sus instrucciones. Vi que la mayoría de ellos buscaban la opinión de Kon y lo miraban para ver si aprobaba el plan de Yong Kwan, que me pareció sencillo y eficaz, y lo mismo pensó mi amigo.

—Nos dividiremos en dos grupos —dijo Yong Kwan—. Uno se encarga del coche donde va Saotome y el otro, del camión que lleva a los soldados. Y tú —me señaló—, tú estarás en el equipo que ataque a Saotome. Lo quiero vivo.

—¿Qué hay de los soldados que escoltan a Saotome? —preguntó Kon.

—¿Los soldados? —Yong Kwan soltó una carcajada—. No hay que molestarse en traerlos hasta aquí.

—Yo también estaré en ese equipo —dijo Kon, con voz firme.

Ambos habíamos pensado que Saotome seguramente colocaría a Tanaka en su propio vehículo.

Había cuatro personas en cada uno de los grupos. Yong Kwan iba el primero y Kon, otro guerrillero y yo lo seguíamos. El segundo equipo, que se separó de nosotros después de una hora de caminata, estaba formado por tres guerrilleros chinos del EAJPM y un malayo. Se apostarían más arriba en la carretera principal.

Íbamos abriéndonos paso por la jungla y nuestro avance se veía dificultado por la completa ausencia de caminos o senderos. Solo había maleza espesa y mojada. El sudor me empapaba la camisa y el portafusil. Había dejado la espada en el campamento, lo que me facilitaba la marcha. Los mosquitos disfrutaban danzando por nuestras caras, atormentándonos. Una vez asustamos a un cálao, que chilló, molesto, mientras se alejaba volando, y sus gigantescas alas sonaron como cuando una mujer sacude ropa mojada en las piedras del río. En cuanto salimos de la jungla, divisamos la alquitranada carretera negra a través de las ramas bajas.

Antes de la guerra, era una vía muy frecuentada por la gente que subía a Cameron Highlands de vacaciones. Yong Kwan había elegido el lugar de la emboscada en el cruce de la carretera que conducía hasta allí. Los coches siempre hacían una parada en aquel punto antes de girar. A mi padre le encantaba subir a Cameron Highlands, pues daba un grato respiro al permanente calor, e Isabel solía disfrutar paseando por los campos de fresas, los huertos y las plantaciones de té brumosas y ondulantes. Yo sabía que al dar la curva había un lugar escondido donde una charca horadada en la roca recogía el agua de una cascada. Habíamos hecho muchos pícnics allí y habíamos nadado en esas aguas frías y cristalinas después de bañarnos, nos quitábamos las sanguijuelas y cazábamos insectos y mariposas. Un sentimiento de pérdida me bajó los ánimos.

—¿Va todo bien? —me preguntó Kon.

—Sí, solo recuerdos.

Él comprendió.

—La carretera hacia Cameron Highlands. Vosotros, los británicos, pasasteis muy buenos años aquí —dijo con voz irónica.

Nos deslizamos hasta la carretera y corrimos hasta la cuneta del lado contrario. Comprobé la hora en mi reloj. Eran las once y media. Habíamos supuesto que Saotome saldría de Ipoh al cabo de unos minutos y que tardaría tres cuartos de hora en llegar al cruce.

Nos sentamos a la sombra del lalang, atentos por si oíamos acercarse algún coche. Nos llegó dos veces el sonido de vehículos, pero se trataba de pequeños camiones en los que viajaban unos cuantos soldados. Negué con la cabeza a Yong Kwan después de comprobarlos. Sentimos un débil ronroneo y levanté la cabeza, pero solo eran nubes de tormenta.

—Esperemos que no llueva. Vuelve a ser temporada de monzones —dijo Kon, escrutando el cielo.

—Ayer mencionaste que la guerra pronto acabaría —dije, y me sentí esperanzado y a la vez preocupado por lo que el final del conflicto supondría.

—Eso creo. Algunos de nuestros equipos van a encontrarse con tropas británicas que han cruzado el estrecho de Malaca en submarino. Antes de que los japoneses se apoderaran del país, unos cuantos hombres previsores hicieron acopio de armas y municiones en las junglas. ¿Cómo crees que hemos conseguido resistir durante tanto tiempo? Conduciremos a los británicos a esas armas y, cuando recibamos la orden del comando malayo en la India, destruiremos cada instalación y emplazamiento importante de los japoneses.

Miré el reloj. Era mediodía y tenía hambre. Estaba a punto de abrir mi cantimplora cuando oímos el chirrido de unos motores que se acercaban por la empinada cuesta de la carretera.

Saotome se había asegurado de que los guerrilleros no pasasen por alto su importancia, pues el coche iba decorado con dos banderas que proclamaban el estatus de los pasajeros que viajaban en su interior. Cuando el vehículo aminoró la marcha en el cruce, le hice una señal a Yong Kwan y salimos de la cuneta, rodeando el coche y apuntándolo con nuestras armas.

Saotome abrió la puerta y salió, con aspecto distinguido en uniforme. Su espada descansaba junto a su muslo y le habían sacado brillo a sus botas. Pareció sorprendido cuando me vio.

—Bien, joven Philip. Qué sorpresa encontrarte aquí.

Se mostraba indiferente, pues sabía que detrás venían refuerzos. En ese momento, oímos disparos y nos dimos media vuelta para mirar la carretera. Esperamos y entonces apareció el primero de los guerrilleros chinos, levantando el puño en el aire. Saotome comprendió lo que había ocurrido y echó mano a la espada. Kon lo apuntó con su rifle y le dijo en japonés:

—No te muevas.

—El Tigre Blanco. Mira lo que tengo para ti ahí dentro.

—Salga, por favor, Tanaka-*sensei* —lo instó Kon. La puerta del otro lado se abrió y vi la cabeza rapada de Tanaka-san. No le hice ninguna reverencia y Kon tampoco.

El inesperado sonido de camiones que se aproximaban por la carretera nos detuvo.

—¿Más vehículos? —dijo Kon.

Saotome sonrió. Entonces la carretera se llenó de soldados japoneses, liderados por Goro, que cargó contra mí. Saotome se había anticipado a nuestro plan.

Le disparé a Goro, pero fallé. Saotome echó mano de nuevo a su espada, pero yo le di una patada en la espinilla y él trastabilló hacia atrás, lo que me dio la oportunidad de arrebatársela. Me giré hacia Goro. Yong Kwan disparó a tres soldados y los guerrilleros chinos, al oír los tiros, acudieron corriendo. Todo el mundo empezó a disparar. Kon se me acercó.

—¡Llévate a Saotome y a Tanaka-*sensei* al campamento! ¡Rápido! —me urgió.

Apunté a Saotome a la garganta con la punta de su espada.

—¡Vamos!

Tanaka ya iba salvando los repechos del terraplén para adentrarse en la selva. Empujé a Saotome para que subiese por el mismo camino y tropezamos en la maleza resbaladiza. La espada se me cayó y él le dio una patada para alejarla. Acto seguido, se abrió la pistolera abotonada y sacó el arma, pero, en ese momento, Tanaka le apretó un nervio en el cuello. Vi cómo Saotome ponía los ojos en blanco, cerraba los párpados y perdía el conocimiento. Cogí su espada e intenté decidir por dónde continuar. Aupamos a Saotome y nos dirigimos hacia la jungla. Detrás de nosotros, los disparos habían cesado y, de repente, todo se quedó en calma; los pájaros y los monos habían huido asustados.

—¿Sabes qué dirección debemos tomar? —preguntó Tanaka.

—Ni idea —dije, intentando encontrar algún punto de referencia que pudiera recordar.

Di un brinco cuando Kon me tocó por detrás.

—He herido al oficial, pero debemos movernos rápido. Había más soldados subiendo por la carretera —dijo.

—Se llama Goro y me conoce.

—Entonces no puedes volver a Penang —dijo Kon.

—Debo hacerlo —dije—. Mi padre está allí solo.

Habían perdido a dos guerrilleros, pero Yong Kwan tenía una sonrisa de oreja a oreja. Haber capturado a Saotome le daba muchísima reputación. Entramos en el campamento y todo el mundo corrió a esconderse, pues sabían de pasadas experiencias que las tropas japonesas no tardarían en rastrear la zona.

—No encontrarán este sitio —me aseguró Kon.

—¿Qué hay de su espía, el arrocero?

—Está muerto. Yong Kwan lo mató antes de irnos.

Cuando Saotome volvió en sí, Yong Kwan lo abofeteó. Saotome se remeció en el asiento y sus manos no pudieron aliviar el dolor de su mejilla. Miró a su alrededor y me vio.

—Parece que Goro-san no está con nosotros. A menos que esté muerto, tu posición ahora es muy delicada.

No le contesté, sino que me dirigí a la entrada de la cueva.

—¿Dónde está Tanaka-san? —le pregunté a Kon.

Echó un vistazo a nuestro alrededor.

—Ven conmigo —me dijo.

Lo seguí hasta el claro, donde habían levantado una tienda de campaña llena de remiendos. Kon saludó al guardia, abrió el faldón de la tienda y entramos. Tanaka, al igual que Saotome, había sido atado a una silla construida improvisadamente con unas cuantas tablillas.

—*Sensei* —dijo Kon.

—Tanaka-san —le saludé yo.

Le desatamos las manos y él las flexionó al tiempo que nos daba las gracias. Parecía no haber cambiado en absoluto durante los últimos años, a diferencia de Endo-san. Me pregunté qué habría sido de él, pues no había tenido noticias suyas desde que nos separamos.

—¿Se fue a las colinas de Aguas Negras como me dijo? —le pregunté.

Él asintió.

—Subí a las colinas y me quedé allí con los monjes. No pensaba salir hasta que toda esta locura hubiese terminado. Pero Saotome-san me encontró. Cómo, no lo sé.

—Fue por mi culpa. Le dije a Endo-san dónde había ido —confesé.

—No importa —respondió.

—Sin embargo, Endo-san quería que advirtiese a Kon y que le rescatase. No lo entiendo.

Una expresión de felicidad olvidada visitó la cara de Tanaka durante un momento y supe que estaba recordando los días de juventud pasados con Endo-san.

—Después de tantos años, deberías conocer ya a tu *sensei.*

—Se siente atado por el deber de su cargo —dije, reflexionando sobre el comentario de Tanaka—. Pero el deber de la amistad y los principios de su maestro también tiran de él.

—Además, a través de ti, ha encontrado una forma de armonizar los conflictos de su vida —añadió Tanaka—. Cuando lo vuelvas a ver, dile que lo he echado de menos. He echado de menos las noches que pasábamos bebiendo y charlando. Cuando termine la guerra —aquí pareció melancólico—, cuando termine la guerra, tenemos que reunirnos todos y charlar y beber como cuando éramos jóvenes.

—Se lo diré, Tanaka-san.

Le dedicó una sonrisa de anciano a Kon.

—¿Y tú cómo estás? Veo que has hecho lo que me dijiste que harías. Eso está bien. En nombre de mi gente, te pido disculpas por las atrocidades que han cometido aquí.

Se inclinó con dificultad para hacer una reverencia.

—*Sensei*, por favor —dijo Kon afligido.

Tanaka exhaló un suspiro y preguntó:

—¿Qué va a pasar conmigo ahora?

—Hablaré con el jefe del campamento para que lo libere —dijo Kon.

Tanaka lo miró, preocupado.

—No estés tan seguro. En tiempos como estos, todos quieren vernos muertos.

—Tiene mi palabra de que lo sacaré de aquí —concluyó Kon.

Me pregunté qué tendría en mente. Desde que lo conocía, nunca había hecho promesas en vano.

Aquella noche, después de que los aviones de reconocimiento japoneses hubieran sobrevolado la zona durante una hora, una discusión estalló entre Kon y Yong Kwan. La temporada de monzones eligió ese momento para comenzar y la lluvia empezó a caer, suavemente al principio, pero luego con intensidad, hasta que resultó imposible ver en la oscuridad que teníamos delante. Oíamos sus voces a través de la violencia de la tormenta. Los guerrilleros se miraban los unos a los otros con inquietud y recordé un proverbio malayo que me había enseñado mi padre: «Cuando los elefantes luchan en la jungla, el ciervo ratón sufre las consecuencias».

Kon salió de la barraca de Yong Kwan. Yo me puse un chubasquero hecho jirones que dejaba entrar más agua de la que repelía y fui corriendo en su busca.

—¿Qué ocurre?

—Yong Kwan quiere interrogarlos esta noche —dijo Kon.

—¿A Tanaka-san también? ¿Pero no le has dicho que es inocente?

—No le importa. Yong Kwan se parece mucho a los japoneses a los que le encanta dar caza. También ha descubierto mi conexión con Tanaka-san gracias a Su Yen.

Se interrumpió durante un segundo y me di cuenta de que estaba reuniendo fuerzas para pedirme algo. No le dejé hablar.

—No tienes que pedírmelo. Lo haré. Me llevaré a Tanaka-san conmigo cuando me marche.

—Entonces, estaré en deuda contigo. No sabes lo mucho que Yong Kwan disfruta jugando con sus víctimas. Me niego a permitir que Tanaka-san sufra. Llévatelo de vuelta a Penang cuando regreses, sí. Escóndelo en las montañas.

Nos sentamos en torno a una cena fría de ñames y carne fibrosa de jabalí. Ahora había unos cuantos soldados británicos en el campamento, parte de la avanzadilla que había arribado en submarino a la costa del estrecho de Malaca. La piel quemada los señalaba como recién llegados; los guerrilleros europeos más viejos tenían una palidez luminosa, cual espíritus de la jungla, como resultado del paso de tanto tiempo bajo la penumbra de los árboles.

—Tengo que marcharme lo antes posible —le dije a Kon.

Estaba preocupado por mi padre. El hecho de que Goro hubiese escapado significaba que había emprendido ya el regreso a Penang. Me había visto, y tanto Hiroshi como Fujihara lo utilizarían para hacerme el mayor daño posible.

—Entonces, vamos a preparar a Tanaka-san. Te mostraré el camino hacia la carretera principal —me susurró Kon en japonés.

Nos dirigimos hacia la tienda donde tenían retenido a Tanaka. El suelo estaba empezando a inundarse y a convertirse en barro. El guardia no estaba y el lugar se encontraba vacío. Habíamos llegado demasiado tarde.

Volvimos corriendo a la cueva y Kon se abrió paso entre la muchedumbre a empujones. En la entrada de un pasadizo, uno de los guerrilleros nos detuvo.

—No podéis pasar. Órdenes del comandante Yong.

Alzó su rifle. Esperamos, haciendo muecas de dolor cada vez que oíamos resonar los gritos por cada rincón de la cueva. Una hora más tarde, sacaron a los prisioneros: Saotome sangraba por la nariz y por la boca, tenía la mandíbula fracturada. Seguía consciente, al igual que Tanaka, que no podía andar, pues Yong Kwan le había partido las piernas. Los colocaron bajo la lluvia atados a un árbol joven. El agua, que cada vez caía con más intensidad, les lavaba la sangre.

—Dejadlos aquí esta noche —ordenó Yong Kwan—. Continuaremos mañana.

Nos quedamos bajo la lluvia cuando regresó a la cueva. Kon se quitó el chubasquero y lo puso sobre Tanaka.

—Ya no queda mucho, *sensei.* Resista, por favor.

Entonces, volvió caminando despacio a su tienda y empezó a empaquetar sus cosas.

—¿Qué estás haciendo? —le pregunté.

—Ya has visto en qué condiciones está. No puede salir de aquí solo con tu ayuda —dijo—. Creo que va siendo hora de que regrese a Penang. Llevo mucho tiempo soñando con mi hogar. Anhelo volver a pasear por los jardines de mi padre, recorrer las calles de Georgetown. —Su voz destilaba un tono nostálgico, como el de un niño pequeño que echase muchísimo de menos su cama y su hogar—. Solo quiero volver a casa. Y, además —dijo mirando los laterales de la tienda—, estoy harto de tanta agua.

Esperamos toda la noche, pero la lluvia no remitía.

—Hora de irnos —dijo hacia el amanecer.

Encontramos otro trozo de lona y lo convertimos en un chubasquero. Salimos a la lluvia; Kon llevaba la espada de Saotome en la mano. Corté las cuerdas de Tanaka con la mía y lo aupamos con cuidado. Vi que sangraba mucho por una herida de arma blanca que no había visto antes. Me rasgué la manga de la camisa e intenté detener la hemorragia. Él abrió los ojos y asintió débilmente.

—¿Qué pasa con él? —le pregunté a Kon, señalando a Saotome.

—Déjaselo a Yong Kwan —dijo.

—No —susurró Tanaka, que me tocó la mano y añadió—: Sabes lo que hay que hacer.

Yo negué con la cabeza.

—Solo está recibiendo lo que tantas veces ha infligido él.

—Ese no es el camino —continuó Tanaka—. Ahora eres un alumno de *aikijutsu* y tienes tus obligaciones. Sé clemente.

Miré a Saotome fijamente a los ojos, pero vi a Isabel, que corría por la playa interminable. Vi a Peter MacAllister y hasta a Edward, y fui consciente de que mi hermano no regresaría jamás a Penang. Saotome no podía mover la mandíbula pero supe lo que quería de mí.

—No, no voy a hacerlo. —Envainé mi espada y él cerró los ojos, frustrado—. ¿Adónde vamos? —pregunté.

—Nos dirigiremos al río y lo seguiremos hasta Ipoh. No queda lejos —dijo Kon.

Cargamos a Tanaka entre los dos y salimos del campamento. A pesar de sus terribles heridas, Tanaka no gritó. Estábamos a punto de llegar al río cuando me di cuenta de que nos seguían.

—Para —dije—. Escucha.

El caudal iba muy crecido y nos resultaba difícil oír otra cosa.

—Voy a volver a comprobarlo —dijo Kon—. Continúa hacia el río.

Dejé que Tanaka se subiera a mi espalda y empezamos la bajada hasta la ribera del río, un dique natural que se precipitaba abruptamente. Las aguas revueltas casi tres metros más abajo habían agrietado las márgenes del cauce y transportaban troncos procedentes de las montañas cuyas ramas sobresalían implacables como las manos de hombres que se ahogaran. El agua fluía estrepitosa, brava y serpenteante, una riada interminable de fuerza pura. Oí un crujido detrás de nosotros e intenté girarme, pero con el peso de Tanaka me resultaba difícil moverme.

—Soy yo —dijo Kon—. Tenías razón. Yong Kwan nos sigue con Su Yen y algunos más. Están muy cerca. Creo que Saotome ha hecho saltar la alarma.

—Bájame —dijo Tanaka. Lo dejé con cuidado en la tierra y él contuvo un quejido—. No puedo continuar. Vosotros dos debéis marcharos. Especialmente tú —me dijo—. Debes volver con tu padre.

—No podemos dejarle aquí —dijo Kon—. Yong Kwan le hará sufrir tanto tiempo como pueda.

Hubo un momento de completo entendimiento entre maestro y pupilo y, finalmente, Kon asintió y dijo:

—Yo lo haré, *sensei.*

Tanaka se quitó un amuleto circular que llevaba colgado del cuello. Era un *mon*, la insignia de su familia.

—Esto es para ti —dijo.

Kon alargó la mano y vi un ligero temblor cuando encerró el regalo en su puño. Entonces desenvainó la espada de Saotome y unas gotas de lluvia hicieron que la brillante superficie de acero pareciese, de repente, metal fundido burbujeante, como si la espada misma se estuviese calentando.

Tanaka se arrodilló con la ayuda de Kon. Me horrorizaba la agonía que debía de estar padeciendo; no obstante, consiguió mantenerse erguido y rígido.

—No puedes seguir adelante con esto —le dije a Kon, con la voz entrecortada por la rabia y la pena—. Todavía nos queda una oportunidad de escapar. ¡No seas tonto!

Tanaka negó con la cabeza.

—Quiero que lo haga —me aseguró—. No juzgues a tu amigo con tanta dureza. Tal vez algún día comprendas lo agradecido que le estoy.

No hubo nada más que añadir, así que le hice una reverencia y susurré:

—*Sayonara*, Tanaka-san. Me siento honrado de haberle conocido.

Él consiguió esbozar una irónica sonrisa.

—¿Quién sabe? A lo mejor nos volvemos a encontrar.

—Eso espero —dije.

Di un paso atrás y permití que Kon se colocase sobre Tanaka.

—¿Tu postura es la correcta? —preguntó.

—Sí, *sensei* —contestó Kon, y oí su voz tan entrecortada como había sonado la mía.

—Apoya más el peso en la pierna derecha —le instruyó Tanaka—. Controla tu respiración. Afloja el agarre de la empuñadura… sí, bien hecho.

Observé cómo Kon se serenaba y cerraba los ojos para concentrarse mientras seguía con precisión las instrucciones de Tanaka. En aquel momento, nada importaba salvo cumplir con su tarea. Le debía ese último gesto a Tanaka y estaba decidido a hacerlo bien. Alzó la espada hasta la postura de corte.

Detrás de mí se produjo un crujido en el follaje. Me sequé el agua de los ojos y vi a Su Yen salir de la jungla. Tenía en las manos una pistola y apuntaba a Kon.

—No creo que a Yong Kwan le guste esto, Kon —dijo, con voz ronca—. De modo que huyes y me dejas aquí sin decírmelo siquiera ni pedirme que te siga, ¿no?

Kon bajó la espada y vi el dolor en sus ojos. Con todo, creí discernir un elemento de vergonzoso alivio, como si se alegrase de haber sido interrumpido.

—¿Vas a dispararme? —se mofó.

Su Yen dudó, con expresión indecisa.

Kon volvió a alzar la espada, pero un disparo lo mandó, dando traspiés, hasta el borde del barranco. Yong Kwan había salido de detrás de los árboles y ahora se dirigía hacia Kon. Yo estaba furioso por mi momentánea falta de reflejos, por no haber sentido la presencia de Yong Kwan.

—¡Detenlo! —le dije a Su Yen—. ¡Usa tu arma!

Sin embargo, la chica se quedó pasmada. Con un movimiento rápido e imparable, desenvainé mi espada, que tendió un puente en la distancia como un látigo de luz, y la punta se clavó con suavidad en el lateral del cuello de Yong Kwan, lista para abrírselo.

—Baja el arma —le dije a través de la lluvia.

Apreté la espada un poco más, haciendo salir unas gotas de sangre. Él hizo una mueca de dolor y me obedeció.

Mantuve en él toda mi atención.

—¿Estás bien? —le grité a Kon.

—Estoy bien —dijo, ayudándose de su espada para ponerse en pie.

Tanaka había permanecido inmóvil todo ese tiempo, como completamente seguro del resultado.

Por el rabillo del ojo observé a Kon reunir toda su voluntad, una resolución que yo dudaba tener alguna día. Una vez más alzó su espada al cielo, colocándose en la postura correcta. La sangre de la herida de bala le calaba la camisa, pero la lluvia la lavaba al instante, como si su visión ofendiese a los dioses.

Bajó la espada con un movimiento tan perfecto que Tanaka lo habría elogiado. Vi la sonrisa del *sensei*, cómo sus ojos se cerraban justo antes del momento final, y tuve la sensación de que le otorgaba su aprobación. Su cuerpo se desplomó y yo dejé escapar un suspiro y cerré los ojos. No vi a Su Yen empuñar de nuevo la pistola. Disparó dos veces y Kon se tambaleó, giró sobre sí mismo y cayó al río por el terraplén. Para cuando llegué al borde, ya se había ido, arrastrado por el torrente.

Yong Kwan sonreía de oreja a oreja de pura satisfacción.

—La chica sabe quién la va a cuidar, ¿verdad, Su Yen?

Le tendió la mano y ella, después de un momento de duda, fue hasta él.

Me atravesó un rayo de inmenso dolor, y una rabia intensa, tan turbulenta como el río, me estremeció. Le propiné a Yong Kwan un violento golpetazo en la cara con la empuñadura de mi espada y lo dejé inconsciente. Me enfrenté a Su Yen.

—Debería matarte, zorra —dije fríamente.

Su cara, surcada por mechones de pelo, no mostraba expresión alguna. Con la lluvia, fui incapaz de distinguir si estaba llorando o no mientras me alejaba.

Rastreé el tramo del río en busca de mi amigo, gritando su nombre, pero solo había troncos de árboles dando vueltas y ramas caídas siguiendo el curso de la corriente. Era inútil. Regresé a la jungla y puse rumbo a mi casa, a mi padre.

•

Tardé tres días en encontrar Ipoh. Repetía las instrucciones de Kon en mi cabeza. A veces oía su voz y pensaba que me había vuelto loco, que estaba poseído por los espíritus de la jungla, los mismos que, según solía contarme mi *amah*, gastaban bromas a la gente que se había perdido, haciéndolos caminar en círculos durante días, distrayéndolos con falsos sonidos y risas. A veces la lluvia paraba de repente y las hojas goteaban como grifos que no se hubiesen cerrado bien. Luego, el sol levantaba vapor de la maleza, creando una especie de niebla perversa que no era fría, sino caliente y densa, y en la que resultaba imposible respirar.

Era consciente de que estaba perdido, así que me senté en una raíz, incapaz de moverme, paralizado por la desesperación. La selva se negaba a liberarme y, a mi alrededor, la columnata de árboles milenarios continuaba alargándose hacia el sol. Lloré por mi amigo, pero no había nadie para consolarme.

Le hablé a Endo-san y le pedí ayuda, convencido de que estaba a punto de sucumbir a la derrota. No obstante, el recuerdo de mi padre hizo que me pusiera en pie y siguiera caminando, tratando de utilizar el sol como guía. Después de una corta distancia, encontré cobijo en el hueco del tronco de una higuera. Me senté, calmé mi respiración y empecé a meditar.

No fui consciente del tiempo que había pasado allí sentado, pero un ruido en el cielo me trajo de vuelta. Abrí los ojos, miré hacia arriba a través del dosel de hojas y vi pasar rugiendo dos aviones, los más grandes que había visto jamás. Tomé nota de la dirección en que volaban y sentí una inyección de esperanza mientras los seguía por entre los árboles. Al cabo de una hora, oí explosiones y supe que los ingleses habían regresado, esta vez para completar el trabajo que habían abandonado. Seguí las espirales de denso humo negro que se trenzaban hasta el cielo y supe que Ipoh estaba cerca.

Los aviones (más tarde supe que eran Lancaster y Halifax, capaces de recorrer largas distancias y utilizados para misiones de bombardeo) sobrevolaban Ipoh y lanzaban sus bombas a los edificios ocupados por los japoneses. Recé una oración de agradecimiento a Isabel y a sus amigos, que habían proporcionado información precisa a los británicos. Llegué a un alto y divisé Ipoh a mis pies, con sus montañas cubiertas por las nubes grises que se estaban levantando. Había incendios y, en el aire, oí los lejanos sonidos de unas sirenas que me recordaron el llanto de un bebé al que hubieran despertado.

Me senté y esperé hasta que los aviones dieron una última ronda y se alejaron por el oeste, de vuelta a la India. Caminé hasta Ipoh, pasando por pequeñas aldeas donde me encontré con niños sonrientes y ancianos que me saludaban al pasar. Sabían que los japoneses estaban acabados. En el centro de la ciudad, frente al *padang*, entré en la estación de tren y fui hasta mi hotel. El mostrador de recepción estaba abarrotado de señoras japonesas histéricas y tuve que abrirme paso entre ellas para pedir mi llave. El portero indio me la alcanzó y me miró fijamente.

—Tal vez no debería volver a su habitación —dijo.

Alargué la mano para que me diera la llave y se lo agradecí.

—Tengo que hacerlo.

Goro y los oficiales de la Kempeitai me estaban esperando. Goro sonrió de oreja a oreja y le ordenó a un oficial que me esposara.

—Endo-san nos informó de que volverías a por tu padre —dijo—. Te acusarán de espionaje, de ayudar al EAJPM y del asesinato de Saotome-san. Si te hallan culpable, tú y tu familia seréis decapitados en público. —Su sonrisa se tornó en mueca—. Te hallarán culpable, de eso puedes estar seguro. Y yo seré tu verdugo.

Capítulo quince

Me llevaron en un camión militar a Butterworth, donde Goro me ordenó subir a un barco. Lo único que sentí al cruzar el canal hasta Penang fue una extraña sensación de serenidad. Tenía el corazón en calma, como el mar, y parecía que surcásemos la superficie de un cristal. Hasta las medusas que flotaban en las profundas aguas verdes parecían suspendidas en la quietud. No sentía el viento ni veía las nubes que coronaban la cumbre de la colina de Penang, donde las diminutas casas relucían y deslumbraban con el sol.

Primero oí un zumbido hondo y casi imperceptible que vibró a través del aire cuando los Halifax se aproximaron, en vuelo innecesariamente raso, seguros de su victoria. Vi pasar sus sombras por encima de nuestro barco y luego por la superficie del mar, como si inmensas criaturas estuviesen moviéndose bajo nosotros. Su estela revolvió el aire y el agua, y la espuma del mar me pegó en la cara. Goro subió corriendo a la cubierta y vio que los aviones se dirigían a los muelles. Volvió a bajar de un salto y escuché cómo intentaba frenéticamente llamar por radio a las fuerzas aéreas.

El primer Halifax llegó a los muelles. Segundos después, el estruendo estremeció el puerto. Nosotros estábamos tan cerca que sentí el calor abrasador de la explosión. Los otros dos aviones siguieron su vuelo hasta la ciudad. Cuando las nubes de humo se retorcieron en el cielo, mi corazón se encogió ante tanta destrucción. Las fuerzas aliadas, en sus bombardeos indiscriminados por Europa, habían matado a miles de civiles. Ahora, sin embargo, me daba cuenta de que, como en Ipoh, la selección de lugares estratégicos era infalible y los objetivos de sus proyectiles, precisos. La base naval japonesa fue destruida por completo y el cielo sobre los barracones del ejército que rodeaban Fort Cornwallis brillaba por las llamas. El propio fuerte, que albergaba a aquellos prisioneros de guerra que no habían sido enviados al Tren de la Muerte, permaneció milagrosamente intacto. Aquella muestra de exactitud encendió un rayo de esperanza en mí. Sentí que Isabel, tía Mei y sus amigos habían desempeñado de algún modo un papel decisivo, que sus muertes no habían sido en vano. La risa de mi hermana, la risa que había conocido toda mi vida, me llegó con el viento. Sonaba tan viva y tan llena de felicidad y de todas las cosas maravillosas que sentí cómo se me alegraba el corazón.

Cuando llegamos, ya no quedaba ni rastro del puerto. El barco se mecía en las aguas someras y un sampán salió para llevarnos a tierra. Los escombros y los restos de los barcos hundidos chocaban contra el casco a medida que nos aproximábamos a la orilla. El hedor de los edificios en llamas nos asfixiaba y densas columnas de humo oscurecían el aire. En el viento flotaban brasas, algunas de las cuales se elevaban prendidas en espiral. Oí llantos y gritos. Una esquina de Hutton e Hijos se había derrumbado, dejando a la intemperie las oficinas del piso superior.

Subí a empujones por los escalones de piedra de la orilla. Me quedé plantado en el muelle, tratando de asimilar y comprender el alcance de la destrucción. Todo parecía estar carbonizado. Las calles se habían hundido por completo y las explosiones habían diseminado los vehículos por todas partes; algunos estaban bocarriba, con las ruedas al aire, mientras que otros habían sido aplastados hasta quedar irreconocibles.

Los Halifax habían dado la vuelta y venían en nuestra dirección. Vimos caer los huevos negros de sus panzas, acompañados por un fino silbido. El primero alcanzó el depósito de armas y la sucesión de explosiones que siguió cuando la munición prendió nos tiró al suelo.

Un guardia japonés se había agarrado a una verja. Un instante después, dejó escapar un grito: un trozo de metralla de horroroso aspecto y medio metro de largo le salía del pecho. La sangre le brotó a borbotones por la boca antes de que se tambalease y se desplomara. Hubo un estrépito casi como de lluvia en un tejado de hojalata cuando los escombros volátiles alcanzaron la hilera de almacenes que teníamos a nuestra espalda. Las finas paredes onduladas de metal se plegaron bajo el peso del ataque y, al arrugarse, los tejados se derrumbaron. Oí el estrépito de cientos de ventanas que se rompían formando nubes de fragmentos pulverizados que colmaron el aire como el polvo de una alfombra vigorosamente sacudida.

Me tiré de bruces al suelo, entre dos bidones de petróleo volcados. Los aviones nos sobrevolaron, el suelo tembló. Y luego, se fueron.

El persistente zumbido en los oídos se fue atenuando. Primero oí mi respiración, a continuación, el errático latir de mi corazón. Sentí las piernas acorchadas cuando me puse en pie. Goro se las apañó para parecer digno incluso al levantarse con dificultad. En sus ojos vi algo que hasta ahora no había visto nunca en ningún japonés: derrota.

Reunió a sus hombres y juntos cruzamos como pudimos las calles en llamas. Paró el primer coche que encontramos, sacó de un tirón al desventurado conductor malayo y condujimos hasta los cuarteles generales. Por el camino, me fijé en las caras de la gente de Penang. La esperanza había borrado parte del desánimo por la ocupación japonesa. Parecían llevar los hombros más rectos y la barbilla más alta. Me alegraba de aquella sutil transformación.

En los cuarteles generales todo estaba en calma. Era como si no estuviesen al tanto de lo que había pasado fuera; tal vez lo equiparaban a otros bombardeos lanzados esporádicamente con tan poco entusiasmo.

Me llevaron a la oficina de Endo-san. Él estaba mirando por las cristaleras, contemplando los jardines y la buganvilla. Un macaco estaba sentado en la hierba resplandeciente comiéndose un rambután mientras golpeaba suavemente el suelo con la cola. Seguro que procedía de la colonia de los Jardines Botánicos, pensé con indiferencia.

Noté que el pelo de Endo-san brillaba más que nunca. Iba vestido con su *yukata* gris, adornado con delicados hilos de oro, y unos *hakama* negros.

—Fuera —le ordenó a Goro, y luego se sentó a su escritorio. Yo me quedé de pie.

—Tanaka-san, tu amigo de la infancia, ha muerto —le anuncié.

Vi que se estremecía antes de disimular sus emociones.

—¿Cómo? —preguntó.

Le narré los acontecimientos que habían conducido a la inútil pérdida de tantas vidas y terminé con las palabras finales de Tanaka antes de morir. Endo-san bajó la vista a sus manos, que descansaban en la mesa.

—No deberías haber dejado que Goro escapase. No me informó a mí, sino a la oficina de Saotome. Podríamos haber evitado todo esto —dijo al fin.

—Entonces, todo fue en vano —zanjé.

—¿Sabes por qué te han arrestado? —continuó en voz baja.

Asentí.

—¿Cómo está mi padre?

—Está en prisión.

—¡Dijiste que cuidarías de él! —le espeté, sin poder controlar la rabia creciente de mi voz—. ¡Déjame verlo!

Cogió un documento.

—Se te acusa de pasar información secreta militar y del gobierno a las tríadas. ¿Lo admites?

No respondí; solo podía pensar en mi padre.

—¿Qué tríada? ¿La de Towkay Yeap?

—No importa, Endo-san. Habéis perdido la guerra. Es hora de que vuelvas a casa.

De repente, pareció cansado.

—Eso espero. Quiero ir a casa. Una vez que la guerra termine, al menos habré cumplido mi deber. —Su voz se tornó tierna y su expresión lo acompañó—. Quiero volver a ver la isla de Miyajima. Quiero pasear por los campos donde crecí, por las calles donde jugué y hablar con la gente de mi pueblo. Solo quiero regresar a casa.

Sentí una aguda punzada de pena, pues sus palabras resonaron con un ligero eco, como el de una campana que un monje anciano hubiese tañido en un templo remoto, al recordar lo que Kon había dicho. Su único deseo también había sido volver a su hogar.

—Déjame ver a mi padre —dije, exhausto.

Se acercó a mí y me tendió la mano. Yo vacilé y luego la estreché. Él me acercó y me rodeó con sus brazos. Yo apoyé la cara en su pecho y, durante unos minutos, fingimos que las cosas eran como antes, como antes de la guerra.

—Mi querido muchacho —susurró.

Me aparté de él.

—Cumple con tu deber. Hazlo y vuelve a casa.

Me llevaron a Fort Cornwallis, a poca distancia a pie de las oficinas de Hutton e Hijos. En uno de aquellos giros tan curiosos de la historia, el fuerte, que se había construido en un principio para alojar a la guarnición británica, se utilizaba ahora para encarcelar a los soldados y a los civiles británicos que no habían sido enviados al Tren de la Muerte. Los prisioneros, todo huesos y vestidos con andrajos, me observaron desde las profundidades de sus celdas cuando me condujeron a la oscuridad del fuerte.

Llamé a mi padre a voces, pregunté a los prisioneros en cada rincón de mi celda, pero ninguno sabía nada de Noel Hutton. Solo lo vi el día que me llevaron ante el tribunal para oír mis cargos.

Su aspecto me entristeció. Caminaba como un anciano, dando pasitos pequeños y dubitativos, sin saber muy bien hacia dónde le conducían. Sin embargo, cuando lo colocaron junto a mí, me dedicó una sombra de su antigua sonrisa.

—¿Has hecho lo que tenías que hacer? —me preguntó.

—Sí, padre. ¿Te han hecho daño?

Él meneó la cabeza.

—Me han tratado con gran civismo. En gran parte, creo, gracias a la intervención del señor Endo.

Los japoneses nunca hacían las cosas a medias. En el tiempo que duró mi asociación con ellos, había visto lo lejos que podían llegar solo para demostrar que tenían razón. Y así fue con mi castigo.

Hiroshi decretó que las pruebas contra mí, que consistían básicamente en el testimonio de Goro, no dejaban lugar a dudas. Había pasado información al enemigo y había participado en el asesinato de Saotome, cuyo cuerpo habían tirado en la entrada del cuartel general de la Kempeitai en Ipoh, cuando yo aún andaba vagando por la jungla completamente perdido. Iban a ejecutarme en el campo que había fuera del fuerte y a encarcelar a Noel Hutton por darme refugio, por ser el padre de un traidor.

Me armé de valor para recibir la esperada sentencia con ecuanimidad por el bien de mi padre. Cuando me giré para mirarlo, él asintió una vez para sí y vi en su cara la misma expresión que siempre había tenido cuando sus negociaciones comerciales llegaban a punto muerto. Durante aquellos procesos, casi siempre hallaba una solución, pero ahora no. No había ninguna.

—Encontraré una forma de sacarte de aquí —me aseguró.

Me pregunté si todo aquello no habría afectado su mente. Sus ojos tenían un brillo extraordinario e irradiaban una certeza que yo sentía fuera de lugar. Le habló a Endo-san.

—Sabes que la guerra está a punto de terminar y todavía insistes en llevar a cabo esta parodia, esta perversión.

—Mi deber continúa hasta el final de la guerra —respondió Endo-san antes de que nos condujesen fuera y nos volviesen a internar en el mundo sin luz del fuerte.

Endo-san me visitaba a diario. Le pedí que me permitiese ver a mi padre, pero me lo denegó. La noche anterior a mi ejecución, supe que el férreo control que había impuesto a mis emociones pronto se quebraría. Sentía que el tiempo se me escapaba y no podía hacer nada para detenerlo.

Aquel día, Endo-san vino más tarde que de costumbre. El cerrojo traqueteó y la puerta se abrió. Cuando entró, me levanté del palé de madera que me había servido de cama.

—Déjame verlo —dije.

—Lo verás mañana —respondió—. No te preocupes por tu padre. Está bien. He estado hablando con él estos últimos días. Ahora mismo vengo de su celda.

—¿Qué te ha dicho? ¿Te ha dado algún mensaje para mí?

Endo-san negó con la cabeza.

Muy a mi pesar, había albergado la esperanza de que mi padre, de alguna manera, volviera a arreglar las cosas, como había hecho siempre cuando yo era niño. Ahora, sin embargo, estaba solo.

—¿Te asegurarás de que se encuentre a salvo? ¿De que no le pase nada? —le pregunté.

—Me aseguraré de que tenga lo que necesite —respondió Endo-san.

—No quiero verlo mañana —dije— No quiero que esté allí. ¿Podrás asegurarte al menos de eso?

—Lo intentaré —dijo—. También he pedido que me devuelvan tu espada.

—Nunca la he usado para matar —dije.

Debería haberlo hecho, pensé. Debería haberle rebanado el cuello a Yong Kwan. Tal vez entonces Kon seguiría vivo.

—Eso está bien —dijo Endo-san.

—Así que todo está terminando como siempre —dije—. En cierto modo, vas a matarme otra vez.

Tuve que luchar con todas mis fuerzas para no sucumbir a mis miedos, pero él se dio cuenta.

—¿Quieres que me quede aquí contigo esta noche?

—Sí —dije—. Por favor.

Capítulo dieciséis

Las noticias vuelan en un sitio pequeño como Penang. Recuerdo que todos estaban emparentados, guardaban algún tipo de relación o se conocían. Siempre nos enterábamos de si un hombre estaba teniendo una aventura o de si una mujer tenía demasiada querencia por la botella. Una vez hice novillos para irme a pasar el día por las calles de Georgetown. Cuando volví a casa aquella tarde, mi padre me estaba esperando. Me habían visto y las noticias habían llegado a oídos de alguien que se sintió en la obligación de hacérselo saber.

Estaba seguro de que los *jipunakui* también habían ayudado a que la gente supiese del destino del último de los Hutton. El día que me llevaron al campo de las afueras de Fort Cornwallis, una muchedumbre ya se había congregado, agitada e impaciente. Mi padre estaba allí y el corazón me dio un vuelco. De modo que Endo-san me había fallado a pesar de mis súplicas.

Entre la multitud se daban reacciones encontradas. Muchos que me percibían como un traidor que había colaborado con los japones me abuchearon y me tiraron piedras, y los soldados se los llevaron a rastras y los golpearon. Una vez más pensé en cómo llegar a entender alguna vez a aquel pueblo salvaje, culto, brutal y refinado al mismo tiempo.

Entre la turba había personas a las que había ayudado, y esas permanecían en silencio. En la multitud de caras creí ver a Towkay Yeap y deseé poder hablarle de Kon, de cuánto había anhelado volver a casa.

Experimenté saltos en el tiempo: vi a mi madre yacer moribunda bajo las sábanas, a tía Mei sonreírme cuando nos sentamos en su casa. Vi a Endo-san el día que me llevó a su isla, aquel día en que seguimos remando y, de repente, ya no estaba allí y me quedé solo en mi bote con los remos que de alguna forma habían llegado a mis manos. Cerré los ojos e intenté aprovechar cualquier resquicio de fortaleza que quedase en mí.

Cuando leyeron en voz alta que yo había pasado información a las sociedades secretas, los abucheos se silenciaron y, como el susurro de una brisa, la muchedumbre empezó a corear nuestro apellido. El sonido fue aumentando y colmó el cielo, fuerte como los vientos del monzón. Goro dio unos cuantos disparos al aire, pero el silencio sombrío que descendió fue incluso más poderoso que las consignas.

El *padang*, una vez inmaculado, donde la gente había jugado al *cricket*, estaba ahora lleno de piedras y de parches de arena que se entreveían a través de la hierba seca. En el centro se distinguía un cuadrado de arena de un blanco cegador, perfectamente rastrillada. Justo en medio habían plantado un poste de madera que parecía el tronco de un árbol seco en mitad del desierto. Me obligaron a arrodillarme en la arena y Goro me ató al poste.

—Perdóname. No deberías estar aquí —le susurré a mi padre sosteniendo su mirada.

Él meneó la cabeza con delicadeza.

—Hiciste lo que tenías que hacer, lo que pudiste.

—Lo siento muchísimo.

Noté que las lágrimas pugnaban por derramarse y me negué a permitir que nadie las viese.

Endo-san se acercó hasta mí. El tiempo pareció retroceder de nuevo. ¿Acaso no iba vestido con las mismas prendas que le había visto llevar al entrar en estado profundo de *zazen*, cuando se preparaba para decapitarme hacía siglos? La túnica negra con los bellos ribetes de oro parecía la misma; solo que esta vez llevaba el pelo corto y no recogido en un moño alto, y en la mano asía su espada Nagamitsu.

Se plantó frente a mí. Era verdad. Estaba pasando, el tiempo estaba retrocediendo. Tenía la misma expresión en el rostro que había visto entonces. Estaba mareado y, sin embargo, no sentía miedo, solo la convicción de que él había tenido razón todo el tiempo.

—Tu padre morirá. Pero tú vivirás —me dijo.

—¡No! ¡Eso no fue lo que te pedí!

Se giró para mirar a mi padre. Los vi intercambiar miradas y supe que se había hecho otro trato, uno del que me habían excluido. Trajeron a mi padre junto a mí y se dejó caer pesadamente de rodillas; pude oír incluso el restallido de sus articulaciones. Tiré de mis cuerdas y le grité a Endo-san.

—Gritar no servirá de nada. No hay nada que puedas hacer para cambiar esto —dijo mi padre en voz baja—. Muestra un poco de dignidad ante las gentes de Penang.

Dejé de forcejear.

—¿Por qué?

Él me dedicó una de sus bonitas sonrisas, pero decidió no contestarme. En lugar de eso, preguntó, casi con voz infantil:

—¿Me dolerá?

—No —contesté. Desde las profundidades de mi conocimiento, de mis vidas pasadas, pude confirmárselo—: No te dolerá. Lo harán correctamente.

Y entonces, la gente empezó a susurrar de nuevo nuestro apellido, como una ola que, nacida lejos, en el mar, fuese adquiriendo fuerza a medida que se acercaba a la orilla. Endo-san le hizo una advertencia a Goro y a los soldados japoneses para que no utilizasen sus armas. La consigna «¡Hutton! ¡Hutton!» se fue extendiendo, aumentando en volumen y emoción.

—¡Escucha eso! —dijo mi padre—. Haz que nuestro apellido perdure. Que siempre lo asocien con esas cualidades. Solo las buenas.

Endo-san le quitó las cadenas a mi padre y lo acomodó. Goro, que se sentía burlado, protestó, pero Endo-san dijo:

—Va a morir como un hombre libre.

Mi padre se apretó las muñecas y luego se las colocó a la espalda. ¿Cuántas veces lo había visto caminar, disfrutando de su jardín, con las manos entrelazadas detrás? Enderezó la espalda y alzó la barbilla.

Endo-san se levantó, inclinó respetuosamente la cabeza durante unos segundos y desenvainó su catana, que salió en silencio, como un rayo de sol que abriera una brecha en un banco de nubes de lluvia, igual de brillante. Le hizo una profunda reverencia a mi padre:

—Sería un honor para mí que me permitiese completarlo.

Mi padre bajó la cabeza dando su consentimiento y a continuación abrió los ojos con el brillo más resplandeciente que jamás había visto en ellos. Alzó la vista al sol, que ahora se elevaba rápidamente, para sentir su calidez por última vez. El reloj de la torre dio las nueve y media. El viento de la mañana refrescaba nuestras caras quemadas y le alborotaba el pelo.

Entonces, estiró la mano y me acarició la cabeza.

—Nunca olvides que eres un Hutton. Nunca olvides que eres mi hijo.

Endo-san hizo una nueva reverencia y alzó la espada. Reconocí la postura. *Happo.* Ambas manos hacia el hombro derecho, los pies asentados firmemente en el suelo y la espada en dirección al cielo como la voz más pura. Las consignas de la muchedumbre se aceleraron y descubrí con asombro que mis labios seguían la cadencia de nuestro apellido.

Me obligué a mirar. Me dije a mí mismo que no me giraría, que estaría con mi padre hasta el final. Endo-san tomó aire y dio su espadazo. La multitud enmudeció. Arriba, en el cielo, aunque no los veíamos, un escuadrón de Halifax hacía su ronda diaria.

Endo-san dispuso que mi padre fuese enterrado en los jardines de Istana, junto a la piedra conmemorativa de William, y que no fuese expuesto públicamente como Hiroshi y Fujihara habían querido. Días después de su muerte, me sacaron de Fort Cornwallis, débil y medio cegado por la luz que se reflejaba en las paredes, la divina luz de Penang que tanto adoraba. No había comido nada y el agua que Endo-san me había dejado a diario se había estancado mientras yo permanecía acurrucado en un rincón. No hablé con él durante sus visitas y dejé sus preguntas sin contestar.

Me liberaron y me pusieron bajo arresto domiciliario, lo que significaba que estaba confinado en Istana y que Endo-san me custodiaba.

—¿Ha ordenado Hiroshi mi liberación?

—Hiroshi-san se está muriendo. Yo he dado la orden.

De camino a Istana, bajé la ventanilla del coche y, por primera vez en días, respiré aire puro y verdadero. Todavía era incapaz de asimilar nada de las sucesivas capas de acontecimientos que se apilaban unas encima de otras.

Había dormido mal en mi celda, perseguido por sueños y recuerdos vívidos. En ese momento, mientras conducíamos por la sinuosa carretera de la costa, sentí que el mar, mi viejo amigo, aliviaba mis heridas. ¿Cuántas veces había hecho aquel viaje con mi padre? Él solía ser fuente de información siempre curiosa: «Ese es el árbol cuya rama cayó en el coche del regidor residente rompiéndole las muñecas»; «Aquella casa de allí tiene un pasadizo secreto subterráneo que llega hasta la playa»; «Aquel puesto sirve el mejor *assam laksa* que el dinero puede comprar».

Todo lo que sabía de mi hogar lo había aprendido de mi padre.

Y ya nunca más volvería a verlo.

Endo-san me puso las manos en los hombros y me dio la vuelta. Traté de no estremecerme, pero se dio cuenta de mi expresión rápidamente disimulada y me soltó. Salí al balcón de mi habitación; las baldosas aún despedían el calor acumulado de todo el día y daban una agradable sensación a mis pies. El mar iba tiñéndose de rojo a medida que el sol se ponía, y su isla permanecía inocente, encendida por la luz como un tiesto de barro metido en un horno. La sobrevolaban bandadas de pájaros llegados desde los confines del cielo. Unos milanos bramánicos flotaban en el aire calentado. Reacios a volver a casa, planeaban incansables como criaturas míticas que no necesitaban tocar tierra ni una sola vez en sus vidas.

—Gracias por preparar el funeral —le dije a Endo-san en tono formal y le hice una reverencia.

En mi mente seguía viendo aquellos milanos en el cielo y los envidié.

Él sacó un sobre del interior de su *yukata*.

—Tu padre pidió material de escritura la última vez que lo visité.

Recibí el sobre con ambas manos. Él continuó:

—Por supuesto, sigues bajo arresto domiciliario. No puedes abandonar Istana sin mi autorización. Tu espada está a mi cargo. No se te permite llevarla. Por favor, asegúrate de obedecer estas órdenes. Me resultaría difícil interceder por ti otra vez.

Me rodeó con sus brazos una vez más y me dio un fuerte abrazo. Luego, me dejó en el balcón, solo, con la única compañía de las primeras estrellas que salpicaban el cielo de la noche.

Momentos después apareció en la playa, caminando rígidamente, dejando manchas en la arena detrás de él. Empujó su bote hasta el agua, saltó al interior y remó hasta su casa.

Abrí el sobre y leí la temblorosa letra y las firmes palabras.

Prisión de Fort Cornwallis
Penang
31 de julio de 1945

Querido hijo mío:

Hay muchas cosas que se han quedado por decir entre nosotros y ahora el tiempo ha decretado que nunca tendremos la posibilidad de expresarlas.

Al principio me afligió tu relación con el señor Endo y con los japoneses. Son gente cruel, quizá no más crueles que los ingleses o los chinos, podrían argüir algunos, pero yo nunca llegaré a comprenderlos del todo, ni a ellos ni su innecesario salvajismo. Mi dolor por tu cercanía con el señor Endo se atenuó de alguna forma por la influencia que ha tenido sobre ti: aprende de él, pues tiene mucho que enseñar, pero toma tus propias decisiones. No dejes que tus ataduras con el pasado (o el miedo al futuro) dirijan el curso de tu vida porque, por muchas vidas que tengamos por delante para redimir y reparar nuestros errores, creo que tenemos el deber, otorgado por Dios, de vivir esta vida lo mejor que podamos.

Sé desde hace algún tiempo de tus actividades humanitarias, el padre de tu amigo me informaba con regularidad del bien que habías hecho mientras trabajabas para el señor Endo. Así que, el día de mi muerte, podré caminar con la cabeza bien alta, seguro al saber que ninguno de mis hijos (ninguno) eligió nunca el camino más fácil; que lucharon por mantener vivas y candentes la cordura, la razón y la compasión en estos trágicos tiempos.

El señor Endo y yo hemos hablado largo y tendido durante estos últimos días. Creo que, al final, he logrado hacerme una idea de quién y qué es y era, y siento que puedo confiarle mi vida. ¡Tenemos creencias tan diferentes! Sin embargo, después de haber pasado toda mi vida aquí, en el Este, veo que hay más que una pizca de verdad en la suya.

He hecho un pacto con él. Me ha informado de que solo le es posible indultar a uno de nosotros, porque, al parecer, tú asestaste un durísimo golpe a los japoneses. Estoy al tanto de tus repetidas solicitudes de verme, pero le he pedido al señor Endo que no te lo permita, por miedo a que descubras mi intención final.

Bueno, el tiempo corre. Ya se oye a la muchedumbre fuera. Sé que, con el tiempo, ellos también conocerán el alcance de nuestro sacrificio y perdonarán nuestros vínculos con los japoneses. Nunca me he arrepentido de quedarme para defender nuestro hogar. Hemos hecho lo correcto y sé que la Historia nos juzgará con justicia y amabilidad.

Hijo mío, llórame si sientes que tienes que hacerlo, pero no por mucho tiempo. Temo por ti y por las cargas que tu deber te ha impuesto. En los últimos instantes de mi vida deseo creer de todo corazón, y a pesar de mi fe cristiana, que todos viviremos de nuevo una y otra vez, para así poder gozar de la bendición, quizá en una vida futura al otro lado de una nueva mañana, de volver a encontrarme contigo y decirte lo mucho que te quiero.

Con todo su amor,

TU PADRE

Oí claramente su voz, tan llena del amor que había sentido por mí, por sus hijos. Me apoyé contra la barandilla del balcón y toda mi fuerza se apagó tan rápido como la llama de una vela. El vacío de mi interior se expandió; un escalofrío me recorrió de la cabeza a los pies, apreté los puños con fuerza y, finalmente, me rendí a llorar su muerte.

Capítulo diecisiete

Tuve que esperar unos cuantos días después de nuestra cena en el restaurante para que Michiko recuperase las fuerzas y me mostrara dónde había escondido mi padre su colección de *keris*. Ahora pasaba los días enteros en mi casa y yo adapté mi horario, reduciendo las horas de trabajo, para dedicarle más tiempo.

—Fue muy cruel por mi parte enseñarte la espada de Endo-san. No sabía que la había utilizado para ejecutar a tu padre —dijo una noche, después de contarle el episodio de la muerte de Noel. Ambos estábamos de un humor sombrío. Llevaba mucho tiempo sin pensar en ello y, sin embargo, cada detalle permanecía nítido en mi memoria.

—No volví a verla después de aquello. Nunca supe lo que había hecho con ella. Tenerla en mis manos de nuevo, después de todo este tiempo, me produjo una gran conmoción. Quería que te fueras de inmediato.

—¿Y qué te hizo cambiar de idea? —me preguntó.

Tardé un rato en encontrar una respuesta que tuviese sentido.

—Sentí que sin duda existiría una razón que explicara tu presencia aquí. Y mandarte de vuelta a casa me pareció una grave falta de respeto hacia la memoria de Endo-san.

También quería preguntarle algo más y supe que ahora nos conocíamos lo suficientemente bien como para hacerlo.

—Las maletas con las que llegaste, ¿son lo único que te ha quedado?

—Sí. He arreglado todos mis asuntos. La compañía de mi marido está en buenas manos.

—Debe de haberte resultado difícil dejarlo todo atrás.

Estaba pensando en el momento en que llegase para mi la hora de hacer lo mismo. Había estado organizando los preparativos necesarios para recortar los flecos innecesarios de mi vida, pero vacilaba y no me sentía preparado para dar el paso final.

—Era necesario —contestó—. Envejecer consiste principalmente en eso. Uno empieza a regalar artículos y pertenencias hasta que solo le quedan los recuerdos. Al final, ¿qué más necesitamos?

Analicé sus palabras con detenimiento y la respuesta llegó lenta pero sin evasivas.

—Alguien con quien compartir esos recuerdos —dije, finalmente, sorprendiéndome a mí mismo.

En realidad, nunca había tomado la decisión de no hablar de mis actividades durante la ocupación japonesa. El estancamiento de mis recuerdos y mis reservas a la hora de expresarlos habían ocurrido de forma natural; se habían coagulado con el transcurso de los años en una combinación de culpa, pérdida, sensación de fracaso y la certeza de que nadie podría entender jamás por lo que había pasado.

Y, en ese momento, me di cuenta de que el corolario de aquel estado de cosas era la pérdida total de mi capacidad de confiar, la piedra angular del aikido. Cuando entrenaba como alumno en Tokio, insistía siempre que podía en hacer de *nage*, el que recibe el ataque y el que controla el resultado. Esto contravenía el protocolo de cualquier *dojo*, que requiere desempeñar a partes iguales los dos roles opuestos. Me hizo impopular entre mis compañeros, aunque yo consideraba que mi preferencia era únicamente la extensión de una fuerte personalidad, algo de lo que me enorgullecía. Cuando me convertí en instructor, nunca cedí el puesto de *nage* a nadie y nunca más volví a ser el *uke*, el que era proyectado, el rol con el que una vez me había deleitado volando.

Este conocimiento, como toda revelación grande y valiosa relativa a la condición humana, era agridulce y llegaba demasiado tarde.

—Aprecio lo que estás haciendo. Sé que no es fácil para ti —dijo Michiko, y su tono amable penetró en mis pensamientos como el paso de un pájaro en vuelo raso por la superficie de un estanque.

Hice un gesto con la mano para restar importancia al asunto.

—También hizo falta un enorme valor y una gran fortaleza por tu parte para venir hasta aquí. Me alegro de que lo hicieras.

—Tardé mucho tiempo en decidirme. Llegar y perturbar la tranquilidad de tu vida no fue un acto impulsivo. —Me pidió que la ayudase a ponerse en pie—. Mañana por la mañana te mostraré dónde escondió tu padre las espadas.

Me estaba esperando cuando terminé mi sesión de ejercicios matutinos, con la cara bajo la protección de su sombrero panamá, portando una espada en la mano. Le había pedido que entrenase conmigo a diario y, al principio, así lo hizo, pero cuando sus fuerzas empezaron a flaquear, prefirió dedicarse a pasear por la playa y observar la llegada de cada nuevo día.

Me condujo hasta el río donde habíamos contemplado las luciérnagas, utilizando la espada como bastón. Aunque las nubes tapaban el sol y caminábamos bajo las sombras de los árboles, cuyas ramas pendían sobre nosotros, era una mañana calurosa. El aire no refrescó hasta que nos acercamos al río. Ella se detuvo a la altura del frangipani que mi madre había plantado.

—Cava por aquí —dijo.

—¿Cómo puedes estar tan segura?

Albergaba mis dudas, pero estaba dispuesto a complacerla.

—Todas las pistas se encontraban en lo que me has estado contando.

Cavé hondo en la tierra que rodeaba el árbol, con cuidado de no dañar las raíces. Cuando llevaba poco más de un metro de profundidad, golpeé algo que sonó metálico. Dejé la pala y escarbé con mis propias manos hasta que, finalmente, extraje de las garras de la tierra una caja oxidada.

Pesaba bastante y necesité toda mi fuerza para abrir la tapa haciendo palanca. En el interior, envueltas con capas de hule, estaban las ocho *keris* de la colección de mi padre. Todas en buenas condiciones, salvo por una fina capa de óxido en las hojas. Saqué la *keris* que Noel le había comprado al sultán depuesto y la expuse a un rayo de sol. Los diamantes de la empuñadura reflejaron la luz fragmentada en los árboles y fue como si hubiese luciérnagas revoloteando entre ellos, compitiendo con el resplandor del día. Uno de estos reflejos bailó en la mejilla de Michiko.

—Ahora entiendo el interés de tu padre por ellas —dijo—. Son magníficas. ¿Qué vas a hacer con ellas?

Negué la cabeza.

—No lo sé.

Volví a tapar el hoyo con la ayuda de la pala. Cuando terminé, tenía los brazos doloridos. No sentamos a la orilla del río, con la caja colocada entre los dos. De repente me sobrevino una inexplicable tristeza y ella la notó.

La llegada de Michiko con la catana de Endo-san, que tanto tiempo había dado por perdida, el descubrimiento de las *keris* de mi padre, todo aquello no hacía más que subrayar el hecho ineludible de que nunca había tenido ninguna posibilidad de dirigir mi vida. Todo había sido planeado mucho antes de mi nacimiento. Las esperanzas que mi madre había depositado en mí, en la elección de mi nombre abandonado, no se habían cumplido.

Le conté a Michiko todo esto.

—Si eso es cierto, entonces eres un hombre afortunado —me dijo.

Se percató de que no la había comprendido e intentó aclararlo.

—Ser consciente de que existe un poder más grande que dirige nuestros destinos debe de proporcionar un gran consuelo. Saber que no vagamos por ahí en vano como ratones en un laberinto daría sentido a nuestras vidas. Me aliviaría saber que todo esto —se dio unas palmaditas en el pecho—, mi enfermedad, mi dolor, mi pérdida y, sí, el hecho de haberte conocido, tiene una razón de ser.

Entonces, notó mi expresión reticente.

—Nunca me he sentido afortunado —dije—. Debe de haber libre albedrío para elegir. ¿Conoces el poema sobre los dos caminos y el que no se toma?

—Sí. Siempre me ha hecho gracia, porque, para empezar, ¿quién creó los dos caminos?

Era una pregunta que nunca me había planteado.

Capítulo dieciocho

Una vez, Endo-san me dijo: «Toda lucha gira en torno a la interacción de unas fuerzas», y aquellas palabras, como estaba empezando a descubrir, también podían aplicarse a las guerras. La balanza se había desequilibrado y las tropas aliadas, cansadas pero pertinaces, iban avanzando a ritmo constante contra los japoneses. Los Halifax nos visitaban ahora a diario, alternando las bombas con los panfletos que nos contaban las victorias de los aliados. Nos enteramos de lo de los pilotos kamikaze, los guerreros del viento divino, pero ni ellos fueron capaces de detenerlos.

Aunque estaba aislado en Istana, de vez en cuanto me llegaban noticias. Podía saber cómo iba la guerra por las caras de los criados.

Entré en la cocina y hablé con Ah Jin, la cocinera.

—Ve al centro y tráeme unas cuantas latas de pintura del mercado negro —dije pasándole una cesta de billetes banana, y le expliqué los colores que quería.

Volvió unas horas más tarde.

—*Aiyah*, señor, la gente del centro volver loca, todo el mundo gastar, gastar, gastar. Cincuenta mil dólares japoneses por una barra de pan duro.

Me alargó seis latas de pintura pero le dije que las dejase en el rellano debajo de las escaleras del ático, junto con algunas brochas.

—Todo el mundo se está deshaciendo de los billetes banana —dije—. ¿Sabes lo que eso significa?

Ella miró por la ventana de la cocina hacia donde Endo-san, que se había mudado a Istana, permanecía de pie barriendo los cielos y la costa con unos prismáticos.

—*Ya-lah*, van a echar a los *jipunakui* muy pronto —dijo.

Fui al estudio y volví con más billetes banana.

—Toma esto y repártelo con los demás. Gastáoslo todo, tan rápido como podáis.

Ella sonrió de oreja a oreja y se fue a la cocina, donde pronto oí su voz llena de excitación llamando al resto de los sirvientes.

Aquella mañana temprano, salí de mi habitación y comprobé que Endo-san seguía durmiendo. Subí las seis latas de pintura al ático, anduve con cuidado por entre el mobiliario que no utilizábamos y los baúles de piel arrugada, muchos de los cuales aún conservaban las etiquetas de la travesía del P&O y eran tan grandes como para albergarme en su interior tumbado. Mis pisadas solo levantaban polvo silencioso. Abrí una pequeña ventana y trepé hasta ella para alcanzar el alféizar. Soplaba un viento suave y el sol parecía indeciso sobre si salir o no.

Subí a gatas por las empinadas tejas de arcilla del tejado. Mi miedo a las alturas había desaparecido. Había aprendido que existían otras cosas más importantes a las que temer. Abrí una de las latas y mojé la brocha.

Tuve que hacer muchos viajes y, cada vez que subía, la escalada me dejaba sin aliento. Cuando el sol apareció en el cielo, comencé a sudar. Para cuando terminé, había partido dieciocho tejas con mi peso. Pero al fin estaba de vuelta en el alféizar, satisfecho del resultado de mis esfuerzos.

En el tejado inclinado, de cara al mar, en la dirección de donde venían casi siempre los aviones, una Union Jack, bastante rudimentaria, con sus líneas rojas, azules y blancas desiguales, brillaba dando la bienvenida al sol naciente.

Ahora no tenía gran cosa que hacer. No podía dejar Istana, así que pasaba los días en la playa, mirando el mar. Una espeluznante sensación de anticipación planeaba en el aire como un fantasma hambriento y, aunque la gente diría más tarde que fue producto de mi imaginación, siempre estuve seguro de lo que vi aquel día.

La luz en el cielo del este vibró, intensificada, como si la mecha de una lámpara de aceite se hubiese encendido de repente. Ardió con el brillo terrible de una luminosidad pura y emitió pulsaciones en rojo, violeta y tonalidades que nunca antes había visto. En la isla de Endo-san, los pájaros en los árboles salieron en desbandada con un estrepitoso batir de alas, presas del pánico. Una frialdad entumecedora se extendió desde el mismo centro de mi ser; tuve que dar una boqueada, pues no había respirado durante aquellos segundos. Siguió un silencio tan opresivo que detuvo el mundo, e incluso las olas del mar parecieron hacer un alto en su camino hacia la orilla.

El momento se prolongó y después pasó, dejándome en silencio. El mundo sonaba diferente, menos seguro de sí mismo.

Las noticias del bombardeo de Hiroshima nos llegaron aquella misma noche. Estaba seguro de que los criados tenían una radio escondida en casa, pues el humor en Istana cambió sutilmente y los talantes sombríos de las semanas anteriores se iluminaron de manera perceptible.

Esperé a Endo-san en el césped y nos bebimos su té amargo mientras me contaba el alcance de la destrucción de aquella ciudad. Su casa a las afueras de Hiroshima había desaparecido.

—Es como si mi familia nunca hubiese existido, como si *yo* nunca hubiese existido. Estás hablando con un fantasma. Ahora, ya no hay pasado, ya no quedan vínculos vivos.

Lo habían borrado de los libros de historia.

Intenté imaginarme un Penang arrasado, con sus calles y edificios convertidos en arena, la arena fundida en cristal, luego disuelta más aún por el calor y, finalmente, esparcida por el viento terrible, un viento que no era divino, mientras un aire tóxico me mataba cada vez que respiraba.

—Nosotros tenemos nuestro viento divino y ahora los americanos tienen el suyo —dijo.

La guerra acabó ese día y ambos lo sabíamos.

Esta vez fui yo el que se dirigió hacia él, yo el que lo abrazó cuando lloró. Qué extraño consuelo era sentir sus lágrimas. Se las sequé delicadamente con el pulgar, pero seguían cayendo. La pena de toda una vida salió desbordada aquel día. Me lamí el pulgar y probé sus lágrimas, y no me sorprendió en absoluto descubrir que no me resultaban extrañas. Las había probado antes, mucho, mucho tiempo atrás.

Endo-san aceptó el posterior bombardeo de Nagasaki sin emoción alguna. Sabía que le costaba mucho dormir. Lo veía a menudo en el balcón, mirando hacia su hogar como un marinero anhelante. No tuve que preguntarle qué lo apesadumbraba y le impedía descansar.

El emperador de Japón, aquel niño que se acuclillaba sobre una poza de la marea cerca de las tierras del padre de Endo-san y que pescaba ejemplares para su colección de biología marina, se rindió tres días después.

Sostuve el rollo de papel en mis manos y lo desenrollé. Hacía poco tiempo que lo habían escrito y se notaba el olor a tinta. Lo enviaba Fujihara, y mi primer impulso fue romperlo en mil pedazos y quemarlo. Sin embargo, dejé que uno de los extremos se enrollase del todo hasta llegar al opuesto.

No había tenido noticias suyas desde que dejé Penang para advertir a Kon. No estuvo presente cuando me sentenciaron y no recordaba si asistió a la ejecución de mi padre. Ahora me estaba pidiendo un favor y yo sentí un brillante estallido de rabia. No obstante, abrí de nuevo el rollo e intenté pensar.

Llegué a su casa de Scott Road a la hora requerida. A través de las ventanas abiertas, lo oí tocar una de sus piezas habituales en el piano, el piano Bechstein que me había ordenado requisar. La música estaba llena de horror, repleta de las cosas terribles que me habían obligado a presenciar, y mi impulso fue dar media vuelta y marcharme. Pero sabía que ya no podía hacerlo. Lo llamé desde la veranda.

—Entra —dijo sin dejar de tocar.

Pasé y lo encontré en el salón, vacío de muebles a excepción del piano. A un lado había una estera de junco y dos espadas, una corta y una larga, descansando sobre ella como peces enganchados a un sedal.

Terminó la pieza y su rostro adquirió una expresión serena. Levantó las manos de las teclas y cerró el piano con cuidado.

—Gracias por venir —dijo.

Iba vestido con una túnica de algodón blanco y, cuando se arrodilló en la estera, le pregunté:

—¿Por qué me has elegido para ayudarte en tu suicidio?

—Quería a alguien que estuviese dispuesto a verme morir. Y tú eres alumno de Endo-san, así que tus habilidades deben de ser formidables.

Me acerqué a él y cogí las dos espadas. Él utilizaría la más corta para clavársela en el abdomen y luego abrírselo mientras yo me colocaba detrás de él con la espada larga, preparado para concluir el ritual si él flaqueaba o cambiaba de opinión.

Me sonrió.

—Ahora tienes la oportunidad de apaciguar los espíritus de tu hermana y de tu tía.

Extendió la palma de la mano para que le diera la espada corta.

Yo sostuve ambas y le dije:

—No voy a ayudarte. Fuera hay un grupo de hombres de las sociedades antijaponesas. Ellos se asegurarán de que todos y cada uno de los espíritus a los que has hecho sufrir se apacigüen.

Retrocedió, atónito, reparando en los individuos que ahora aparecían a mi espalda.

—Has perdido la guerra, Fujihara. Y, lo que es peor, has perdido tu humanidad. No dejaré que tu muerte sea honorable. —Coloqué las espadas encima del piano y le dije al líder del grupo—: Haced lo que queráis con él.

Los hombres se dispusieron a atar a Fujihara y supe, por sus caras adustas pero complacidas, que sufriría mucho y durante mucho tiempo.

Me detuve en la entrada antes de marcharme… Había algo más.

—Quemad el piano cuando hayáis terminado —les pedí.

Fue entonces cuando supe que nunca volvería a escuchar la música de Bach.

Las oficinas del consulado eran una locura. Solo podía sentir lástima al ver al personal correr de acá para allá destruyendo cartas, documentos y toda prueba incriminatoria que encontraban. Endo-san permanecía al margen de todo aquello.

—¿Qué estás haciendo ahí parado? Ayúdanos a quemar estos papeles —le espetó Hiroshi.

—Lo que nos condenará no serán los papeles, sino los recuerdos de los hombres, Hiroshi-san. Y esos nunca podrás destruirlos —le respondió Endo-san.

Hiroshi, con la cara sin vida por la enfermedad, tosió y se sentó.

—Esto no es más que una pérdida de tiempo, ¿no es así? ¿Es esto en lo que nos hemos convertido, en una nación de destructores de papeles?

Entonces se levantó y se apoyó pesadamente sobre el escritorio. Abrió la cajonera.

—Hiroshi-san, todavía tienes un deber que cumplir. Todos lo tenemos —le recordó Endo-san.

Pero Hiroshi lo ignoró y se puso el arma en la sien. Los empleados dejaron lo que tenían entre manos. A una mecanógrafa se le cayó un fajo de documentos, que se dispersaron, revistiendo el suelo de baldosas de misteriosos diseños.

Yo me di la vuelta y no vi lo que pasó, pero el disparo restalló dentro de mi cráneo y el inesperado olor a sangre y a muerte espesó el aire de la habitación.

Aquella noche, muchos miembros del personal siguieron el ejemplo de Hiroshi. El resto esperó a entregarse a los británicos.

—No sigas a Hiroshi —le pedí a Endo-san—. No lo hagas, por favor.

En sus ojos pude ver que deseaba hacerlo, pero su fuerte sentido del deber, la necesidad de completar su tarea entregando la administración de Penang de nuevo a los británicos, lo frenaba. No obstante, una vez que eso estuviese hecho, ¿qué pasaría? ¿Qué?

Una vez más fui requerido por mis capacidades cuando llegó la hora de devolver Penang a los británicos. Las calles se engalanaron con todo tipo de restos de decoración que la gente había encontrado, y las banderolas pendían de las farolas y de las señales de tráfico. Todo lo relacionado con la ocupación japonesa fue eliminado y se quemó en piras que chamuscaron las calles y resplandecieron en el aire como espíritus que se marchaban. Las tropas británicas volvieron a Georgetown y fueron recibidas con gritos de alegría y afecto.

Me encontraba en la puerta de la antigua casa del regidor residente cuando un pequeño convoy del ejército formado por tres camiones y lo que más tarde supe que era un *jeep*, se acercó retumbando por el camino de acceso. Un oficial de cara roja y nariz aguileña saltó del vehículo y me miró con recelo.

—¿Quién demonios eres tú? —me preguntó.

No respondí, me limité a conducirlo hasta Endo-san. Cuando salimos a la veranda, oí los portones de los camiones y el crujido de las botas en la gravilla. Me giré y vi cómo una compañía de soldados británicos, bayoneta en ristre, se desplegaba por los flancos de los camiones y formaba filas en el césped. Aquellos no se parecían en absoluto a los hombres que habían abandonado Penang cuatro años antes. Llevaban uniformes nuevos e impolutos de color oliva adaptados para la jungla y sombreros de ala ancha coronados por plumas rojas y blancas. Había algo más que los diferenciaba, y no era solo que parecieran en forma, saludables, y que exhibieran la sonrisa del triunfo en los labios. Entonces, lo descubrí: la mayoría de ellos eran más jóvenes que yo. De repente sentí la pérdida de aquellos cuatro años con más intensidad que nunca.

—Teniente coronel Milburn. Cuarto Batallón. Real Cuerpo de Fusileros de Northumberland —dijo el oficial, presentándose—. Estamos aquí para asegurarnos de que no mata al resto de prisioneros a su cargo. El general Erskine desembarcará en el puerto de Penang dentro de dos días. Entonces, se rendirá formalmente ante él. Mientras tanto, un soldado montará guardia para asegurarse de que no escapa.

—No tenemos intención de hacerlo —dijo Endo-san en inglés—. ¿Le apetece una taza de té?

El día anunciado esperamos en el puerto. Observé a la gente que se agolpaba a nuestro alrededor y cuyas caras estaban marchitas por la guerra. Unas cuantas me sonrieron. Sentí una inmensa alegría y deseé que mi padre hubiera estado presente.

El general Arthur Erskine pisó la plataforma de madera que había construido el ejército para reemplazar el embarcadero destruido. Escruté su cuerpo bien alimentado, su pelo y su piel sanos, y me pregunté qué pensaría hacer con aquel grupo de japoneses esqueléticos que habían invadido una colonia británica.

Endo-san se le acercó y, utilizándome como intérprete para la mejor comprensión de los demás japoneses, dijo:

—En nombre del emperador de Japón, yo, Hayato Endo, me entrego a mí mismo, a mi gente y a la isla de Penang. Y también, por el presente acto, libero a un prisionero de Japón, el señor Philip Hutton.

Estaba traduciendo sus palabras cuando vi a Goro salir a empellones de entre la muchedumbre de japoneses. Se dirigió hacia nosotros en calma mientras Endo-san se inclinaba para firmar el documento de rendición. Lo vi levantar su arma y apuntar con ella a Endo-san.

—Nos has traído la desgracia al rendirte —dijo, y sus pequeños ojos se entrecerraron de rabia, hasta casi desaparecer en su cara.

Cuando Goro disparó, yo salté sobre él y vi cómo los tiros perforaban el suelo, levantando pequeñas nubes de polvo. Uno de los disparos impactó en el muslo de Endo-san, que soltó un gruñido de dolor. Me abalancé sobre Goro y le retorcí el brazo, pero él fue más rápido. Dejó caer el arma y se sacó un cuchillo de la bota. Se me acercó y lo empleó para propinarme rápidas cuchilladas. Yo sentí una ligera punzada en el estómago. Me había rajado la camisa y mi piel sangraba por una delicada línea.

El general Erskine echó a un lado a los que se habían agrupado a su alrededor para protegerlo.

—Por favor, diga a sus hombres que no disparen —dije levantando una mano.

Goro asestó la siguiente puñalada antes de que pudiera terminar la frase, pero yo estaba preparado: dejé que la hoja entrara en mi círculo y, utilizando las manos en un movimiento de corte, le golpeé en los nervios laterales de la muñeca. La mano se le entumeció y el cuchillo cayó como una ramilla podrida de un árbol. Lo alejé de una patada y agarré a Goro por la muñeca, listo para rompérsela con una llave *kote-gaeshi*. Él empezó a lanzar patadas laterales y una de ellas me impactó en la cadera. Apreté los dientes y mitigué el dolor. Mis manos ascendieron por sus brazos como una serpiente tras su presa en una rama, y le di un tirón del codo, acercándolo para patearle la cara con la rodilla.

Consiguió liberarse y comenzó a dar puñetazos, alcanzándome dos veces. La tierra giró durante unos preciosos segundos y me tambaleé como un borracho. Sabía que no podía permitir que volviera a tocarme, pero era implacable. A nuestro alrededor se levantó una polvareda, pues arrastrábamos los pies, cambiábamos de postura, de sitio, buscábamos el equilibrio y nos movíamos sin parar. Por el rabillo del ojo vi que Endo-san cerraba los suyos y supe que estaba intentando comunicarse conmigo.

Dejé de moverme en el acto y me coloqué en el punto donde el mar toca el cielo. Me convertí en el centro. Me abrí. Goro vio la oportunidad y me lanzó un puñetazo, duro e imparable, al pecho, que con toda seguridad me habría reventado el corazón. Pero él no iba a tener ocasión de saberlo.

Cuando Goro emprendió el movimiento yo ya le estaba entrando por el costado. Le di un palmetazo con la mano en la cara que le rompió la nariz. Trastabilló hasta caer de rodillas y yo le rodeé el cuello con los brazos, cortándole el flujo del aire. Me poseyó una furia deliberada, que me aguzó los sentidos, por lo que pude detectar cada latido frenético de su pulso en el cuello. Quería apretar aún más, estrangularlo hasta que no pudiera entrar en él ni un solo átomo de oxígeno. Aumenté la presión de la llave: su cuerpo empezó a quebrarse en espasmos agónicos y los brazos se sacudieron salvaje e impotentemente a su espalda.

Oí la voz de mi abuelo decir, como la última vez que lo vi: «No permitas que el odio controle tu vida», pero el arranque de ira fue tan fuerte como las traicioneras corrientes del mar que me arrastraban a las profundidades. Seguí añadiendo presión a la llave. Fue entonces cuando decidí que Goro iba a morir.

En ese momento, Endo-san habló, y su voz me devolvió a la orilla.

—Déjalo.

Solté a Goro, que se dobló como un trapo en el suelo, moviendo los ojos como loco mientras el aire entraba a raudales en el vacío de sus pulmones. A mí me costaba respirar, me temblaba todo el cuerpo y tenía la vista nublada. Sentí que Endo-san me ponía las manos en los hombros y el mundo inconexo volvió a enfocarse.

Estaba sangrando, pero, durante un fugaz momento, su sonrisa le hizo parecer joven de nuevo.

—Has tardado demasiado —dijo.

—Procuraré ser más rápido la próxima vez —contesté y, durante aquellos instantes, volvimos a ser simplemente un alumno y su *sensei*.

Capítulo diecinueve

Llevaron a Endo-san al Hospital General, donde un médico del ejército le extrajo la bala de la pierna. Durmió profundamente por primera vez desde hacía mucho tiempo, ayudado por generosas dosis de morfina. Yo me sentaba a su lado cada jornada y, para pasar el rato, contemplaba las flores del jardín del hospital desde la ventana. Los días de lluvia, yo me quedaba hipnotizado con las gotas que resbalaban por los cristales.

Una noche, cuando las luces de la colina de Penang estaban empezando a aparecer, el general Erskine vino a visitarnos. Era un hombre bajo y fornido, con el pelo corto y una cara que indicaba que siempre se salía con la suya. Oí el crujido de unas botas y el guardia de la puerta se cuadró y lo saludó.

—Aún no hemos decidido si arrestarte a ti también o no —dijo—. Hemos recibido informes totalmente contradictorios. Algunos dicen que ayudaste en las masacres y otros dicen que salvaste pueblos enteros.

—Cuando lo decidan, aquí estaré. No voy a ir a ningún sitio —dije con voz cansada.

No sabía muy bien qué sentir. Los años que Endo-san y yo habíamos compartido parecían haber sido una vida entera. No podía creer que todo estuviese a punto de acabar.

El general Erskine señaló la figura durmiente de Endo-san.

—¿Quién es él para ti?

—Mi maestro y mi amigo —respondí.

—¿Te enseñó él a luchar como lo hiciste el otro día en el puerto?

—Sí —contesté.

—Un tipo peligroso. Vamos a asegurarnos de que él y todos sus hombres paguen. Se ha creado un tribunal de crímenes de guerra. Se le acusará de criminal de guerra —sentenció.

—Le debo mucho —dije, mirando por la ventana como si no lo hubiese oído, lo cual le molestó.

—Él y los suyos mataron a toda tu familia —dijo. Luego, su voz se volvió calmada, pero no compasiva—. Los detesto con toda mi alma. Mi hermano estaba la cárcel de Changi. Infligían todo tipo de torturas a los prisioneros como juegos para su propio divertimento. Ahora me informan de que tú has trabajado para ellos. ¡Qué vergüenza!

—¿Lo mandará de vuelta a Tokio? —le pregunté.

El general Erskine negó con la cabeza.

—No es tan importante en el esquema general. El tribunal se reunirá aquí.

—¿Quién estará al cargo? ¿Usted?

Asintió lleno de satisfacción. Cuando lo miré a los ojos, supe cuál iba a ser el resultado.

Giré la llave en la puerta y entré en las oficinas de Hutton e Hijos. Los daños ocasionados por los bombardeos no se habían reparado y el personal japonés lo había destrozado todo: sillas rotas, cuadros rajados… Había archivadores volcados y papeles desperdigados por el suelo. Entré en el despacho donde mi padre siempre se había sentado y que ahora era mío. Encontré consuelo en las pequeñas cosas que se había dejado y que no habían robado o destruido: su abrecartas, la corbata de repuesto del Trinity College que guardaba en el cajón o la libreta en la que había garabateado sus ideas. Eliminé todo rastro del administrador japonés y ordené la habitación lo mejor que pude.

El timbre sonó y bajé a abrir la puerta. Había una chica plantada en los escalones, pálida e insegura. Se armó de valor y soltó una retahíla de palabras:

—Busco un empleo. Soy muy trabajadora y sé escribir a máquina… un poco.

—¿Cómo te llamas?

—Adele.

—¿Puedes empezar ahora mismo?

Ella sonrió aliviada cuando tomé mi primera decisión como dueño de la empresa de mi padre.

Corrí la voz y, poco a poco, el personal volvió, trayendo consigo a parientes o amigos que también buscaban trabajo. El tema de mi papel en la guerra nunca salió a relucir abiertamente, pero sabía que la gente de Penang jamás lo olvidaría. Algunos me veían como una persona valiente que había opuesto resistencia a los japoneses tanto como había podido. Para mi sorpresa, descubrí que aquella visión albergaba gran parte de verdad. Otros, por el contrario, sentían desprecio y odio hacia mí, y le contaban a la gente las muertes que había ocasionado. Aquello también llevaba el rotundo sello de la veracidad y nunca lo refuté.

Trabajé hasta la extenuación e hice arriesgados viajes a nuestras plantaciones y minas. Cuando me encontré en el paisaje arenoso y lleno de cráteres de las minas de estaño a las afueras de Ipoh, me di cuenta de que por el momento no podía abordar la recuperación completa del negocio. Se avecinaba otra tormenta. Y ocurrió que, cuando los terroristas comunistas empezaron su guerra de guerrillas contra el gobierno británico, nosotros nos vimos afectados, si bien no demasiado. Teníamos lo suficiente como para mantenernos a flote, pero no tanto como para no sufrir grandes pérdidas cada vez que los comunistas atacaban nuestras minas y nuestras plantaciones de caucho. Recordé cuando Kon me advirtió sobre ellos: aunque durante la guerra habían sido aliados de los británicos, al final buscarían la muerte de cada inglés que hubiese en Malaya. También resultaba irónico que los terroristas adoptasen ahora el término «perro lacayo» para referirse a los vecinos autóctonos que se negaban a ayudarlos y que elegían prestar su apoyo a los británicos.

Echaba de menos a Kon. Una noche fui a su casa después del trabajo. Llamé a la puerta pero nadie acudió a abrir. Entonces trepé por el muro exterior y me senté en lo alto para observar desde arriba la casa de mi amigo. Estaba vacía, no se veía ninguna luz encendida, y los grandes faroles estaban apagados, aun habiendo llegado ya el crepúsculo. Towkay Yeap había desaparecido. Me quedé sentado en la alta tapia hasta que las luces de la calle se encendieron y proyectaron mi sombra en el jardín descuidado, en las orquídeas de un blanco puro de Towkay Yeap. Eché una última ojeada, bajé de un salto a la calle y me fui a casa.

Había visitado a Endo-san de manera regular durante las últimas semanas. Aún permanecía bajo arresto en el Hospital General, aunque la pierna estaba sanando bien. Seguía conservando una gran dignidad. A veces hablábamos mientras lo paseaba en silla de ruedas por los jardines y otras nos quedábamos sentados en silencio, observando el movimiento del mundo, escuchando las palabras tácitas que intercambiábamos y encontrando consuelo en ellas.

Una noche dijo:

—Una vez te prometí que te lo contaría todo, por qué he hecho todas esas cosas.

Yo me llevé los dedos a los labios y le hice saber que no había necesidad de hacerlo.

—Ahora comprendo por qué tuviste que trabajar para tu país —apunté—. Lo hiciste por tu padre y por tu familia. Porque los querías.

—Como has hecho tú —dijo.

—Eso no lo hace más fácil.

—No, es cierto. Pero aun así, debe intentarse.

—Sí. No hay otra forma. Nunca la ha habido.

—¿Sigues practicando?

—No —contesté.

—No debes ser perezoso.

—Estoy esperando para volver a entrenar contigo.

—Entonces, mejor que mantengas tu nivel y no me hagas perder el tiempo.

Me pidió que empujara su silla de ruedas hasta una arboleda de hibiscos.

—Es bueno estar fuera, a pesar de este tiempo —dijo—. Nunca soportaría el confinamiento entre cuatro paredes. Lo entiendes, ¿verdad?

Le puse la mano en el hombro. Pareció pasar una eternidad antes de que volviese a hablar.

—Sí, lo entiendo —dije por fin, secándome una gota de lluvia del ojo.

—Bien. Entonces, cada día, mientras estemos aquí fuera, continuarás con tus lecciones. Practica tus ejercicios de juegos de pies y muéstrame hasta dónde ha llegado tu deterioro.

El día del juicio de Endo-san, me vestí como siguiendo un ritual y sentí la quietud de la casa cuando me marché. Conduje despacio bajo el frío amanecer, disfrutando del ligero perfume a rocío en los árboles que crecían a lo largo de Tanjung Bungah Road. Aparqué detrás de Hutton e Hijos, caminé hasta la Explanada y allí me senté en el rompeolas de piedra con las piernas colgando sobre las rocas y el mar. Había palomas gruesas y grises andando de acá para allá, picoteando en busca de comida. Algunas se me acercaban y, cuando las espantaba con las manos, se iban dando saltos con un estrepitoso batir de alas, como ofendidas por mi grosería.

Poco antes de que el reloj diese la hora, fui caminando hasta el palacio de justicia. Aunque el Tribunal de Crímenes de Guerra estaba presidido por militares, el general Erskine había decidido celebrar la audiencia en el edificio del Tribunal Supremo, seguramente para dar al acto cierto aire de ecuanimidad.

La muchedumbre ya se había congregado y enmudeció cuando pasé por su lado. Desde el primer día de la audiencia, el ujier me reservó, por una módica cifra, un asiento en las primeras filas. Allí me senté, consciente de los ojos que tenía clavados en mí. No me cabía la menor duda de que encontrarían culpable a Endo-san, pues no faltaban testigos; incluso mi propio testimonio fue tergiversado y yo mismo quedé como otro criminal de guerra.

La gente de la tribuna estaba sedienta de sangre y abuchearon a Endo-san cuando lo trajeron. A las nueve y cuarto aparecieron los miembros del tribunal, encabezados por el general Erskine, y los espectadores guardaron silencio.

Solo vi la nuca de Endo-san cuando el general leyó la sentencia. Hallado culpable de la masacre de civiles y soldados durante el curso de la guerra, y fue sentenciado a cadena perpetua. Nunca volvería a ver Japón.

El gentío prorrumpió en aplausos y ovaciones, gritando y pateando el suelo mientras conducían fuera a Endo-san. Nuestros ojos se encontraron y yo asentí. La multitud se olvidó de mí en cuanto abandonó el edificio. Me quedé solo hasta que el ujier me informó, mediante discretos susurros, de que, sintiéndolo mucho, se veía obligado a cerrar la sala.

Tres días después, encontré al general Erskine esperándome en Istana, sentado en mi silla de mimbre en el patio, con la mandíbula apretada de rabia. Por el rabillo del ojo me di cuenta de que sus hombres estaban recorriendo los jardines y la casa.

—¿Qué están haciendo en mi casa? —le pregunté.

—¿Dónde está el señor Endo?

—Supongo que ya no sigue bajo su custodia, si me está preguntando eso —dije.

—Escapó cuando lo llevábamos del hospital a la cárcel. Dejó inconscientes a cinco de mis guardias. Parece probable que haya acudido a ti para que le proporciones cobijo.

—No, no ha acudido a mí.

—¿Dónde se quedó durante la guerra?

—En el consulado japonés —dije, seguro de que ignoraba la existencia de la isla de Endo-san.

Entonces, sacó una foto arrugada de su cartera y me la enseñó. Era una instantánea aérea de Istana y allí, destacada y visible en el tejado, estaban las franjas de la Union Jack que yo había pintado.

—Cuando he visto esto hoy en tu tejado, no daba crédito a mis ojos. La sacó un piloto que llevaba uno de los Halifax. Se ha hecho de oro vendiéndosela a cada soldado británico que se encuentra en el Este. Dicen que les recuerda por qué han estado luchando. Seguramente, evitó que bombardearan tu casa. —El general meneó la cabeza asombrado—. A veces me extraño de las cosas maravillosas que pueden surgir de una guerra como esta.

—Sí, se han visto cosas extrañas —dije con la mente puesta en Endo-san.

—¿La pintaste tú? —me preguntó el general Erskine.

Yo volví mi atención a él y asentí.

—Debe de haber sido muy peligroso trepar hasta allí. ¿Qué te impulsó a ello?

Pensé por un momento en aquellos días de la guerra.

—Fue un tributo a mi padre.

Al decirlo, sentí que, en algún lugar, mi padre lo había oído y me estaba sonriendo.

Capítulo veinte

Michiko empeoraba día tras día y, aunque intentaba ocultármelo, yo lo sabía. Una noche, mientras la casa permanecía sumida en el silencio, la oí quejarse cuando creyó que estaba dormido. Al sentarme en la cama, me vino el recuerdo de los tiempos en que mi madre sufría postrada en la suya y supe lo que tenía que hacer. Esta vez no huiría para esconderme.

Fui a la habitación de Michiko y me senté junto a su cama. Esa noche no dormiríamos más.

—¿Dónde estabas cuando cayó la bomba? —le pregunté, tomando su mano en la mía. Estaba fría, húmeda y rígida de dolor. La acaricié suavemente mientras hablaba.

—Lo suficientemente lejos como para no morir en el acto. Pero ahora creo que no lo suficiente —dijo y me dejó que la ayudase a incorporarse y a recostarse contra el cabecero—. Creí que me había librado de lo peor, pero mis médicos me dijeron que habían visto casos como el mío. El cuerpo solo muestra los daños cuando quiere, incluso años más tarde. Al menos, esa fue su conclusión, pues no pudieron encontrar otra razón.

—¿Y tu familia?

Ella cerró los ojos y se limpió la boca con un pañuelo de seda.

—Los perdí a todos. A mis hermanos y hermanas, a mi padre y a mi madre. La familia de Endo-san y todo el que se quedó en Toriijima murió.

—Lo siento.

—Yo también. No amaba a Tanaka-san, y aun así utilicé sus sentimientos por mí y le pedí que siguiese a Endo-san hasta aquí. Y ahora tú me dices que yo provoqué su muerte.

—Habría muerto como soldado en la guerra o cuando destruyeron tu pueblo —dije.

Pero ella negó con la cabeza.

—Fui una egoísta.

Le alcancé las pastillas que seguía tomando por puro hábito, aunque hacía mucho tiempo que habían dejado de surtir efecto.

—Culpé a Endo-san por acceder a trabajar para el gobierno a cambio de la libertad de su padre. Después de la guerra, esperé a que regresara a casa. Pero nunca lo hizo y nadie supo jamás qué suerte corrió. Sin embargo, yo nunca dejé de pensar en él.

Hizo una mueca de dolor.

—Solo cumplía con su deber —dije, agarrándole la mano con más fuerza—. Intentó aportar un poco de armonía a los elementos conflictivos de su vida.

No podía soportar verla sufrir y sentí un miedo egoísta de no terminar mi relato. Había esperado mucho tiempo para que todo aflorase: la culpa, los remordimientos y la oscuridad que habían llenado mis días durante lo que me había parecido una eternidad. No había nadie más a quien pudiese hablar sobre los errores de mi vida, y haberla encontrado, haber encontrado a alguien que había conocido e incluso amado a Endo-san, fue algo que nunca me habría atrevido a pedir o a soñar siquiera.

—No me queda mucho tiempo —dijo.

—Cuando amanezca, iremos a la isla de Endo-san —le propuse para darle algo en lo que concentrarse, algo que la entusiasmara. Mi reserva inicial a enseñarle la isla de Endo-san se había esfumado, ahora que había llegado a conocerla mejor. Sería cruel no llevarla allí.

—Sí —dijo—. Tengo muchas ganas de verla. —Tosió y luego añadió—: ¿Puedo vivir allí hasta que…?

—Por supuesto —le aseguré rápidamente, sin dejarla terminar lo que estaba intentando decir.

—¿Vamos a ir en tu pequeña barca? —preguntó—. Me gustaría mucho.

Yo meneé la cabeza y le conté lo que le había pasado a mi barca, la que tantas veces me había llevado hasta la isla de Endo-san. La madera se había podrido, y se caía a pedazos y le entraba agua por un punto irreparable. La última vez que la usé, la saqué al mar al amanecer. Remé hasta una posición frente a la isla de Endo-san y esperé en ella mientras se llenaba lentamente de agua, acariciando sus laterales desconchados y su madera agrietada, hablándole en voz baja. El mar entró con respeto, poco a poco, y sentí que el agua me subía por los pies, me llegaba luego a las espinillas y más tarde a las rodillas. Permanecí todo el tiempo contemplando la luz de un nuevo día tocar los árboles de la isla, hasta que vino una ola fuerte y me quedé flotando en la superficie. Contuve la respiración y vi cómo el bote de mi infancia se hundía sin hacer ruido y levantaba silenciosas nubes de arena cuando tocó el lecho marino. Como la casuarina solitaria, tenía los mismos años que yo y nunca me arrepentí de no haberle puesto nombre. Había sido mi barca y eso era suficiente.

No había mucho que empaquetar. Había dejado toda su ropa en las maletas y Maria me ayudó a llevarlas. Agarré del brazo a Michiko para bajar con cuidado los escalones hasta el varadero. Iba bien abrigada. Se había formado una tormenta justo antes del amanecer y el aire seguía estando frío. Nos habíamos sentado a mirar los relámpagos desde su habitación, preguntándonos qué traería el nuevo día.

El viaje hasta la isla de Endo-san, que tantas veces y con tanta facilidad había hecho en mi juventud, ahora me costó horrores.

—Parece muy lejos —comentó ella, haciéndose sombra en los ojos con la mano.

—Pronto estaremos allí. Estos viejos huesos míos están haciendo que el trayecto parezca largo, eso es todo.

—Me alegro de haber venido y me alegro de haberte conocido. Gracias por lo de anoche.

Gruñí al sentir el escozor de las gotas de sudor en los ojos. Ella alargó la mano y me las secó con el filo de la manga. Pasamos las rocas que una vez tanto se me habían asemejado a una fila de dientes podridos, pero que más tarde encontré hermosas, como las antiguas marcas que advertían a la gente de que se mantuviese alejada del lugar que custodiaban.

Arrastré el bote por encima de la línea de flotación y la ayudé a bajar. Sus ojos se fueron de inmediato a los puntos de referencia que yo le había descrito.

—¡Esta es la roca donde escribiste tu nombre! —exclamó, recorriendo las incisiones con los dedos—. Es real —susurró con voz maravillada—. Todo es real.

La conduje al bosque de bambú. Los jardineros de Istana habían cumplido con sus deberes semanales y el lugar estaba exuberante y en perfecto estado de conservación. Llegamos a la casa y ella dejó escapar un débil grito.

—Es exactamente igual a la casita de invitados de la finca de su padre —dijo. Entonces, se paró para asimilarlo—. La has cuidado bien.

La ayudé a entrar. Lo había dejado todo casi como entonces. Reemplacé los viejos y raídos tatamis, pero el dibujo a tinta del Daruma, el monje sin párpados, colgaba en la misma hornacina donde estuvo mientras Endo-san vivió.

Encontré un futón en un armario y lo desenrollé para que Michiko se tendiese en él. Su respiración había empeorado e intenté no mostrar mi preocupación.

—¿Estás bien? —preguntó.

—Tengo miedo —dije. Hacía tanto tiempo que no había sentido una emoción tan intensa que me paré a considerarla, a *sentirla*—. Me asusta contarte el resto de lo ocurrido. Quiero hacerlo y necesito hacerlo, pero tengo mucho miedo.

Ella percibió mi desconcierto y la tierna compasión de su rostro me hizo creer lo que dijo a continuación.

—No estoy aquí para juzgarte. No estoy aquí para condenarte ni para perdonarte. No tengo derecho a eso. Nadie lo tiene.

Aquel fue su turno para cogerme la mano.

—Estoy aquí porque una vez amé a un hombre y nunca dejé de hacerlo, eso es todo.

Me apretó la mano más fuerte y una sonrisa afloró en su cara. Entonces supe que no tenía nada que temer. Solo ella, de entre toda la gente del mundo, lo comprendería.

—Cuéntame —dijo.

Capítulo veintiuno

El monzón volvió como un invitado de la familia al que algunos toleraban, otros odiaban y uno o dos querían, y la brillante luz del sol de nuestros días se convirtió de nuevo en un recuerdo nublado cuando una flotilla de nubes de tormenta arribó y echó anclas en el cielo.

Cada día corría por la playa antes del amanecer, atravesando la llovizna de la mañana, siempre con los cinco sentidos puestos en la isla, que veía de refilón. Una vez vi un pequeño sampán que se dirigía hacia ella y el corazón se me aceleró. Pero cuando atravesó el velo de la lluvia, comprobé que solo se trataba de un pescador que se enfrentaba a la mar picada con su cormorán posado en la proa. Me hizo un gesto con la mano y yo le devolví el saludo, deseándole una buena captura.

Había pasado menos de una semana desde la visita del general Erskine y todavía no habían encontrado a Endo-san. No estaba excesivamente preocupado: Endo-san era capaz de cuidarse solo y, probablemente, habría encontrado un lugar seguro donde esconderse. Lo esperaría, por mucho que tardase.

—¿Puedo hablar con el señor de la casa?

Di un pequeño respingo. Ya estaba anocheciendo y caía una fina lluvia. Estaba sentado en la terraza bajo una sombrilla, con una carta en la mano que me informaba de la muerte de Edward hacía cuatro meses, y contemplaba el cielo, observando las nubes sobrecargadas que intentaban curvar la línea del horizonte. Las palabras, aunque sonaron en voz baja, me sacaron de mis pensamientos de un sobresalto.

Puse la carta en la mesa y, al alzar la vista, vi a Endo-san.

El tiempo —el tiempo travieso, el tiempo cruel, el tiempo indulgente— nos gasta bromas una y otra vez.

—Quisiera pediros prestado un bote —dijo.

Tendió la mano y yo alargué la mía por la mesa, a través del tiempo, y la apreté tanto como pude. Él me dio un tirón hacia sí y me abrazó. Luego, se apartó un poco y se estiró para tocarme la coronilla.

—Has crecido mucho desde el primer día que te vi —dijo—. Parecías muy triste aquel día, sentado aquí, inmóvil, con la mirada puesta en el mar.

—Tenías razón. Ya sabes, cuando me dijiste que tendríamos que soportar cosas terribles —dije—. Hubo veces durante aquellos años en que te odié y te habría matado. Tenía que recordarme mi verdadero camino. Hubo días en que fallé. Le fallé a todo el mundo.

Él no pudo rebatir la verdad de aquellas palabras, así que se limitó a preguntar:

—¿Qué vas a hacer ahora?

Meneé la cabeza.

—No estoy seguro. Supongo que reconstruir la empresa, reconstruir mi vida. —Hice una pausa antes de añadir—: Todo depende de ti.

—Ahora no puedo estar contigo. Aquí es donde nuestros caminos se separan.

—Puedo andar por el mismo camino que tú.

Él negó con la cabeza.

—Eso sería retrasar nuestros destinos. —Se giró hacia mí y me cogió de las manos; sus ojos escrutaron mis dedos, mis palmas—. Ahora debemos lograr la armonía, encontrar un equilibrio, para que la próxima vez que te vea, la arena esté limpia y por estrenar. Entonces podremos caminar sin fin hasta el horizonte de una playa interminable.

Era difícil aceptar su argumento. Sin embargo, no sé cómo, se me reveló tan claro como un pájaro en el cielo.

Las nubes se habían despejado y salimos a pasear por el jardín de las estatuas. En la tumba de mi padre, Endo-san hizo una reverencia y su corazón pronunció unas palabras que oí con total claridad y que resonaron como los ecos de un cañón.

Nos cobijamos bajo la casuarina, el árbol solitario que seguía mirando tan firme hacia la isla de Endo-san. El agua de lluvia nos goteaba encima, portando consigo la esencia de las hojas.

—Tienes la casa más bonita del mundo —dijo.

Me costaba respirar; mi respiración estaba tan agitada como el mar revuelto por el viento.

—¿Estás listo para ir? —me preguntó.

Me agarré al tronco húmedo del árbol como si intentase aferrarme a él, atarme a su inamovible presencia y no tener que dar otro paso. Pero vi el dolor en la expresión de Endo-san y no pude denegarle su deseo.

No tenía que llevarme nada, salvo mi *gi* blanco y mi *hakama* negro, ambos regalos suyos. Volví a cruzar las aguas remando. Él estaba sentado frente a mí, de cara a su isla, y no cambió la expresión de su rostro mientras la barca navegaba por la confluencia de corrientes que discurrían invisibles bajo nosotros. También sentí la confluencia del tiempo. Los remos vibraban como si cantaran a cada brazada. Vi, desde una gran altura, nuestra pequeña embarcación y a dos figuras en ella que sabía que éramos nosotros. Parecíamos muy pequeños y que el bote bordaba la tela del mar como una aguja, dejando tras de sí un blanco hilo largo y suelto. Y vi la isla verde en la inmensidad del mar, cuyos límites se rizaban con un revestimiento de luz parecido al de un vasto trozo de papel de arroz cuyos bordes cobran vida con verdugones de brasas rojas cuando está a punto de ser consumido por las llamas.

Desde el cielo volví a caer en mí mismo en la barca. Sentía la espuma cada vez que las olas se erguían como manos que nos empujaban hacia atrás. Él seguía mirando al mar, con los ojos abiertos pero sin ver.

El silencio nos envolvió desde los extremos del cielo; el viento se convirtió en un recuerdo y el oleaje persistente se fundió en una llanura. Pero yo continué remando; la resaca disminuía a medida que nos acercábamos a la isla. No dejábamos estela ni se abrían ondas en forma de sedosas uves con el avance de la barca. La confluencia del tiempo cambió y se entrelazó, uniéndose y divergiendo, pero sin separarse. Sabía que Endo-san y yo éramos en parte responsables de aquel desgarro físico.

Entonces oí una ola romper contra la arena en el silencio inmenso y sagrado, y el tiempo se reanudó. Habíamos pasado la línea de rocas dentadas y ahora las olas nos empujaban delicadamente hacia la orilla. La barca se deslizó por la arena produciendo un ruido áspero, como si un cuchillo cortase un jabón de sastre. Salté y la arrastré más arriba. Endo-san bajó a la suave arena.

Enfilamos el caminito de guijarros que rodeaba serpenteando el pequeño bosque de bambú. Los pájaros cantaban en el coro de las hojas. Entonces, se detuvo.

—Escucha eso —dijo en voz baja—. ¡Cómo los he echado de menos!

Quería preguntarle qué había pasado en la barca, aquel inexplicable silencio, y cómo lo había logrado. Él levantó los dedos y me detuvo antes de que pudiese decir una sola palabra.

—No lo sé —dijo—. Acepta que hay cosas en este mundo que no tienen explicación y comprenderás la vida. Esa es su ironía. Y también su belleza.

Nos aproximamos a su casa y volví a admirar su sencilla elegancia. Endo-san me comentó una vez que había sido construida como un movimiento de *aikijutsu*, y no comprendí lo que había querido decir hasta ese momento.. Unos cimientos fuertes, eficaces, llenos de poesía, en total armonía con el mundo.

Corrimos la puerta y el olor a cerrado y la humedad se revelaron desde el interior. Una fina capa de polvo lo cubría todo. Me sentí aliviado porque el general Erskine y sus hombres no hubiesen descubierto el sitio. Endo-san se dirigió a la hornacina, se arrodilló y se inclinó ante ella. Abrió las manos en una súplica reverencial y, con cuidado, levantó mi espada Nagamitsu de su soporte. Era la única arma que había allí y me pregunté qué habría hecho con la suya.

Abrió la catana un ápice y creí oír un suspiro, la exhalación de un aliento procedente de ella. Incluso en la penumbra de la casa, pareció capturar un destello de la luz del sol del exterior y proyectarla en la habitación, iluminándola con desgana. Él la envainó y la colocó en la esterilla delante de mí.

Nos pusimos nuestros *gi* de algodón y nuestros *hakama* negros y pasamos por el ritual de atarnos las cintas a la cintura, en el que cada vuelta, cada lazada, pliegue y nudo significaban los movimientos del universo. La pieza posterior del *hakama* me apretaba en las lumbares y me obligaba a permanecer erguido.

Cogí mi espada, mi espada Nagamitsu, hermana de la de Endo-san, fabricada por el mismo espadero. Tenía un peso reconfortante. Abrí una ranura, como Endo-san había hecho. Ahora había un punto de luz en la penumbra de la habitación, la única estrella en un universo de oscuridad. Volví a meter la espada en su vaina y entró sin emitir sonido alguno.

Salimos al recinto arenoso, escenario habitual de mis lecciones físicas, las lecciones que tanto me habían dado, pero que tanto más habían exigido como recompensa. Cuando mis pies desnudos tocaron la arena fría y húmeda, el recuerdo de aquellos días pasados me envolvió y la enormidad del deber que tenía ante mí me golpeó como un puñetazo.

—No puedo hacerlo —dije.

Él se enfadó.

—¡No seas niño! ¡Dejaste de serlo el día en que te convertiste en mi alumno! —Se le escapó un suspiro, cansado y lleno de desesperación—. Si no consigues completar lo que es necesario, tendremos que pasar de nuevo por todo el dolor y el sufrimiento. Me habrás fallado.

Se arrodilló en la arena y, por primera vez desde que lo conocía, pareció derrotado.

Yo sostuve la espada en la mano y me quedé allí plantado durante un buen rato. Recordé el día en el saliente, allá en la colina de Penang, y tuve que aceptar que en eso tenía toda la razón. Tuve que extender mi confianza en él un poco más, hasta otra vida.

Entré en la casa y salí con una toalla. Me arrodillé ante él y le limpié la cara con cuidado; él permaneció sentado, volviendo su rostro de un lado a otro para facilitarme la tarea. El sol había encontrado un hueco entre las nubes y la arena resplandecía, blanca como los huesos de un ángel.

Cogió un puñado de arena, lo alzó y dejó que la brisa se lo llevase.

—*Shirasu* —susurró, como dándole voz a la estela de arena que escapaba.

Cuando hube terminado, alargó la mano y me tocó la cara.

—Tengo tantas cosas que contarte… —empecé a decir, pero él me hizo callar.

—¿Crees que aún necesitamos palabras, después de todo este tiempo? —me preguntó.

Negué con la cabeza. Él me atrajo hasta sí y me dio un fuerte abrazo. Entonces, me besó en la mejilla, mientras me acariciaba la cabeza con la mano. Quería capturar cada elemento suyo, cada fragancia, cada sensación. Y lo intenté, pero me resultó muy difícil. Saturé mis pulmones con su olor e intenté encerrarlo allí. Abrí cada nervio de mi ser para sentirlo, para imprimir las sensaciones por siempre en mi interior. Pero, por supuesto, fue inútil.

Me apartó con delicadeza mientras yo me resistía a separarme de él.

—Déjame ir —dijo—. Déjame ir.

Sabía que tenía razón, así que lo solté. Cogí mi espada y me coloqué en la postura *happo*. Él cerró los ojos y le dijo al viento:

> «Amigos que parten para siempre,
> Gansos salvajes perdidos entre las nubes».

Mis manos dejaron de temblar y sentí que él me calmaba, que me guiaba. Me embargó la emoción más clara y pura que jamás había experimentado. Una luz dorada cantó en mi interior y la sentí hasta la punta de la espada. Cerré los ojos y absorbí la belleza del momento. Cuando los abrí, vi su amable sonrisa y nuestras miradas se encontraron por última vez.

Endo-san tenía razón. Al final nosotros, compañeros de viaje a través del continente del tiempo, a través del paisaje de la memoria, no necesitábamos palabras.

Capítulo veintidós

Había puesto punto y final a esta historia mía. Me levanté con dificultad. Me dolía todo: el cuerpo, los huesos y el corazón.

—No le fallaste —dijo Michiko. Las lágrimas le vidriaban las mejillas.

No pude encontrar respuesta a eso. Cuando limpié mi espada, la envainé y me arrodillé junto a su cuerpo, sentí la certeza de no haber decepcionado a Endo-san. Después de todo, había estado a la altura de las circunstancias, como me había pedido, como me había enseñado. No obstante, a medida que los años pasaron, un sentimiento de fracaso fue corroyendo gradualmente aquella sensación de certeza.

—¿Harás lo mismo por mí? —me preguntó cuando vio que no hablaba.

No había previsto aquello y me aparté de su lado, fingiendo limpiar mi taza vacía con un trapo.

—No, no lo haré.

Ella se sorprendió.

—¿Por qué?

De repente, me enfadé con ella por haberme puesto en aquella encrucijada.

—¿Mi relato de la vida de Endo-san no te ha dado ninguna pista?

—Me ha demostrado que estás dispuesto a cumplir el último deber por un amigo, por alguien que te profesa el mayor de los afectos.

Negué con la cabeza.

—Nunca volveré a hacer lo que se me pidió. No pasa un día en que no me arrepienta de mis actos de un modo u otro.

—No tienes elección. Todo se decidió hace mucho tiempo. Acéptalo. Endo-san lo hizo. Y tu abuelo también.

—Pues yo no puedo aceptarlo. Es demasiado fácil. Todos tenemos el poder de elegir. Hice una serie de elecciones erróneas y todas culminaron aquí, en esta isla, con Endo-san arrodillado ante mí.

—Tienes dos sendas por las que transitar, y fueron creadas antes de que pusieras un pie en ellas. ¿No dice el dios cristiano: «No hay otro como yo. Yo anuncio desde el principio lo que viene después y desde el comienzo lo que aún no ha sucedido»?

—Nunca lo he oído —admití.

—Isaías, capítulo 46, versículo 10 —respondió, rápida y segura—. Continúa así: «Mis planes se realizarán y todos mis deseos llevaré a cabo... Tal como lo he dicho, así se cumplirán, como lo he planeado, así lo haré».

Fui hasta un cofre de madera de paulonia tallada y abrí la tapa. Saqué un paquete envuelto en tela y solté las cuerdas que lo ataban. Mi propia espada Nagamitsu reposaba en el interior, cómoda y abrigada, como si hubiese estado durmiendo todo aquel tiempo. Tenía el aspecto de la pieza de incalculable valor que realmente era. La acerqué a Michiko y me arrodillé frente a ella.

—No la he usado desde entonces —dije—. Y, sin embargo, cada día soy consciente de su presencia. Hubo veces en que sentí la horrible necesidad de remar hasta el mar abierto y tirarla a las profundidades.

—¿Y por qué la has conservado entonces?

—Porque tenía miedo —dije, y me callé. Me obligué a continuar—. ¿Y si le olvidaba, y si olvidaba todo lo que había pasado?

Sentí que no me estaba explicando con suficiente claridad y apreté los puños, frustrado.

Ella asintió gentilmente y descubrí que comprendía lo que estaba tratando de decir.

—No olvidarás. Él te hizo el mayor regalo que pudo. Te enseñó todo lo que sabía y eso te ha mantenido fuerte, a salvo e impertérrito toda tu vida. Toda tu vida.

Su voz se reafirmó para enfatizar las palabras.

Acaricié la empuñadura de la espada, absorbiendo lo que me estaba contando.

—¿Recuerdas lo que te dijo la primera vez que te enseñó a hacer un *ukemi*? —continuó—. Dijo que, si él te fallaba, al menos tú estarías en condiciones de protegerte, de caer de forma segura y de levantarte de nuevo.

A pesar de las circunstancias, estaba impresionado por la fortaleza de su memoria. Parecía ser capaz de recordar todo lo que le había contado.

—Ese es su legado. No tu culpa, ni tu dolor, ni tu pena —dijo, y supe que me estaba diciendo la verdad. No lo había visto en todo aquel tiempo, pero ahora mis ojos se abrían de nuevo.

Ella tomó mis manos en las suyas.

—¿No recuerdas lo que le dijiste a tu hermana? La mente olvida, pero el corazón siempre recordará. ¿Y qué es la memoria del corazón sino amor?

Al principio no identifiqué aquella marea de calor húmedo que bullía en mis ojos y que, al mismo tiempo, refrescaba la piel alrededor de ellos. Y cuando descubrí que eran lágrimas, una vida entera de hábito y disciplina me hizo intentar detenerlas, retenerlas al borde de los ojos e impedir que brotaran.

Michiko se percató de mi lucha y estiró ambas manos hasta mi cara. Usando los pulgares, rompió el velo tembloroso de mis lágrimas y yo les di la bienvenida. Al fin habían llegado.

No emití ningún sonido, sino que me quedé allí como una de las estatuas del jardín de Istana, sintiendo la acumulación de la pena manar de mí, acompañada por un torrente de imágenes que podían haber sido recuerdos olvidados o sueños recordados. Noté que me elevaba, sobre el puente de los pies, luego sobre los dedos. Michiko tendió la mano desde el futón donde estaba tumbada y agarró la mía.

Estaba equivocado; la carga se podía aligerar, el peso se podía reducir. Cerré los ojos una vez, durante un largo rato, consciente de que las lágrimas nunca volverían.

Michiko se levantó con cierta dificultad. Había sido —y aún lo era— una mujer de gran belleza, pero la enfermedad le había imprimido su marca. Tan duro había luchado contra ella que ahora podía sentir el cansancio de su batalla.

Sacó la catana de Endo-san y la colocó junto a la mía.

—Siempre deberían permanecer juntas. —Logró esbozar una triste sonrisa—. Es su destino.

Tenía razón. Ahora veía con claridad lo que había estado esperando, la verdadera razón por la que había guardado mi propia espada todos aquellos años. Las puse juntas, casi tocándose: Nube e Iluminación, sombra y luz.

Entonces, colocó la carta de Endo-san, la carta que le había permitido llegar hasta mí, en el tatami.

—No la has leído.

Mis ojos se clavaron en ella durante un buen rato, hasta que el tejido del tatami empezó a moverse como las olas en mi mirada fija. Aparté la vista y dije, por fin:

—Ahora prefiero no hacerlo. Creo que es hora de dejarlo marchar.

Ayudé a Michiko a llegar hasta la puerta, donde se recostó contra el marco. Le señalé la tierra bajo el árbol donde había enterrado a Endo-san.

—No dejé marcas ni lápida. Una vez que me haya ido, nadie sabrá jamás donde yace.

Ella volvió su atención hacia la tumba sin huella y, durante un momento, rápido como una piedrecilla que salta por la suave superficie de un lago antes de hundirse, vi el recuerdo de su amor por Endo-san.

La abracé mientras lloraba. Sentimos la presencia de Endo-san, sentimos que sus brazos nos rodeaban y, por primera vez desde el final de la guerra, hacía medio siglo, supe que, por fin, todos estábamos en paz. Nada podría herirnos ya.

Capítulo veintitrés

Acepté la invitación de la Sociedad Histórica de Penang para asistir a la fiesta por el cincuenta aniversario del fin de la ocupación japonesa que iba a celebrarse en la residencia del gobernador. Desde la independencia, en 1957, una sucesión de personas designadas, malayas y chinas, habían ocupado el puesto. Los días de los británicos solo siguen vivos en entrañables recuerdos.

Unos días antes del evento, la secretaria de la sociedad me llamó y me preguntó si podría donar un recuerdo de la guerra, y yo respondí que trataría de complacerla.

Informé a Adele y al personal de Hutton e Hijos de que había encontrado un comprador adecuado para la compañía de mi familia y que sus puestos estarían asegurados, como una de las condiciones expresas de los términos de la venta. Ronald Cross, que ahora dirigía Empire Trading y que había sucedido a Henry Cross tras regresar de Australia después de la guerra, estaba deseando expandir el negocio familiar para sus nietos. Estaba seguro de que Ronald, que había vivido en Penang toda su vida, honraría la memoria de los Hutton que habían permanecido ligados al sueño de mi bisabuelo.

Después de mi anuncio, Adele entró en mi oficina y me abrazó.

—Voy a echarle muchísimo de menos —dijo.

—Deberías jubilarte —le aconsejé. No era mucho más joven que yo, recordé.

—¿Y hacer qué? ¿Sentarme en casa y cuidar de mis nietos?

Se estremeció solo de pensarlo y me reí.

—Finalizar la venta llevará unos meses. Yo seguiré en Penang, ya lo sabes. Nunca me marcharé —le aseguré—. Puedes venir a verme a Istana siempre que quieras.

Se apartó de mí.

—En todos estos años, esta es la primera vez que me ha invitado a su casa.

—Debería haberlo hecho hace mucho tiempo —admití.

Todo el que había combatido en la guerra, aquellos que todavía vivían, vinieron a la fiesta aniversario. Era una reunión extraña, compuesta, en su mayoría, de gente muy mayor que se reencontraba con sus amigos, conscientes de que podría ser la última vez. Y así, cuando hablaban afectuosamente de las gracias y singularidades de sus amigos muertos y de sus amores perdidos, sus voces se alzaban más, la risas eran más sonoras y las lágrimas más pesadas y aun así más alegres que en años anteriores. Paseé alrededor de las urnas de cristal que exhibían la colección de *keris* de mi padre, que había donado a la Sociedad Histórica de Penang en su nombre. También había una muestra de objetos y documentos relacionados con la guerra y llegué a un marco donde una fotografía descolorida llamó mi atención.

Mostraba a un joven europeo (no mucho mayor que un chiquillo, pensé) en una fila de oficiales japoneses de gesto adusto, mirando cómo se izaba la bandera japonesa. Parecía perdido, fuera de lugar entre aquel gentío, pero había una fuerte expresión de determinación en su rostro. Tardé unos segundos en darme cuenta de que aquel joven era yo. Busqué a Endo-san, pero lo habían recortado de la fotografía hacía mucho tiempo.

El presidente de la Sociedad Histórica de Penang, en su discurso, más bien largo y pesado, agradeció al señor Philip Arminius Khoo-Hutton sus esfuerzos por proteger la herencia de Penang y su generosidad al donar un par de armas de incalculable valor. Era la primera vez en mi vida que pedía que se utilizara mi nombre completo y experimenté un momento de asombro, casi me giré para ver de quién estaban hablando, antes de subir al podio y entregar las espadas Nagamitsu al presidente. Apenas llamaban la atención bajo los focos. Los *flashes* se dispararon y, cuando las dejé ir, me despedí en silencio de ellas.

Cuando llegué a casa, no me fui a dormir, sino que me quedé de pie junto a mi casuarina solitaria. Saqué el alfiler de jade de mi abuelo, que había llevado desde el momento en que me lo dio. Lo sentí frío y liviano, acurrucado en los crípticos pliegues de la palma de mi mano, y pensé en mi vida, en todo lo que había ocurrido y en aquellos a los que había conocido.

A la fiesta de aquella noche había asistido mucha gente que todavía me consideraba un aliado de los japoneses en la guerra, tantos como aquellos otros que sabían de las innumerables vidas que había ayudado a salvar. Pero, al final, ¿qué importaba todo eso? Aquellas personas pronto se convertirían, como yo, en cenizas del recuerdo que se elevarían en el cielo y dejarían el mundo.

La adivina, fallecida hacía ya mucho tiempo, me dijo que había nacido con el don de la lluvia. Ahora sé lo que quería decir. Sus palabras no fueron ni una maldición ni una bendición. Como la lluvia, había traído la desgracia a las vidas de muchas personas, aunque, la mayoría de las veces, la lluvia también trae consigo alivio, claridad y renovación. Se lleva nuestro dolor y nos prepara para un nuevo día, incluso para una nueva vida. Ahora que soy viejo, descubro que las lluvias me siguen y me proporcionan consuelo, como los espíritus de toda la gente que alguna vez he conocido y amado.

Cuando oí que usaban mi nombre (mi nombre completo y querido, puesto por mis padres y mi abuelo) por primera vez aquella noche, experimenté un sentimiento de integración y de realización que me había estado esquivando durante toda la vida. Con la delicadeza de una mariposa que entrase en las ensoñaciones del venerable filósofo chino, como si se posara en el más frágil de los pétalos, aquel sentimiento buscó y encontró una morada permanente en mí y acalló para siempre los ecos vacíos de mi corazón soñador.

La noche estaba tan colmada de estrellas y el mar tan oscuro que era incapaz de distinguir el punto en que el océano se juntaba con el cielo. La isla de Endo-san tenía un aspecto de lo más sereno y me esperaba como lo había hecho incluso antes del día de mi nacimiento.

Sabía que había llegado la hora de pasar allí el resto de mis días. Estaba deseándolo.

«Quisiera pediros prestado un bote».

Rememoré el momento en que nos habíamos encontrado en este mundo. No podía culparlo por haber entrado en mi vida. Y no podía culparlo por haber salido de ella, por haberme dejado solo frente a las consecuencias de mis elecciones y de mis actos durante la guerra.

Mi abuelo había intentado mostrarme la verdad de todo aquello cuando me contó la historia del emperador perdido: a pesar de todas las advertencias que recibíamos, nuestras vidas seguían la dirección que ya estaba escrita y nada podía cambiarlo.

Desde la muerte de Michiko, he reflexionado sobre las palabras de mi abuelo y he llegado a la conclusión de que no estaba del todo en lo cierto en cuanto a lo inevitable del destino de una persona. Aunque ahora acepto que el curso de nuestras vidas ha sido trazado mucho antes de nacer, siento que las inscripciones que dictan la dirección de nuestra existencia se limitan a rubricar lo que ya está en nuestros corazones; es lo único que pueden hacer. Y nosotros, Endo-san, Tanaka, Michiko, Kon, yo mismo y todos los miembros perdidos de mi familia, éramos seres capaces, sobre todo, de amar y de recordar. Estas capacidades son el mejor regalo que se nos puede hacer y no podemos más que vivir los deseos evocados y los recuerdos de nuestros corazones.

Y ese es el sentido de la vida, susurro en la noche, con la esperanza de que mi abuelo me haya oído.

Una ráfaga de viento me trae la fragancia del aromático árbol y, mientras encierro con cuidado el alfiler de mi abuelo en el puño, una creciente ligereza eleva mi corazón a un lugar en el que nunca ha estado antes. Sé que este sentimiento ya no me abandonará.

Nota del autor

Todos los personajes que desempeñan un papel activo en esta novela son ficticios y no se asemejan a ninguna persona viva o muerta.

Todo el personal militar y del gobierno descritos en la historia son ficticios, con las excepciones del almirante sir Tom Phillips, el general Yamashita Tomoyuki, el general Arthur Percival y sir Francis Light, fundador de Penang, que se mencionan como parte del contexto histórico.

No obstante, los historiadores enseguida se percatarán de que me he permitido ciertas libertades con los hechos. No hubo, por ejemplo, ninguna ceremonia de rendición de la isla de Penang ante el ejército imperial japonés y el acontecimiento descrito aquí se basa en la rendición de Singapur.

Además, mientras que el emperador Kuang Hsu y la emperatriz viuda Tzu Xsi fueron personajes históricos reales, el «Emperador Olvidado» Wen Zu es de mi completa invención. El movimiento reformista llevado a cabo bajo la dinastía Ching ocurrió solo una vez, en 1898; mi descripción de su recurrencia de forma más débil ocho años más tarde es una mera licencia dramática.

Morihei Ueshiba fue el fundador del aikido Ueshiba-ryu que se conoce hoy día. Sin embargo, quisiera aclarar que las consecuencias del uso de sus técnicas en esta historia no reflejan en absoluto su filosofía.

La Maison Bleu, la mansión de Cheong Fatt Tze, donde se conocieron los padres de Philip, todavía sigue en pie. Aconsejo a todo aquel que visite Penang que vaya a verla y admire el impresionante trabajo de restauración que se ha llevado a cabo.

Agradecimientos

Mi más sincero agradecimiento a mi agente, Jane Gregory, a Mary Sandys y a Broo Doherty por su inquebrantable apoyo y su fe en mí.

También me gustaría dar las gracias a las siguientes personas por su amabilidad, hospitalidad y amistad: el profesor Jan Botha, Louise Botha, el señor Justice Edwin Cameron, Natie y Sonya Ress, Ian Hamilton, Wade van der Merwe, el profesor Dr. A. Archer, Paul van Herreweghe, el profesor John McRae, Ferdi y Elsa van Gass, Coba Diederiks, Dawid Klopper y Teo Bong Kwang.

Desde el punto de vista de la eternidad,
¿será mejor haber leído miles de libros que haber arado un millón de surcos?

W. Somerset Maugham